수능

영포자 1등급 만들기

★★★★★

기자·교수·전문가
적극 추천

평점 1위

최고의 학습서

영포자 수능 1등급 만들기

ㅁ 영포자 1등급 만들기만의 뛰어난 학습 효과

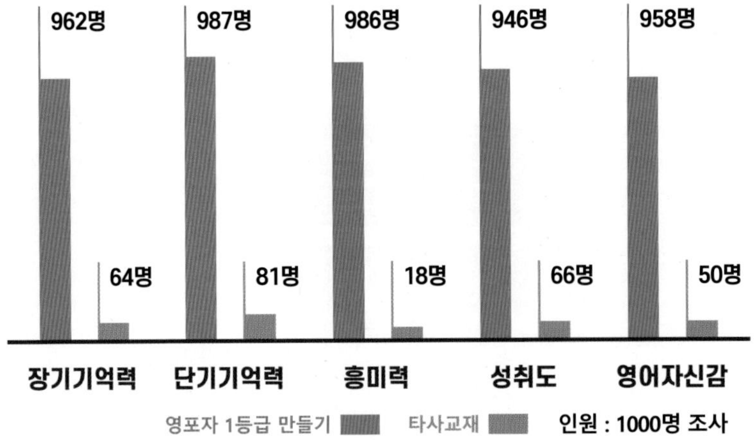

영포자 1등급 만들기 교재를 사용한 집단이 더 오래 기억하고
성취감과 자신감이 10배 가까이 높음이 입증되었습니다.

영포자 1등급만들기 교재는 머릿속에서 어휘 조직을 새롭게 하고
더 큰 의미망을 생성하게 되어 풍부한 어휘력의 생산이 반복되는 결과를 가져옵니다.

ㅁ 영포자 1등급 만들기 수능 영단어 선정 및 중요도 분석

표제어는 수능 출제 빈도순으로 분석·정리 (출제연도 표기)
파생어, 반의어, 유의어, 숙어는 수능 출제율 90% 이상 어휘로 수록 (출제연도 표기)
단어의 뜻은 수능과 모의고사 지문에 사용된 최근 뜻 순서로 기재

- all 영어교과서 +수능 고빈출 어휘 /숙어를 우선 순위 수록
- 수능, 학평, 모평 출제 순위별 수록
- 수능, 모의평가 최근 출제 표기

최고의 학습서

영포자 수능 1등급 만들기

한글 독음 제공

원어민 발음으로 한글독음제공
듣기 실력까지 향상가능!

그림 스펠링 제공

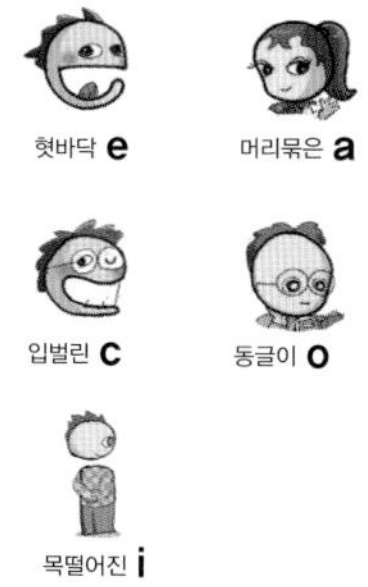

쉽고 빠르게 암기할 수 있는
그림스펠링 제공!

수능 기출문장 제공

urban [ə́ːrbən]
형 도시의, 도회지의
the **urban** environ
도시 환경 07수능
Urban Growth Ma
도시 성장 관리 09수능
□□□ [06 수능기출]

수능에서 실제로 출제된 문장
제공으로 모의고사 수능대비!

수능해결사 숙어와 혼동어휘 제공

□□□ [94.97.98.13 수능기출]
occasional [əkéiʒə
형 가끔의
파 occasion 때, 행사 Occ
숙 on occasion=occasion
a while=now and the
He makes an **occa**
occasional gusts

숙어와 혼동어휘 제공으로
내신과 영어기초실력 향상!

파생어와 기출년도 제공

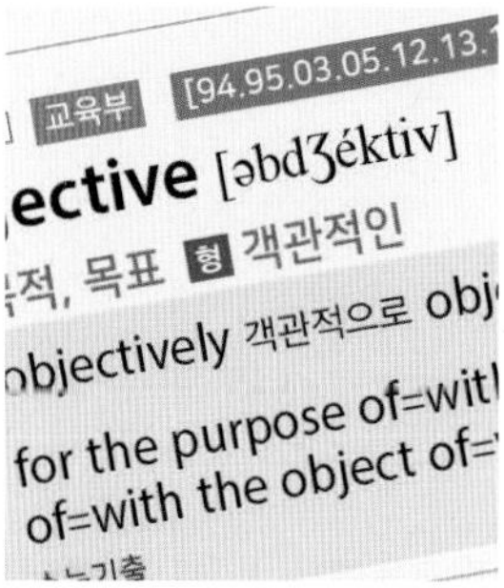
교육부 [94.95.03.05.12.13.
ective [əbdʒéktiv]
적, 목표 형 객관적인
objectively 객관적으로 obj
for the purpose of=wit
of=with the object of=

성공적인 영어 학습을 위한
파생어와 수능 기출연도 제공!

Review Test와 Index 제공

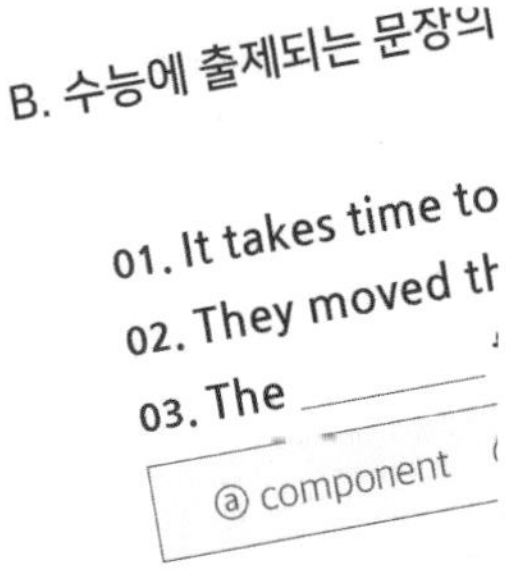
B. 수능에 출제되는 문장의
01. It takes time to
02. They moved th
03. The
ⓐ component

영포자 1등급 만들기 학습자를
위한 Review Test 10회분과
Index 확인 제공!

영포자 1등급 만들기 최고의 공부법

영포자 1등급 만들기 교재로 공부해보세요!
'뇌내마약'이라고 불리는 '베타엔돌핀'이 분비되어 참을성이 강해지고 장시간의 공부에 견딜 수 있는 인내력도 길러집니다. 해마의 기억력을 향상시키고 전두엽을 자극해서 의욕을 불러일으킵니다.
영포자 1등급 만들기 교재로 공부하시면 최고의 효과가 발휘되고 기억력도 좋아집니다.

기억력을 증진시킨다

영포자 1등급 만들기

인내력을 향상시킨다

영포자 1등급 만들기

집중력과 흥미력 up

영포자 1등급 만들기

성취감을 고취시킨다

영포자 1등급 만들기

영포자 1등급 만들기 교재는 영어 교육에서 그림 및 기타 시각 자료의 역할에 대한 풍부하고도 귀중한 지침서이다. 영어 어휘 학습에서 그림 및 시각 자료를 활용한 가장 뛰어난 암기법을 제공한다. - **성균관대 김면 교수**

교사가 영어를 잘 할 수 있게 지도하는 최선의 역할은 올바른 방법으로 아이들 스스로 헤쳐 나가도록 안내하고 좋은 공부방법을 제공하는 것이다. 영포자 1등급 만들기 영단어 책이라면 영어 공부의 즐거움을 깨닫고 그 속에 푹 빠지도록 도울 수 있다. - **교원대 최철 교수**

영포자 1등급 만들기
그림연상법 효과를 증명하는 논문

이미지연상학습법은 우뇌와 좌뇌를 활용하게 하여 학습자들의 사전경험이나 지식을 적극적으로 활용하고 어떤 주제에 대한 개념을 형성시키는 데 유용하다. 이 과정에서 학습자들의 흥미를 유발하여 적극적인 참여를 이끌어 낼 뿐만 아니라 독해를 하면서 읽은 내용을 압축하여 시각적으로 표현하기 때문에 기억효과가 높아진다.

구윤주

2006 마인드맵을 활용한 초등영어 어휘력 향상방안.
공주대학교 교육대학원 석사학위논문.

그림을 활용한 어휘 학습법을 이용하여 **어휘와 문장의 이해력을 높이며 어휘와 이미지를 함께 사용하여 영어의 부담감을 줄이면서 자연스럽게 어휘를 습득할 수 있다고 하였다.**

Brenda

Brenda,S.D.(1994).Vocabulary Retention :
EffectsofUsing Spatial Imaging on Hemispheric-Preference Thinkers)

이미지학습법은 좌뇌 위주의 처리과정을 가지고 있던 언어학습에 **우뇌적 전략인 이미지 학습법을 통하여 좌-우뇌의 효과적인 상호작용을 이루었으며 그 결과 학습 능력 향상이라는 긍정적인 영향을 주었다고 볼 수 있다.** 그림을 보고 학습자로 하여금 독해내용을 추측하게 함으로써 배경지식을 활성화하고 자발적인 학습참여를 유도할 수 있다.

Buzan

Buzan,B.(1999).
Themindmapbook.London:BBC Books.

이미지가 종종 단어보다 더 자극적이고 정확하고 폭넓은 연상반응을 불러일으키며 **창의적 사고나 기억력을 강화**시킨다고 하였다.

박해순

1995 영어 어휘의 의미망을 통한 독해력 신장에 관한 연구.
한국교원대 교육대학원

이미지를 통한 어휘 학습이 읽기 능력을 향상시키며, 특히 상위학생들 보다는 중,하위 학생에게 효과적이었으며 **전통적인 어휘지도법에 대안이 될 수 있다는 시사점을 제공하였다.**

수능

영포자 1등급 만들기

인쇄일 2024년 12월 16일
발행일 2024년 12월 26일

펴낸이 정영상
펴낸곳 기림출판사
주소 경기도 고양시 일산동구 일산로 38 306호 (백석동)
대표전화 031-908-7769
팩스 070-7614-3770
이메일 kirimbooks@naver.com
출판등록 452-88-00946

마케팅 김강석
공급처 031-908-7769

디자인 박지영 외 편집부
교열 빅신영
감수 Hugh MacMahon

ISBN 979-11-962325-0-4

※ 책 내용 중 궁금한 사항이 있으시면 기림출판사
(T. 031-908-7769, E-mail. hugo332@naver.com)로 문의해 주십시오.

수능

영포자 1등급 만들기

저자 최규리 감수 Hugo MacMahon

1등급 완벽대비
수능, 모평, 학평 교과서 분석

수능 적중률

1위

KiRim 우리책 기림출판

저자의 말

잘 선별된 단어를 충분히 알면 문법/독해하는데 자신감이 생긴다.

최근 수능 외국어 영역의 출제 경향을 분석하면 전반적인 어휘 수준이 매우 높아졌고, 이를 활용한 어휘 선택 문제가 출제되고 있음을 알 수 있습니다. 또한 독해 제시문은 높은 수준의 어휘력이 바탕이 되어야 문맥을 비교, 추론해 나갈 수 있어요.

영어 공부의 기본은 어휘를 정확히 아는 것이며, 문장구조를 파악했어도 핵심 어휘의 의미를 모르면 독해를 할 수 없지요. 독해 능력이 저하되는 가장 핵심적인 이유는 문장 구조 파악의 부재나 문법적 요인이 아닌 필요한 수준만큼의 어휘력이 갖춰지지 않았기 때문인 경우가 대부분입니다.

하지만 많은 학생들은 어휘 공부에 싫증을 느끼고 기피하는 경향이 있습니다. 거기다 공부하는 시간은 많지만 투자한 시간만큼 실력이 향상되지 않으면 금방 공부에 흥미를 잃고 지칩니다. 중고등학교 때부터 꾸준히 단어책을 사서 본 학생들은 자신들이 단 한 번도 책 한권을 끝까지 본 적이 없다는 것을 알기에 학습서 선택에 어려움을 느낍니다. 이러한 문제점을 해결한 것이 **〈영포자1등급만들기 수능영단어〉**입니다.

〈영포자1등급만들기 수능영단어〉는 풍부한 지식과 재미있는 그림 알파벳의 결합으로 기억력을 끌어 올리는 최고의 학습법이에요. 힘들게 외우고 쉽게 잊는 순간적인 단순 암기식 공부 방법이 아닌 좌뇌와 우뇌를 동시에 활용해 잊지 않고 저절로 떠오르게 하는 즐거운 암기법을 제시합니다. 게다가 28년 수능 기출 문제를 철저히 분석하고, 영어 교과과정에 수록된 모든 단어를 중요도순으로 정리하여 파생어까지 포함해 4,900여 개의 단어들을 실었어요. 학생들의 이해를 돕고자 현직 원어민 작가가 수능 문장을 정리하고, 본국에서 읽히는 발음으로 각주를 달아 이 책으로 공부하는 내신/모의고사 1등급을 희망하는 학생들의 '본질적인 영어 능력'이 향상될 수 있도록 준비했습니다.

저는 학생들에게 절대 영어를 포기하지 말라고 말합니다. 영어가 어렵다고 포기한다면 앞으로 더욱 힘들어지는 건 눈 앞의 현실이기 때문이지요. 대학에서는 영어로 수업을 하고 회사에서는 영어로 메일을 쓰고 회의합니다. 여행 가서도, 결혼 후 아이를 교육할 때도 이미 온 세상이 영어입니다. 점점 더 그럴 거예요. 지금이 기회입니다. 영어를 마음껏 공부할 수 있는 시간과 환경이 주어진 학생들이야말로 다시 시작하면서 찬찬히 영어 실력을 늘려갈 수 있습니다.

〈영포자1등급만들기 수능영단어〉는 단어 암기에 지쳐 있는 학생들의 길잡이이자 영어 능력 향상에 최석의 안내자가 될 수 있을 거라고 확신합니다.

최규리

집필기

1등급으로 만드는

정성담은 집필기

1. 수능에 출제된 핵심 단어와 문장 수록

28년간 출제된 수능기출어휘를 1순위로 실었고, 최근 5년간 가장 많이 출제된 빈출 어휘를 배치하였으며, 교육과정에서 지정한 고등학교 단어를 엄선, 정리했습니다.

2. 꼼꼼한 수능 기출 파생어 정리와 영포자를 위한 한글발음정리

매 어휘마다 수능 기출 파생어를 정리해 쉽게 단어를 확장할 수 있게 했고 수능 기출 예문과 다양한 형태의 예문을 통해 단어의 쓰임을 바로 이해할 수 있습니다. 각 단어에 수능 기출 핵심어(숙어, 파생어, 유의어, 반의어) 등을 제공합니다. 관련 팁을 실어 혼동되는 단어를 검토할 수 있도록 했으며, 어휘 공부가 쉽고 재미와 집중은 더 할 수 있게 편성했습니다. 시간 단축을 위해 한글 발음을 각주로 달아 학습 도우미 역할을 톡톡히 하도록 했습니다. 외래어 표기법에 따른 현실과 맞지 않는 발음이 아닌 원어민의 발음에 가깝게 독음했기 때문에 실제로 발음하는데 문제가 없습니다.

3. 엄선한 단어를 테마별로 구성

단어를 크게 10개의 챕터로 나눈 뒤 각 5개의 미니 챕터, 49개의 소주제로 분류했습니다. 그래서 연관된 단어들을 체계적이고 효율적으로 기억할 수 있도록 하였으며 필요할 때 마다 원하는 테마의 단어들을 쉽게 찾고 외울 수 있어 효과적으로 어휘를 학습할 수 있게 만들었습니다.

4. 6개의 단어를 1분 안에 넘기는 학습 시스템

영포자1등급만들기 수능영단어는 각 파트별루 목표 점수를 설정해 좀 더 암기를 즐길 수 있도록 동기를 부여합니다. 1분 안에 넘기기, 시간 있으면 꼼꼼히 외우기로 시간을 효율적으로 분배하며 외울 수 있습니다. 또한 단어별로 3개의 체크박스를 표기해 하나하나 체크해 가면서 찬찬히 암기해 나갈 수 있게 만들었습니다. 학생들이 포기하지 않고 끝까지 완독할 수 있도록 친절히 안내하고 있으며 최대의 효과를 얻어낼 수 있도록 구성했습니다.

핵심구성 & 특징

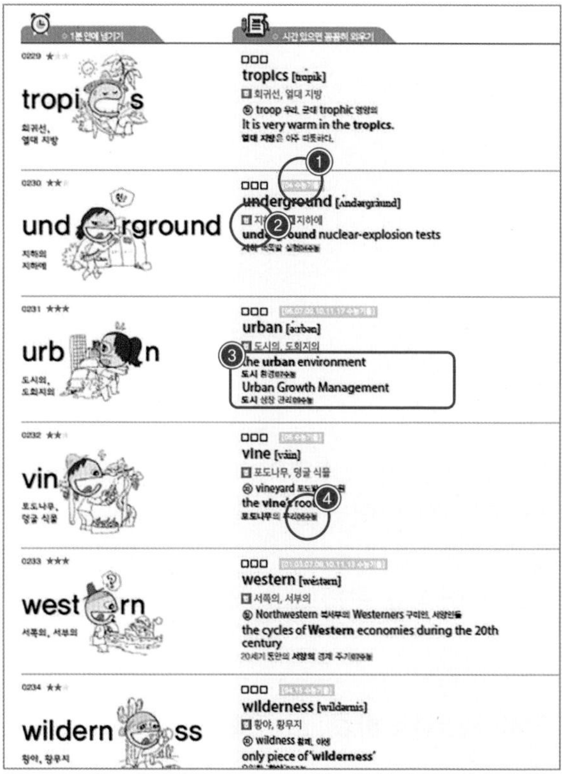

1분 안에 넘기기

시간 있으면 꼼꼼히 외우기

0229 ★

tropi s

회귀선, 열대 지방

tropics [trάpik]

회귀선, 열대 지방

troop 무리, 군대 trophic 영양의

It is very warm in the **tropics**.

열대 지방은 아주 따뜻하다.

0230 ★★

und rground

지하의 지하에

underground [ʌ́ndərgràund]

지하의 지하에

underground nuclear-explosion tests

0231 ★★★

urb n

도시의, 도회지의

urban [ə́ːrbən]

도시의, 도회지의

the **urban** environment

도시 환경

Urban Growth Management

도시 성장 관리

0232 ★★

vin

포도나무, 덩굴 식물

vine [vain]

포도나무, 덩굴 식물

vineyard

the vine's root

0233 ★★★

west rn

서쪽의, 서부의

western [wéstərn]

서쪽의, 서부의

Northwestern 북서부의 Westerners 구미인, 서양인들

the cycles of **Western** economies during the 20th century

20세기 동안의 **서양의** 경제 주기

0234 ★★

wildern ss

황야, 황무지

wilderness [wíldərnis]

황야, 황무지

wildness 황폐, 야생

only piece of '**wilderness**'

① 수능 기출 연도를 표시함으로써 기출 빈도수 높은 어휘를 확인할 수 있습니다.

② 단어가 가지는 여러 의미 중 주로 수능에서 쓰였던 의미를 품사별로 나타내고, 수능기출 파생어, 유의어, 반의어 등을 제시하여 확장된 학습이 가능하도록 했습니다.

③ 수능기출 숙어를 박스로 표시하여 중요성을 강조했습니다.

④ 수능 기출 예문을 요약하여 출제 경향 및 실전 유형을 파악할 수 있습니다.

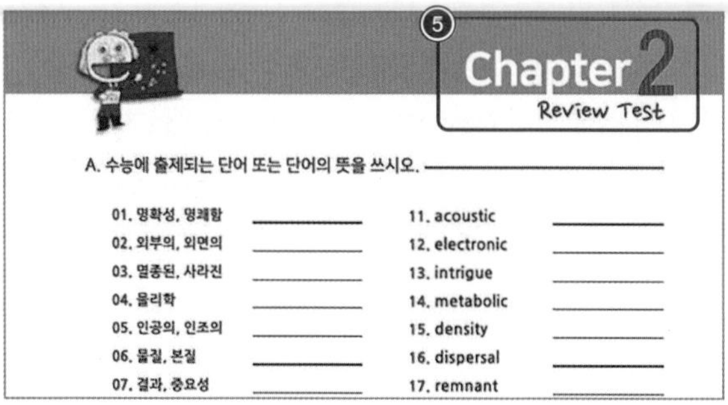

Chapter 2

Review Test

A. 수능에 출제되는 단어 또는 단어의 뜻을 쓰시오.

01. 명확성, 명쾌함	______	11. acoustic	______
02. 외부의, 외면의	______	12. electronic	______
03. 멸종된, 사라진	______	13. intrigue	______
04. 물리학	______	14. metabolic	______
05. 인공의, 인조의	______	15. density	______
06. 물질, 본질	______	16. dispersal	______
07. 결과, 중요성	______	17. remnant	______

⑤ 수능 기출 단어를 Review Test로 제공하여 학업 성취도를 파악할 수 있습니다.

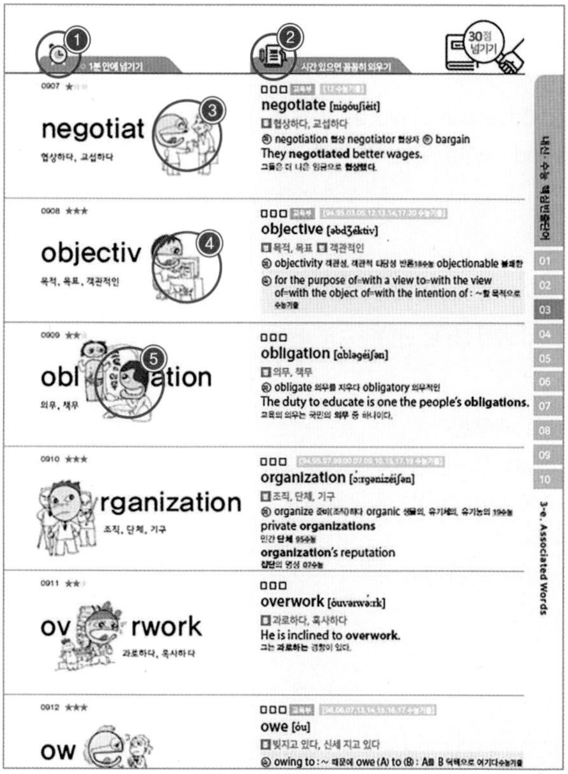

① 처음엔 1분 안에 넘기기 부분을 속도를 내면서 끝까지 읽도록 합니다.

② 1분 안에 넘기기 부분을 **3번 정도** 본 후 시간 있으면 꼼꼼히 외우기 부분을 공부합니다.

③ 입만 옆으로 벌리고 있으면 **스펠링 c**입니다.

④ 혓바닥이 보이면 **스펠링 e**입니다.

⑤ 머리를 한쪽으로 묶은 형태는 **스펠링 a**입니다.

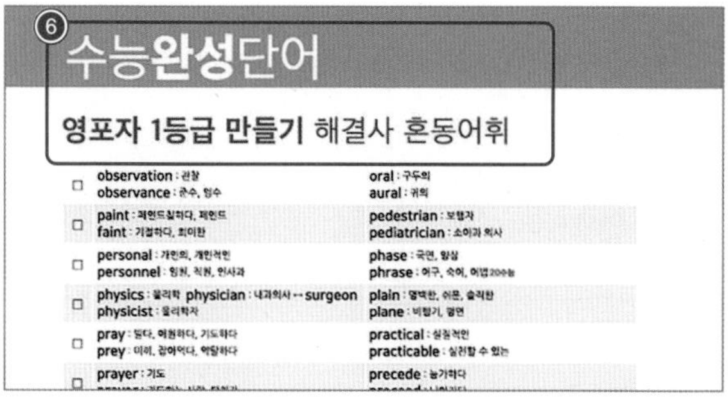

⑥ 혼동되는 어휘, 관련 어휘 등을 비교 및 분석하여 한 눈에 확인하고 익힐 수 있도록 구성했습니다.

Contents

Chapter 1 여행 / Travel

10점 넘기기

Chapter 2 자연과 과학 / Nature and Science

20점 넘기기

Chapter 3 직업과 사회 / Work and Society

30점 넘기기

Chapter 4

40점 넘기기

학교 / School

Chapter 5

50점 넘기기

세계의 뉴스 / World News

Chapter 6

60점 넘기기

건강 / Health

Contents

Chapter 7 감정 / Emotions

70점 넘기기

Chapter 8 사람과 일 다루기 / Dealing with Others

80점 넘기기

Chapter 9 상호작용과 의사소통 / Interaction and Communicating

90점 넘기기

Chapter 10

행위와 존재 / Doing and Being

100점 넘기기

1순위 권장 학습법

1. 날마다 1분 안에 넘기기 부분만 하루에 1챕터를 읽습니다. (약 300개, 30분소요)
2. 정해놓은 분량을 1분 안에 넘기기 부분만 큰 소리로 읽습니다. 바로 읽기 힘들다면 본문 하단의 한글 발음을 참조하시고 그림이해를 위해서는 시간 있으면 꼼꼼히 외우기 부분의 문장 한글해석도 참조하세요.
   1회독 하고 머릿속에 남는게 없다고 실망과 걱정하지 마세요. 자신을 믿고 전체 4-5회독만 만화책처럼 편하게 읽으면 그림단어들이 머릿속에 자리 잡히고 등급도 쉽게 오릅니다.
3. 4번이상 읽었다면 시간 있으면 꼼꼼히 외우기 부분을 읽습니다.
4. Review Test 를 풀어 학업성취도를 파악하면 암기 완료 !

처음 시작할 때 주의할 점

※절대 힘들여 암기하지 마세요.
※한 페이지당 1분 이상 보지 마세요.
※단어, 반드시 정복 할 수 있습니다.

이렇게 공부하면 쉬워요 !

날마다 1쳅터(200개) 1분안에 넘기기부분을
한글독음과 문장내용 참고하면서 다 읽습니다.
책 마지막장까지 일단 다 읽는게 중요합니다.
영포자 1등급
1.
전체 한두 번보고 머릿속에 남는게 없다고
실망하지 마세요. 하지만 뇌는 발동이 걸렸습니다.
자신을 믿으세요.
끙..
2.
다시 전체를 더 읽습니다. 만화책처럼 쭈욱
4-5번 계속 읽습니다. 속도도 빨라지고 자신
감도 생기기 시작합니다. 입안에서 발음이
굴러다닐정도로 읽고, 기억안나는 단어들을
체크하면서 읽으세요.
3.
꼼꼼히 읽기를 읽어나갑니다.
끝까지 2-3번 더 읽습 니다.
줄줄줄...
4.
한두번 더 읽으셔도 되지만 자신감이 많이
생겼기 때문에 기출문제와 독해로 넘어가시고
책 뒤쪽에 있는 단어테스트로 확인해 보세요.
item
xpressway
replies...
영포자 1등급
5.
아 단어 다 외웠다 ~~~
자신감!!
뿌듯..
6.

10점 넘기기

Chapter 01

Travel / 여행

ⓐ Travel Preparations (여행준비)

ⓑ Sightseeing (관광)

ⓒ Activities (활동)

ⓓ Expenses and Other Useful Words (비용과 기타 유용 단어)

ⓔ Destinations and Sights (목적지와 광경)

○ 1분 안에 넘기기

○ 시간 있으면 꼼꼼히 외우기

0001 ★★★

broad

해외로, 널리

□□□ 교육부 [00.01.19 수능기출]

abroad [əbrɔ́ːd]

부 해외로, 외국에, 널리

They watch and influence what governments do at home or **abroad**.

그들은 정부가 국내**외**에서 하는 일을 감시하고 영향력을 행사한다. 00수능

0002 ★★★

accommodat n

숙소, 숙박 시설

□□□ 교육부 [09 수능기출]

accommodation [əkɑ̀mədéiʃən]

명 숙소, 숙박 시설

You have to use your emergency funds to cover **accommodation** costs.

당신은 **숙박**비를 내기 위해 비상금을 써야만 한다. 09수능

0003 ★★★

aisl

(극장, 교실, 열차의) 통로

□□□

aisle [áil]

명 (극장, 교실, 열차의) 통로

I want an **aisle** seat.

난 **통로** 쪽 좌석을 원합니다.

0004 ★★★

b forehand

사전에, 전에 미리

□□□ [10 수능기출]

beforehand [bifɔ́ːrhæ̀nd]

부 사전에, 전에 미리

It would be good to know **beforehand**.

미리 알아 두는 게 좋을 거야.

~to learn about the play **beforehand**

미리 게임에 대해 배우기 위해 10수능

0005 ★★★

bel nging

소유물, 재산

□□□ [96.20 수능기출]

belonging [bilɔ́ːŋiŋ]

명 소유물, 재산

All of my **belongings** are here.

나에게 **속하는 모든 것**이 여기에 있다.

a feeling of **belonging** to a group

집단에 **속해** 있는 느낌 96수능

sense of **belonging** 소속감 20수능

0006 ★★★

bord r

가장자리, 국경
테를 두르다,
접경하다

□□□ [02.07.12 수능기출]

border [bɔ́ːrdər]

명 가장자리, 국경 동 테를 두르다, 접경하다

㉧ borderline 경계선 02수능

㉩ border(변경이 어려운 자연적 경계)

The bottom of the Nambawi is **bordered** with fur.

남바위의 아랫부분은 털로 단이 **대어져** 있다. 07수능

혓바닥 e 입벌린 c 머리묶은 a 동글이 o 목떨어진 i

0001 어브로ㅡ드 0002 어카머데이션 0003 아일 0004 비포핸드 0005 빌롱잉 0006 보~더

0007 ★★★

bound  ry

경계(선)

□□□ 교육부 [07.08.10.12 수능기출]

boundary [báundəri]

명 경계(선)

㉺ bound 경계를 짓다 boundless 한이 없는 10수능

㉻ border, frontier 국경

This is the **boundary** of our garden.
이것이 우리 정원의 **경계선**이야.

0008 ★☆☆

byp  ss

우회 도로
우회하다

□□□

bypass [báipæ̀s]

명 우회 도로 동 우회하다

㊐ take a detour 우회하다
detour 우회로

You had better take the **bypass**.
우회 도로로 가는 게 낫다.

0009 ★★★

clim  te

기후, 분위기

□□□ 교육부 [97.11.06.12 수능기출]

climate [kláimit]

명 기후, 분위기

in cool **climate** areas
서늘한 **기후**의 지역에서는 06수능

in a **climate** of discussion
토론의 **분위기**에서 11수능

0010 ★☆☆

cong  stion

밀집, 혼잡, 정체

□□□

congestion [kəndʒéstʃən]

명 밀집, 혼잡, 정체

형 congested 혼잡한, 붐비는 22수능

There was some traffic **congestion**.
일부 교통 **정체**가 발생했습니다.

0011 ★★★

cust  m

관습, 풍습

□□□ [99.01 수능기출]

custom [kʌstəm]

명 관습, 풍습

㉻ customs 세관, 관세 customer 손님, 고객

Examples of nonmaterial culture are values and **customs**.
비물질적인 문화의 예로는 가치와 **관습**이 있다. 99수능

0012 ★★★

de  y

지연, 지체
미루다, 연기하다

□□□ [96.00.01.10.15.20 수능기출]

delay [diléi]

명 지연, 지체 동 미루다, 연기하다

㊐ put off (시간·날짜를) 미루다[연기하다]

He is anxious about her **delay**.
그는 그녀가 **늦어서** 걱정하고 있다.

When you are young, it is easy to feel impatient with **delays**.
사람이 젊을 때는 **지연**되는 것을 참기가 어렵다. 96수능

1분 안에 넘기기 | 시간 있으면 꼼꼼히 외우기

0013 ★★★

departur

떠남, 출발

□□□ [97.07.14.17.19 수능기출]

departure [dipɑ́:rtʃər]

명 떠남, 출발

㉫ depart (여행, 직장 등을) 떠나다

Before your **departure**, give the tour leader a copy of your insurance policy.

출발하기 전에, 관광 담당자에게 당신의 보험 증권 사본을 제출하세요. 07수능

0014 ★★☆

destin tion

목적지, 목적, 목표

□□□ [94.16 수능기출]

destination [dèstənéiʃən]

명 목적지, 목적, 목표

She got off at her **destination**.

그녀는 **목적지**에서 내렸다.

0015 ★☆☆

mbark

(배에) 승선하다, 착수하다

□□□

embark [imbɑ́:rk]

동 (배에) 승선하다, 착수하다

We **embarked** on a voyage.

우리는 **항해**를 시작했다.

embark upon a business

사업에 **착수하다**

0016 ★★★

expectati n

예상, 기대

□□□ [02.06.07.11 수능기출]

expectation [èkspektéiʃən]

명 예상, 기대

㉫ expect 예상하다 11수능 unexpected 예기치 않은 09수능 unexpectedly 예기치 않게 20수능

People who are daring often achieve results that surpass their **expectations**.

용감한 사람은 흔히 그들의 **기대**를 뛰어넘는 결과를 이룬다. 11수능

0017 ★★★

frequ nt

빈번한,
자주 일어나는
~에 종종 방문하다

□□□ [98.99.00.02.03.04.07.10.11 수능기출]

frequent [frí:kwənt]

형 빈번한, 자주 일어나는 동 ~에 종종 방문하다

㉫ frequency 빈번함, 빈도 19수능 frequently 자주, 흔히

㊌ more often than not=as often as not=very frequently : 흔히, 자주 수능기출

He is a **frequent** visitor. 그는 **자주** 오는 방문객이다.

0018 ★★☆

fronti

국경
최첨단의,
미개척의

□□□

frontier [frʌntíər]

명 국경 형 최첨단의, 미개척의

㉥ border 경계

Today we cross the **frontier**.

오늘 우리는 **국경**을 넘는다.

0013 디팔처 0014 데스티네이션 0015 임바악~크 0016 엑스펙테이션 0017 프리~퀀트 0018 프런티어

0019 ★★★

□□□ [99.09.06.13.14.15.16.17 수능기출]

global [glóubəl]

형 세계적인, 지구의

global understanding and cooperation
세계적인 이해와 협력 99수능

the **global** economy
세계 경제 09수능

0020 ★

□□□ [15 수능기출]

humid [hjúːmid]

형 습한

유 wet 눅눅한

파 humidity 습기

It was very **humid** today.
오늘은 매우 **습**했다.

0021 ★★

□□□ [94.95 수능기출]

leisure [líːʒər]

명 여가, 레저 형 한가한

파 leisurely 여가의, 한가한

I need some **leisure** time.
나는 약간의 **여가**가 필요하다.

Leisure or sports clothes
레저복이나 스포츠 의류 94수능

0022 ★★

□□□

luggage [lʌ́gidʒ]

명 (여행용) 짐, 수화물

유 backpack 배낭 (여행하다)

He has many **luggages**.
그는 많은 **짐**을 갖고 있다.

0023 ★★

□□□

nationality [næ̀ʃənǽləti]

명 국적, 민족

His name and **nationality** were unclear.
그의 이름과 **국적**이 확실하지 않았다.

기출 transnational 초국가적인 18수능

0024 ★

□□□ [09 수능기출]

outward [áutwərd]

형 밖으로의, 겉보기의, 외부의

반 inward 안으로, 속에서

He showed no **outward** signs of distress.
그는 **겉으로는** 전혀 괴로운 기색을 보이지 않았다.

two **outward** forces
두 개의 **바깥 방향** 힘 09수능

0019 글로벌 0020 휴~미드 0021 리~저 0022 러기지 0023 내셔낼러티 0024 아웃월~드

1분 안에 넘기기

시간 있으면 꼼꼼히 외우기

0025 ★★☆

verhead

머리 위에, 하늘 높이
머리 위의

□□□

overhead [óuvərhèd]

부 머리 위에, 하늘 높이 형 머리 위의

The **overhead** lighting is bad.

머리 위의 조명이 나쁘다.

0026 ★☆☆

ovrseas

해외의, 외국의

□□□ [05 수능기출]

overseas [óuvərsíːz]

형 해외의, 외국의

He went on an **overseas** trip.

그는 **해외** 여행을 갔다.

success of Korean firms **overseas**

해외에서의 한국 회사의 성공 **05수능**

0027 ★★☆

passag

통로, 복도

□□□ [98 수능기출]

passage [pǽsidʒ]

명 통로, 복도

ⓟ passenger 승객

The **passage** is too narrow.

통로가 너무 좁아.

0028 ★★☆

portr

짐꾼, 문지기

□□□ [13.14.16.17 수능기출]

porter [pɔ́ːrtər]

명 짐꾼, 문지기

ⓟ portable 휴대용의

A **porter** carried the bags.

문지기가 자루를 옮겼다.

0029 ★★☆

postpon

연기하다, 미루다

□□□

postpone [poustpóun]

동 연기하다, 미루다

㊕ put off=postpone=delay=adjourn : 연기하다 **수능기출**

Don't **postpone** till tomorrow what you can do today.

오늘 할 수 있는 것을 내일로 **미루지** 말라.

0030 ★★★

prepartion

준비

□□□ [94.96.98.99.02.06.09.10.11 수능기출]

preparation [prèpəréiʃən]

명 준비

ⓟ prepare 준비하다 unprepared 준비가 안 된

This project needs a lot of **preparation**.

이 프로젝트는 **준비**가 철저해야 합니다.

meal **preparation**

식사 **준비** **09수능**

0025 오버**헤**드 0026 오버**시**~즈 0027 **패**시지 0028 **포**~더 0029 포스**폰** 0030 프레퍼**레**이션

0031 ★☆☆

pririty

우선 사항, 우선권

□□□
priority [praiɔ́:rəti]
명 우선 사항, 우선권
Keeping your health should be your **top priority**.
건강을 지키는 게 **최우선**이다.

0032 ★★☆

resrvation

예약, 유보

□□□ [10 수능기출]
reservation [rèzərvéiʃən]
명 예약, 유보
㊂ reserve 예약하다
It's too late to make a **reservation**.
예약하는 게 너무 늦었네요. 10수능

0033 ★★★

rout

길, 노선

□□□ [01.03.10 수능기출]
route [rú:t]
명 길, 노선
~ choose the best **route**
최상의 **길**을 선택한다 03수능
on **Route** 9
9번 **도로**의 10수능

0034 ★★☆

vhicle

차량, 탈것, 운송 수단

□□□ [06.14 수능기출]
vehicle [ví:ikl]
명 차량, 탈것, 운송 수단
One man alighted from the **vehicle**.
한 남자가 **차**에서 내렸다.
Greek alphabetic writing was **a vehicle of** poetry and humor.
그리스의 알파벳 쓰기는 시와 유머의 **수단이었다.** 06수능

0035 ★★☆

va

(어떤 장소를) 경유하여, 거쳐

□□□ [16 수능기출]
via [váiə]
전 (어떤 장소를) 경유하여, 거쳐
㊕ by way of=via ~을 경유해서 수능기출
I went to Busan **via** Daegu.
나는 대구를 **거쳐** 부산으로 갔다.

0036 ★☆☆

wndshield

(오토바이 등의) 바람막이 창

□□□
windshield [wíndʃi:ld]
명 (오토바이 등의) 바람막이 창
㊒ windscreen (자동차의) 앞 유리
The car's **windshield** was cracked.
자동차의 **앞 유리**에 금이 갔다.

1분 안에 넘기기

시간 있으면 꼼꼼히 외우기

0037 ★★★

an  ient

고대인
고대의, 아주 오래된

□□□ [00,06,07,13 수능기출]

ancient [éinʃənt]

명 고대인 형 고대의, 아주 오래된

유 old

the **ancient** classics
고전00수능

in **ancient** times
옛날에는07수능

0038 ★

 stray

못된 길에 빠져, 타락하여

□□□

astray [əstréi]

형 못된 길에 빠져, 타락하여

She went **astray** because of her bad friends.
그녀는 나쁜 친구로 인해 **탈선**의 길로 빠졌다.

0039 ★

avalanch 

눈사태, 쇄도

□□□

avalanche [ǽvəlæ̀ntʃ]

명 눈사태, 쇄도

There is a danger of **avalanches** here.
여기는 **눈사태**의 위험이 있습니다.

an **avalanche** of questions
쇄도하는 질문

0040 ★★

b  rn

헛간, 외양간

□□□ [09 수능기출]

barn [bɑ́:rn]

명 헛간, 외양간

I know a beautiful **barn**.
난 아름다운 **헛간**을 알고 있다.09수능

0041 ★

blizzar 

눈보라, 많은 양

□□□

blizzard [blízərd]

명 눈보라, 많은 양

팁 avalanche 눈사태 sleet 진눈깨비

There will be a **blizzard** tonight.
오늘 밤에는 강한 **눈보라**가 칠거야.

0042 ★

br  athtaking

숨막히는, 아슬아슬한

□□□ [08 수능기출]

breathtaking [bréθtèikiŋ]

형 숨막히는, 아슬아슬한

유 amazing, stunning

Hotel guests can hope to experience **breathtaking** views of the deep blue sea.
호텔 손님들은 깊고 푸른 바다의 **숨 막히는** 경치를 기대할 만하다.08수능

0043 ★★

□□□ [11 수능기출]

canal [kənǽl]

명 수로, 운하

the **canal**'s instant downfall
운하의 즉각적인 몰락 11수능

0044 ★

□□□

canyon [kǽnjən]

명 (깊은) 협곡

유 valley

팁 Grand canyon 그랜드 캐년

Take a look at the **canyon**.
협곡을 보세요.

0045 ★★

□□□ [10 수능기출]

cliff [klíf]

명 절벽, 낭떠러지

She jumped off the **cliff**.
그녀는 **절벽**에서 뛰어내렸다.

People visited Chattanooga to explore its **cliffs**.
사람들은 **절벽**을 탐사하기 위해 채터누가를 방문했다. 10수능

0046 ★

□□□

cub [kʌ́b]

명 (곰·사자·여우 등) 새끼

팁 puppy 강아지 kitten 고양이, calf 송아지, lamb 새끼양, pony/colt 망아지

The tiger has one **cub**.
호랑이에게 **새끼** 한 마리가 있다.

0047 ★★

□□□

dawn [dɔ́:n]

명 새벽, 동틀녘 동 날이 새다

유 daybreak 팁 sunrise 일출 sunset 일몰

I like to see the **dawn**.
나는 **새벽녘** 보는 것을 좋아한다.

0048 ★★★

□□□ [98.00.07.15 수능기출]

desert [dézərt]

명 사막 동 버리다

Please don't **desert** me.
날 **버리지는** 말아주세요.

The whole village looks **deserted**.
마을 전체가 **황폐화**된 것으로 보인다. 98수능

1분 안에 넘기기 | 시간 있으면 꼼꼼히 외우기

0049 ★★★

□□□ [95.97.98.02.03.06.07.08.09.10.12.13 수능기출]

distant [dístənt]

형 먼, 떨어져 있는

㊉ distance 거리, 간격, 여정

I moved toward the **distant** shore.

나는 **멀리 있는** 해안을 향해 갔다. 07수능

0050 ★☆☆

□□□

drizzle [drízl]

동 (비가) 보슬보슬 내리다

㊌ dribble (침 등을) 질질 흘리다

It is beginning to **drizzle**.

이슬비가 내리기 시작한다.

0051 ★☆☆

□□□ [95 수능기출]

drought [dráut]

명 가뭄

㊉ dry 말리다 ㊎ flood 홍수

Jim raised money to provide relief for the **drought** victims.

짐은 **가뭄** 피해자들에게 구호품을 제공하기 위해 돈을 모금했다. 95수능

0052 ★★★

□□□ [02.07.10.14.16.20 수능기출]

explore [ikspló:r]

동 답사[탐사/탐험]하다, 탐구하다

㊉ exploration 탐험 expedition 원정(탐험)대 explorer 탐험가

The **explorers** discovered new worlds.

탐험가들은 새로운 세상을 발견했다. 07수능

0053 ★☆☆

□□□

fleet [flí:t]

명 함대

We saw the **fleet** leaving.

우리는 **함대**가 떠나는 것을 보았다.

0054 ★★★

□□□ [94.06.14 수능기출]

folk [fóuk]

명 사람들, 서민 형 민속의

a **folk** tale

민담 94수능

plain **folk**

소박한 **평민들** 06수능

0055 ★★☆

f  rtress

요새

□□□

fortress [fɔ́ːrtris]

명 요새

㊤ castle 성 fort 성채

This is an ancient **fortress**.

이것은 고대 **요새**이다.

0056 ★☆☆

glaci  r

빙하

□□□ [94 수능기출]

glacier [gléiʃər]

명 빙하

㊥ glacial 빙하의, 얼음의

It rises or falls as the **glaciers** melt or grow.

빙하가 녹거나 커짐에 따라 그것은 올라가기도 내려오기도 한다. 94수능

0057 ★★☆

gu  f

만, 격차

□□□ [17 수능기출]

gulf [gʌ́lf]

명 만, 격차

The **Gulf** of Mexico

멕시코 **만**

The **gulf** between rich and poor is enormous.

빈부 **격차**가 엄청나다.

0058 ★★☆

h  rizon

수평선, 지평선, 시야

□□□ [98,06 수능기출]

horizon [həráizn]

명 수평선, 지평선, 시야

㊥ horizontal 수평선의 ㊦ vertical 수직의

Secondary school is a time to expand **horizons**.

중고등 학교는 **시야**를 확대할 시기이다. 06수능

to the **horizon**

지평선 쪽으로 98수능

0059 ★☆☆

 ceberg

빙산

□□□

iceberg [áisbəːrg]

명 빙산

㊢ glacier 빙하

The **iceberg** is dangerous.

빙산은 위험하다.

0060 ★★★

journ  y

여행, 여정

□□□ [01,03,06,08,11,16 수능기출]

journey [dʒə́ːrni]

명 여행, 여정

㊢ journal 신문, 저널 trip 비교적 짧은 여행 travel 장거리 여행 sightseeing 관광 20수능

The **journey** itself would be of use.

그 **여행**은 그야말로 유용한 여행이 될 것이었다. 08수능

○ 1분 안에 넘기기 | ○ 시간 있으면 꼼꼼히 외우기

0061 ★★★

landm  rk

주요 지형지물,
랜드마크,
획기적인 사건

□□□

landmark [lǽndmὰːrk]

명 주요 지형지물, 랜드마크, 획기적인 사건

㉠ skyscraper 마천루, 고층건물

landmark buildings
역사적 건물

a **landmark** decision
획기적인 판결

0062 ★★★

 andscape

경치, 풍경(화)

□□□ [06.09.11.12.13.17.19 수능기출]

landscape [lǽndskèip]

명 경치, 풍경(화)

The wind blew across the barren **landscape**, taking the soil with it.
바람이 황량한 **풍경**을 가로질러 불었고, 흙을 쓸어가 버렸다. 12수능

0063 ★★★

landslid 

산사태,
(선거에서의) 압도적인 승리

□□□

landslide [lǽndslàid]

명 산사태, (선거에서의) 압도적인 승리

㉥ avalanche 눈사태

Many died in the **landslide**.
많은 사람이 **산사태**로 사망했다.

0064 ★★★

masterpie  e

걸작, 명작

□□□ [05.11 수능기출]

masterpiece [mǽstərpìːs]

명 걸작, 명작

㉥ master 주인, 달인

He did not care about the public's opinion of his **masterpiece**.
그는 자신의 **걸작**에 대한 대중의 반응에 대해서 걱정하지 않았다. 11수능

0065 ★★★

m  adow

목초지, 초원

□□□

meadow [médou]

명 목초지, 초원

㉤ pasture 목초지

The cows are in the **meadow**.
암소는 **초원**에 있다.

0066 ★★★

monum  t

기념물, 기념비

□□□ [19 수능기출]

monument [mάnjumənt]

명 기념물, 기념비

㉥ monumental 기념비적인 monumentality 기념비성 19수능

This is a **monument** to science.
이것은 과학의 **기념비**이다.

0061 랜드마알크 0062 랜스케잎 0063 랜슬라이드 0064 매스터피~스 0065 매도우 0066 마뉴먼트

0067 ★

mumm 
엄마, 미라

□□□ [97 수능기출]

mummy [mʌ́mi]

명 엄마, 미라

파 mummify 미라로 만들다

She loves her **mummy**.
그녀는 자기 **엄마**를 사랑한다.

an intact **mummy**
손상되지 않은 **미라** 97수능

0068 ★

n  mad
유목민

□□□

nomad [nəʊmæd]

명 유목민

Their ancestors were **nomads**.
그들의 조상은 **유목민**이었다.

0069 ★★

peculi  r
이상한, 특이한

□□□ [11 수능기출]

peculiar [pikjúːljər]

형 이상한, 특이한

파 peculiarity 기이한 특징, 특이함

There was a **peculiar** smell.
특이한 냄새가 났다.

It is hard to distinguish the slightly **peculiar** correlation.
그것은 거의 **특이한** 상관관계를 구별하기 어렵다. 11수능

0070 ★★

p  ar
기둥, 대들보

□□□ [04.04 수능기출]

pillar [pílər]

명 기둥, 대들보

유 column 틀 pillow 베개

There are **pillars** in front of the building.
건물 앞에 **기둥**이 있다.

Cater**pillar**
애벌레 04수능

0071 ★★★

proc  ed
진행하다, 계속하다

□□□ [94.95. 12 수능기출]

proceed [prəsíːd]

동 진행하다, 계속하다

파 process 과정

The company **proceeded** with discipline.
회사는 질서 있게 일을 **진행했다**. 12수능

0072 ★

r  ft
뗏목, 래프트

□□□

raft [rǽft]

명 뗏목, 래프트

파 rafting 래프팅

They floated down the river on a **raft**.
그들은 **뗏목**을 타고 강 아래로 떠내려갔다.

1분 안에 넘기기

시간 있으면 꼼꼼히 외우기

0073 ★★☆

ru  n

붕괴, 파멸
(가치 · 기쁨을) 망치다,
파산시키다

□□□ [13 수능기출]

ruin [rú:in]

명 붕괴, 파멸 동 (가치·기쁨을) 망치다, 파산시키다

팁 잔재를 의미하는 복수명사 ruins, remains, ashes

He was on the border of **ruin.**

그는 **파멸**에 직면했다.

0074 ★★☆

rur  l

시골의, 지방의

□□□ [15.16.19 수능기출]

rural [rúərəl]

형 시골의, 지방의

반 urban 도시의

This is a photograph of a **rural** scene.

이것은 **시골** 풍경 사진이다.

0075 ★★★

scen  ry

경치, 풍경,
배경, 무대 장치

□□□ [94.01.10 수능기출]

scenery [sí:nəri]

명 경치, 풍경, 배경, 무대 장치

파 scene 현장, 장면

Mexico is well known for its **scenery.**

멕시코는 **풍경**으로 유명하다. 94수능

sport and **scenery**

스포츠 그리고 **풍경** 10수능

0076 ★★☆

sh  ine

성지, 사당

□□□

shrine [ʃráin]

명 성지, 사당

Under the tree was a small **shrine.**

나무 아래에는 작은 **성지**가 있었다.

0077 ★☆☆

sl  et

진눈깨비
진눈깨비가 오다

□□□

sleet [slí:t]

명 진눈깨비 동 진눈깨비가 오다

팁 hail 우박 snowstorm, blizzard 눈보라

The weather was a mixture of snow and **sleet.**

이 날씨는 눈과 **진눈깨비**가 합쳐진 것이었다.

0078 ★★☆

 urf

파도 파도타기를 하다

□□□ [05.08 수능기출]

surf [sə́:rf]

명 파도 동 파도타기를 하다

Children enjoy playing in the **surf.**

아이들은 **파도**에서 노는 것을 즐긴다.

Many young people seem to prefer **surfing** the Internet.

많은 젊은이가 인터넷 **검색**하는 것을 더 좋아하는 듯하다. 05수능

0073 루-인 0074 루럴 0075 씨-너리 0076 쉬라인 0077 슬리-트 0078 설-프

0079 ★

trrain
지형, 지역

□□□
terrain [təréin]
명 지형, 지역
The car particularly handles well on rough **terrain**.
그 차는 **지세**가 험한 곳에서 특히 다루기가 좋다.

0080 ★★

torrnt
급류,
마구 쏟아짐

□□□
torrent [tɔ́:rənt]
명 급류, 마구 쏟아짐
숙 in torrents : 비가 억수같이 쏟아지는 수능기출
The boat had disappeared beneath the **torrent**.
그 배는 불어나는 **급류** 속으로 사라졌다.

0081 ★

twlight
황혼, 땅거미
불가사의한, 비밀스러운

□□□
twilight [twáilàit]
명 황혼, 땅거미 형 불가사의한, 비밀스러운
팁 lighting 조명 21수능 lightning bolt 번개 20수능
Birds come out at **twilight**.
새들은 **황혼 녘**에 나온다.

0082 ★

tphoon
태풍

□□□
typhoon [taifú:n]
명 태풍
팁 cyclone 사이클론 hurricane 허리케인
Many trees fell from the **typhoon**.
태풍으로 많은 나무가 쓰러졌다.

0083 ★

vegtation
초목

□□□ [07 수능기출]
vegetation [vèdʒətéiʃən]
명 초목
파 vegetable 채소 vegetarianism 채식주의
This is a section where there is much **vegetation**.
이곳은 **초목들**이 많이 있는 구역이다.07수능

0084 ★★★

viw
견해, 관점, 시야

□□□ [06.08.08.12.13.14.15.17 수능기출]
view [vjú:]
명 견해, 관점, 시야
파 viewer (텔레비전) 시청자
숙 in the light of=in view of : ~의 견지에서, ~에 비추어서 수능기출

0079 터레인 0080 토~런트 0081 트와일라잍 0082 타이푸~운 0083 베져테이션 0084 뷰~

1분 안에 넘기기 | 시간 있으면 꼼꼼히 외우기

0085 ★★★

a oard

(배 · 기차 · 비행기 등에) 탄, 탑승한

□□□ [03 수능기출]

aboard [əbɔ́ːrd]

부 (배·기차·비행기 등에) 탄, 탑승한

They found rare comfort in the simple songs that they sang **aboard** their ships.

그들은 **배**에서 부른 단순한 노래에서도 안락함을 거의 찾을 수 없었다. 03수능

0086 ★★★

ccess

접근[입수]
접근하다,
(컴퓨터에) 접속하다

□□□ [04.05.08.10.12.13.14.15 수능기출]

access [ǽkses]

명 접근[입수] 동 접근하다, (컴퓨터에) 접속하다

㉶ accessible 접근하기 쉬운, 접할 수 있는 10.20수능

Geographical centrality makes a place more **accessible**.

지리적인 중심성이 장소를 보다 더 **접근하기 쉽게** 만든다. 10수능

0087 ★★★

baref ot

맨발의

□□□

barefoot [bɛ́ərfùt]

형 맨발의

㉶ bare 발가벗은 barely 거의 ~하지 않는

Children like to go **barefooted**.

아이들은 **맨발로** 다니는 것을 좋아한다.

0088 ★★★

chari t

전차, 마차

□□□

chariot [tʃǽriət]

명 전차, 마차

A horse pulls a **chariot**.

말 한 마리가 **전차**를 끈다.

0089 ★★★

c mbat

전투, 싸우다

□□□ [06.12 수능기출]

combat [kəmbǽt]

명 전투 동 싸우다

㉶ combatant 전투원, 전투 부대

Strength training can help **combat** heart disease and diabetes.

체력 훈련은 심장 질환이나 당뇨병과 **맞서 싸우도록** 도울 수 있다. 12수능

0090 ★★★

des end

내려가다, 경사지다,
계승하다

□□□ [97.17 수능기출]

descend [disénd]

동 내려가다, 경사지다, 계승하다

㉶ descent 내려오기 descendant 자손 ㉺ ascend 오르다

He **descended** by the stairs.

그는 계단으로 **내려갔다**.

0091 ★☆☆

d 

lect

방언, 사투리

□□□ [12 수능기출]

dialect [dáiəlèkt]

명 방언, 사투리

The local **dialect** here is hard to understand.
이 지역의 **방언**은 알아듣기가 어려워요.

non-standard **dialects**
비표준의 **방언** 12수능

0092 ★★★

disapp  ar

사라지다

□□□ [05.06.07.08.10.11.12 수능기출]

disappear [dìsəpíər]

동 사라지다

유 vanish 사라지다

반 show up=turn up=appear=make an appearance : 나타나다 수능기출

I saw her **disappearing** slowly in the distance.
나는 그녀가 멀리 서서히 **사라지는** 것을 보았다. 07수능

0093 ★★☆

 rift

표류, 경향
떠내려가다

□□□ [96.07 수능기출]

drift [dríft]

명 표류, 경향 동 떠내려가다

유 float 떠가다, 뜨다

The boat **drifted** along.
그 배는 **표류했다**.

the movement of a **drifting** leaf
떠다니는 잎의 움직임 07수능

0094 ★★☆

dr  wn

물에 빠뜨리다, 익사하다

□□□ [99.08 수능기출]

drown [dráun]

동 물에 빠뜨리다, 익사하다

I was nearly **drowned**.
물에 빠져 죽다시피 되었다.

She was about to be **drowned** by the creature.
그녀는 물고기 때문에 거의 **익사할** 지경이었다. 99수능

0095 ★★☆

 cho

메아리, 울림

□□□ [99 수능기출]

echo [ékou]

명 메아리, 울림

팁 eco(system) 생태(계)

the music **echoing** from the park
공원에서 **울려 퍼지는** 음악 99수능

0096 ★★☆

em  rgency

비상사태

□□□ [07.09 수능기출]

emergency [imə́:rdʒənsi]

명 비상사태

파 emergency room 응급실 emergence 출현

This is an **emergency**. 이것은 **응급 상황**이다.

emergency contact details **비상** 연락 설명서 07수능

emergency fund **비상**금 09수능

0097 ★★☆

graz 

풀을 뜯다,
방목하다

□□□ [13 수능기출]

graze [gréiz]

동 풀을 뜯다, 방목하다

㉮ grazing 방목지, 목초지 ㉰ glaze 광택제

Cows were **grazing** in the pasture.

소들이 목장에서 **풀을 뜯고** 있다.

0098 ★★☆

hea  long

거꾸로,
곤두박질쳐서,
성급하게

□□□

headlong [hédlɔ́:ŋ]

부 거꾸로, 곤두박질쳐서, 성급하게

He ran **headlong** down the hill.

그는 언덕 아래로 **정신없이** 내려갔다.

0099 ★★☆

 nterpret

통역하다, 해석하다

□□□ [96.05.07.09.10.11.12.13.15.16.17 수능기출]

interpret [intə́:rprit]

동 통역하다, 해석하다

㉮ interpreter 통역사 interpretation 통역 reinterpret 재해석하다

I can **interpret** French.

나는 프랑스어를 **통역할** 수 있다.

interpret marks

참조 부호 09수능

0100 ★☆☆

leisur  ly

한가한, 여유로운

□□□ [94.95 수능기출]

leisurely [lí:ʒərli]

형 한가한, 여유로운

㉮ leisure 레저, 여가

He set off at a **leisurely** pace.

그는 **한가한** 걸음으로 출발했다.

The aged live with enforced **leisures**.

나이 먹은 사람들은 강제된 **여가를** 누리며 산다. 95수능

0101 ★★★

locat 

~의 위치를
찾아내다,
(특정 위치에) 두다

□□□ [99.08.13.20 수능기출]

locate [lóukeit]

동 ~의 위치를 찾아내다, (특정 위치에) 두다

㉧ pinpoint 정확하게 지적[묘사]하다. 20수능 find, detect, recognize

㉲ be located in ~에 있다 20수능

Locating information is easy today.

오늘날 정보 **찾기는** 쉽습니다. 08수능

0102 ★★☆

migr  te

이동하다,
이주하다

□□□ [13.17 수능기출]

migrate [máigreit]

동 이동하다, 이주하다

㉮ migrant 철새 철따라 이주하는 19수능

Birds **migrate** in the autumn.

새들은 가을에 **이동한다**.

0103 ★★☆

낮잠, 낮잠 자다

□□□ [94.08.14.16.17 수능기출]

nap [næp]

명 낮잠 동 낮잠 자다

팁 slumber 잠, 수면 insomnia 불면증

It is good to have a quiet **nap**.
조용한 **낮잠**을 자는 게 좋다.

long afternoon **nap**
긴 **낮잠** 94수능

0104 ★★☆

가끔의

□□□ [94.97.98.13 수능기출]

occasional [əkéiʒənl]

형 가끔의

파 occasion 때, 행사 Occasionally 종종 94수능

숙 on occasion=occasionally=at times=from time to time=once in a while=now and then=sometimes : 때때로, 가끔 수능기출

He makes an **occasional** visit. 그는 **가끔 방문합니다.**

occasional gusts of wind **이따금** 부는 바람98수능

0105 ★★☆

야외의, 실외의

□□□ [00.01.10.15.17 수능기출]

outdoor [áutdɔ́:r]

형 야외의, 실외의

반 indoor 실내의

I love to hike and be **outdoors**.
나는 산에 오르고 **밖에 나가는** 것을 아주 좋아한다.01수능

0106 ★☆☆

소풍, 여행, 야유회

□□□ [07 수능기출]

outing [áutiŋ]

명 소풍, 여행, 야유회

Dad thought a normal family **outing** was going to a car race.
아빠는 자동차 경주대회에 가는 것이 정상적인 가족 **외출**이라고 생각했다.07수능

0107 ★★☆

(작은 보트의) 노, 수석

□□□ [10.12 수능기출]

paddle [pǽdl]

명 (작은 보트의) 노, 주걱

I headed to the beach and jumped on my surfboard and **paddled out**.
나는 해변으로 향했고 내 서프보드로 점프를 해서 물을 **저어 나갔다**.12수능

0108 ★☆☆

보행자, 보행자의

□□□ [97.13.17 수능기출]

pedestrian [pədéstriən]

명 보행자 형 보행자의

파 peddler 행상인 팁 pedal 자전거 페달

a careless **pedestrian**
부주의한 **보행자**97수능

0103 냅 0104 어케이져널 0105 아웃도~어 0106 아우팅 0107 패들 0108 퍼데스트리언

1분 안에 넘기기 | 시간 있으면 꼼꼼히 외우기

0109 ★★☆

□□□

peril [pérəl]

명 위험(성)

유 danger

The ship is in **peril**.

배는 **위험** 속에 있다.

0110 ★★☆

□□□

precede [prisí:d]

동 ~에 앞서다, ~앞에 가다

파 precedence 우위, 선행

She **preceded** him out of the room.

그녀는 그보다 **앞서** 방을 나갔다.

0111 ★☆☆

□□□ [14 수능기출]

ramp [rǽmp]

명 경사로, 램프

A **ramp** allows an easy access for wheelchairs.

경사로가 있어서 휠체어 접근이 용이하다.

0112 ★☆☆

□□□ [96 수능기출]

ranch [rǽntʃ]

명 목장

파 rancher 목장주

The horses live in a **ranch**.

말들은 **목장**에서 산다.

the sheep **ranch**

양 **목장** 96수능

0113 ★★☆

□□□ [06.10.15 수능기출]

rear [ríər]

명 뒤쪽 형 뒤쪽의 동 기르다, 양육하다

The rattlesnake makes noise from its **rear**.

방울뱀은 꼬리 **끝부분**에서 소리를 낸다.

child-**rearing**

아이 **양육** 10수능

0114 ★★☆

□□□ [94 수능기출]

retreat [ritrí:t]

명 후퇴 동 후퇴하다, 멀어져 가다

유 withdraw 물러나다 반 advance 전진하다

The soldiers **retreated**.

병사들이 **퇴각**했다.

The tides advance and **retreat**.

조수가 밀려들고 **밀려간다**. 94수능

0109 페럴 0110 프리시~드 0111 램프 0112 랜치 0113 리어 0114 뤼트리~트

0115 ★★☆

□□□ [04 수능기출]

roam [róum]

동 배회하다, 돌아다니다

She **roamed** here and there.
그녀는 여기저기를 **배회했다**.

Elephants and giraffes **roam** over wide areas.
코끼리나 기린은 넓은 지역을 **돌아다닌다**.04수능

0116 ★☆☆

□□□

rove [róuv]

동 헤매다, 배회하다

After graduation, he began to **rove** the world.
졸업한 후, 그는 세계를 **떠돌기** 시작했다.

0117 ★★☆

□□□ [05 수능기출]

saddle [sǽdl]

명 안장 동 안장을 얹다

The horse asked the gods for a **saddle** that would grow on him.
그 말은 신들에게 몸에서 자라는 **안장**을 달라고 했다.05수능

0118 ★☆☆

□□□ [07 수능기출]

sled [sléd]

명 썰매

He pulled the **sled** up to the top of the hill.
그는 **썰매**를 언덕 위로 끌어올렸다.

0119 ★★★

□□□ [01.02 수능기출]

stream [strí:m]

명 개울, 시내 동 흐르다

기출 upstream 상류로 21수능

They have a **stream** that has no end.
그늘에게는 끝없는 **개울**이 있어요.02수능

0120 ★☆☆

□□□

stroll [stróul]

명 산책 동 한가로이 거닐다, 산책하다

Let's take a **stroll** in the park.
공원에서 **산책** 좀 하자.

0121 ★★★

sw  ll

팽창
부풀다, 부어오르다

□□□ [16 수능기출]

swell [swél]

명 팽창 동 부풀다, 부어오르다

I think your sprained ankle will **swell** up soon.

너의 삔 발목이 곧 **부어오를** 것 같은데.

0122 ★★★

t  w

(자동차 · 보트를) 끌다,
견인하다

□□□

tow [tóu]

동 (자동차·보트를) 끌다, 견인하다

This is a **tow** away zone.

이곳은 **견인** 구역입니다.

0123 ★★★

tr  il

자국, 오솔길, 루트

□□□ [11.13 수능기출]

trail [tréil]

명 자국, 오솔길, 루트

We followed the **trail** up the mountain.

우리는 **산길**을 따라갔다.

0124 ★★★

transi  nt

일시적인, 단기 체류의

□□□

transient [trǽnʃənt]

형 일시적인, 단기 체류의

Money and fame are **transient**.

돈과 명성은 **일시적**이다.

0125 ★★★

tr  k

트레킹, 오지 여행

□□□ [12 수능기출]

trek [trék]

명 트레킹, 오지 여행

팁 tour 둘러보는 여행 trip 짧은 여행 excursion 소풍
travel 장거리 여행 journey 아주 멀리 가는 여행

기출 campsite 야영지 21수능

I enjoyed the **trek** through the forest.

나는 숲속으로의 **여행**을 즐겼다.

0126 ★★★

wat  rproof

방수복
방수의

□□□

waterproof [wɔ́:tərprù:f]

명 방수복 형 방수의

팁 bulletproof 방탄의 heatproof 내열의 soundproof 방음의

You'll need a **waterproof** clothing.

방수가 되는 옷이 필요할 거예요.

0127 ★★☆

accommo  ate

숙박시키다, 수용하다

□□□ [09 수능기출]

accommodate [əkɑ́mədèit]

동 숙박시키다, 수용하다

파 accommodation 거처, 숙소

This bus can **accommodate** many people.

이 버스는 많은 사람을 **수용할** 수 있다.

basic expenses such as food, transport, and **accommodation**

음식, 교통비, **숙박**비 같은 기본적인 지출 09수능

0128 ★★★

 fford

~할 여유가 되다

□□□ [94.98.17.19 수능기출]

afford [əfɔ́ːrd]

동 ~할 여유가 되다

파 affordable (가격이) 알맞은 19수능

If you live in the city there are many things you cannot **afford**.

당신이 도시에서 산다면 **여유 없는** 일들이 많다. 98수능

0129 ★★★

am 

unt

총계, 양

□□□ 교육부 [98.99.00.02.03.06.07.11.12.15.17 수능기출]

amount [əmáunt]

명 총계, 양

유 total

the **amount** of information

정보**양** 00수능

the **amount** of traffic

교통**양** 03수능

0130 ★★☆

antiqu 

골동품, 고미술품

□□□ [01.08.19 수능기출]

antique [æntíːk]

명 골동품, 고미술품

파 antiquity 낡음, 고대 antique item 골동품 19수능

This **antique** is valuable.

이 **골동품**은 가치가 있다.

Antique coin specialists

옛날 동전 전문가들 08수능

0131 ★☆☆

appetiz  r

전채요리,
식욕을 돋우기 위한 것

□□□

appetizer [ǽpətàizər]

명 전채요리, 식욕을 돋우기 위한 것

파 appetite 식욕

You may begin with the **appetizer**.

우선 **전채 요리**부터 드시면 됩니다.

0132 ★★☆

approximat 

대략의, 근사한, 거의 정확한
~에 가깝다

□□□ [06.10.11.16 수능기출]

approximate [əprɑ́ksəmèit]

형 대략의, 근사한, 거의 정확한 동 ~에 가깝다

파 approximation 근사치, 비슷한 것 approximately 거의, 가까이

숙 more or less=approximately : 다소, 대략 수능기출

approximately 90 percent

약 90% 10수능

0133 ★☆☆

ashtr  y

재떨이

□□□

ashtray [ǽʃtrèi]

명 재떨이

We do not need an **ashtray**.

우리는 **재떨이**가 필요하지 않다.

0134 ★☆☆

 rter

물물 교환
물건을 교환하다

□□□ [98 수능기출]

barter [bɑ́:rtər]

명 물물 교환 통 물건을 교환하다

The **barter** system worked well until people started to move about more and to greater distances.

물물 교환 제도는 사람들이 더 많이, 더 먼 거리까지 돌아다니기 시작할 때까지는 성공적이었다. 98수능

0135 ★★☆

bun  h

다발, 송이, 묶음

□□□ [09.10.11 수능기출]

bunch [bʌ́ntʃ]

명 다발, 송이, 묶음

a **bunch** of roses

장미 한 **다발** 09수능

carrots 50 cents a **bunch**

당근 한 **다발**에 50센트 10수능

0136 ★★☆

 abin

(배의) 선실,
(나무) 오두막집

□□□ [01.05 수능기출]

cabin [kǽbin]

명 (배의) 선실, (나무) 오두막집

a small log **cabin**

작은 **통나무집** 05수능

a small **cabin**

자그마한 **오두막** 01수능

0137 ★★☆

carriag 

마차, (기차의) 객차

□□□ 교육부

carriage [kǽridʒ]

명 마차, (기차의) 객차

팁 ferryboat 나룻배 raft 뗏목

The king was in a **carriage**.

그 왕은 **마차**에 타고 있었다.

0138 ★☆☆

chamb  r

방, 회의실

□□□ [15 수능기출]

chamber [tʃéimbər]

명 방, 회의실

It is a house with many **chambers**.

그것은 **방**이 많은 집이다.

0133 애쉬트레이 0134 바알~터 0135 번취 0136 캐빈 0137 캐리쥐 0138 췌임버

0139 ★★☆

□□□ 교육부 [96.14 수능기출]

cottage [kátidʒ]

명 오두막집, 시골집

유 cabin, hut

Their friends are content with two weeks in a **cottage** by the sea.

그들의 친구는 해변의 **오두막**에서 2주를 보내며 만족해한다. 96수능

0140 ★☆☆

□□□ [14 수능기출]

cozy [kóuzi]

형 아늑한, 친밀한

유 cosy, snug, comfortable

This seat is very **cozy**.

이 자리는 매우 **안락합니다**.

0141 ★☆☆

□□□ [09.12 수능기출]

cuisine [kwizí:n]

명 (비싼 식당의) 요리, 요리법

유 cookery, recipe

He has an appetite for French **cuisine**.

그는 프랑스 **요리**를 좋아한다. 12수능

0142 ★★☆

□□□ 교육부 [96 수능기출]

currency [kə́:rənsi]

명 통화, 통용

파 current 현재의, 통용되는

When we think of money, we usually think of **currency**, or coins and bills.

돈에 대해 생각할 때, 우리는 보통 **현금**인 동전이나 지폐를 떠올린다. 96수능

0143 ★★★

□□□ 교육부 [08.04.15 수능기출]

dish [díʃ]

명 접시, 요리

a traditional Korean **dish**

전통적인 한국 **음식** 04수능

How much is a **dish** of plain ice cream?

그냥 아이스크림 **하나**는 얼마예요? 08수능

0144 ★★★

□□□ 교육부 [09.97.14.15 수능기출]

escape [iskéip]

동 탈출하다, 달아나다 명 탈출

숙 a close call=a narrow escape 위기일발, 구사일생 come near ~ing=nearly escape ~ing : 하마터면 ~할 뻔하다 수능기출

Because they will distort the truth to **escape** from your negative reaction.

왜냐하면 그들은 당신의 부정적 반응에서 **벗어나기** 위해 사실을 왜곡할 것이기 때문이다. 09수능

0139 커리쥐 0140 코~지 0141 퀴진~ 0142 커~런시 0143 디쉬 0144 이스케이프

○ 1분 안에 넘기기 ○ 시간 있으면 꼼꼼히 외우기

0145 ★★★

exchang 

교환, 환전 교환하다

□□□ [96.07.09.10.16.17 수능기출]

exchange [ikstʃéindʒ]

명 교환, 환전 동 교환하다

숙 in exchange for : ~대신의, 교환으로

Almost every country **exchanges** money for objects of value.

거의 모든 나라가 가치 있는 물건을 돈으로 **교환한다**. 96수능

0146 ★★★

fe 

수수료,
(조직 · 기관의) 요금

□□□ [13.14.15.17 수능기출]

fee [fíː]

명 수수료, (조직·기관의) 요금

유 fare (교통) 요금

The **fee** is quite expensive.

요금이 아주 비싸다.

0147 ★

fl  a

벼룩

□□□

flea [flíː]

명 벼룩

팁 flea market 벼룩시장

A **flea** can jump high

벼룩은 높이 뛰어오를 수 있다.

0148 ★★

j  wel

보석(류), 장신구

□□□ [99.07 수능기출]

jewel [dʒúːəl]

명 보석(류), 장신구

파 jewelry 보석류

Most people recognize it as a **jewel**.

대부분 사람이 이것을 **보석**으로 인정한다. 07수능

0149 ★

leftov  r

남은 음식,
(과거의) 잔재

□□□

leftover [leftòuvər]

명 남은 음식, (과거의) 잔재

The dog ate the **leftovers.**

그 개는 **남은 밥**을 먹었다.

0150 ★★★

lo  al

지역의, 지방의

□□□ 교육부 [95.96.99.00.05.06.07.09.11.12.14.15.16.17 수능기출]

local [lóukəl]

형 지역의, 지방의

파 location 지역, 장소 22수능

local species

지역 생물들 11수능

local variety store

지역 잡화점 12수능

0145 익스**체**인쥐 0146 **피**~ 0147 **플리**~ 0148 **쥬**~얼 0149 **레**프트오버 0150 **로**컬

0151 ★★★

me  l
식사, 한 끼니

□□□ [94.04.07.09.12.15 수능기출]

meal [míːl]

명 식사, 한 끼니

during **mealtime**
식사 시간 동안94수능

meal preparation
식사 준비09수능

0152 ★★

metr  politan
대도시의, 본국의

□□□

metropolitan [mètrəpάlitən]

형 대도시의, 본국의

ⓟ metropolis 주요 도시, 수도

It is a **metropolitan** problem.
이것은 **수도권**의 문제이다.

0153 ★

necklac 
목걸이

□□□

necklace [néklis]

명 목걸이

ⓣ bracelet 팔찌 brooch 브로치 earring 귀걸이

She never wears a **necklace.**
그녀는 절대 **목걸이**를 하지 않는다.

0154 ★

orn  ment
장식품, 장식

□□□ 교육부

ornament [ɔ́ːrnəmənt]

명 장식품, 장식

ⓤ decoration

I have table **ornaments.**
나는 식탁 **장식품**을 가지고 있다.

0155 ★

 yster
굴, 진주, 조개

□□□

oyster [ɔ́istər]

명 굴, 진주, 조개

ⓣ shrimp 새우 lobster 바닷가재 crab 게
squid 오징어 octopus 문어 shellfish 조개 starfish 불가사리

I really like **oysters.**
나는 **굴** 요리를 정말 좋아한다.

0156 ★★★

p  y
지불하다

□□□ [96.96.96.12.13.14.15.16.17 수능기출]

pay [péi]

동 지불하다

ⓟ payment 지불, 납입 20수능

Don't you think you have to **pay**?
네가 **지불해야** 한다고 생각하지 않니?96수능

0151 밀 0152 메트러펄리튼 0153 넥클러스 0154 오~너먼트 0155 오이스터 0156 페이

1분 안에 넘기기 | 시간 있으면 꼼꼼히 외우기

0157 ★★★

revenu 

(정부 · 기관의) 수익

□□□ [12 수능기출]

revenue [révənjùː]

명 (정부·기관의) 수익

유 income 소득, 수입

They discussed the company's expenses and dwindling **revenue.**

그들은 회사의 지출 및 줄어드는 **수익**에 대해 논의했다. 12수능

0158 ★★★

souv  **nir**

기념품

□□□ [17.19 수능기출]

souvenir [sùːvəníər]

명 기념품

He brought home a **souvenir** for his journey.

그는 집에 자신의 여행 **기념품**을 가져왔어.

0159 ★★★

stapl 

주요 산물
주된, 주요한

□□□

staple [stéipl]

명 주요 산물 형 주된, 주요한

유 principal, main 반 by - product 부산물

The **staple** crop is rice.

주된 곡물은 쌀이다.

기출 maize 옥수수 18수능

0160 ★★★

st  **re**

가게, 저장하다

□□□ 교육부 [98.98. 01.12.13.14 수능기출]

store [stɔ́ːr]

명 가게 동 저장하다

the capacity to **store** information

정보의 **저장** 능력 98수능

0161 ★★★

tribut 

헌사, 공물

□□□ [13.15.16.17 수능기출]

tribute [tríbjuːt]

명 헌사, 공물

팁 tribal 부족의, 종족의

lay them under **tribute**

그들에게 **공물**을 바치게 하다

0162 ★★★

va  **ant**

비어 있는,
사람이 없는

□□□

vacant [véikənt]

형 비어 있는, 사람이 없는

유 empty, vacancy, unoccupied

Do you know any **vacant** house?

혹시 **빈** 집을 아십니까?

0163 ★☆☆

lley

골목

□□□ [19 수능기출]

alley [æli]

명 골목

유 path 19수능 lane 기출 shortcut 지름길22수능

She is looking for her friend's house in the **alley**.

그녀는 **골목**에서 친구 집을 찾고 있다.

0164 ★☆☆

antarct  c

남극, 남극의

□□□

antarctic [æ̀ntɑ́:rktik]

명 남극 형 남극의

It is very quiet in the **Antarctic.**

남극은 매우 조용하다.

0165 ★★☆

ar  tic

북극, 북극의

□□□ [14 수능기출]

arctic [ɑ́:rktik]

명 북극 형 북극의

arctic weather

극한의 날씨

He was the first explorer of the **Arctic.**

그는 처음으로 **북극**을 탐험한 사람이었다.

0166 ★☆☆

atlanti 

대서양

□□□

atlantic [ætlǽntik]

명 대서양

팁 the pacific 태평양 the Indian ocean 인도양

I flew across the **Atlantic.**

나는 **대서양**을 건너갔다.

0167 ★☆☆

bar  arian

이방인, 야만인

□□□

barbarian [bɑ:rbέəriən]

명 이방인, 야만인

파 barbarism 야만, 미개

Don't act like a **barbarian**!

야만인처럼 행동하지 마라!

0168 ★★☆

b  nd

굽히다, 구부리다

□□□ [13 수능기출]

bend [bénd]

동 굽히다, 구부리다

Be careful of the **bend** in the road.

구부러진 길을 조심해라.

1분 안에 넘기기 | 시간 있으면 꼼꼼히 외우기

0169 ★★★

bl  ck

덩어리, 구역
막다, 차단하다

□□□ 교육부 [11.13.14.15 수능기출]

block [blák]

명 덩어리, 구역 동 막다, 차단하다

Clouds **block** the sun.
구름이 태양을 **차단한다**.

the last **block** on a tower
탑 위에 마지막 **블록** 11수능

0170 ★★☆

 ull

황소, (큰동물의) 수컷

□□□ [09 수능기출]

bull [búl]

명 황소, (큰동물의) 수컷

팁 bullfighter 투우사 20수능

Beware of the **bull** in the field.
들판에 있는 그 **황소**를 조심해라.

the World's Series of **bull** fighting
투우 세계 대회 09수능

0171 ★☆☆

cascad 

작은 폭포

□□□

cascade [kæskéid]

명 작은 폭포

The **cascade** was beautiful.
그 **폭포**는 아름다웠다.

0172 ★★☆

cath  dral

대성당

□□□

cathedral [kəθí:drəl]

명 대성당

Not every church is a **cathedral**.
모든 교회가 **성당**은 아니다.

0173 ★☆☆

 entennial

100년마다의

□□□

centennial [senténiəl]

형 100년마다의

Today we celebrate the **centennial** anniversary.
오늘 우리는 **100주년** 기념식을 합니다.

0174 ★★★

c  ntinent

대륙, 유럽 대륙

□□□ [00.03.07 수능기출]

continent [kántənənt]

명 대륙, 유럽 대륙

on several **continents**
몇몇 **대륙**에서 00수능

throughout the **continent**
전 **대륙**을 통해 03수능

0169 블락 0170 부울 0171 캐스케이드 0172 커띄~드럴 0173 센테니얼 0174 칸~티넌트

0175 ★★★

□□□ [98.00.02.08 수능기출]

convenient [kənvíːnjənt]

형 편리한, 가까운

반 inconvenience 불편, 애로 팁 conventional 관습적인, 전통적인

When would it be most **convenient** for you?
당신에겐 언제가 가장 **편리하겠습니까**? 00수능

cheap and **convenient**
싸고 **편리한** 02수능

0176 ★★

□□□ [15 수능기출]

county [káunti]

명 자치주, 군(미국 대부분 주의 최소 행정 구역)

What **county** are you from?
넌 어디 **지역** 출신이니?

0177 ★

□□□

crater [kréitər]

명 분화구

There are many **craters** on the moon.
달에는 많은 **분화구**가 있다.

0178 ★★

□□□ [04.09 수능기출]

curve [kəːrv]

명 곡선, 만곡, 커브

graceful **curves**
멋진 **만곡** 04수능

The ball **curved** cleanly.
그 공은 깨끗한 **포물선**을 그렸다. 09수능

0179 ★★★

□□□ [07.10.12.14 수능기출]

depth [depθ]

명 깊이

팁 deep 깊은 high 높은 height 높이 wide 넓은 width 너비

What is the **depth** of the river?
그 강의 **깊이**는 얼마니 되니?

0180 ★★

□□□

desolate [désələt]

형 황량한, 적막한

This place is very **desolate**.
여기는 매우 **황량합니다**.

0181 ★★☆

distri  t

지구, 구역, 지방

□□□ 교육부 [17.22 수능기출]

district [dístrikt]

명 지역, 지구

I live in this **district**.

저는 이 **지역**에 살아요.

0182 ★★☆

do  k

부두, 선창

□□□ [14 수능기출]

dock [dák]

명 부두, 선창

There is a ship at the **dock**.

부두에 배 한 척이 있다.

0183 ★☆☆

drag  nfly

잠자리

□□□

dragonfly [drǽgənflài]

명 잠자리

The boy caught a **dragonfly**.

그 소년은 **잠자리**를 잡았다.

0184 ★☆☆

 usk

황혼, 땅거미

□□□

dusk [dʌ́sk]

명 황혼, 땅거미

파 dusky 어스름한 유 sunset 해 질 녘

It is dark at **dusk**.

땅거미가 내릴 때쯤에는 어둡다.

0185 ★☆☆

e  bassy

대사관

□□□

embassy [émbəsi]

명 대사관

팁 diplomat 외교관

I went to the Korean **embassy**.

나는 한국 **대사관**에 갔었다.

0186 ★★☆

 quator

적도

□□□ [96 수능기출]

equator [ikwéitər]

명 적도

파 equatorial 적도의 equation 방정식, 등식

팁 longitude 경도 latitude 위도

Have you ever crossed the **equator**?

적도를 건너 본 적 있니?

0187 ★☆☆

exoti

외국의, 이국적인

□□□ [10 수능기출]

exotic [igzátik]

형 외국의, 이국적인

유 unusual 특이한, 흔치 않은 foreign 외국의

I like to meet people from **exotic** and new places.
나는 새로운 **낯선** 곳에서 사람들을 만나는 것을 좋아한다. 10수능

0188 ★★☆

exp

nse
넓게 트인 지역

□□□ [06 수능기출]

expanse [ikspǽns]

명 넓게 트인 지역

파 expand 확대되다, 확장되다 기출 enlarge 확대하다 19수능

From the hill, she looked down on a wide **expanse** of forest.
그녀는 언덕에서 **넓게** 펼쳐져 있는 숲을 내려다보았다.

0189 ★☆☆

gla

ial
빙하기의

□□□ [94 수능기출]

glacial [gléiʃəl]

형 빙하기의

파 glacier 빙하

It rises or falls as the **glaciers** melt or expand.
빙하가 녹거나 커짐에 따라 그것은 올라가기도, 내려오기도 한다. 94수능

0190 ★☆☆

gl

tter
반짝반짝 빛나다, 번들거리다

□□□

glitter [glítər]

동 반짝반짝 빛나다, 번들거리다

유 glisten 반짝이다

팁 glare 눈 부신 빛 glimmer 희미한 빛 flash 번쩍이다 twinkle 반짝이다 shine 비추다

The stars began to **glitter**. 별들이 **반짝이기** 시작했다.

0191 ★☆☆

gul

갈매기

□□□

gull [gʌ́l]

명 갈매기

The **gull** lived near the sea.
갈매기는 바다 근처에 살았다.

0192 ★☆☆

h

tch
부화하다

□□□

hatch [hǽtʃ]

동 부화하다

The eggs began to **hatch.**
계란이 **부화하기** 시작했다.

0193 ★★☆

hemispher 

(지구, 뇌) 반구

□□□ [13 수능기출]

hemisphere [hémisfìər]

명 (지구, 뇌) 반구

I live in the northern **hemisphere.**

저는 **북반구**에 살고 있습니다.

0194 ★★☆

h  rd

(짐승) 떼, 사람들

□□□ [13 수능기출]

herd [hə́:rd]

명 (짐승) 떼, 사람들

팁 flock (새, 짐승) 떼 pack (개, 늑대) 떼

It is only a **herd** of swine.

그것은 단지 돼지 **떼**이다.

0195 ★★☆

hist 

ric

역사적으로 중요한, 역사에 남을 만한

□□□ [98.09.11 수능기출]

historic [histɔ́:rik]

형 역사적으로 중요한, 역사에 남을 만한

파 historian 사학자 historically 역사상
historian of science 과학 사학자 19수능

Historic events are significant.

역사적인 사건들이 중요합니다. 09수능

0196 ★☆☆

hu 

중심, 중추

□□□ [16 수능기출]

hub [hʌ́b]

명 중심, 중추

유 center 기출 centerpiece 중심 22수능

It is a **hub** of activity.

그것은 활동의 **중심지**이다.

0197 ★★☆

isl 

(시어 또는 이름에서) 섬

□□□ [13.16.17 수능기출]

isle [áil]

명 (시어 또는 이름에서) 섬

In the lake there is an **isle**.

호수에 **섬**이 있다.

0198 ★☆☆

iv  ry

상아, 상아색

□□□

ivory [áivəri]

명 상아, 상아색

It is illegal to sell **ivory.**

상아를 판매하는 것은 불법이다.

0199 ★★☆

latitud 

위도, 지방

□□□ [12 수능기출]

latitude [lǽtətjùːd]

명 위도, 지방

The **latitude** of the region is 24 degrees north.
그 지방의 **위도**는 북위 24도다.

0200 ★☆☆

longitud 

경도

□□□

longitude [lάndʒətjùːd]

명 경도

Can you calculate the **longitude?**
당신은 그 **경도**를 계산할 수 있습니까?

0201 ★★☆

magnifi  **nt**

참으로 아름다운

□□□ [10 수능기출]

magnificent [mægnífəsnt]

형 참으로 아름다운

a **magnificent** sight
장관 10수능

0202 ★★☆

m  **st**

돛대, 기둥

□□□ [15.17 수능기출]

mast [mǽst]

명 돛대, 기둥

The ship has two **masts.**
그 배에는 두개의 **돛대**가 있다.

0203 ★★☆

mediterran  **an**

지중해
지중해의

□□□

mediterranean [mèdətəréiniən]

명 지중해 형 지중해의

The **Mediterranean** weather is very good.
지중해의 날씨는 매우 좋다.

0204 ★★☆

metropol  **s**

주요 도시
(한 국가나 행정 지역의 수도)

□□□

metropolis [mitrάpəlis]

명 주요 도시(한 국가나 행정 지역의 수도)

Seoul is a **metropolis.**
서울은 **대도시**이다.

0205 ★★★

□□□ [02.06.13 수능기출]

mist [míst]

명 엷은 안개, 스프레이

A light **mist** lies along the earth.
가벼운 **안개**가 대지를 따라 깔려 있었다. 06수능

0206 ★★★

□□□ 교육부 [08. 09. 10 수능기출]

native [néitiv]

형 태어난 곳의, 토박이의

native cultures 원주민 문화 08수능

He is a **native** of the Mississippi basin.
그는 미시시피 강 유역의 **토박이**다. 10수능

기출 birthplace 탄생지 19수능

0207 ★★★

□□□ [96.97.02.07.08.10.11.12.14.15.16 수능기출]

nature [néitʃər]

명 자연, 천성, 본성

㊇ naturalist 박물학자 15수능

the connectedness of elements in **nature**
자연의 요소들의 연결성 10수능

0208 ★★

□□□ [05.16 수능기출]

orient [ɔ́:riənt]

명 동양 동 ~을 지향하게 하다

㊇ oriental 동양의 ㊥ occidental 서양의

The eastern part of Asia is sometimes referred to as the **Orient.**
아시아의 동부는 때때로 **동양**이라고 일컬어진다.

0209 ★★★

□□□ 교육부 [03.04.05.06.07.08.09.11.12.14.15 수능기출]

origin [ɔ́:rədʒin]

명 기원, 근원, 출신

㊇ original 원래의, 독창적인 originate 유래하다 originality 독창성

㊈ aboriginal 원주민의

the place of **origin** of this earthquake
이 지진의 **근원** 장소

0210 ★★

□□□ [09 수능기출]

outlook [áutlùk]

명 전망, 관점

㊒ prospect 예상, 전망

This presents the **outlook** on physics.
이것은 물리학의 전반적 **관점**이다. 09수능

0205 미스트 0206 네이티브 0207 네이취 0208 오~리엔트 0209 오리진 0210 아웃룩

0211 ★☆☆

psserby
통행인

□□□
passerby [pǽsərbái]
명 통행인
㊒ pedestrian 보행자
I asked a **passerby** for directions.
나는 **행인**에게 길을 물어보았다.

0212 ★★☆

pastur
목장, 목초지

□□□ [12.13 수능기출]
pasture [pǽstʃər]
명 목장, 목초지
㊋ pasture land 목초지, 방목지 ㊒ ranch 목장
The disadvantage is that the extra grazing contributes to the deterioration of the **pasture**.
단점은 추가적인 방목은 **목초지** 악화의 원인이 된다는 것이다. 13수능

0213 ★★☆

pavemnt
포장도로, 보도

□□□ [97 수능기출]
pavement [péivmənt]
명 포장도로, 보도
㊒ sidewalk pave 길을 포장하다
The **pavement** is straight.
보도가 일직선이다.
My shoulder hit against the **pavement**.
나의 어깨가 **도로** 위에 부딪혔다. 97수능

0214 ★☆☆

pennsula
반도

□□□
peninsula [pənínsjulə]
명 반도
Korea is a **peninsula**.
한국은 **반도**이다.

0215 ★☆☆

plar
북극의, 극지의

□□□
polar [póulər]
형 북극의, 극지의
㊵ antarctic 남극의
I took a photo of a **polar** bear.
난 **북극**곰의 사진을 찍었다.

0216 ★☆☆

prairi
(북미 · 캐나다의)
대초원

□□□
prairie [prɛ́əri]
명 (북미·캐나다의) 대초원
We traveled through the **prairie**.
우리는 **대초원**을 여행했다.

1분 안에 넘기기

시간 있으면 꼼꼼히 외우기

0217 ★★☆

provinc 

지방, (행정 단위) 주

□□□

province [prάvins]

명 지방, (행정 단위) 주

㉣ provincial 지방의

He came from a distant **province**.

그는 먼 **지방**에서 왔다.

0218 ★★☆

qu  st

탐색, 탐구
탐구하다

□□□ [13.14.16.17 수능기출]

quest [kwést]

명 탐색, 탐구 동 탐구하다

㉤ search 찾기, 수색

His **quest** for valuable minerals was in vain.

그의 유용 광물 **탐색**은 헛수고였다.

0219 ★★★

rar 

드문, 희귀한, 살짝 익힌

□□□ [94.98.99.01.03.07.08.09.10.13.17.19 수능기출]

rare [rέər]

형 드문, 희귀한, 살짝 익힌

㉣ rarely 드물게 10수능

Also fix-it shops are getting **rare**.

수리점도 점차 **드물어져** 간다. 98수능

rare plants

희귀한 식물 08수능

0220 ★★★

r  gion

지역, 지방

□□□ 교육부 [94.97.06.10.11.13 수능기출]

region [ríːdʒən]

명 지역, 지방

㉣ regional 지방의

He came from a very hot **region**.

그는 매우 더운 지역에서 왔다.

0221 ★☆☆

 heer

완전한, 순수한, 깎아지른 듯한

□□□

sheer [ʃíər]

형 완전한, 순수한, 깎아지른 듯한

㉤ utter 완전한

In front of them was a **sheer** cliff.

그들 앞에는 **깎아지른 듯한** 절벽이었다.

0222 ★☆☆

sh  al

(물고기) 떼, 여울

□□□

shoal [ʃóul]

명 (물고기) 떼, 여울

He began to fish near a **shoal** of fish.

그는 **여울목**에서 낚시를 하기 시작했다.

0223 ★★☆

spectacl 

광경, 장관

□□□

spectacle [spéktəkl]

명 광경, 장관

㉺ spectacles 안경

Crowds gathered to see the **spectacle**.

관중들이 **광경**을 보기 위해 모였다.

0224 ★★☆

st  ep

가파른, 경사가 급한, 너무 비싼

□□□ [98.09.15.19 수능기출]

steep [stí:p]

형 가파른, 경사가 급한, 너무 비싼

㉺ steeper 적시는 사람

The hill is too **steep** to climb.

그 언덕은 오르기에 너무 **가파르다**.

Steep gasoline taxes

터무니없는 가솔린 세금 09수능

0225 ★★★

strang  r

낯선 사람

□□□ [94.97.99.00.08.13 수능기출]

stranger [stréindʒər]

명 낯선 사람

㉺ strange(strangest) 이상한, 낯선 strangely 이상하게

I met a **stranger**.

나는 **낯선 사람**을 만났다.

the **stranger** who had led me

나를 인도했던 **낯선 사람** 99수능

0226 ★★☆

suburb  n

(도시) 교외의, 평범한

□□□ [09 수능기출]

suburban [səbə́:rbən]

형 (도시) 교외의, 평범한

㉺ suburbs (교외)촌, 교외

Suburban life is quiet.

도시 변두리의 삶은 고요하다.

0227 ★★☆

summ  t

정상, 산꼭대기, 정상 회담

□□□ [12 수능기출]

summit [sʌ́mit]

명 정상, 산꼭대기, 정상 회담

㊒ top 가장 높은 곳, 꼭대기

It took an hour to reach the **summit**.

정상에 도달하는 데 한 시간이 소요되었다.

0228 ★★☆

t  rritory

영토, 지역, 세력권

□□□ [11 수능기출]

territory [tératɔ̀:ri]

명 영토, 지역, 세력권

㉥ terrify (몹시) 무섭게 하다

Please keep out of my **territory**.

나의 **영역**에는 얼씬도 마라.

0223 스펙티클 0224 스팁 0225 스트레인져 0226 써벌~번 0227 써밋 0228 테러토~리

1분 안에 넘기기 | 시간 있으면 꼼꼼히 외우기

0229 ★

tropi s

회귀선,
열대 지방

□□□

tropics [trápik]

명 회귀선, 열대 지방

팁 troop 무리, 군대 trophic 영양의

It is very warm in the **tropics.**
열대 지방은 아주 따뜻하다.

0230 ★★

und rground

지하의
지하에

□□□ [04 수능기출]

underground [ʌ́ndərgràund]

형 지하의 부 지하에

underground nuclear-explosion tests
지하 핵폭발 실험 04수능

0231 ★★★

urb n

도시의,
도회지의

□□□ [96.07.09.10.11.17 수능기출]

urban [ə́:rbən]

형 도시의, 도회지의

the **urban** environment
도시 환경 07수능

Urban Growth Management
도시 성장 관리 09수능

0232 ★★

vin

포도나무,
덩굴 식물

□□□ [06 수능기출]

vine [váin]

명 포도나무, 덩굴 식물

파 vineyard 포도밭, 포도원

the **vine**'s roots
포도나무의 뿌리 06수능

0233 ★★★

west rn

서쪽의, 서부의

□□□ [01.03.07.08.10.11.13 수능기출]

western [wéstərn]

형 서쪽의, 서부의

팁 Northwestern 북서부의 Westerners 구미인, 서양인들

the cycles of **Western** economies during the 20th century
20세기 동안의 **서양의** 경제 주기 07수능

0234 ★★

wildern ss

황야, 황무지

□□□ [94.15 수능기출]

wilderness [wíldərnis]

명 황야, 황무지

파 wildness 황폐, 야생

only piece of '**wilderness**'
유일한 '**황야**' 94수능

0229 **트**라픽스 0230 **언**더그라운드 0231 **얼**~번 0232 바인 0233 **웨**스턴 0234 **윌**더니스

Chapter 1
Review Test

A. 수능에 출제되는 단어 또는 단어의 뜻을 쓰시오.

01. 경계(선) ____________
02. 예상, 기대 ____________
03. 비상사태 ____________
04. 통역하다, 해석하다 ____________
05. 가끔의 ____________
06. 보행자 ____________
07. 부풀다, 부어오르다 ____________
08. ~할 여유가 되다 ____________
09. 탐색, 탐구 ____________
10. 교외의, 평범한 ____________
11. landscape ____________
12. masterpiece ____________
13. access ____________
14. descend ____________
15. migrate ____________
16. trail ____________
17. approximate ____________
18. revenue ____________
19. tribute ____________
20. district ____________

B. 수능에 출제되는 문장의 문맥에 맞는 단어를 고르시오.

01. The company ________ with discipline.
02. This is a section where there is much ________.
03. When would it be most ________ for you?

ⓐ vegetation	ⓑ proceeded	ⓒ congestion	ⓓ convenient	ⓔ outward

04. I like to meet people from new ________ places.
05. A light ________ lay along the earth.
06. This presents the ________ on physics.

ⓐ outlook	ⓑ mist	ⓒ exotic	ⓓ explore	ⓔ drizzle

정답 01.ⓑ 02.ⓐ 03.ⓓ 04.ⓒ 05.ⓑ 06.ⓐ

01. 회사는 질서 있게 일을 (진행했다). 12수능
02. 이곳은 (초목들)이 많이 있는 구역이다. 07수능
03. 당신에겐 언제가 가장 (편리하겠습니까)? 00수능
04. 나는 새로운 (낯선) 곳에서 사람들을 만나는 것을 좋아한다. 10수능
05. 가벼운 (안개)가 대지를 따라 깔려 있었다. 06수능
06. 이것은 물리학의 전반적 (관점)이다. 09수능

수능기본 접속사와 숙어

추가	□ additionally [부] 게다가, 더구나	again [부] 또
	□ also [부] 또한	and (then) [접] 그리고
	□ as well as [숙] ~외에도, ~에 더하여	at the same time [숙] 동시에
	□ besides [부] 게다가 [전] ~외에	further [부] 게다가, 더 나아가
	□ furthermore [부] 게다가 [형] 더 이상의, 추가의	in addition (to) [숙] ~외에도 ~에 더하여
	□ indeed [부] 정말, 실로, 사실상	likewise [부] 또, 역시, 마찬가지로
	□ moreover [부] 게다가, 더욱이	next [형] 다음의 [부] 다음으로
	□ or [접] 또는	similarly [부] 비슷하게, 유사하게
	□ together with [숙] ~와 함께	what's more [숙] 한 술 더 떠서
동의	□ according to [숙] ~에 따르면	in agreement [숙] ~에 동의하여
대조	□ after all [숙] ~결국에는	despite [전] ~에도 불구하고
	□ in spite of (that) [숙] ~임에도 불구하고	nevertheless [부] ~그럼에도 불구하고
	□ nonetheless [부] ~그럼에도 불구하고	notwithstanding [전] ~에도 불구하고
	□ for all that [숙] ~에도 불구하고	at the same time [숙] 동시에, 또한
	□ but [접] 그러나	conversely [부] 반대로
	□ even though [숙] ~라 할지라도	however [부] 그러나
	□ in contrast [숙] 대조적으로	on the contrary [숙] 반면에, 반대로
	□ on the other hand [숙] 다른 한편으로는, 반면에	still [부] 아직, 그런데도
	□ though [접] ~에도 불구하고	unlike [전] ~와 달리
	□ whereas [접] 반면에, ~에 반해서	while [접] ~하는 동안[사이]
	□ yet [접] 그렇지만, 그런데도	compare [동] (A와 B를) 비교하다
비교	□ likewise [부] 비슷하게	in comparison [숙] 비교해 보면
	□ in the same way [숙] 같은 방법으로	similarly [부] 유사하게
강조	□ definitely [부] 분명히	in any event [숙] 아무튼, 좌우간
	□ indeed [부] 정말, 참으로	in especial [숙] 유난히, 특히
	□ in fact [숙] 사실상	in particular [숙] 특히, 특별히
	□ naturally [부] 당연히	particularly [부] 특히
	□ principally [부] 주로, 대개	specifically [부] 특히, 구체적으로
	□ unquestionably [부] 당연히, 분명히	undoubtedly [부] 의심할 여지없이, 분명히
	□ without a doubt [숙] 의심할 여지없이	
시간 관련	□ after a while [숙] 잠시 후에	afterward(s) [부] 나중에
	□ as time goes by [숙] 시간이 지날수록	at last [숙] 마침내
	□ at present [숙] 현재로선	at this point [숙] 이 시점에서
	□ at the same time [숙] 동시에	during [전] ~동안에
	□ immediately [부] 즉시, 즉각	in the meantime [숙] 그동안

20점 넘기기

Chapter 02

Nature and Science / 자연과 과학

ⓐ Scientific Fields (과학 분야)

ⓑ Organic Materials (유기물질)

ⓒ Instruments and Ingredients (도구와 재료)

ⓓ Processes (과정)

ⓔ Associated Words (연관 단어)

1분 안에 넘기기

시간 있으면 꼼꼼히 외우기

0235 ★★★

acousti 

음향의, 청각의

□□□ [09.15 수능기출]

acoustic [əkú:stik]

형 음향의, 청각의

㉷ acoustician 음향 전문가 ㉾ sound

an **acoustic** medium

청각의 매체09수능

0236 ★★★

astr  **nomy**

천문학

□□□ [04.05 수능기출]

astronomy [əstrάnəmi]

명 천문학

㉷ astronomer 천문학자 astronomical 천문학의

If you missed this **astronomical** show, you're really out of luck.

만약 이 **천문학적인** 쇼를 놓쳤다면 당신은 불운한 것이다.04수능

0237 ★★★

at  **m**

원자

□□□ [99.08.11 수능기출]

atom [ǽtəm]

명 원자

㉱ particle 미립자 molecule 분자 anatomy 해부학, 구조

Its **atoms** are not themselves red.

그것을 이루는 **원자**는 빨간색이 아니다.08수능

0238 ★★★

bi  **chemistry**

생화학, 생리

□□□

biochemistry [baioukémistri]

명 생화학, 생리

One of the new subjects is **biochemistry**.

새로운 과목 중의 하나는 **생화학**이다.

0239 ★★★

biol  **y**

생물학, 생명 작용

□□□ [04.08.12.13.16.20 수능기출]

biology [baiάlədʒi]

명 생물학, 생명 작용

㉷ biologist 생물학자 biologically 생물학적으로 biological 생물학의

Biologists get an access to communications between animals.

생물학자들은 동물 간의 의사소통에 접근한다.04수능

0240 ★★★

bot  **ny**

식물학

□□□

botany [bάtəni]

명 식물학

We study **botany** outdoors.

우리는 야외에서 **식물학**을 공부한다.

혓바닥 **e** 입벌린 **c** 머리묶은 **a** 동글이 **o** 목떨어진 **i**

0235 어**쿠**~스틱 0236 어**스**트러너미 0237 **애**텀 0238 바이어**케**미스트뤼 0239 바이**알**러쥐 0240 **바**트니

0241 ★★★

□□□ [95.99.00.02.07.08.09.10.19 수능기출]

chemistry [kéməstri]

명 화학, 화학적 성질

㉺ chemical 화학의 agricultural chemistry 농예 화학

a **chemistry** assignment
화학 과제 10수능

chemistry report
화학 보고서 10수능

0242 ★★

□□□ [10.12 수능기출]

clarity [klǽrəti]

명 명확성, 명쾌함

He needs to issue his orders with absolute **clarity**.
그는 절대적으로 **명료하게** 명령을 내릴 필요가 있다. 10수능

0243 ★★

□□□ [02.06 수능기출]

classify [klǽsəfài]

동 분류하다

㉺ classification 분류, 유형

It takes time to define and **classify**.
그것을 규정짓고 **분류하는** 것은 시간이 걸린다. 02수능

0244 ★

□□□

clone [klóun]

명 복제 생물, 클론 동 복제하다

They are all **cloned** dogs.
그들은 모두 **복제된** 개들이다.

0245 ★★

□□□

comet [kάmit]

명 혜성

I saw a **comet** last night.
지난밤에 나는 **혜성**을 봤다.

0246 ★

□□□

constellation [kὰnstəléiʃən]

명 별자리, 성좌

What constellation is that?
그게 무슨 **별자리**인가요?

1분 안에 넘기기 | 시간 있으면 꼼꼼히 외우기

0247 ★

cosm  s

우주

□□□

cosmos [kɑ́zməs]

명 우주

The **cosmos** is very wide.

우주는 매우 넓다.

0248 ★

de 

imal

십진법의, 소수의

□□□

decimal [désəməl]

형 십진법의, 소수의

팁 binary 2진법의

Move the **decimal** one point.

소수점 하나를 옮겨라.

0249 ★★

diss  lve

녹다,
용해되다

□□□ [13 수능기출]

dissolve [dizɑ́lv]

동 녹다, 용해되다

파 dissolution 용해

The medicine was **dissolved** in water.

그 약품이 물에 **녹았다**.

0250 ★★

elasti 

탄성의, 탄력 있는

□□□ [14 수능기출]

elastic [ilǽstik]

형 탄성의, 탄력 있는

Old World **elastic** weapons

구세계의 **탄성**무기들

0251 ★★★

electri 

전기의, 전기를 띤

□□□ [06.12.13.16 수능기출]

electric [iléktrik]

형 전기의, 전기를 띤

파 electricity 전기 electrician 전기 기사

the greatest amount of **electricity**

가장 많은 양의 **전기** 06수능

0252 ★★

el  ctronic

전자의,
전자 활동에 의한

□□□ [94.05.08.16 수능기출]

electronic [ilèktrɑ́nik]

형 전자의, 전자 활동에 의한

파 electron 전자 electronics 전자제품 19수능

The constant noises of **electronic** devices hurt the ears.

가전제품과 같은 **전자** 장치의 지속적인 소음은 귀를 상하게 한다. 08수능

0253 ★★★

encl  sure

(울타리로 쳐 놓은) 구역

□□□ [13.15.17 수능기출]

enclosure [inklóuʒər]

명 (울타리로 쳐 놓은) 구역

They moved the nymphs to an experimental **enclosure**.
그들은 애벌레를 실험용 **구역**으로 옮겼다. 15수능

0254 ★★★

 volution

진화, 발전

□□□ [94.06.08.13.14.15.17 수능기출]

evolution [èvəlú:ʃən]

명 진화, 발전

㊂ evolutionary 진화적인 evolve 진화시키다 ㊁ devolution 퇴화

People do research in **evolution**.
사람들은 **진화**에 대해 연구한다.

the **evolution** of the neck
목의 진화 06수능

0255 ★★★

 xpert

전문가
숙련된

□□□ 교육부 [99.14.17 수능기출]

expert [ékspə:rt]

명 전문가 형 숙련된

㊀ specialist ㊁ amateur 아마추어 ㊇ expertise 전문성 20수능

He is not an **expert**.
그는 **전문가**가 아니다.

the computer **expert**
컴퓨터 **전문가** 99수능

0256 ★★★

ext  rnal

외부의, 외면의

□□□ 교육부 [13.15.16.20 수능기출]

external [ikstə́:rnl]

형 외부의, 외면의

㊂ exterior (건물의) 외부 externality 외부 효과 20수능
㊁ internal 내부의 internalize 내면화하다 20수능

The **external** surface of the car is very smooth and shiny.
그 차의 **표면**은 매우 매끄럽고 광이 난다.

0257 ★★

extin  t

멸종된, 사라진

□□□ [96.05 수능기출]

extinct [ikstíŋkt]

형 멸종된, 사라진

㊂ extinction 멸종 extinctive 소멸적인

That type of animal is **extinct**.
그런 유형의 동물은 **멸종**한다.

an **extinct** species
멸종된 종 05수능

0258 ★★

firsth  nd

직접, 바로
직접의

□□□ [14 수능기출]

firsthand [fə́:rsthǽnd]

부 직접, 바로 형 직접의

㊁ secondhand 간접의

She had a **firsthand** experience.
그녀는 **직접** 경험을 했다.

0253 인클로우셜 0254 애벌루션 0255 엑스펄~트 0256 엑스터~널 0257 익스팅트 0258 뻘~스트핸드

0259 ★★☆

flui 

유동체, 체액
유동체의

□□□

fluid [flú:id]

명 유동체, 체액 형 유동체의

팁 solid 고체 liquid 액체 gas 기체

He keeps the **fluid** in a bottle.
그는 병 속에 **액체**를 가지고 있다.

0260 ★☆☆

fusi  n

융합, 결합

□□□ [07 수능기출]

fusion [fjú:ʒən]

명 융합, 결합

It is a **fusion** of two styles.
그것은 두 스타일의 **융합**이다.

0261 ★☆☆

g  laxy

은하계, 은하수

□□□

galaxy [gǽləksi]

명 은하계, 은하수

I count the stars in the **galaxy**.
나는 **은하수**의 별들을 센다.

0262 ★★★

gen 

유전자

□□□ [98,13,14 수능기출]

gene [dʒi:n]

명 유전자

파 genetic 유전의13수능 genetically 유전적으로20수능

Is a language based on **genes**?
언어는 **유전자**에 기반을 두는가? 13수능

Gene activation
유전자 활동98수능

0263 ★☆☆

ge  logy

지질학, 지질학적 기원

□□□

geology [dʒiɑ́lədʒi]

명 지질학, 지질학적 기원

Geology has a long history.
지질학은 오랜 역사를 가지고 있다.

0264 ★★☆

hydr  gen

수소

□□□ [07 수능기출]

hydrogen [háidrədʒən]

명 수소

팁 hydrant 소화전 dehydration 탈수

hydrogen engines, wind energy or solar energy
수소 엔진, 풍력 에너지 또는 태양 에너지07수능

0259 플루이~드 0260 퓨~전 0261 갤럭시 0262 쥐~인 0263 쥐알러지 0264 하이드러젼

0265 ★★☆

inf  r

추론하다, 추측하다

□□□ 교육부 [13.14.15.16.20 수능기출]

infer [infə́ːr]

동 추론하다, 추측하다

파 inference 추론15수능

What can be **inferred** about her?

그녀에 대해 **추측**할 수 있는 것은 무엇인가?

0266 ★★☆

intrigu 

호기심을 자아내다

□□□ [13.15.17 수능기출]

intrigue [intríːg]

동 호기심을 자아내다

It has always **intrigued** researchers.

그것은 항상 연구자들의 **호기심을 자아내었다.** 15수능

0267 ★☆☆

 rrigation

관개, 물을 끌어들임

□□□ [12 수능기출]

irrigation [ìrəgéiʃən]

명 관개, 물을 끌어들임

The fields need an **irrigation.**

그 들판은 **관개**가 필요하다.

Irrigation system

관개 조직12수능

0268 ★★★

laborat  ry

실험실

실험실의, 실습의

□□□ [94.98.06.14.19 수능기출]

laboratory [lǽbərətɔ̀ːri]

명 실험실 형 실험실의, 실습의

유 lab

He makes mistakes in **laboratory** experiments.

그는 **실험실**에서 하는 실험에서 실수를 한다.06수능

0269 ★☆☆

line  r

선의, 직선의

□□□ [09 수능기출]

linear [líniər]

형 선의, 직선의

반 curved 곡선의

The printed page with the eyes is a **linear** process.

인쇄된 페이지는 눈으로 녹해하는 **선형직** 방식이다.09수능

기출 storyline 줄거리, 스토리라인19수능

0270 ★☆☆

lun  r

달의, 태음의

□□□

lunar [lúːnər]

형 달의, 태음의

Our farmers farm according to the **lunar** calendar.

우리 농부들은 **음력** 절기에 맞춰 농사를 짓는다.

1분 안에 넘기기 | 시간 있으면 꼼꼼히 외우기

0271 ★★☆

m  gnet

자석

□□□ [08 수능기출]

magnet [mǽgnit]

명 자석

㉺ magnetic 자석의, 자석 같은 magnetism 자성, 자력 16수능

The honey was like a **magnet** for bees.
꿀은 벌에겐 **자석**과도 같았다.

0272 ★★★

m  chanical

기계의, 기계로 작동되는

□□□ [96.10.12 수능기출]

mechanical [məkǽnikəl]

형 기계의, 기계로 작동되는

㉺ mechanic 정비공95수능 mechanics 기계학
mechanism 기계 구조, 방법12.20수능

mechanical requirements **기계적** 필요조건 96수능

biomechanical units **생물기계학**의 단위 10수능

0273 ★☆☆

metab  lic

신진대사의, 물질대사의

□□□ [12 수능기출]

metabolic [mètəbálik]

형 신진대사의, 물질대사의

㉺ metabolism 신진대사 meteorologist 기상학자 17수능

Activity after your evening meal sends signals to your **metabolism**.
저녁 식사를 한 후에 활동하는 것은 당신의 **신진대사**에 강력한 신호를 보낸다.12수능

0274 ★☆☆

m  teor

유성, 별똥별

□□□ [17 수능기출]

meteor [míːtiər]

명 유성, 별똥별

Last night we saw a **meteor**.
지난밤 우리는 **별똥별**을 봤다.

0275 ★★☆

moistur 

수분, 습기

□□□ [98.14 수능기출]

moisture [mɔ́istʃər]

명 수분, 습기

Plants drink the **moisture**.
식물들은 **수분**을 흡수한다.

0276 ★★☆

nu  lear

핵의, 원자력의

□□□ [08.04.12 수능기출]

nuclear [njúːkliər]

형 핵의, 원자력의

The **nuclear** danger continues.
핵의 위험은 계속된다.

Nuclear-explosion tests
핵폭발 실험04수능

0277 ★★★

rbit

궤도, 영향권
궤도를 돌다

□□□ [08 수능기출]

orbit [ɔ́:rbit]

명 궤도, 영향권 동 궤도를 돌다

The satellite began to **orbit**.
인공위성이 **궤도**에 진입했다.

the **orbit** of the Island
섬 **유역**08수능

0278 ★★★

p  rticle

입자, 미립자

□□□ [02.15 수능기출]

particle [pɑ́:rtikl]

명 입자, 미립자

팁 particular 특정한, 특별한

There were only **particles** left.
입자만이 남아 있었다.

the virus-A **particle**
바이러스 **입자**02수능

0279 ★★★

physi  s

물리학

□□□ 교육부 [95.97.98.99.00.05.06.08.09.10.11.12.13.17 수능기출]

physics [fíziks]

명 물리학

파 physicist 물리학자 physical 육체의 physically 신체적으로

팁 physician 내과 의사

physics experiments **물리** 실험05수능

an entire theory of **physics**
하나의 총체적인 **물리학 이론**06수능

0280 ★★★

precis 

정확한, 정밀한

□□□ [05.95.14.15.17 수능기출]

precise [prisáis]

형 정확한, 정밀한

팁 precious 귀중한, 값비싼 precisely 정확하게19수능
precision 정밀함 20수능

It is more **precise** to define it.
그것을 정의하는 것이 더욱 **정확하다**.95수능

0281 ★★★

radiati  n

방사선, 복사

□□□

radiation [rèidiéiʃən]

명 방사선, 복사

파 radioactive 방사성의

Radiation from the sun can be dangerous.
태양 **방사선**은 위험할 수 있다.

0282 ★★★

radioa  tive

방사성의

□□□

radioactive [rèidiouǽktiv]

형 방사성의

Radioactive waste is very dangerous.
방사성의 폐기물은 매우 위험하다.

0277 오올빗 0278 파리클 0279 피직스 0280 프리사이스 0281 레이디에이션 0282 레이디오액티브

0283 ★☆☆

rechargea  le

축전지
재충전되는

□□□

rechargeable [rìːtʃάːrdʒ]

명 축전지 형 재충전되는

파 recharge 충전하다

Is this battery **rechargeable**?

이 배터리는 **충전식인가요**?

0284 ★☆☆

refracti  n

굴절, 굴절 작용

□□□

refraction [rifrǽkʃən]

명 굴절, 굴절 작용

파 refract 굴절시키다 팁 reflection 반사

Scientists study the **refraction** of light.

과학자들은 빛의 **굴절**을 연구한다.

0285 ★★★

r  search

연구, 조사
연구하다

□□□ 교육부 [07.09.10.12.13.14.15.16.17 수능기출]

research [risə́ːrtʃ]

명 연구, 조사 동 연구하다

파 researcher 연구원, 조사원 12수능

mathematical **research**

수학적인 **연구** 07수능

our **research**

우리의 **연구** 10수능

0286 ★☆☆

re  ervoir

저수지, 저장소, 축적

□□□ [09 수능기출]

reservoir [rézərvwὰːr]

명 저수지, 저장소, 축적

팁 reserve 남겨두다, 예약하다 reservation 보류, 예약

There is no water in the **reservoir**.

저수지에 물이 없다.

a deep **reservoir**

깊은 **저장** 창고 09수능

0287 ★★☆

satell  te

(인공)위성

□□□ [13.17 수능기출]

satellite [sǽtəlàit]

명 (인공)위성

This morning a **satellite** was launched successfully.

오늘 아침에 **인공위성**이 성공적으로 발사되었다.

0288 ★★★

scientifi 

과학의, 체계적인

□□□ [95.96.97.98.99.04.07.08.09.11.13.17.19 수능기출]

scientific [sàiəntífik]

형 과학의, 체계적인

파 scientist 과학자 science 과학 scientism 과학만능주의 19수능
unscientific 반 비과학적인 19수능

숙 science fair 과학 박람회 19수능

various **scientific** fields and industry

다양한 **과학적인** 분야와 산업 08수능

0289 ★★☆

simil  r

비슷한, 유사한, 닮은

□□□ [97.04.05.07.08.09.10.11.12.13.14.16.17.19 수능기출]

similar [símələr]

형 비슷한, 유사한, 닮은

파 similarity 유사성 similarly 유사하게 assimilation 흡수, 동화

숙 take after=be similar to=resemble : ~을 닮다 수능기출

similar symptoms **유사한** 증상 10수능

a **similar** way **유사한** 방식 11수능 dissimilar 닮지 않은, 다른 수능19

0290 ★★☆

spa  eship

우주선

□□□ [99 수능기출]

spaceship [spéisʃip]

명 우주선

파 spatial 공간적인 19.21 수능

There is a **spaceship** in our museum.
우리 박물관에 **우주선**이 있다.

기출 spatial 공간의 19수능

0291 ★★★

surv  y

(설문) 조사, 측량, 점검

□□□ 교육부 [03.10.13.16 수능기출]

survey [sərvéi]

명 (설문) 조사, 측량, 점검

유 overview 개관, 개요 oversee 감독하다

a recent **survey**
최근의 **조사** 03수능

the results of a **survey**
조사의 결과 10수능

0292 ★☆☆

telescop 

망원경, 접어 넣다

□□□ [98 수능기출]

telescope [téləskòup]

명 망원경 동 접어 넣다

What appeared in the **telescope** looked more like large black spots.
망원경에 나타난 것은 오히려 커다란 검은 반점들처럼 보였다. 98수능

0293 ★☆☆

terrestri  l

지구의, 현세의, 지상의

□□□

terrestrial [təréstriəl]

형 지구의, 현세의, 지상의

유 earth 지구

Terrestrial weather is different from that on Venus.
지구의 날씨는 금성 날씨와 다르다.

0294 ★★★

the  ry

이론, 학설

□□□ 교육부 [06.12.13.14 수능기출]

theory [θíːəri]

명 이론, 학설

파 theorize 이론을 제시하다

an entire **theory** of physics
하나의 총체적인 물리학 **이론** 06수능

0295 ★☆☆

therml

열의, 보온성이 좋은

□□□

thermal [θə́:rməl]

형 열의, 보온성이 좋은

팁 thermal energy 열에너지

I enjoy going to a **thermal** spa.

나는 **온천**장에 가는 것을 즐긴다.

0296 ★★☆

unommon

흔하지 않은

□□□ [14 수능기출]

uncommon [ʌnkɑ:mən]

형 흔하지 않은

팁 commonsense 상식적인 19수능

This is an **uncommon** sound.

이것은 **흔하지 않은** 소리이다. 14수능

0297 ★☆☆

undrpin

지지하다,
응원하다

□□□ [14 수능기출]

underpin [ʌndərpɪn]

동 지지하다, 응원하다

That **underpins** the thesis that I am advancing.

그것은 내가 주장하고 있는 이론을 **뒷받침해주고 있다**.

0298 ★★★

univrsal

보편적인,
일반적인, 전세계의

□□□ [95.02.09.11.14.15.16.17.20 수능기출]

universal [jù:nəvə́:rsəl]

형 보편적인, 일반적인, 전세계의

파 universe 우주 09수능 universally 보편적으로 12수능

The earth is a part of the **universe**.

지구는 **우주**의 일부분이다. 95수능

0299 ★★☆

vpor

증기, 증발하다

□□□ [13 수능기출]

vapor [véipər]

명 증기 동 증발하다

A cloud of **vapor** was all that remained.

증기 구름이 모두 남아 있었다.

0300 ★☆☆

veloity

속도, 속력

□□□

velocity [vəlɑ́səti]

명 속도, 속력

유 speed

It is hard to know the **velocity** of the star.

그 별의 **속력**을 알기 어렵다.

0301 ★★☆

artifici l

인공의, 인조의, 거짓된

□□□ 교육부 [96.01.16 수능기출]

artificial [ὰ:rtəfíʃəl]

형 인공의, 인조의, 거짓된

something **artificial** 인공적인 것 96수능

with **artificial mothers** 가짜 인공 의 어미에게 01수능

기출 artifac 인공물, 공예품18수능

0302 ★☆☆

b aver

비버

□□□

beaver [bí:vər]

명 비버

Are there any **beavers** in this river?

이 강에 **비버들**이 사니?

0303 ★★☆

b ugh

(나무의 큰) 가지

□□□ [98.15 수능기출]

bough [báu]

명 (나무의 큰) 가지

Occasional gusts of wind stir the broken **boughs**.

이따금 부는 바람이 부러진 **나뭇가지**를 휘젓는다.98수능

0304 ★☆☆

bu

싹, 싹 티우다

□□□

bud [bʌ́d]

명 싹 동 싹 틔우다

The branch is beginning to **bud**.

나뭇가지는 **싹**이 트기 시작했다.

0305 ★☆☆

alf

송아지, 새끼, 종아리

□□□

calf [kǽf]

명 송아지, 새끼, 종아리

팁 cattle 소, 소 떼

The **calf** was born yesterday.

그 **송아지**는 어제 태어났다.

0306 ★★☆

carb n

탄소

□□□ [13.19 수능기출]

carbon [kά:rbən]

명 탄소

숙 carbon emission 탄소 배출 19수능

carbon credits 탄소 배출권, 탄소 상쇄권 19수능

기출 mercury Hg 수은18수능

1분 안에 넘기기 | 시간 있으면 꼼꼼히 외우기

0307 ★☆☆

clustr

무리,
(작은 열매) 송이
밀집시키다

□□□

cluster [klʌ́stər]

명 무리, (작은 열매) 송이 동 밀집시키다

유 bunch 다발, 묶음

He bought a **cluster** of grapes.

그는 포도 한 **송이**를 샀다.

0308 ★★☆

ombination

조합, 결합

□□□ [06.16 수능기출]

combination [kàmbənéiʃən]

명 조합, 결합

This is a **combination** of newspaper and magazine.

이것은 신문과 잡지가 **결합**한 형태이다. 06수능

0309 ★★☆

comp

nent

구성 요소, 부품

□□□ 교육부 [06 수능기출]

component [kəmpóunənt]

명 구성 요소, 부품

There is a **component** missing.

누락된 **구성 요소**가 있습니다.

efficient electrical **components**

효율이 높은 전도체 06수능

0310 ★★☆

ompost

퇴비, 두엄
퇴비를 만들다

□□□ [10 수능기출]

compost [kámpoust]

명 퇴비, 두엄 동 퇴비를 만들다

팁 compose 구성하다

We use **compost** in the garden.

우리는 정원에 **퇴비**를 사용한다.

the **compost**

퇴비 더미 10수능

0311 ★★☆

c

mpound

복합체, 화합물, 합성어

□□□ 교육부

compound [kámpaund]

명 복합체, 화합물, 합성어

The Thyroid Hormone is an iodine-containing **compound**.

갑상선 호르몬은 요오드 함유 **화합물**이다.

0312 ★☆☆

corl

산호색

□□□ [15 수능기출]

coral [kɔ́:rəl]

명 산호색

The walls were painted a warm **coral**.

벽들은 따뜻한 **산호**색으로 칠해졌다. 15수능

0307 클러스터 0308 캄비네이션 0309 컴포넌트 0310 캄포스트 0311 캄파운드 0312 코~랄

0313 ★☆☆

degr  de

(지위 등을) 떨어뜨리다, 강등시키다

□□□ [14 수능기출]

degrade [digréid]

동 (지위 등을) 떨어뜨리다, 강등시키다

Such an act would **degrade** you.
그런 행동이 네 품위를 **떨어뜨린다**.

0314 ★☆☆

dehydrat 

건조시키다, 탈수하다

□□□

dehydrate [di:háidreit]

동 건조시키다, 탈수하다

ⓟ dehydrator 탈수기 dehydration 탈수

Be careful not to **dehydrate**.
탈수되지 않게 주의해라.

0315 ★★☆

d  nsity

밀도, 농도

□□□ [05.15.17.22 수능기출]

density [dénsəti]

명 밀도, 농도

ⓣ high-density : 고밀도의 수능기출

He measures the bone **density**.
그는 **골밀도**를 측정한다.

the **density** of the data
자료의 **밀도** 05수능

0316 ★☆☆

di  osaur

공룡

□□□

dinosaur [dáinəsɔ́:r]

명 공룡

There are no **dinosaurs** left.
남아 있는 **공룡**은 없다.

0317 ★★☆

dispe  sal

분산, 확산

□□□ [13 수능기출]

dispersal [dispə́:rsəl]

명 분산, 확산

This male-biased **dispersal** creates an imbalance.
이렇게 수컷 편향적 **분산**은 불균형을 만들어 낸다. 13수능

0318 ★☆☆

everg  een

상록수, 늘푸른나무

□□□ [11 수능기출]

evergreen [évərgrì:n]

명 상록수, 늘푸른나무

These **evergreens** often live for thousands of years.
이런 **상록수**는 종종 수천 년 동안 산다. 11수능

1분 안에 넘기기 | 시간 있으면 꼼꼼히 외우기

0319 ★★☆

fabri 

직물, 천, 구조

□□□

fabric [fæbrik]

명 직물, 천, 구조

What type of **fabric** is that?

직물의 종류는 무엇입니까?

0320 ★★☆

fib 

r

섬유, 섬유질

□□□ [96.07.13 수능기출]

fiber [fáibər]

명 섬유, 섬유질

The bag is made of **fiber**.

이 가방은 **섬유**로 만들어진 것이다.

dietary **fiber**

식이 **섬유** 07수능

0321 ★☆☆

flightles 

날지 못하는

□□□ [16.19 수능기출]

flightless [fláitlis]

형 날지 못하는

㊉ connecting flight 연결 항공편 19수능

He was a large, **flightless** bird.

그는 **날지 못하는** 큰 새였다.

0322 ★★☆

flo  k

떼, 무리

□□□ [19 수능기출]

flock [flák]

명 떼, 무리

A **flock** of birds swept by.

한 **무리**의 새들이 휙 날아갔다.

0323 ★★☆

f  ssil

화석

□□□ [07.12 수능기출]

fossil [fásəl]

명 화석

Fossils chart time for archaeologists.

화석은 고고학자에게 시간을 나타낸다. 12수능

0324 ★☆☆

freshw  ter

민물

□□□ [16 수능기출]

freshwater [freʃwɔ:tə(r)]

명 민물

Freshwater dolphins will escort me on the river.

민물돌고래가 강에서 나를 호위할 것이다. 16수능

0325 ★★☆

fu
털, 모피

□□□ [07 수능기출]

fur [fə́:r]

명 털, 모피

㉢ leather 가죽

Fur keeps the cat warm.
털이 고양이를 따뜻하게 해준다.

0326 ★☆☆

gll
아가미

□□□ [96 수능기출]

gill [gíl]

명 아가미

㉫ gilled 아가미가 있는

The hook caught in the fish's **gill**.
그 갈고리가 생선의 **아가미**를 잡았다.

0327 ★★☆

gat
염소

□□□ 교육부 [00 수능기출]

goat [góut]

명 염소

A **goat** is not a sheep.
염소는 양이 아니다.

the digestive system of the **goat**
염소의 소화 기관 00수능

0328 ★☆☆

gour
(식물) 박,
조롱박

□□□

gourd [gɔ́:rd]

명 (식물) 박, 조롱박

She used a **gourd** to drink.
그녀는 물을 마시기 위해 **조롱박**을 사용했다.

0329 ★☆☆

gravl
자갈

□□□ [13 수능기출]

gravel [grǽvəl]

명 자갈

A small woodchuck was traveling along the **gravel** road.
작은 마밋이 **자갈**길을 따라 움직이고 있었다. 13수능

0330 ★☆☆

greenry
녹색 나뭇잎

□□□ [07 수능기출]

greenery [grí:nəri]

명 녹색 나뭇잎

㉫ greener 무경험 직공, 풋내기 직공

Greenery creates a natural gathering space for neighbors.
푸른 나무들은 이웃을 위한, 자연스럽게 모일 수 있는 곳을 만든다. 07수능

0325 퍼~ 0326 길 0327 고우트 0328 고어드 0329 그래블 0330 그리~너리

0331 ★☆☆

ut

소화관, (동물의) 내장

□□□ [13 수능기출]

gut [gʌt]

명 소화관, (동물의) 내장

They cook selected mutations for **guts** and mouths.

그들은 **창자**와 입을 위한 선택된 변화로 요리한다. 13수능

0332 ★★☆

holl  w

속이 빈, 움푹 꺼진

□□□ [19 수능기출]

hollow [hálou]

형 속이 빈, 움푹 꺼진 명 분지

유 hole 구덩이, 구멍

This tree is **hollow**.

이 나무는 **비어 있다**.

0333 ★☆☆

h  mmingbird

벌새

□□□ [17 수능기출]

hummingbird [hʌ́-miŋbə̀ːrd]

명 벌새

The **hummingbird** is very small.

이 **벌새**는 매우 작다.

0334 ★★☆

hybri 

혼합, 잡종

□□□ [13,16 수능기출]

hybrid [háibrid]

명 혼합, 잡종

Film is a **hybrid** art.

영화는 **혼합** 예술이다. 13수능

0335 ★☆☆

impur 

더러운, 불결한, 불순한

□□□ [04 수능기출]

impure [impjúər]

형 더러운, 불결한, 불순한

The materials for cooking are **impure**.

요리를 위한 재료가 **불결하다**.

any **impure** materials

불순물 04수능

0336 ★☆☆

j  llyfish

해파리

□□□

jellyfish [dʒélifiʃ]

명 해파리

Jellyfish are slippery.

해파리들은 미끈거린다.

기출 slippery 미끄러운, 미끈거리는 19수능

0337 ★☆☆

l 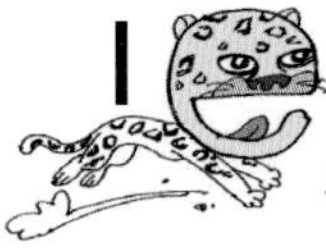 opard

표범

□□□ [06 수능기출]

leopard [lépərd]

명 표범

파 leopardess 암표범

The **leopard** began to attack dogs and cattle in the village.

표범은 마을에서 개와 가축을 공격하기 시작했다.

0338 ★☆☆

lumb  r

목재, 잡동사니

□□□

lumber [lʌ́mbər]

명 목재, 잡동사니

유 timber 목재용 수목

He stores the **lumber** in a yard.

그는 안마당에 **목재**를 모아 둔다.

0339 ★☆☆

magn  tism

자성, 자력

□□□ [16 수능기출]

magnetism [mǽgnətìzm]

명 자성, 자력

His experiments were related to electricity and **magnetism**.

그의 실험은 전기와 **자성**에 관한 것이었다.

0340 ★☆☆

m  mmal

포유동물

□□□ [14 수능기출]

mammal [mǽməl]

명 포유동물

팁 reptile 파충류 amphibia 양서류

A whale is a **mammal**.

고래는 **포유동물**이다.

0341 ★★★

mat  rial

재료, 물질
물질의, 육체의

□□□ 교육부 [99.00.04.06.07.08.09.12.14.16.17.20 수능기출]

material [mətíəriəl]

명 재료, 물질 형 물질의, 육체의

파 materialistic 물질(만능)주의적인 nonmaterial 비물질적인

유 substance 물질 natural material 천연 재료 20수능

0342 ★☆☆

meltw  ter

빙하가 녹은 물

□□□ [13 수능기출]

meltwater [méltwɔ̀ːtər]

명 빙하가 녹은 물

The region was submerged beneath a lake of **meltwater**.

그 지역은 **빙하가 녹은 물**로 된 호수 밑으로 잠겼다. 13수능

0343 ★★★

min

나의 것, 광산
채굴하다

□□□ [94.95.00.05.10.13.14.15.16.17 수능기출]

mine [máin]

명 나의 것, 광산 동 채굴하다

㊁ mineral 광물, 미네랄, 탄산음료

I found gold inside the **mine**.
나는 **광산** 안에서 금을 찾았다.

a friend of **mine**
내 친구 한 명 00수능

0344 ★☆☆

mss
이끼

□□□

moss [mɔ́:s]

명 이끼

Moss grows where it is damp.
이끼는 습한 곳에서 자란다.

0345 ★☆☆

mth
나방

□□□

moth [mɔ́:θ]

명 나방

The **moth** flew into the flame.
그 **나방**은 불꽃 속으로 날아갔다.

0346 ★☆☆

mutatin
돌연변이, 변화

□□□ [13 수능기출]

mutation [mju:téiʃən]

명 돌연변이, 변화

Mutation is a change that controls heredity.
돌연변이는 유전형질이 변형된 것이다. 13수능

0347 ★☆☆

ok
오크 (떡갈나무 · 참나무
등의 총칭)

□□□

oak [óuk]

명 오크 (떡갈나무·참나무 등의 총칭)

We love our **oak** tree.
우리는 우리의 **떡갈나무**를 사랑한다.

0348 ★☆☆

octpus
문어

□□□

octopus [ɑ́ktəpəs]

명 문어

The **Octopus** also has three hearts.
문어는 3개의 심장을 가지고 있다.

기출 octogenarian (나이가) 80대인 사람 18수능

0349 ★

orch rd

과수원

□□□ [13 수능기출]

orchard [ɔ́:rʧərd]

명 과수원

I found a hole in the wall of our **orchard**.
나는 우리의 **과수원** 담을 따라 구멍 하나를 발견했다. 13수능

0350 ★★

verflow

넘쳐흐른 물, 범람, 홍수
넘치다

□□□ [13 수능기출]

overflow [oʊvərfloʊ]

명 넘쳐흐른 물, 범람, 홍수 동 넘치다

The **overflow** from the lake went into the Pacific Ocean.
그 호수로부터 **넘쳐흐른 물**은 태평양으로 빠져나갔다. 13수능

0351 ★

puddl

웅덩이

□□□ [13 수능기출]

puddle [pʌdl]

명 웅덩이

There are mud **puddles** dotting the landscape.
진흙 **웅덩이**가 여기저기 흩어져 있다. 13수능

0352 ★

pul

걸쭉한 것,
(과일 · 채소) 과육

□□□ [06 수능기출]

pulp [pʌ́lp]

명 걸쭉한 것, (과일·채소) 과육

The drink is made from fruit **pulp**.
이 음료는 **과일즙**으로 만들었다.

the **pulp** of breadfruit
빵나무 열매의 **과육** 06수능

0353 ★★★

recycl

재활용하다, 재생하다

□□□ [98.07.13.14 수능기출]

recycle [rì:sáikl]

동 재활용하다, 재생하다

반 disposable 일회용의, 마음대로 이용할 수 있는 20수능
팁 reusable 재사용할 수 있는 20수능

We don't reuse or **recycle**, which would save us money.
우리는 재사용하거나 **재활용하지** 않는다. 그것들이 돈을 절약하게 해 줌에도 불구하고 말이다. 98수능

0354 ★★

r ed

갈대, 갈대밭

□□□ [11.16 수능기출]

reed [rí:d]

명 갈대, 갈대밭

There could be **reeds**, or other dangers she didn't know about.
갈대가 있을 수도 있고, 혹은 그녀가 알지 못하는 다른 위험이 있을 수도 있었다. 11수능

0349 올춰얼드 0350 오버플로 0351 퍼들 0352 펄프 0353 리~사이클 0354 리~드

1분 안에 넘기기 | 시간 있으면 꼼꼼히 외우기

0355 ★☆☆

r  ef

암초

☐☐☐ [16 수능기출]

reef [ri:f]

명 암초

reefs of misunderstanding and misinterpretation

오해와 오역의 **암초** 16수능

0356 ★★★

refin 

정제하다,
개선하다

☐☐☐ 교육부 [05.09.17.20 수능기출]

refine [ri:fáin]

동 정제하다, 개선하다

㉺ refined 정제된 refinement 정제 refinery 정제소

Sugar is **refined.** 설탕은 **정제된다.**

Each day nearly a billion gallons of crude oil are **refined.**

매일 매일 거의 10억갤런의 원유들이 **정제된다.** 09수능

0357 ★★☆

remn  nt

잔존물, 나머지

☐☐☐ [13 수능기출]

remnant [rémnənt]

명 잔존물, 나머지

Most salt is a **remnant** of dissolved salts.

대부분 소금은 용해된 소금의 **잔존물**이다. 13수능

0358 ★☆☆

r  ptile

파충류

☐☐☐

reptile [réptil]

명 파충류

A **reptile** escaped from the zoo.

파충류가 동물원을 탈출했다.

0359 ★☆☆

rhino  eros

코뿔소

☐☐☐ [14 수능기출]

rhinoceros [rainάsərəs]

명 코뿔소

I spotted a **rhinoceros.**

나는 **코뿔소**를 발견했다. 14수능

기출 antler (사슴의) 가지진 뿔 19수능

0360 ★☆☆

salm  n

연어

☐☐☐ [19 수능기출]

salmon [sǽmən]

명 연어

There are few wild **salmon** left in the sea.

바다에 남아 있는 야생 **연어** 몇이 있다.

0361 ★★★

□□□ 교육부 [00.01.12.14.16 수능기출]

seed [síːd]

명 씨앗 동 씨를 뿌리다

팁 seedless 씨가 없는

The farmer sowed **seeds** and reaped what he sowed.
그 농부는 **씨**를 뿌리고, 그가 뿌린 것을 수확했다. 01수능

0362 ★

□□□

shellfish [ʃélfiʃ]

명 조개류, 갑각류

My favorite seafood is **shellfish.**
내가 가장 좋아하는 해산물은 **조개**이다.

0363 ★

□□□

shrub [ʃrʌ́b]

명 관목, 떨기나무

팁 syrup 시럽

The bird built a nest in the **shrub**.
그 새는 작은 **관목**에 둥지를 틀었다.

0364 ★★

□□□ [01.09 수능기출]

solid [sɑ́lid]

형 단단한, 고체의

파 solidness 경직성, 굳음 01수능

The third little pig built a **solid** house with bricks.
셋째 아기돼지는 벽돌로 집을 **견고하게** 지었다.

the soluble **solids**
수용성 **고형물** 09수능

0365 ★

□□□

sparrow [spǽrou]

명 참새

The **sparrow** built a nest in our roof.
그 **참새**는 우리집 지붕에 둥지를 틀었다.

0366 ★★★

□□□ 교육부 [96.05.11.16.17 수능기출]

species [spíːʃiːz]

명 (생물 분류상의) 종

Each habitat is the home of numerous **species**.
각 서식지는 많은 **생물 종들**의 집이다. 11수능

0367 ★★★

specim 

n

견본, 표본

□□□

specimen [spésəmən]

명 견본, 표본

This flower is a rare **specimen**.
그 꽃은 희귀종 **표본**이다.

0368 ★★★

sp  **out**

새싹
새싹이 나다, 자라나다

□□□ [94.14 수능기출]

sprout [spráut]

명 새싹 동 새싹이 나다, 자라나다

팁 bud 식물의 눈 seed 씨앗 stem 줄기

It is possible to see a bean **sprout** growing up out of the ground.
콩의 싹이 땅 위로 **자라나는 것**을 볼 수 있다. 94수능

0369 ★★★

stal 

상한, 김빠진, 진부한

□□□ [13 수능기출]

stale [stéil]

형 상한, 김빠진, 진부한

Yesterday's food is **stale**.
어제의 음식은 **상했다**.

He became trapped in a **stale** routine.
그는 **진부한** 일상에 사로잡혔다. 13수능

0370 ★★★

st  **rfish**

불가사리

□□□

starfish [stɑ́ːrfiʃ]

명 불가사리

There was a **starfish** on the beach today.
오늘 해변에 **불가사리**가 있다.

0371 ★★★

substanc 

물질, 본질

□□□ 교육부 [94.01.16 수능기출]

substance [sʌ́bstəns]

명 물질, 본질

a naturally occurring **substance**
자연 발생적인 **물질** 94수능

a mysterious black **substance**
알 수 없는 검은색 **물질** 01수능

0372 ★★★

sw  **rm**

무리, 떼

□□□

swarm [swɔ́ːrm]

명 무리, 떼

팁 flock (새, 염소 오리) 무리 herd (가축) 무리

A **swarm** of bees passed over the field.
벌 떼가 들녘을 지나갔다.

0373 ★☆☆

treet  p

우듬지
(나무 꼭대기 줄기)

□□□ [06 수능기출]

treetop [trí:tɑ̀p]

명 우듬지(나무 꼭대기 줄기)

Birds enjoy the **treetop** leaves.
새들은 **나무 꼭대기**의 잎들을 즐긴다. 06수능

0374 ★☆☆

unfilt  red

여과되지 않은

□□□

unfiltered [ʌnfíltərd]

형 여과되지 않은

The Internet is a conveyer of **unfiltered** information.
인터넷은 **여과되지 않은** 정보를 전달하는 매체이다.

This is **unfiltered** water.
이것은 **여과되지 않은** 물이다.

0375 ★☆☆

volcani 

화산의

□□□ [15 수능기출]

volcanic [valkǽnik]

형 화산의

volcanic ash
화산재 15수능

0376 ★★☆

wee 

잡초
잡초를 뽑다

□□□ [00.10.12 수능기출]

weed [wí:d]

명 잡초 동 잡초를 뽑다

파 seaweed 해조, 해초

In fact, they prefer **weeds** to grass.
사실상 그들은 잔디보다 **잡초**를 더 좋아한다. 00수능

0377 ★☆☆

wh  at

밀, 소맥

□□□

wheat [hwí:t]

명 밀, 소맥

She cannot eat **wheat** products.
그녀는 **밀**로 만든 걸 못 먹는다.

0378 ★★☆

with  r

시들다
말라 죽다

□□□

wither [wíðər]

동 시들다, 말라 죽다

The flowers quickly began to **wither**.
그 꽃은 빨리 **시들기** 시작했다.

0379 ★★★

a  id

산
산성의, 신

□□□ 교육부 [09.15 수능기출]

acid [ǽsid]

명 산 형 산성의, 신

essential amino **acid**
필수 아미노**산** 09수능

0380 ★★★

automati 

자동의, 무의식적인

□□□ 교육부 [94.06.07.09.10.13.20 수능기출]

automatic [ɔ́:təmǽtik]

형 자동의, 무의식적인

㊫ automatically 자동으로, 기계적으로, 무의식적으로 20수능
㊐ automate 자동화하다 20수능

This machine is **automatic.** 이 기계는 **자동**이다.
Automatic faucets **자동** 수도꼭지 07수능

0381 ★★★

baromet  r

기압계, 지표

□□□

barometer [bərάmətər]

명 기압계, 지표

Let's look at the **barometer.**
기압계를 살펴봅시다.

0382 ★★★

b  rrel

통, (석유) 1배럴

□□□ 교육부 [07 수능기출]

barrel [bǽrəl]

명 통, (석유) 1배럴

Around them were lots of wooden **barrels** and boards.
그들 주변에는 많은 나무**통**과 나무판이 널려 있었다. 07수능

0383 ★★★

b  sin

대야, (큰 강의) 유역

□□□ 교육부 [04 수능기출]

basin [béisn]

명 대야, (큰 강의) 유역

Kathmandu sits almost in the middle of a **basin.**
카트만두는 **분지**의 거의 한가운데에 있다. 04수능

0384 ★★★

buck  t

양동이, 들통

□□□ 교육부 [19 수능기출]

bucket [bʌ́kit]

명 양동이, 들통

The **bucket** is full of water.
양동이에 물이 가득 찼다.

0379 애씨드 0380 어러매릭 0381 버라미덜 0382 베럴 0383 베이슨 0384 버킷

0385 ★★★

c  pacity
용량, 능력, 수용력

□□□ 교육부 [98.08.12.13.17.20 수능기출]

capacity [kəpǽsəti]

명 용량, 능력, 수용력

What is the **capacity** of this tank?
이 탱크의 **용량**은 얼마입니까?

the **capacity** to store information
정보의 축적 **능력** 98수능

mental **capacity** 정신 **능력** 12수능

0386 ★

 avity
구멍, (치아에 생긴) 구멍

□□□

cavity [kǽvəti]

명 구멍, (치아에 생긴) 구멍

There is a **cavity** in my tooth.
내 치아에 **충치**가 있다.

기출 excavate 발굴하다, 출토하다 18수능

0387 ★★★

 ell
감방, 암자, 세포, 전지

□□□ 교육부 [02.11.13.14.15.16 수능기출]

cell [sél]

명 감방, 암자, 세포, 전지

㉺ cellular 세포의

팁 stem cell 줄기세포 cellular phone, cell phone 휴대폰

The prisoner sat in a **cell**.
그 죄수는 **감옥**에 앉아 있다.

0388 ★★

cir  uit
순환, 순회, 회로

□□□

circuit [sə́:rkit]

명 순환, 순회, 회로

How long does it take a space ship to make a **circuit** of the world?
우주선이 지구를 **순환**하는 데 얼마나 걸릴까?

0389 ★★

copp  r
구리, 동, 동전

□□□ 교육부 [97 수능기출]

copper [kάpər]

명 구리, 동, 동전

Copper Age
청동기 시대 97수능

0390 ★★

 re
(과일의) 속, 중심부, 핵심

□□□ 교육부 [95.13.17 수능기출]

core [kɔ́:r]

명 (과일의) 속, 중심부, 핵심

What is the **core** problem?
핵심 문제가 뭐니?

0391 ★★★

□□□ [95 수능기출]

crane [kréin]

명 기중기, 크레인, 학

There is a **crane** in the yard.
마당에 **두루미**가 있다.

The **Crane** could help us in many ways in the future.
크레인은 앞으로 여러 면에서 우리를 도울 수 있다. 95수능

0392 ★★★

□□□

crust [krʌ́st]

명 (빵) 껍질, 딱딱한 표면

유 crumb 빵 부스러기

I like the **crust** of bread.
나는 **빵 껍질**이 좋다.

0393 ★★★

□□□

diameter [daiǽmətər]

명 지름, 배율

파 diametral 직경의 팁 radius 반지름, 반경

Please measure the **diameter**.
지름을 측정하십시오.

0394 ★★★

□□□ 교육부 [05 수능기출]

dimension [diménʃən]

명 (공간의) 크기, 치수, 차원

Find a **dimension** of the room.
방의 **치수**를 재라.

three-**dimensional** representation
3차원 표현 05수능

0395 ★★★

□□□

dioxide [dàiɑ́ksaid]

명 이산화물

There is too much carbon **dioxide**.
이산화탄소가 너무 많다.

0396 ★★★

□□□

durable [djúərəbl]

형 내구성이 있는, 오래가는

파 durability 내구성 duration (지속되는) 기간, 소요 시간 10.19 수능

팁 durable goods 내구재

This material is **durable**.
이 재료는 **내구성이 있다**.

0397 ★★★

elemnt

요소, 성분

□□□ 교육부 [10.13.16.17 수능기출]

element [éləmənt]

[명] 요소, 성분

(파) elementary 초보의, 기본적인

every **element** in an ecosystem
생태계의 모든 **요소들** 10수능

integral **element**
필수적인 **요소** 10수능

0398 ★★

equipmnt

장비, 설비

□□□ [94.99.12.20 수능기출]

equipment [ikwípmənt]

[명] 장비, 설비

(유) device

equipment failure
장치 고장 94수능

old climbing **equipment**
낡은 등산 **장비** 99수능

0399 ★★

extrct

발췌, 추출물
추출하다

□□□ 교육부

extract [ikstrǽkt]

[명] 발췌, 추출물 [동] 추출하다

(파) extraction 추출 19수능

This is a coffee **extract**.
이것은 커피 **추출물**이다.

0400 ★★

galln

갤런(액량 단위당 4.5ℓ)

□□□ [97.07 수능기출]

gallon [gǽlən]

[명] 갤런(액량 단위당 4.5ℓ)

one **gallon** of diesel fuel 1
갤런의 디젤 연료 97수능

billion **gallons**
10억 **갤런** 07수능

0401 ★

gaug

게량기, 측정하다

□□□

gauge [géidʒ]

[명] 계량기 [동] 측정하다

I see from the **gauge** that there is hardly any fuel left.
계기판을 보니 기름이 별로 없다.

0402 ★

iing

당의 (설탕을 입힌 과자)

□□□ [13 수능기출]

icing [áisiŋ]

[명] 당의 (설탕을 입힌 과자)

Praise is like the large pink **icing** rose.
칭찬은 커다란 핑크색 장미꽃 **설탕 과자**와 같다. 13수능

0397 **엘**러먼트 0398 이**큅**먼트 0399 익스트**랙**트 0400 **갤**런 0401 게이지 0402 **아**이씽

1분 안에 넘기기 | 시간 있으면 꼼꼼히 외우기

0403 ★★☆

ingrdient

(요리의) 재료, 구성 요소

□□□ [12.19 수능기출]

ingredient [ingríːdiənt]

명 (요리의)재료, 구성 요소

유 component, element

What are the **ingredients** of this bread?
이 빵의 **재료**는 무엇입니까?

0404 ★★★

intrument

기구, 도구, 악기

□□□ [00.03.09.14.17 수능기출]

instrument [ínstrəmənt]

명 기구, 도구, 악기

유 tool, equipment

Korean musical **instrument**
한국의 악기 03수능

various wind **instruments**
다양한 관**악기** 09수능

0405 ★★★

ngth

길이, 시간

□□□ 교육부 [04.11.12.14.15.17 수능기출]

length [léŋkθ]

명 길이, 시간

숙 at length 드디어 17수능

팁 long 긴

파 lengthy (시간·치수가) 너무 긴, 장황한 lengthen 길어지다 15수능

0406 ★★☆

levr

(조작용) 레버, 지렛대
지렛대로 움직이다

□□□ [06.15 수능기출]

lever [lévər]

명 (조작용) 레버, 지렛대 동 지렛대로 움직이다

by pushing a button, depressing a **lever**
단추를 누르거나 **레버**를 내리누르거나 06수능

0407 ★★☆

microscop

현미경

□□□

microscope [máikrəskòup]

명 현미경

He looked at it through a **microscope**.
그는 **현미경**을 통해 바라보았다.

0408 ★★☆

miniture

축소 모형
소형의

□□□

miniature [míniətʃər]

명 축소 모형 형 소형의

The doll has a **miniature** house.
그 인형은 **축소형 모형** 집을 갖고 있다.

0403 잉그리디언트 0404 인스트러먼트 0405 렝쓰 0406 레버 0407 마이크러스코프 0408 미니어처

0409 ★☆☆

m  ld
틀, 주형, 곰팡이

□□□
mold [móuld]
명 틀, 주형, 곰팡이
유 mould
Pour the plastic into the **mold**.
틀 안에 플라스틱을 부어라.

0410 ★☆☆

mu 
진흙, 진창

□□□ [13 수능기출]
mud [mʌ́d]
명 진흙, 진창
He got stuck in the **mud**.
그는 **진흙**에 빠졌다.

0411 ★☆☆

p  at
토탄(土炭)

□□□ [12 수능기출]
peat [pi:t]
명 토탄(土炭)
팁 peat bogs 토탄 습지
coal and **peat**
석탄과 **토탄** 12수능

0412 ★☆☆

p  ndulum
(시계의) 추, 진자

□□□ [05 수능기출]
pendulum [péndʒuləm]
명 (시계의) 추, 진자
Dutch astronomer constructed the first **pendulum clock**.
네덜란드의 천문학자가 최초의 **벽시계**를 만들었다. 05수능

0413 ★☆☆

pl 

tinum
백금

□□□
platinum [plǽtənəm]
명 백금
The most expensive metal is **platinum**.
가장 비싼 금속은 **백금**이다.

0414 ★☆☆

p  umb
추
재다
수직으로

□□□
plumb [plʌ́m]
명 추 동 재다 부 수직으로
파 plumbing 배관(수도 시설) plumber 배관공
This machine can **plumb** the depths.
이 기계는 수심을 **잴** 수 있습니다.

1분 안에 넘기기 | 시간 있으면 꼼꼼히 외우기

0415 ★☆☆

□□□

potable [póutəbl]

형 음료로 적합한, 마셔도 되는

This water is **potable**.

이 물은 **마셔도 괜찮다**.

0416 ★★☆

□□□ 교육부 [18.22 수능기출]

proportion [prəpɔ́:rʃən]

명 비율, 부분, 비례, 균형

유 ratio

숙 in proportion as + 절=in proportion to + 구 : ~에 비례하여 수능기출

The **proportions** of the picture are different.

사진의 **비율들**이 다르다.

0417 ★☆☆

□□□

radius [réidiəs]

명 반지름, 반경

팁 diameter 지름, 직경 circumference 원주, 둘레

How many inches is the **radius** of this old tree?

이 고목의 **반지름**은 몇 인치나 될까?

0418 ★☆☆

□□□ [12 수능기출]

rag [rǽg]

명 해진 천, 누더기, 쓰레기 같은 신문

유 tatter 넝마 ragged 남루한

He waved a **rag** to distract the bull.

그는 황소를 유인하기 위해 **천**을 흔들었다.

0419 ★★☆

□□□ [08.09 수능기출]

rubber [rʌ́bər]

명 고무, (연필·칠판) 지우개

파 rubbery 탄력 있는, 고무 같은

an unfamiliar **rubbery** object

친숙하지 않은 **고무 재질의** 물건 09수능

0420 ★★☆

□□□ 교육부

screw [skrú:]

명 나사, 못 동 나사를 고정시키다

There is a **screw** missing in the machine.

잃어버린 기계의 **나사**가 있다.

0421 ★★★

s  lution
해법, 해결책

□□□ [96.01.09.14.15.17 수능기출]

solution [səlúːʃən]

[명] 해법, 해결책

the only long-term **solution**
유일한 장기적인 **해결책** 96수능

simple **solution**
간단한 해결책 01수능

0422 ★★★

sourc 
원천, 근원, 자료

□□□ 교육부 [07.09.12.13.14.15.16.17 수능기출]

source [sɔ́ːrs]

[명] 원천, 근원, 자료

Solar energy can be a practical alternative energy **source** for us in the foreseeable future.
태양광 에너지는 가까운 미래에 우리에게 실용적인 대체 에너지**원**이 될 수 있다. 15수능

0423 ★★

spher 
구, 구체, 영역

□□□ 교육부 [13 수능기출]

sphere [sfíər]

[명] 구, 구체, 영역

[팁] hemisphere 반구 atmosphere 대기

He has a wide **sphere** of action.
그의 행동 **범위**는 넓다.

0424 ★

spik 
못, 뾰족한 것
못 박다

□□□

spike [spáik]

[명] 못, 뾰족한 것 [동] 못 박다

Her coat caught on a **spike**.
그녀의 코트는 **대못**에 걸렸다.

0425 ★

st  thoscope
청진기

□□□ [12 수능기출]

stethoscope [stéθəskòup]

[명] 청진기

The doctor checked the patient's condition with a **stethoscope**.
이사는 **청진기**로 환자를 진찰한다.

0426 ★★★

str  ng
끈, 줄
줄로 묶다

□□□ [08.09 수능기출]

string [stríŋ]

[명] 끈, 줄 [동] 줄로 묶다

[팁] shoestring 구두끈

They were first made of grass or leaves held together by **strings**.
그것은 처음에 풀이나 잎을 **끈**으로 묶어서 만들었다. 08수능

0421 솔루~션 0422 쏘~스 0423 스피어 0424 스파이크 0425 스테떠스쿺 0426 스트링

0427 ★★★

tuff

물건, 물질
채우다, 쑤셔 넣다

□□□ [08.09.14.17 수능기출]

stuff [stʌ́f]

명 물건, 물질 동 채우다, 쑤셔 넣다

They **stuffed** the food into jars.
그들은 항아리에 그 음식을 억지로 **집어넣었다**.

There is also the possibility of damaging your **stuff**.
물건이 상할 가능성 또한 있습니다. 09수능

0428 ★★☆

timb  r

목재, 재목

□□□ [12 수능기출]

timber [tímbər]

명 목재, 재목

㊤ lumber

The **timber** was sold on the open market.
목재가 공공 시장에서 판매되었다. 12수능

0429 ★★☆

t  n

주석, 통조림, (원통형)통

□□□ 교육부 [95.13.14.15.16.17 수능기출]

tin [tín]

명 주석, 통조림, (원통형) 통

㉕ copper 구리 lead 납 iron 철 steel 강철 bronze 청동

He has trouble opening the **tin**.
그는 **통조림**을 여는 데 어려움이 있다.

tin legs
주석 다리 95수능

0430 ★☆☆

t  ss

던지다, 뒤척이다

□□□ [95.10.12.16 수능기출]

toss [tɔs]

동 던지다, 뒤척이다

The catcher **tossed** the ball to the pitcher.
포수가 투수에게 공을 **던졌다**.

a coin **toss**
동전 **던지기** 12수능

0431 ★★☆

trigg  r

방아쇠, 도화선
일으키다, 유발하다

□□□ [96.15 수능기출]

trigger [trígər]

명 방아쇠, 도화선 동 일으키다, 유발하다

The misunderstanding **triggered** a war.
오해로 전쟁이 **발발했다**.

That will **trigger** a whole host of new anxieties.
그것은 새로운 근심거리를 **촉발한다**. 96수능

0432 ★★☆

vibrat 

떨다, 진동하다

□□□ [09 수능기출]

vibrate [váibreit]

동 떨다, 진동하다

㉠ vibration 진동 vibrator 진동기

The atmosphere seemed to **vibrate** with tension.
분위기가 긴장감으로 **떨리고 있는** 듯했다.

0433 ★★☆

ab  **lish**

(법률 · 제도 · 조직을) 폐지하다

□□□ [15 수능기출]

abolish [əbɑ́liʃ]

동 (법률·제도·조직을) 폐지하다

㉺ abolishment 폐지

㉯ do away with=abolish : 폐지하다 수능기출

We must abolish unjust laws.
우리는 부당한 법률을 **폐지해야** 합니다.

0434 ★★★

 **bsorb**

흡수하다, (정보를) 받아들이다

□□□ [96.09.10.11.12 수능기출]

absorb [æbsɔ́:rb]

동 흡수하다, (정보를) 받아들이다

㊀ soak up 빨아들이다 ㉯ be absorbed in : ~에 열중하다

The surface of a particular object will **absorb** some of this light's wavelengths.
어떤 특정한 물체의 표면은 이 빛의 파장 중 일부를 **흡수한다**. 96수능

0435 ★★★

 **dd**

첨가하다, 덧붙이다, (수 · 양을) 합하다

□□□ [94.95.98.99.00.02.03.04.05.07.09.10.11.13.14.15.16.17 수능기출]

add [ǽd]

동 첨가하다, 덧붙이다, (수·양을) 합하다

㉺ additional 추가의 addition 덧셈, 추가

㉯ add up : 합계하다. 이치에 맞다. 수능기출

add or subtract
더하거나 빼기 94수능

0436 ★☆☆

ampl  **fy**

확대하다, 증폭시키다

□□□

amplify [ǽmpləfài]

동 확대하다, 증폭시키다

㉱ amplify knowledge : 지식을 넓히다
amplify a theory : 이론을 확충하다

0437 ★★★

nalysis

분석

□□□ [03.06.10.16 수능기출]

analysis [ənǽləsis]

명 분석

㉺ analyze 분석하다 19.20수능

Please do a more precise **analysis**.
좀 더 상세히 **분석**을 해 보이라. 06수능

0438 ★☆☆

blurre 

흐릿한, 희미한

□□□ [12 수능기출]

blurred [blə:rd]

형 흐릿한, 희미한

㉺ blur 흐리게 하다

He got dizzy and his sight was **blurred**.
그는 어지럽고 시야가 **흐릿했다**.

1분 안에 넘기기

시간 있으면 꼼꼼히 외우기

0439 ★★★

incide

동시에 일어나다, 일치하다

□□□ [12.15 수능기출]

coincide [kòuinsáid]

동 동시에 일어나다, 일치하다

㉺ coincidental 우연의 일치인 coincidence 우연의 일치, 동시 발생

His visit **coincided** with mine.

그의 방문은 나와 **겹쳤다**.

That was no **coincidence**.

그것은 **우연**이 아니었어. 12수능

0440 ★★★

combusti  n

연소

□□□ [14 수능기출]

combustion [kəmbʌ́stʃən]

명 연소

combustion of oxygen

산소 **연소** 14수능

0441 ★★★

conclusi  n

결론, 결말

□□□ [98.00.02.10.12.17 수능기출]

conclusion [kənklúːʒən]

명 결론, 결말

㉺ conclude 결론을 내리다

Now I will announce the **conclusion**.

이제 **결론**을 짓겠다.

opposite **conclusion**

정반대의 **결론** 12수능

0442 ★★★

condens 

농축[응축]하다, 요약하다

□□□

condense [kəndéns]

동 농축[응축]하다, 요약하다

㉺ condensation 물방울, 압축

This is **condensed** milk.

이것은 **연유**이다.

0443 ★★★

consecutiv 

연이은, 연속적인

□□□

consecutive [kənsékjutiv]

형 연이은, 연속적인

㉺ consecutively 연속하여 consecution 연속

㉾ successive

He came on three **consecutive** days.

그는 **연이어** 3일 동안 왔다.

0444 ★★★

consequenc 

결과, 중요성

□□□ 교육부 [94.97.08.10.11.12.13.14.15.16.19 수능기출]

consequence [kάnsəkwèns]

명 결과, 중요성

㉺ consequent ~의 결과로 일어나는 consequently 그 결과, 따라서

Each choice has a **consequence**.

각각의 선택은 **결과**를 가진다. 94수능

as a **consequence**

그 **결과** 10수능

0439 코인사이드 0440 컴버스쳔 0441 컨클루~젼 0442 컨덴스 0443 컨세큐티브 0444 칸씨퀀스

0445 ★★★

crrelation

연관성, 상관관계

□□□ [11.20 수능기출]

correlation [kɔ́:rəléiʃən]

명 연관성, 상관관계

㉤ correlate 서로 관련시키다 ㉢ cooperate 협동하다

There is no **correlation** between the two.
그 둘 사이에는 **상관관계**가 없다.

an almost peculiar **correlation**
거의 특이한 **상관관계** 11수능

0446 ★★★

currnt

흐름, 해류
현재의, 통용되는

□□□ 교육부 [96.06.07.10.11.12.14.15.16.17 수능기출]

current [kə́:rənt]

명 흐름, 해류 형 현재의, 통용되는

㉤ currency 통화, 통용 currently 현재, 지금

Is this a **current** magazine?
이것은 **현재 유통되는** 잡지입니까?

the **current** free world market
현재의 세계 자유 시장 96수능

0447 ★★★

deductin

추론, 연역, 공제, 공제액

□□□

deduction [didʌ́kʃən]

명 추론, 연역, 공제, 공제액

How much is the tax **deduction**?
세금 **공제액**은 얼마입니까?

0448 ★★★

dgram

도표, 도해

□□□

diagram [dáiəgræ̀m]

명 도표, 도해

㉤ diagrammatic 도표의, 도식의

She drew a **diagram**.
그녀는 **도표**를 그렸다.

0449 ★★★

dilut

약화시키다,
희석시키다

□□□

dilute [dilú:t]

동 약화시키다, 희석시키다

They **dilute** it with water.
그들은 그것을 물에 **희석시킨다**.

0450 ★★★

divisin

분할, 분배,
나눗셈

□□□ 교육부 [99.00.02.12 수능기출]

division [divíʒən]

명 분할, 분배, 나눗셈

㉤ divide 나누다 divisive 불화를 일으키는 20수능

the **division** of labor
노동의 **분배** 00수능

They **divided** the problem into its parts.
그들은 문제를 각 부분으로 **나누었다**. 12수능

0451 ★★☆

rip
방울방울 흐르다

□□□
drip [dríp]
동 방울방울 흐르다
유 drop 떨어지다 drool 침 흘리다
The water **drips** from the tap.
물이 수도꼭지에서 방울방울 **떨어지고 있다.**

0452 ★★☆

durati  n
지속, 지속 기간

□□□ 교육부 [08.17 수능기출]
duration [djuréiʃən]
명 지속, 지속 기간
He would have the **duration** of the flight all to himself.
그는 비행이 **지속되는 시간**을 혼자서만 누리게 될 것이었다. 08수능

0453 ★☆☆

elusiv 
정의하기 어려운,
달아나기 쉬운

□□□ [13 수능기출]
elusive [ilú:siv]
형 정의하기 어려운, 달아나기 쉬운
elusive ideas
정의하기 어려운 생각들 13수능

0454 ★☆☆

emigrat 
이민을 가다, 이주하다

□□□ [17 수능기출]
emigrate [émigrèit]
동 이민을 가다, 이주하다
반 immigrate 이주해 오다
We will **emigrate** next year.
우리는 내년에 **이민을 갈** 것이다.

0455 ★★☆

 mit
(빛 · 열 · 가스 · 소리 등을) 내뿜다

□□□ [12.13 수능기출]
emit [imít]
동 (빛·열·가스·소리 등을) 내뿜다
유 give out 파 emitter 방사체 emission 배출
Germany has been **emitting** gases longer than most countries.
독일은 대부분의 국가보다 더 오랫동안 가스를 **배출해** 왔다. 12수능

0456 ★★☆

 mpirical
경험적인, 실증적인

□□□ [12.14 수능기출]
empirical [impírikəl]
형 경험적인, 실증적인
We need **empirical** research.
우리에게는 **실증적인** 연구가 필요하다.
Empirical evidence
경험적 증거 12수능

0457 ★☆☆

rode
침식시키다, 약화되다

□□□

erode [iróud]

동 침식시키다, 약화되다

The wall was **eroded**.
그 벽은 **침식**되었다.

0458 ★☆☆

rupt
분출하다, 터지다

□□□ [16 수능기출]

erupt [irʌ́pt]

동 분출하다, 터지다

파 eruption 폭발, 분화

팁 bankrupt 파산한 abrupt 갑작스러운

She **erupted** in anger.
그녀는 분노가 **폭발했다**.

0459 ★☆☆

evapor  te
(액체 등이) 증발하다

□□□ [13 수능기출]

evaporate [ivǽpərèit]

동 (액체 등이) 증발하다

The water **evaporated**.
물이 **증발했다**.

0460 ★★★

evidenc 
증거, 증언, 증언하다

□□□ 교육부 [03.10.12.13.14.15.16 수능기출]

evidence [évədəns]

명 증거, 증언 동 증언하다

In much of social science, **evidence** is used only to affirm a particular theory.
사회 과학에의 많은 경우에 있어서, **증거**는 특정 이론을 증명하기 위해서만 사용된다. 12수능

0461 ★★★

ev  lve
진화하다, 발전하다

□□□ 교육부 [94.06.08.14.16.17 수능기출]

evolve [iválv]

동 진화하다, 발전하다

Our thinking continues to **evolve**.
우리의 생각은 계속 **진화하고** 있다.

Long necks **evolved** in giraffes.
기린들은 긴 목이 **발달해 왔다**. 06수능

0462 ★★★

xpand
확대되다, 확장되다, 팽창하다

□□□ 교육부 [06.11.14.15 수능기출]

expand [ikspǽnd]

동 확대되다, 확장되다, 팽창하다

파 expansion 확대, 팽창 expanse 넓게 트인 지역

Metals **expand** when they are heated.
금속은 열을 받으면 **팽창한다**.

He admires global markets that **expand** rapidly.
그는 급속도로 **확장되는** 글로벌 마켓을 좋아한다. 06수능

0463 ★★★

expl  sion

폭발, 폭파

□□□ [95.98.99.04 수능기출]

explosion [iksplóuʒən]

명 폭발, 폭파

파 explode 터지다, 폭발하다 explosive 폭발성의

팁 erupt (화산이) 분출하다

An **explosion** occurred on a star.

어느 별에서 **폭발**이 발생했다. 95수능

0464 ★★

fad 

바래다,
서서히 사라지다

□□□ [12.13 수능기출]

fade [féid]

동 바래다, 서서히 사라지다

The paint began to **fade**.

그 페인트가 **바래기** 시작했다.

0465 ★★★

f  nding

연구 결과, 발견

□□□ [13.15.16.17 수능기출]

finding [fáindiŋ]

명 연구 결과, 발견

The **findings** were positive.

그 **연구 결과**는 긍정적이다. 13수능

0466 ★

fissi  n

(핵・세포 등의) 분열

□□□

fission [fíʃən]

명 (핵・세포 등의) 분열

They discovered nuclear **fission**.

그들은 핵**분열**을 발견했다.

0467 ★★

flam 

불길, 불꽃

□□□ 교육부 [13 수능기출]

flame [fléim]

명 불길, 불꽃

Her dress caught **flame** in the fire.

그녀의 드레스에 **불**이 붙었다.

0468 ★★

forec  st

예측, 예보
예측하다

□□□ [16 수능기출]

forecast [fɔ́:rkæ̀st]

명 예측, 예보 동 예측하다

What is the weather **forecast**?

일기 **예보**가 어떠합니까?

0469 ★★★

formatin

형성, 구성, 편대

□□□ [10.12.13.14.15.17 수능기출]

formation [fɔːrméiʃən]

명 형성, 구성, 편대

The soldiers marched in **formation**.
그 군인들은 **대열**을 맞추어 행군했다.

earth's life **forms** 지구의 생명체 10수능

documents and **forms** 서류 및 **양식** 12수능

0470 ★★☆

frmula

공식, 화학식, 방식

□□□ 교육부

formula [fɔ́ːrmjulə]

명 공식, 화학식, 방식

㉺ formulate 공식화하다

기출 formulation 표현22수능

I have forgotten the **formula**.
나는 그 **공식**을 잊었었다.

0471 ★★☆

frition

마찰, 불화

□□□ [14 수능기출]

friction [fríkʃən]

명 마찰, 불화

㉺ frictional 마찰의 frictionless 마찰이 없는 14수능

Friction causes heat.
마찰이 열의 원인이다.

0472 ★★☆

gravty

중력, 심각성, 엄숙함

□□□ [13.16 수능기출]

gravity [grǽvəti]

명 중력, 심각성, 엄숙함

㉺ grave 무덤, 심각한 gravitate 인력에 끌리다

He spoke with **gravity**.
그는 **엄숙하게** 말했다.

Newton's theory of **gravity** is one example.
뉴턴의 **중력** 이론이 한 가지 예이다. 13수능

0473 ★☆☆

hrdwire

고정화하다, 굳어버리게 하다

□□□ [16 수능기출]

hardwire [hάːrdwàiər]

동 고정화하다, 굳어버리게 하다

Some distinctions between good and bad are **hardwired** into our biology.
좋음과 나쁨 사이의 몇 가지 구별은 우리의 생명 활동 안에 **타고 난다**. 10수능

0474 ★★☆

hypthesis

가설, 가정, 추측

□□□ 교육부 [13.15.19 수능기출]

hypothesis [haipάθəsis]

명 가설, 가정, 추측

㉺ hypothetical 가설의

You need to prove the **hypothesis**.
당신은 그 **가설**을 증명할 필요가 있다.

0475 ★★☆

□□□ [94.13 수능기출]

imprint [ímprint]

동 각인시키다, (도장) 찍다, 새기다

His words are **imprinted** in our hearts.
그의 말은 우리의 마음에 **각인되었다**.

기출 preprint (책·잡지의) 견본 인쇄 18수능

0476 ★☆☆

□□□ [18 수능기출]

neurological [njùərəlɑ́dʒikəl]

형 신경의, 신경학의

팁 neuroimaging 신경 촬영 20수능 neural 신경의 20수능

기출 neurological 신경의 18수능

The disabling **neurological** symptoms were subsequently called Minamata disease.
이 **신경**을 마비시키는 증상은 나중에 미나마타병이라 불렸습니다. 18수능

0477 ★☆☆

□□□ [96 수능기출]

insulate [ínsəlèit]

동 절연 처리를 하다, 격리하다

The windows are **insulated** for comfort in winter and summer.
창문에 겨울과 여름의 안락함을 위한 **전열 처리**가 되어 있다. 96수능

0478 ★☆☆

□□□ 교육부 [15 수능기출]

integrate [íntəgrèit]

동 통합시키다

파 integration 통합, 적분 20수능 integrated 통합적인, 통합된 19수능

팁 integral 필수적인, 필요불가결한

We have to **integrate** his work with hers.
우리는 그녀와 그의 작품을 **통합해야** 합니다.

0479 ★☆☆

□□□

invert [invə́:rt]

동 (아래 위를) 뒤집다

팁 reverse (정반대로) 뒤바꾸다, 반전시키다

He tried to **invert** the situation.
그는 그 상황을 **반전시키려고** 노력했다.

0480 ★★☆

□□□ 교육부 [16 수능기출]

investigate [invéstəgèit]

동 조사하다, 수사하다

파 investigation 조사, 연구, 수사 16.19 수능
investigator 조사관, 수사관

I will **investigate** the problem.
나는 이 문제를 **조사할** 것이다.

0475 임프리트 0476 뉴러라쥐컬 0477 인설레이트 0478 인티그레이트 0479 인벌~트 0480 인베스티게이트

0481 ★★★

isolat

격리하다,
고립시키다

□□□ 교육부 [94.98.08.12.20 수능기출]

isolate [áisəlèit]

동 격리하다, 고립시키다

파 isolation 고립, 격리 17수능

One of the toughest parts of **isolation** is a lack of an expressive exit.

고립 상태가 주는 가장 힘든 면 중 하나는 표현의 출구가 없다는 것이다. 08수능

0482 ★★☆

m rgin

(책 페이지) 여백,
가장자리, 여유

□□□ 교육부 [94.14 수능기출]

margin [mɑ́ːrdʒin]

명 (책 페이지) 여백, 가장자리, 여유

유 edge 끝, 가장자리

Do not go over the water **margin**.

물가 **가장자리**에 가지 마라.

a safety **margin**

안전[확실성]이 보장되는 **여유** 14수능

0483 ★★★

measur

대책, 조치, 측정하다, 재다

□□□ 교육부 [94.95.01.06.07.10.13.14.15.16.20.22 수능기출]

measure [méʒər]

명 대책, 조치 동 측정하다, 재다

파 measure 수단, 방책 measurement 측량, 측정, 치수, 크기 16.20수능
measurable 잴 수 있는 13수능

I have to **measure** from here. 이곳부터 **측정해야** 합니다.

best preventive **measure** 최선의 예방**책** 95수능

0484 ★★★

m lt

녹다

□□□ [02.11.99.13 수능기출]

melt [mélt]

동 녹다

The rocket will **melt** before it gets there.

그 로켓은 거기에 도착하기도 전에 **녹아 버릴** 거야. 99수능

melt-in-your-mouth cookies

입에서 살살 **녹는** 쿠키 11수능

0485 ★★☆

merg

합병하다,
어우러지다

□□□ [11.13.15 수능기출]

merge [məːrdʒ]

동 합병하다, 어우러지다

파 merger 합병 유 combine 반 separate 분리하다

The two businesses **merged**.

그 두 기업이 합병되었다.

Different ethnic groups are able to **merge**.

다른 민족 집단들이 **함께 살** 수 있다. 11수능

0486 ★★☆

m dify

수정하다, 바꾸다, 변경하다

□□□ 교육부 [06.07.14 수능기출]

modify [mɑ́dəfài]

동 수정하다, 바꾸다, 변경하다

파 modification 수정 유 correct 바로잡다

You should choose an item to **modify** it.

수정할 항목을 선택하십시오.

genetically **modified** crops

유전자 **변형** 곡물 07수능

0487 ★☆☆

myrid

무수함, 무수한

□□□ [13 수능기출]

myriad [míriəd]

명 무수함 형 무수한

유 numerous 다수의, 수없이 많은 20수능 various 여러 가지의, 각양각색의, 다양한
plentiful 풍부한, 풍성한, 풍족한 countless 무수한, 셀 수 없이 많은

myriad differences. **많은** 차이점 13수능

0488 ★★★

necessrily

반드시, 필연적으로

□□□ [96.02.06.07.08.11.14.16 수능기출]

necessarily [nèsəsérəli]

부 반드시, 필연적으로

파 necessary 필요한

Energy **necessarily** depends on a pre-existing polarity.

에너지는 **필연적으로** 이전부터 존재하는 양극성에 달려 있다.07수능

0489 ★★★

neutrl

중립적인, 중립의

□□□ [95.09.10.12.14.15 수능기출]

neutral [njú:trəl]

형 중립적인, 중립의

파 neutralize 중립화하다 neutrality 중립

I try to be **neutral**.

나는 **중립**을 지키려고 애쓴다.

in **neutral** context,

중립적인 상황에서10수능

0490 ★★☆

outlt

(배)출구, 할인점, 아울렛

□□□ [13 수능기출]

outlet [áutlet]

명 (배)출구, 할인점, 아울렛

The lake has no **outlet**.

그 호수는 물이 나가는 **출구**가 없다.13수능

0491 ★★☆

overestimat

과대평가하다

□□□ [12.13 수능기출]

overestimate [òuvəréstəmeit]

동 과대평가하다

Don't **overestimate** that too much.

그것을 너무 **과대평가하지** 마라.

Television **overestimate** the threats to their well-being.

TV는 그들의 안녕에 대한 위협을 **과대평가하고 있다.** 12수능

0492 ★★☆

parllel

평행선
평행한, 아주 유사한

□□□ [12.13.19 수능기출]

parallel [pǽrəlèl]

명 평행선 형 평행한, 아주 유사한

The two sets of tracks are **parallel**.

두 개의 선로가 **나란히 설치되어** 있다.

0493 ★★★

possib  ity

가능성

□□□ [01.02.08.09.13.14.16 수능기출]

possibility [pɑ̀səbíləti]

명 가능성

㊋ possible 가능한 ㊌ impossible 불가능한

It is **possible** that I will see him.
나는 그를 만날 **가능성**이 있다.

another **possibility**
다른 **가능성** 01수능

0494 ★★★

pr  cess

과정

□□□ 교육부 [94.95.97.01.04.07.08.09.10.11.12.13.14.15.16.17 수능기출]

process [prɑ́ses]

명 과정

㊋ procedure 절차, 과정

I will speak about the **process**.
진행 **과정**을 말씀드리겠습니다.

effective reproduction **process**
효과적인 재생산 **과정** 11수능

0495 ★★★

prov 

입증하다,
드러나다

□□□ [96.97.98.99.03.09.10.12.14.15.16.17 수능기출]

prove [prúːv]

동 입증하다, 드러나다

㊋ disprove 틀렸음을 입증하다 improve 개선되다

Try to **prove** the point to yourself.
당신 자신을 위해 그 점을 **입증해** 보세요. 10수능

0496 ★★★

rel  tively

비교적

□□□ [96.05.08.09.11 수능기출]

relatively [rélətivli]

부 비교적

㊍ relativism 상대주의 relativity 상대성 20수능

When properly organized, it is **relatively** straightforward.
적절히 준비를 하면 **비교적** 간단하다. 08수능

0497 ★★☆

relevanc 

타당성, 관련성

□□□ [10.15 수능기출]

relevance [réləvəns]

명 타당성, 관련성

These have little **relevance**.
이것들은 **타당성**이 거의 없다.

There was a **relevance** to violence and war.
폭력과 전쟁은 **관련성**이 있었다. 10수능

0498 ★☆☆

rig  rous

철저한, 엄격한

□□□

rigorous [rígərəs]

형 철저한, 엄격한

The team did **rigorous** training.
그 팀은 **엄격한** 훈련을 했다.

0499 ★☆☆

secondh  nd

간접의, 중고의

□□□

secondhand [sécond hànd]

형 간접의, 중고의

반 firsthand 직접적인

This dress is not new, it is **secondhand**.

이 드레스는 새것이 아니라, **중고품**이다.

0500 ★★☆

shr  nk

줄어들다

□□□ [13 수능기출]

shrink [ʃriŋk]

동 줄어들다

the **shrinking** lake

줄어드는 호수 13수능

The clothes **shrank**.

그 옷은 **줄어들었다**.

0501 ★☆☆

simulat 

모의 실험하다,
시뮬레이션하다

□□□

simulate [símjulèit]

동 모의 실험하다, 시뮬레이션하다

파 simulation 시뮬레이션, 모의 실험

This program tries to **simulate** driving a car.

이 프로그램은 **가상** 운전을 시도한다.

0502 ★★★

st  tus

신분, 지위, 상태

□□□ 교육부 [94.96.07.08.16.19 수능기출]

status [stéitəs]

명 신분, 지위, 상태

기출 status quo 현재의 상태, 현상 18수능 팁 statue 동상

I will check the **status** of my bank account.

나는 은행 계좌의 **상태**를 확인할 것이다.

Did you check the **status** of the flight?

비행 **상태**를 확인했습니까?

0503 ★★☆

submer  e

잠수하다, 물속에 잠기다

□□□ [12.13 수능기출]

submerge [səbmə́:rdʒ]

동 잠수하다, 물속에 잠기다

They **submerge** again.

그들은 다시 **잠수**한다. 12수능

0504 ★☆☆

su  side

가라앉다, 진정되다

□□□

subside [səbsáid]

동 가라앉다, 진정되다

The swelling is beginning to **subside**.

그 종기는 **가라앉기** 시작하고 있다.

0505 ★★★

substitut

대리자, 교체 선수
대신하다, 대용하다

□□□ 교육부 [96.08.12 수능기출]

substitute [sʌ́bstətjùːt]

명 대리자, 교체 선수 동 대신하다, 대용하다

He was brought on as a **substitute** after half-time.
그는 후반전에 **교체 선수**로 투입되었다.

Could you be a **substitute** for me?
당신이 나를 위해 **대신**할 수 있습니까? 08수능

0506 ★☆☆

symm

try
대칭, 균형

□□□ [13 수능기출]

symmetry [símətri]

명 대칭, 균형

반 asymmetry 어울리지 않음, 불균형 13수능

We look for **symmetry** in a picture.
우리는 그림에서 **대칭**을 찾는다.

0507 ★☆☆

transp

rent
투명한, 명백한

□□□

transparent [trænspέərənt]

형 투명한, 명백한

The insect's wings are **transparent**.
곤충의 날개는 **투명하다**.

0508 ★☆☆

un

ontrollably
통제할 수 없게

□□□ [14 수능기출]

uncontrollably [ʌnkəntróuləbli]

부 통제할 수 없게

Free radicals move **uncontrollably** through the body.
활성 산소는 **통제할 수 없을 정도로** 신체를 돌아다닌다. 14수능

0509 ★★☆

underl

e
~의 근저에 있다
~의 기반이 되다

□□□ [15 수능기출]

underlie [ʌndərlaɪ]

동 ~의 근저에 있다 ~의 기반이 되다

ground rules that **underlie** a decision 15수능
결정의 **근간이 되는** 기본 원칙들

0510 ★★☆

va

uum
진공, 공백, 진공청소기

□□□ [11 수능기출]

vacuum [vækjuəm]

명 진공, 공백, 진공청소기

팁 vacuous 멍청한 vacant 비어 있는

The astronaut practiced in **vacuum** conditions.
그 우주 비행사는 **진공** 상태에서 연습했다.

0505 **섭**스티튜트 0506 **씨**미트리 0507 트랜스**패**런트 0508 언**컨**트롤러블리 0509 언더**라**이 0510 **배**큐음

1분 안에 넘기기

시간 있으면 꼼꼼히 외우기

0511 ★★☆

abbreviatn

축약형, 생략, 약어

□□□

abbreviation [əbrìːviéiʃən]

명 축약형, 생략, 약어

'Mr' is an **abbreviation** for 'Mister'.

미스터'는 '아저씨'의 **축약형**이다.

0512 ★★★

lternative

대안, 양자택일, 대체의

□□□ [94.09.11.15.17 수능기출]

alternative [ɔːltə́ːrnətiv]

명 대안, 양자택일 형 대체의

파 alternate 번갈아 생기는 alternately 번갈아, 교대로 17.19수능

숙 by turns=in rotation=one after the other=alternately 교대로 수능기출

There is no **alternative** to this. 이것을 **대체할** 것은 아무것도 없다.

0513 ★☆☆

assss

재다, 평가하다

□□□ 교육부 [17.20 수능기출]

assess [əsés]

동 재다, 평가하다

파 assessment 평가 19수능

The teacher **assessed** my work.

그 교사는 내 작품을 **평가했다.**

0514 ★★★

atmospher

대기, 공기, 분위기

□□□ 교육부 [95.02.07.12 수능기출]

atmosphere [ǽtməsfiər]

명 대기, 공기, 분위기

The **atmosphere** here is good.

이곳의 **분위기**는 좋다.

Greenhouse gases have been known to absorb and hold this heat in the **atmosphere.**

온실 가스는 이 열을 흡수하여 **대기** 중에 보유하고 있는 것으로 알려져 왔다. 12수능

0515 ★☆☆

xis

축, 중심축

□□□

axis [ǽksis]

명 축, 중심축

Where is the **axis** of the earth?

지구의 **축**은 어디에 있지?

0516 ★★☆

barly

간신히, 가까스로

□□□ [96.13 수능기출]

barely [bέərli]

부 간신히, 가까스로

유 scarcely 거의 ~않다

He has **barely** left.

그는 **간신히** 출발했다.

I can **barely** remember life without television.

나는 텔레비전 없는 생활을 **거의** 기억할 수 **없다.** 96수능

0511 어브리비에이션 0512 얼터너티브 0513 어세스 0514 애트머스피얼 0515 액시스 0516 베얼리

0517 ★★★

sis

근거, 이유, 기준, 기초

□□□ 교육부 [02.03.07.13 수능기출]

basis [béisis]

명 근거, 이유, 기준, 기초

On the **basis** of your knowledge, you can evaluate the problem.

당신의 지식에 기초하여, 당신은 그 문제를 평가할 수 있다. 03수능

0518 ★★★

b  nefit

혜택, 이득, 수당
유익하다

□□□ 교육부 [95.96.97.00.03.04.05.07.08.09.10.11.12 수능기출]

benefit [bénəfit]

명 혜택, 이득, 수당 동 유익하다

㉺ beneficial 유익한, 이로운 기출 beneficiaries 수혜자, 수익자 18수능

Why couldn't others also **benefit** from that value?

왜 다른 사람들은 그러한 가치로부터 똑같이 **이득**을 얻지 못했을까? 10수능

0519 ★

br  nk

(상황이 발생하기) 직전,
(벼랑) 끝

□□□

brink [bríŋk]

명 (상황이 발생하기) 직전, (벼랑) 끝

I was on the **brink** of calling you.

너에게 전화를 걸기 **직전**이었어.

0520 ★

bu  k

대부분, 규모(양)

□□□ 교육부

bulk [bʌ́lk]

명 대부분, 규모(양)

㉺ bulky 부피가 큰

The **bulk** of the material comes from Africa.

그 원료의 **대부분**은 아프리카 산이다.

0521 ★★★

categ  ry

범주, 부문

□□□ 교육부 [98.99.02.06.15 수능기출]

category [kǽtəgɔ̀ːri]

명 범주, 부문

㉺ categorize 분류하다 categorical 단정적인

Elements of culture can be divided into two **categories**.

문화적 요소들은 두 가지 **범주**로 나누어질 수 있다. 99수능

0522 ★★★

c  lsius

섭씨의

□□□ [94.95.96. 수능기출]

celsius [sélsiəs]

형 섭씨의

㉰ Fahrenheit 화씨의

It was twenty degrees **Celsius**.

섭씨 20 ° C 이다.

0523 ★★★

rtain

확실한, 확신하는

□□□ [11.15.17 수능기출]

certain [sə́:rtn]

형 확실한, 확신하는

㉣ certainly 틀림없이, 분명히 certainty 확실성 uncertain 불확실한

㊍ be bound to=be sure to=be certain to=never fail to 틀림없이 ~하다 without fail=for certain : 틀림없이 수능기출

0524 ★★★

characteristi

특징, 특성, 특유의

□□□ [02.05.06.12 수능기출]

characteristic [kæ̀riktərístik]

명 특징, 특성 형 특유의

㉣ characterize 특징짓다 character 성격, 특질, 성품 20수능

Community and individual have unique **characteristics** and needs.

지역 사회와 개인은 독특한 **특성**과 요구를 가지고 있다. 06수능

0525 ★★

c  mpact

소형의, 조밀한

□□□ [09 수능기출]

compact [kəmpǽkt]

형 소형의, 조밀한

The machine is **compact**.

기계는 **소형**이다.

relatively **compact** cities

상대적으로 **빽빽한** 도시 09수능

0526 ★★★

con  ept

개념, 구상

□□□ [06.07.10.11.19 수능기출]

concept [kɑ́nsept]

명 개념, 구상

㉣ conception 개념, 임신 20수능 conceive 상상하다 conceptualize 개념화하다 19수능

a most imperfect **conception** of human beings

인간에 대한 매우 불완전한 **개념** 10수능

0527 ★★★

c  ncerning

~에 관한

□□□ [95.06.12.19 수능기출]

concerning [kənsə́:rniŋ]

전 ~에 관한

㉣ concern 영향을 미치다, 관계가 있다 수능19 concerned 걱정하는, 관심이 있는

㊍ be anxious about=be uneasy about=be worried about=be concerned about : ~을 걱정하다 수능기출

This is our letter of warning **concerning** your carelessness.

이것은 당신의 부주의**에 관한** 우리의 경고장입니다. 95수능

0528 ★

concis

간결한, 축약된

□□□

concise [kənsáis]

형 간결한, 축약된

㊒ brief

Give me a **concise** answer.

내게 **간결한** 답변을 주세요.

0523 써든 0524 캐러터리스티 0525 컴팩 0526 컨셉트 0527 컨썰~닝 0528 컨사이스

0529 ★☆☆

concret

콘크리트
구체적인

□□□

concrete [kάnkriːt]

명 콘크리트 형 구체적인

반 abstract 추상적인 19수능

These are the **concrete** facts.
이것들이 **구체적인** 사실들이다.

0530 ★☆☆

con

원뿔, 원뿔형 물체

□□□ [10 수능기출]

cone [kóun]

명 원뿔, 원뿔형 물체

팁 cylinder 원기둥 square 정사각형 cube 정육면체

There is a **cone** on the volcano.
화산에 **추**가 있다.

the **cones** of light
원뿔 모양의 불빛 10수능

0531 ★★★

onstant

항수
끊임없는, 변함없는

□□□ [04.05.07.08.09.10.13.15 수능기출]

constant [kάnstənt]

명 항수 형 끊임없는, 변함없는

파 constantly 끊임없이, 거듭

We need to **constantly** distinguish right from wrong.
우리들은 **끊임없이** 옳은 것과 잘못된 것을 구별할 필요가 있다.07수능

0532 ★★★

ontain

~이 들어 있다, 포함하다, 억누르다

□□□ 교육부 [99.02.07.09.12.13.15.16 수능기출]

contain [kəntéin]

동 ~이 들어 있다, 포함하다, 억누르다

The box **contains** many items.
상자에 많은 물건이 **들어 있다**.

Fruit peel **contains** essential vitamins.
과일 껍질은 필수 비타민을 **포함하고 있다**. 07수능

0533 ★★★

cont

nt

내용물, 목차

□□□ 교육부 [96.02.05.08.09.10.12.14 수능기출]

content [kəntént]

명 내용물, 목차

팁 contend 다투다

숙 be content with : ~에 만족하다96수능

I like the **contents** of the book.
나는 그 책의 **내용**을 좋아한다.

0534 ★★★

ntext

맥락, 문맥, 상황

□□□ [07.08.09.11.12.14.15.16.17.20 수능기출]

context [kάntekst]

명 맥락, 문맥, 상황

Their writing is usually embedded in a **context** of others' ideas and opinions.
그들의 글은 보통 다른 사람들의 생각과 의견의 **맥락** 속에 끼워 넣어진다.11수능

1분 안에 넘기기

시간 있으면 꼼꼼히 외우기

0535 ★★★

ntrary

반대의, 정반대로

□□□ [96.98.04.05.06.07.09.11 수능기출]

contrary [kántreri]

형 반대의, 정반대로

유 opposite 반대편의, 맞은편의

숙 on the contrary : 이에 반하여, ~은커녕 to the contrary : 그와 반대로 contrary to~: ~와 대조적으로 수능기출

I hold a **contrary** view. 나는 **반대** 의견을 갖고 있다.

0536 ★★★

ntrast

대조, 차이, 대비

□□□ [96.99.01.04.09.10.13.15 수능기출]

contrast [kántræst]

명 대조, 차이, 대비

기출 disparate 이질적인22수능 숙 in contrast : 그에 반해서

by **contrast**

그와 **대조적으로** 09수능

in **contrast**

그에 **반해서** 10수능

0537 ★★★

ntribution

기부금, 성금, 기여

□□□ [94.04.05.07.11 수능기출]

contribution [kàntrəbjúːʃən]

명 기부금, 성금, 기여

파 contribute 기부하다, 기여하다

숙 contribute to + ~ing : ~에 공헌하다, 기여하다 수능기출

Without your **contributions**, we would not be successful like this.

당신의 **기여**가 없었다면, 우리는 지금 같이 성공하지는 못했을 것입니다.05수능

0538 ★

corrod

부식시키다, 좀먹다

□□□

corrode [kəróud]

동 부식시키다, 좀먹다

파 corrosion 부식 corrosive 부식성의

It will **corrode** after a few years.

그것은 몇 년 후 **부식할** 것이다.

0539 ★

cr

ck

갈라지다, 금이 가다, 깨지다

□□□ 교육부

crack [kræk]

동 갈라지다, 금이 가다, 깨지다

유 break

There is a **crack** in the cup.

컵에 **균열**이 있습니다.

0540 ★

rispy

바삭바삭한

□□□

crispy [kríspi]

형 바삭바삭한

유 crisp 팁 crush 으스러뜨리다

I like **crispy** bread.

나는 **바삭한** 빵을 좋아해.

0535 칸트뤠뤼 0536 칸트래스트 0537 컨트리뷰~션 0538 커로~드 0539 크랙 0540 크리스피

0541 ★☆☆

criterin

(판단 · 결정)
기준, 표준

□□□ 교육부

criterion [kraitíəriən]

명 (판단·결정) 기준, 표준

유 criteria

What is the **criterion** for that?
거기에 **기준**이 무엇입니까?

0542 ★☆☆

cumulativ 

누적되는, 가중의

□□□

cumulative [kjú:mjulətiv]

형 누적되는, 가중의

파 cumulate 쌓아 올리다 accumulate 모으다 cumulation 축적

기출 bioaccumulate 생체 내에 축적되다 18수능

The **cumulative** deficit has reached nine hundred million won.
누적 적자가 9억 원에 이르렀다.

0543 ★☆☆

dede

(암호를) 해독하다,
이해하다

□□□ [12 수능기출]

decode [di:kóud]

동 (암호를) 해독하다, 이해하다

유 decipher 반 encode 암호로 바꾸다

Can you **decode** this message? 이 메시지를 **해독할** 수 있니?

Dreams have prophetic communications when properly **decoded**.
꿈은 적절하게 **해석될 때** 예언적인 소통을 가지고 있다. 12수능

0544 ★★★

defne

정의하다, 규정하다

□□□ 교육부 [94.95.01.02.05.06.09.10.11.14.15.16.17.19 수능기출]

define [difáin]

명 정의하다, 규정하다

파 definition 정의 definitely 분명히 defining 결정적인 19수능

It can be socially **defined** in different ways.
그것은 사회적으로 다른 방식으로 **정의될** 수 있다. 11수능

0545 ★★★

dene

빽빽한, 밀집한, 짙은

□□□ [04.05.11.12.14.15.17 수능기출]

dense [déns]

형 빽빽한, 밀집한, 짙은

파 density 밀도 densely 빽빽이 반 sparse (밀도가) 희박한

Italy was **densely** forested at the beginning of Roman rule.
로마의 통치가 시작될 때 이탈리아는 **빽빽이** 숲으로 뒤덮여 있었다. 12수능

0546 ★★☆

ip

살짝 담그다, 퍼내다

□□□

dip [díp]

동 살짝 담그다, 퍼내다

He **dipped** his pen in ink.
그는 자기 펜에 잉크를 **묻혔다**.

0547 ★★☆

disp  sable

일회용의,
처분할 수 있는

□□□ [98 수능기출]

disposable [dispóuzəbl]

형 일회용의, 처분할 수 있는

팁 disposal 처리, 처분

숙 disposition 기질 dispose of : ~을 처분하다

disposable razor

일회용 면도기 98수능

0548 ★★★

distin  t

다른, 별개의, 뚜렷한

□□□ [05.07.08.09.12.13.16.17.19 수능기출]

distinct [distíŋkt]

형 다른, 별개의, 뚜렷한

파 distinctive 독특한 distinguish 구별하다

The media make our time **distinct** from the past.

매체가 우리의 시대를 과거와는 **구별되게** 한다. 05수능

0549 ★★☆

el  vation

승진, 승격, 해발, 고도

□□□ [06.12.19 수능기출]

elevation [èləvéiʃən]

명 승진, 승격, 해발, 고도

파 elevator 엘리베이터 elevate 승진시키다, 올리다, 높이다 16수능

What is the **elevation** here?

여기 **고도**가 얼마입니까?

an **elevation** of 1,350m

해발 1,350m 06수능

0550 ★★★

evid  nt

분명한, 명백한

□□□ 교육부 [96.03.10.12.17 수능기출]

evident [évədənt]

형 분명한, 명백한

파 evidence 증거 evidently 분명히

It is **evident** you were wrong.

당신이 잘못한 게 **분명하다**.

It is **evident** that imaginative children invent creatures.

상상력이 풍부한 아이들이 발명해 내는 것은 **명백하다.** 10수능

0551 ★★★

exa  tly

정확히, 꼭

□□□ [96.97.99.02.03.05.08.10.11.12.13.14.15.17 수능기출]

exactly [igzǽktli]

부 정확히, 꼭

파 exactitude(= exactness) 정밀성

It was difficult to determine **exactly**.

그것은 **정확히** 결정하기가 어려웠다. 97수능

0552 ★★★

 xception

예외, 이례, 이의

□□□ [96.11.12.13 수능기출]

exception [iksépʃən]

명 예외, 이례, 이의

파 except 제외하고는

A literary critic takes an **exception** to a prevailing method of interpretation.

문학 평론가는 지배적인 해석 방법에 대해 **이의**를 제기한다. 11수능

0547 디스포저블 0548 디스팅크트 0549 엘러베이셔 0550 에비든트 0551 이그잭틀리 0552 익셉셔

0553 ★★★

exc  **ss**

지나침, 과잉, 초과량

□□□ 교육부 [95.14.15.17 수능기출]

excess [iksés]

명 지나침, 과잉, 초과량

㉺ exceed 넘어서다 excessive 지나친, 과도한

Do not eat to **excess**.

너무 많이 먹지 마라.

0554 ★★★

experim  **ntal**

실험적인, 실험의

□□□ [01.05.06.09.10.11.15 수능기출]

experimental [ikspèrəméntl]

형 실험적인, 실험의

㉺ experimentation 실험 experiment 실험 20수능
chemical reaction experiment 화학 반응 실험 19수능

The scientist examines the **experimental** procedures.

과학자는 **실험** 절차를 검사한다.

0555 ★★★

extensi  **n**

확대, 확장, 증축

□□□ [96.16.22 수능기출]

extension [iksténʃən]

명 확대, 확장, 증축

㉺ extent 정도, 크기 extend 더 길게 만들다

Permanent home **extensions** are traditionally built in brick or tile.

영구적인 집 **증축**은 전통적으로 벽돌이나 타일로 짓습니다. 96수능

0556 ★★★

extrem 

극도의, 극심한

□□□ 교육부 [01.02.04.05.07.08.11.12.14.15.17 수능기출]

extreme [ikstríːm]

형 극도의, 극심한

㉺ extremely 극도로, 극히 extremist 극단주의자 19수능

I can remember my emotions swinging from one **extreme** to another.

나는 한쪽 **끝**에서 저쪽 끝으로 흔들리던 내 감정을 기억할 수 있다. 01수능

0557 ★★★

f  **ke**

가짜의, 모조의
위조하다

□□□ [05.15 수능기출]

fake [féik]

형 가짜의, 모조의 동 위조하다

It is difficult to distinguish the original from the **fake**.

위조와 원본을 구별하는 것은 어렵다. 05수능

0558 ★★★

f  **gure**

수치, 숫자, 인물, 모습

□□□ [97.01.02.08.09.10.11.12.13.16.19.20 수능기출]

figure [fígjər]

명 수치, 숫자, 인물, 모습

an authority **figure**

권위 있는 **인물** 08수능

He **figured out** the correct answer.

그는 정답을 **알아냈다**. 11수능

0559 ★★☆

finit 

한정된, 유한한

□□□ [10.13.16 수능기출]

finite [fáinait]

형 한정된, 유한한

반 infinite 무한한 definite 확실한, 분명한

The human lifespan is **finite**.

인간의 수명은 **유한하다**.

0560 ★★☆

fl  vor

풍미, 향미, 맛
맛을 내다

□□□ [09.13.16 수능기출]

flavor [fléivər]

명 풍미, 향미, 맛 동 맛을 내다

유 taste

Coffee beans are being decaffeinated in ways that conserve strong **flavor**.

커피콩들이 강한 **풍미**를 유지하면서 무카페인화되고 있다. 09수능

0561 ★☆☆

fl  w

결함, 흠, 결점

□□□ [15 수능기출]

flaw [flɔ́ː]

명 결함, 흠, 결점

파 flawless 완벽한

There is a **flaw** in that.

거기에는 **결함**이 있다.

0562 ★☆☆

f  zzy

보풀로 덮인, 흐릿한

□□□ [02 수능기출]

fuzzy [fʌ́zi]

형 보풀로 덮인, 흐릿한

The photo is **fuzzy**.

그 사진은 **희미하다**.

fuzzy edges

흐릿한 경계선들 02수능

0563 ★☆☆

gen  is

기원, 발생

□□□

genesis [dʒénəsis]

명 기원, 발생

Mankind has sought a clue to the **genesis** of life.

인류는 생명의 **기원**에 대한 단서를 찾아왔다.

0564 ★★★

har  ly

거의 ~아니다,
거의 ~할 수가 없다

□□□ [95.98.99.00.08.10 수능기출]

hardly [hɑ́ːrdli]

부 거의 ~아니다, 거의 ~할 수가 없다

He could **hardly** open his eyes.

그는 눈을 **거의** 뜨지 **못했다**.

He **hardly** ever cleaned his room.

그는 방 청소를 **거의**하지 **않았다**. 00수능

0565 ★☆☆

h  meostasis

항상성

□□□ [12 수능기출]

homeostasis [hòumiəstéisis]

명 항상성

Animals and humans are controlled by **homeostasis**.

동물과 사람은 **항상성**에 의해 조절된다. 12수능

0566 ★★★

identi  al

동일한, 똑같은

□□□ [96.98.08.11.12.17 수능기출]

identical [aidéntikəl]

형 동일한, 똑같은

㉠ identification 신원 확인, 신분증명서 identity 신원, 신분

㉤ homogeneous 동종[동질]의 18수능

This is basically **identical**.

이것은 기본적으로 **동일하다**. 08수능

0567 ★☆☆

illuminat 

(~에 불을) 비추다, 명백히 하다, 계몽하다

□□□

illuminate [ilú:mənèit]

동 (~에 불을) 비추다, 명백히 하다, 계몽하다

㉤ enlighten 계몽하다, 가르치다

기출 homogeneous 동종[동질]의 18수능

The lamp **illuminated** the room.

이 램프가 그 방을 **비췄다**.

0568 ★☆☆

in  essant

끊임없는, 쉴 새 없는

□□□

incessant [insésnt]

형 끊임없는, 쉴 새 없는

We had **incessant** rain last week.

지난주에는 **끊임없이** 비가 왔었다.

0569 ★★★

indu  rial

산업의, 공업의

□□□ [95.96.97.99.00.03.05.07.10.11.17 수능기출]

industrial [indʌ́striəl]

형 산업의, 공업의

㉠ industrialize 산업화하다 97수능 industry 산업, 공업 08수능

industrial diamond

공업용 다이아몬드 07수능

modern **industrial** societies

현대 **산업** 사회 11수능

0570 ★★☆

inevitabl 

불가피한, 필연적인

□□□ [12.13.17.19 수능기출]

inevitable [inévətəbl]

형 불가피한, 필연적인

㉡ evitable 피할 수 있는

His failure was **inevitable**.

그의 실패는 **불가피했다**.

0571 ★★★

infl  te

부풀리다, (가격을) 올리다

□□□ [96 수능기출]

inflate [infléit]

동 부풀리다, (가격을) 올리다

㉺ inflation 인플레이션 ㉸ deflate 공기를 빼다 deflation 디플레이션

There is more spending because of the low **inflation** rate and more employment.
낮은 인플레이션 비율과 고용 **증대**로 더 많은 소비가 존재한다. 96수능

0572 ★★★

 nstant

즉각적인, 인스턴트의

□□□ [05.11.13.15.17 수능기출]

instant [ínstənt]

형 즉각적인, 인스턴트의

㉤ instance 사례, 경우

㊍ as soon as=the moment=the instant=immediately=instantly=no sooner ~~ than=hardly : 하자마자 수능기출

Come here, this **instant!** 지금 **당장** 와!

0573 ★★★

 ntact

온전한, 전혀 다치지 않은

□□□ [96 수능기출]

intact [intǽkt]

형 온전한, 전혀 다치지 않은

㊒ undamaged 손상되지 않은

The safe remained **intact**.
금고는 **온전히** 남아 있었다.

0574 ★★★

int  nt

의도, 목적
몰두하는

□□□ [94.95.03.05.08.10.11.14.15.16.17 수능기출]

intent [intént]

명 의도, 목적 형 몰두하는

㉺ intend 의도하다 10수능 intention 의도, 목적 11.20수능
intently 열심히 10수능 ㉸ unintentionally 무심결에 03수능

㊍ on purpose=purposely=by intention=intentionally=by design : 고의로, 일부러 수능기출

0575 ★★★

issu 

주제, 쟁점, 문제, 발행

□□□ 교육부 [94.95.96.09.10.11.12.14.15.16.20 수능기출]

issue [íʃuː]

명 주제, 쟁점, 문제, 발행

It is a multi-racial, multi-**issue**, international membership organization.
범인종적이면서 다양한 **이슈**를 다루는, 세계적으로 다양한 사람들이 가입되어 있는 단체이다. 09수능

0576 ★★★

l  gic

논리(학)

□□□ 교육부 [12.13.14.15.16.17 수능기출]

logic [ládʒik]

명 논리(학)

㉺ logical 타당한, 논리적인 12수능

I cannot see the **logic** of that.
나는 그에 대한 **논리**를 알 수가 없다.

0577 ★★★

m  ntal

정신의, 마음의

□□□ [96.97.00.08.12.13.14.15.16.17 수능기출]

mental [méntl]

형 정신의, 마음의

㉺ mentality 사고방식 ㉥ physical 신체의

Physical balance needed for **mental** equilibrium.
정신 평형에 필요한 신체적 균형

0578 ★★★

m  de
방식, 방법, 기분

□□□ 교육부 [96.01.10.13.14.15.16 수능기출]

mode [móud]

명 방식, 방법, 기분

The machine is in silent **mode**.
그 기계는 매너 **모드**에 있다.

a satisfying **mode** of expression
만족을 주는 표현 **방식** 10수능

0579 ★★

parti  l
부분적인, 편파적인

□□□ [12.16 수능기출]

partial [pɑ́:rʃəl]

형 부분적인, 편파적인

㉺ partiality 편애, 편파 ㉥ total 전체의

Even if you only get a **partial** view of a dinosaur you can guess its size.
부분적인 것만 봐도 공룡의 크기를 짐작할 수 있다

0580 ★

physi  logical

생리학의, 생리적인

□□□ [12 수능기출]

physiological [fiziəlɑ́dʒikəl]

형 생리학의, 생리적인

㉺ physiology 생리학 physician 내과 의사

There are major differences in animal and human **physiology**.
동물과 인간의 **생리학**에는 큰 차이가 있다. 12수능

0581 ★

prelimin  ry
예비의, 예선의

□□□

preliminary [prilímənèri]

형 예비의, 예선의

㉴ introductory (말·글 등) 서두의

Three girls passed the **preliminary** stage of the beauty contest.
세 사람의 미녀가 미인대회 **예선**을 통과했다.

0582 ★★★

pri  r
사전의, 우선하는

□□□ [94.96.05.07.20 수능기출]

prior [práiər]

형 사전의, 우선하는

㉴ prior to ~에 앞서, ~이전에 20수능 ㉺ priority 우선순위, 상위

Chill for at least 5 minutes **prior** to serving.
음식을 내기에 **앞서** 적어도 5분은 식히세요.

0583 ★★★

progr  ss

진행, 진보, 발전
진전을 보이다

□□□ [96.98.01.12.15.17 수능기출]

progress [prágrəs]

명 진행, 진보, 발전 동 진전을 보이다

㉤ progressively (꾸준히) 계속해서 progressive 진보적인

They did not make the **progress** they wanted.
그들은 그들이 원하는 **발전**을 이루지 못했다.

0584 ★★★

pr  of

증거, 증명

□□□ [99.10.12.13 수능기출]

proof [prú:f]

명 증거, 증명

㉤ prove 입증하다

To **prove** the point to yourself, try a little experiment.
그 점을 스스로 **입증하기** 위해 간단한 실험을 해 보라. 10수능

0585 ★

prop  l

나아가게 하다
몰고 가다

□□□ [16 수능기출]

propel [prəpél]

동 나아가게 하다, 몰고 가다

An engine **propelled** the boat.
엔진이 보트를 **추진했다**.

0586 ★★★

pur 

순수한,
깨끗한,
순전한

□□□ [96.00.07 수능기출]

pure [pjúər]

형 순수한, 깨끗한, 순전한

㉤ purely 순전히, 전적으로 purify 정화하다 purity 맑음, 순수

㉥ impure 불결한

pure water **깨끗한** 물 00수능

a **purely** functional purpose **순전히** 기능적인 목적 07수능

0587 ★★★

qu  lity

질, 우수함, 특징, 특성

□□□ 교육부 [95.96.00.06.07.10.11.12.15.16.17 수능기출]

quality [kwáləti]

명 질, 우수함, 특징, 특성

The **quality** of this food is good.
이 음식의 **품질**은 좋다.

quality of life 삶의 **질** 00수능

quality of sound **음질** 10수능

0588 ★★★

qu  ntity

양, 수량

□□□ 교육부 [98.02 수능기출]

quantity [kwántəti]

명 양, 수량

㉨ amount 액수, 양 ㉥ quality 질

He requested the correct **quantity**.
그는 정확한 **양**을 요구했다.

We are pumping huge **quantities** of CO_2 into the atmosphere.
우리는 대기 속으로 엄청난 **양**의 탄산가스를 주입하고 있다. 02수능

0589 ★★★

r  te

비율, 요금, 속도
평가하다

□□□ 교육부 [96.98.07.09.10.11.13.14.15.16.17 수능기출]

rate [réit]

명 비율, 요금, 속도 동 평가하다

숙 at any rate=at all events=in any case 어쨌든 수능기출

growth **rate** of total output
총생산의 **증가율** 10수능

0590 ★★

 ectangle

직사각형

□□□ [06.13 수능기출]

rectangle [réktæ̀ŋgl]

명 직사각형

파 rectangular 직사각형의, 직각의

The building was shaped like a **rectangle**.
그 건물은 **직사각형** 모양이었다.

0591 ★★★

ref  rence

참고, 언급, 참조문

□□□ 교육부 [08.09.16 수능기출]

reference [réfərəns]

명 참고, 언급, 참조문

파 refer 언급하다

숙 in regard to=in respect to=in reference to=with regard to =with respect to=with reference to=as to=concerning=as concerns=regarding=as regards=about : ~에 관하여 수능기출

0592 ★★

revers 

(정)반대
뒤집다

□□□ 교육부 [10.14.20 수능기출]

reverse [rivə́ːrs]

명 (정)반대 동 뒤집다

The sun and the moon rise and fall in **reverse**.
해와 달은 **정반대**로 뜨고 진다.

the **reverse image**
반대된 이미지 10수능

0593 ★★

ru  bish

쓰레기, 헛소리

□□□

rubbish [rʌ́biʃ]

명 쓰레기, 헛소리

유 garbage, trash 기출 incinerator 소각로 18수능

Where will we get rid of the **rubbish**?
그 **쓰레기**를 어디에 처리할 수 있니?

0594 ★★

scar  ty

부족, 결핍

□□□ [94 수능기출]

scarcity [skɛ́ərsəti]

명 부족, 결핍

파 scarce 부족한, 드문 scarcely 거의 ~않다

If **scarcity** exists, choices must be made
만약 **모자람**이 존재한다면, 선택하지 않으면 안 된다. 94수능

0595 ★☆☆

s  gment

부분, 조각, 선분

□□□ [11 수능기출]

segment [ségmənt]

명 부분, 조각, 선분

유 part

One **segment** of the painting was damaged.
그림의 한 **부분**이 훼손되었다.

He showed them three line **segments**.
그는 그들에게 세 개의 **선분**을 보여 주었다. 11수능

0596 ★☆☆

sem  circle

반원, 반원형

□□□

semicircle [sémisə́:rkl]

명 반원, 반원형

The houses were built in a **semicircle**.
그 집들은 **반원형**으로 지어졌다.

0597 ★★★

s  quence

연속적인 사건들, 순서

□□□ 교육부 [13.14.15.16.17 수능기출]

sequence [sí:kwəns]

명 연속적인 사건들, 순서

팁 series 연속 10수능 serial 연속적인

The numbers are out of **sequence**.
그 숫자는 **연달아** 나왔다.

0598 ★★☆

simult  neously

동시에, 일제히

□□□ [12.15.19.20 수능기출]

simultaneously [sàiməltéiniəsli]

부 동시에, 일제히

파 simultaneous 동시의

숙 at once=at the same time=concurrently : 동시에 수능기출

Male and female marathon runners set off **simultaneously**.
남녀 마라톤 선수들이 **동시에** 출발하였다.

0599 ★☆☆

smu  ge

자국, 얼룩
더럽히다

□□□

smudge [smʌ́dʒ]

명 자국, 얼룩 동 더럽히다

There was a **smudge** of chocolates on her face.
그녀의 얼굴은 초콜릿으로 **더럽혀졌다**.

0600 ★★★

stand  rd

수준, 기준, 표준

□□□ [98.02.07.08.09.12.13.14.15.16 수능기출]

standard [stǽndərd]

명 수준, 기준, 표준

파 standardize 규격화하다

high **standards**
높은 **수준** 08수능

living **standards**
생활 **수준** 09수능

0601 ★★★

surf 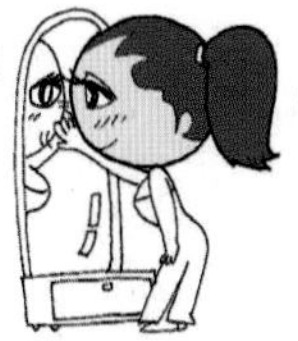 ce

표면, 지면, 수면

□□□ 교육부 [07.09.10.12.14.15 수능기출]

surface [sə́:rfis]

명 표면, 지면, 수면

the **surface** of the peel
껍질의 **표면** 07수능

surface of the mirror
거울의 **표면** 10수능

0602 ★☆☆

surg 

밀려들다, 휩싸다, 들끓다

□□□

surge [sə́:rdʒ]

동 밀려들다, 휩싸다, 들끓다

A giant wave **surged** up towards us.
집채만 한 파도가 **밀려들었다**.

Anger suddenly **surged** up in him.
그는 갑자기 화가 **치밀어 올랐다**.

0603 ★★☆

th  ust

밀다, 밀치다

□□□

thrust [θrʌ́st]

동 밀다, 밀치다

유 push 밀어붙이다, 밀다

He **thrust** past him angrily and left.
그는 화를 내며 그를 **밀치고** 나갔다.

0604 ★★★

tr  nsmit

전송하다, 전달하다, 전수하다

□□□ 교육부 [05.08.10.11.15.17.19.20 수능기출]

transmit [trænsmít]

동 전송하다, 전달하다, 전수하다

유 send 반 receive 받다

파 transmission 전송, 전달 19수능

Electric bulbs **transmit** light.
전구는 빛을 **전달한다**. 08수능

0605 ★★☆

twof  ld

2배의, 이중적인

□□□ [05 수능기출]

twofold [tú:fòuld]

형 2배의, 이중적인

To block the enemy's attack, they build a **twofold** defense cordon.
적의 침입을 막기 위해 그들은 **2중** 방위망을 구축한다.

The cost of a dozen roses rose **twofold**.
한 다발의 장미 가격이 **두 배로** 올랐다. 05수능

0606 ★★★

typi  l

전형적인, 대표적인

□□□ [99.01.07.10.11.13.14.20 수능기출]

typical [típikəl]

형 전형적인, 대표적인

유 standard, usual 반 atypical 이례적인 20수능

This is a **typical** Korean costume.
이것이 **전형적인** 한국 의상입니다.

The **typical** equipment of a mathematician is a blackboard and chalk. 수학자의 **전형적인** 장비는 흑판과 분필이다. 07수능

0601 설피스 0602 설~지 0603 드라스트 0604 트랜스밋 0605 튜우포올드 0606 티피클

0607 ★★★

ultimat

궁극적인, 최후의

□□□ [96.96.07.10.11.14.15.16 수능기출]

ultimate [ʌ́ltəmət]

형 궁극적인, 최후의

㉺ ultimately 궁극적으로, 결국 19수능

War is the **ultimate** solution.
전쟁이 **궁극적인** 해결책이다.

Ultimate solutions for fuel and food problems
연료와 식량 문제를 위한 **궁극적인** 해결책 07수능

0608 ★

unstabl

불안정한

□□□ [14 수능기출]

unstable [ʌ̀nstéibl]

형 불안정한

㉤ stable 안정된, 차분한 기출 ㈜ shaky 불안정한 21수능

The chemicals in this tube are **unstable**.
이 튜브 속에 있는 화학 성분들은 **불안정하다**.

0609 ★★★

v lid

유효한, 타당한

□□□ 교육부 [96.97.05.06.10.13.14.15 수능기출]

valid [vǽlid]

형 유효한, 타당한

This is a **valid** passport.
이것은 **유효한** 여권이다.

Valid survey
타당성 있는 조사 10수능

0610 ★★

verti al

수직의, 세로의

□□□ [10.14 수능기출]

vertical [və́ːrtikəl]

형 수직의, 세로의

㉺ vertex 꼭짓점, 정점 ㉤ horizontal 수평의

The climb up that hill is almost **vertical**.
올라가는 저 언덕은 거의 **수직이다**.

dark **vertical** bands
검은 **수직의** 띠 10수능

0611 ★

viol t

제비꽃, 보라색

□□□

violet [váiəlit]

명 제비꽃, 보라색

㉨ ultraviolet 자외선의 violent 폭력적인

She had a bunch of **violets** on her table.
제비꽃 한 다발이 그녀의 책상에 있었다.

0612 ★★★

w ight

무게, 체중

□□□ [94.95.96.97.99.00.05.06.08.12.13.14.17 수능기출]

weight [weit]

명 무게, 체중

㉺ weigh 무게가 ~이다

㉨ overweight 과체중의, 비만의 light weight 가벼운

A doctor checks **weight**, vision and hearing problems, blood pressure.
의사는 **체중**, 시력과 청력 문제, 혈압을 검사한다. 05수능

Chapter 2
Review Test

A. 수능에 출제되는 단어 또는 단어의 뜻을 쓰시오.

01. 명확성, 명쾌함 ________
02. 외부의, 외면의 ________
03. 멸종된, 사라진 ________
04. 물리학 ________
05. 인공의, 인조의 ________
06. 물질, 본질 ________
07. 결과, 중요성 ________
08. 지속, 지속 기간 ________
09. 수정하다, 바꾸다 ________
10. 신분, 지위, 상태 ________
11. acoustic ________
12. electronic ________
13. intrigue ________
14. metabolic ________
15. density ________
16. dispersal ________
17. remnant ________
18. capacity ________
19. analysis ________
20. hypothesis ________

B. 수능에 출제되는 문장의 문맥에 맞는 단어를 고르시오.

01. It takes time to define and ________.
02. They moved the nymphs to an experimental ________.
03. The ________ from the lake went into the Pacific Ocean.

ⓐ component	ⓑ classify	ⓒ element	ⓓ overflow	ⓔ enclosure

04. Each habitat is the home of numerous ________.
05. The Internet is a conveyer of ________ information.
06. The media make our time ________ from the past.

ⓐ distinct	ⓑ species	ⓒ unfiltered	ⓓ deduction	ⓔ empirical

정답 01.ⓑ 02.ⓔ 03.ⓓ 04.ⓑ 05.ⓒ 06.ⓐ

01. 그것을 규정짓고 (분류하는) 것은 시간이 걸린다. 02수능
02. 그들은 애벌레를 실험용 (구역)으로 옮겼다. 15수능
03. 그 호수로부터 (넘쳐흐른 물)은 태평양으로 빠져나갔다. 13수능
04. 각 서식지는 많은 (생물 종들)의 집이다.(11수능)
05. 인터넷은 (여과되지 않은) 정보를 전달하는 매체이다. 13수능
06. 매체가 우리의 시대를 과거와는 (구별되게) 한다. 05수능

수능기본 접속사와 숙어

시간 관련	☐ lately 부 최근에	later 부 나중에, 그 후에
	☐ meanwhile 부 한편, 그 동안에	now 부 지금
	☐ nowadays 요즘에, 오늘날에는	presently 부 현재, 지금
	☐ shortly after 숙 ~한 직후	simultaneously 부 동시에
	☐ since 전 ~한 이후로	soon 부 곧, 머지않아
	☐ temporarily 부 일시적으로	then 부 그때
	☐ until 접 ~할 때까지	up until now 숙 여태까지, 지금까지
	☐ while 접 ~하는 동안에	yet 부 아직
사건의 순서	☐ first 한) 첫째	second 한) 둘째의
	☐ third 형 세 번째의	then 부 그때, 그 다음에
	☐ next 부 그 다음에	later 부 나중에
	☐ after that 숙 그 후에	finally 부 마침내
인과 관계 설명	☐ as 접 ~때문에	because 접 ~때문에
	☐ due to 숙 ~때문에	for 접 왜냐면
	☐ in order that 숙 ~하기 위해	now that 숙 ~이니까, ~이므로
	☐ since 접 ~한 이후로, ~이므로	so that 숙 그래서 (~하다)
	☐ that is because 그건 ~때문이다	that is why 그건 ~이유 때문이다
결과	☐ accordingly 부 따라서	as a consequence 숙 그 결과
	☐ as a result 숙 결과적으로	for this reason 숙 이런 이유 때문에
	☐ hence 부 따라서, 지금부터	in short 숙 간단히 말해, 요컨대
	☐ in consequence 숙 ~의 결과로	then 부 그리고 나서
	☐ thereby 부 그 때문에	therefore 부 그러므로
	☐ thus 부 따라서, 그러므로	
상황	☐ from the viewpoint of 숙 ~의 관점에서 보면	in my opinion 숙 내 생각에는
	☐ in the midst of 숙 ~의 한가운데에	as long as 숙 ~하는 한
조건	☐ even if 숙 ~라 할지라도	if 접 ~라면
	☐ if not 숙 ~아니라면	in case of 숙 ~의 경우에
	☐ in case (that) 숙 ~그런 경우에는	in the event of 숙 ~의 경우에
	☐ in the event (that) 숙 ~의 경우에	only if 숙 단지 ~면
	☐ provided that 숙 ~라면	otherwise 부 그렇지 않으면
	☐ suppose 동 ~라 가정하다	unless 접 ~하지 않는 한
예외 / 제외	☐ apart from 숙 ~외에도	aside from 전 ~은 별도로 하고
	☐ but 접 ~외에는	except for 숙 ~외에는, ~을 제외하고

30점 넘기기

Chapter 03

Work and Society / 직업과 사회

ⓐ Professions (직업)

ⓑ Fields of Responsibility (책임 분야)

ⓒ Equipment and Resources (장비와 자료)

ⓓ Ventures (사업)

ⓔ Associated Words (연관 단어)

1분 안에 넘기기

시간 있으면 꼼꼼히 외우기

0613 ★★★

acountant

회계사

□□□ [97.09 수능기출]

accountant [əkáuntənt]

명 회계사

㉶ account 계좌, 장부

An **accountant** looks after my money.
회계사는 내 돈을 관리한다.

My mother was the house **accountant**.
어머니는 우리 집 **회계사**였다. 09수능

0614 ★★★

administratin

관리, 행정(부)

□□□

administration [ædmìnəstréiʃən]

명 관리, 행정(부)

㉶ administer 관리(운영)하다 administrative 행정의, 관리의 20수능

He tried to stamp out the evils of the **Administration**.
그는 **행정부**의 악폐를 근절하려 했다.

0615 ★★★

admral

해군 대장, 제독

□□□

admiral [ǽdmərəl]

명 해군 대장, 제독

The highest person in the navy is an **admiral**.
해군에서 가장 높은 사람은 **제독**이다.

기출 admire 감탄하다, 존경하다 admiration 감탄, 탄복 20수능

0616 ★★★

ambassadr

대사

□□□

ambassador [æmbǽsədər]

명 대사

He is our **ambassador**.
그는 우리의 **대사**이다.

0617 ★★★

applicatin

지원서, 신청, 적용, 응용

□□□ [05.15.17.19 수능기출]

application [æ̀pləkéiʃən]

명 지원서, 신청, 적용, 응용

㉶ apply 지원하다 applicant 신청자, 지원자 20수능

The **application** of maths to art began early.
수학을 미술에 **응용**하는 것은 일찍 시작되었다. 05수능

0618 ★★★

pply

신청[지원]하다, 적용하다

□□□ [95.08.10.12.13.19 수능기출]

apply [əplái]

동 신청[지원]하다, 적용하다

㉶ applicant 신청자 ㉷ appliance (가정용) 기기 22수능

㉦ apply A to B : A를 B에 적용하다 apply to : 적용되다 19수능
apply for : 지원하다 수능기출

Do you wish to **apply** for the job?
당신은 그 일에 **지원**하시겠습니까?

헛바닥 e 입벌린 c 머리묶은 a 동글이 o 목떨어진 i

0613 어**카**운턴트 0614 애드**미**니스트**레**이션 0615 **애**드머럴 0616 앰**배**써더 0617 애플리**케**이션 0618 어플**라**이

0619 ★★★

archaelogy

고고학

□□□ [12 수능기출]

archaeology [ɑ:rkiɑ́lədʒi]

명 고고학

㉺ archaeologist 고고학자 18수능 archaeological 고고학의 14수능

I hope to study **archaeology**.

난 **고고학**을 공부하고 싶다.

0620 ★★★

associat

동료
연관짓다, 교제하다

□□□ 교육부 [09.14.17.20 수능기출]

associate [əsóuʃièit]

명 동료 동 연관짓다, 교제하다

㉺ association 협회, 교제 associated 관련된 20수능

㊏ keep company with=associate with : ~와 사귀다 수능기출

She had trouble **associating** the objects with their names.

그녀는 그 물체들을 이름들과 **연결 짓는** 것을 어려워한다. 09수능

0621 ★★★

astrnaut

우주 비행사

□□□ 교육부 [01.04 수능기출]

astronaut [ǽstrənɔ̀:t]

명 우주 비행사

㉺ astronomical 천문학의, 어마어마한

Robots and **astronauts** use much of the same equipment.

로봇과 **우주 비행사**는 거의 똑같은 장비를 사용한다. 10수능

0622 ★★★

attorn

y

변호사

□□□

attorney [ətə́:rni]

명 변호사

㉩ judge 판사 prosecutor 검사 plaintiff 원고 defendant 피고

You need the help of an **attorney**.

너는 **변호사**의 도움이 필요하다.

0623 ★★★

authr

작가, 저자
저술하다

□□□ 교육부 [98.06.10.13.14.15.17 수능기출]

author [ɔ́:θər]

명 작가, 저자 동 저술하다

Someone who reads only books by contemporary **authors** is limited.

동시대의 **작가들**이 쓴 책들만 읽는 사람들은 한계가 있다. 00수능

0624 ★★★

aviatr

비행사

□□□

aviator [éivièitər]

명 비행사

㉺ aviate 비행하다 (비행기를) 조종하다 aviation 비행, 항공

The **aviator** climbed into his machine.

비행사는 비행기에 올랐다.

0619 **알**키**알**러쥐 0620 애**쏘**시에잍 0621 **애**스트러너어트 0622 어**터**어니 0623 **어**~더 0624 **에**이비에이러

1분 안에 넘기기 | 시간 있으면 꼼꼼히 외우기

0625 ★★☆

barbr

이발사, 이발소

□□□ 교육부 [05 수능기출]

barber [bɑ́:rbər]

명 이발사, 이발소

㉷ barbershop 이발소

I go to see the **barber**.
이발소에 가야지.

He has a successful career as a **barber**.
그는 **이발사**로서 성공적인 경력을 가지고 있다. 05수능

0626 ★☆☆

bshop

주교, (체스의) 비숍

□□□

bishop [bíʃəp]

명 주교, (체스의) 비숍

㉷ archbishop 대주교

The **bishop** lives beside the church.
주교는 교회 근처에 산다.

0627 ★☆☆

blaksmith

대장장이

□□□

blacksmith [blǽksmìθ]

명 대장장이

㊒ smith 금속 세공인, 대장장이

There are few **blacksmiths** today.
오늘날에는 **대장장이**가 흔치 않다.

0628 ★★☆

candidat

입후보자, 지원자

□□□ 교육부 [13.15 수능기출]

candidate [kǽndidèit]

명 입후보자, 지원자

㉣ vote 투표 poll 여론조사 the elected 당선자

I voted for this **candidate**.
나는 이 **후보**에게 투표했다.

0629 ★★☆

arpenter

목수

□□□ [14 수능기출]

carpenter [kɑ́:rpəntər]

명 목수

We need a **carpenter** to fix it.
우리는 그것을 고칠 **목수**가 필요하다.

0630 ★☆☆

clrgyman

남자 성직자

□□□

clergyman [klə́:rdʒimən]

명 남자 성직자

㊒ churchman 신부, 목사 minister 목사 clergy 성직자들

The **clergyman** gave a talk.
성직자는 연설을 했다.

0625 바알버 0626 비셥 0627 블랙스미쓰 0628 캔디데이트 0629 카알펜터 0630 클러쥐맨

0631 ★★★

coa  h

코치
지도하다

□□□ [96.07.15 수능기출]

coach [koutʃ]

명 코치 통 지도하다

After the game, the **coach** shouted at me.
경기가 끝난 후 **코치**가 내게 소리쳤다. 96수능

0632 ★★☆

 ommission

의뢰(주문), 위원회, 위임

□□□ [15 수능기출]

commission [kəmíʃən]

명 의뢰(주문), 위원회, 위임

He gained many **commissions** from patrons. 15수능
그는 후원자로부터 많은 **주문**을 위탁받았다.

0633 ★★☆

 rrespondent

통신원, 특파원

□□□ [10.12 수능기출]

correspondent [kɔ̀ːrəspándənt]

명 통신원, 특파원

파 correspondence 서신, 관련성 correspond 일치하다

There is **correspondence** between dreams and real life.
꿈과 현실 사이에는 **관련성**이 있다. 12수능

0634 ★☆☆

di  tator

독재자

□□□

dictator [díkteitər]

명 독재자

파 dictate 구술하다 dictation 받아쓰기

유 tyrant 폭군, 전제 군주

His father is a **dictator**.
그의 아버지는 **독재자**다.

0635 ★★☆

 ismiss

묵살[일축]하다, 해고하다, 해산시키다, 기각하다

□□□ [95.04.13.19 수능기출]

dismiss [dismís]

통 묵살[일축]하다, 해고하다, 해산시키다, 기각하다

파 dismissal 해고 유 discharge, fire, lay off

This letter is to confirm that you will be **dismissed** from the company.
이 편지는 당신이 회사로부터 **해고된다는** 것을 확인시키려는 것입니다. 95수능

0636 ★☆☆

 ligible

자격이 있는, 적격의

□□□

eligible [élidʒəbl]

형 자격이 있는, 적격의

유 qualified, suitable

He is **eligible** for president.
그는 대통령으로 **적격이다**.

0637 ★★★

employe 

종업원, 고용인

□□□ [99.05.12.14.15 수능기출]

employee [implɔ́iiː]

명 종업원, 고용인

㉶ employ 고용하다 employment 직장, 고용, 취업

Do you know how to hire a competent **employee**?

유능한 **직원**을 고용하는 방법을 알고 있습니까? 12수능

0638 ★★★

f  bulous

멋진, 굉장한

□□□

fabulous [fǽbjuləs]

형 멋진, 굉장한

This is a **fabulous** work.

이건 정말 **훌륭한** 작품이야.

0639 ★★★

fish  ry

어장, 어업

□□□ [99.00.01.16.17 수능기출]

fishery [fíʃəri]

명 어장, 어업

㉶ fisherman 어부, 낚시꾼

The **fishery** stopped altogether.

어업은 완전히 중단되었다. 99수능

0640 ★★★

fl  rist

꽃가게, 꽃집 주인

□□□ [05 수능기출]

florist [flɔ́ːrist]

명 꽃가게, 꽃집 주인

I bought roses from the **florist**.

나는 **꽃집 주인**에게 장미들을 샀다.

In the past, a **florist** shop was most likely a local business.

과거에는, **꽃가게**가 대부분 지방의 사업이었다. 05수능

0641 ★★★

gladiat  r

검투사

□□□

gladiator [glǽdièitər]

명 검투사

Gladiators fought with a sword.

검투사들이 검을 가지고 싸웠다.

0642 ★★★

groc  ry

식료품 잡화점

□□□ [98.01.10 수능기출]

grocery [gróusəri]

명 식료품 잡화점

㉶ grocer 식료품 상인

He has been selling **groceries**.

그는 **식료품**을 팔아 왔다. 98수능

grocery store

식료품 가게. 10수능

0643 ★★★

guar  경비 요원, 보초 지키다, 보호하다

□□□ [09.12.17 수능기출]

guard [gɑ́:rd]

명 경비 요원, 보초 동 지키다, 보호하다

㉷ lifeguard 인명 구조원

㊅ keep an eye on=watch=guard : 지키다, 감시하다 수능기출

This tree has stood **guard** over our family all its life.
이 나무는 일생 동안 우리 가족을 **지키며** 서 있었어.09수능

0644 ★★

her  ld 전조, 전령 예고하다, 알리다

□□□

herald [hérəld]

명 전조, 전령 동 예고하다, 알리다

Welcome the **herald** of spring!
봄의 **전령**이 오신 것을 환영합니다!

0645 ★★★

hir  고용하다, (단기간) 빌리다

□□□ [09.12.14.16 수능기출]

hire [háiər]

동 고용하다, (단기간) 빌리다

The boss **hired** me.
사장은 나를 **고용했다**.

0646 ★

homem  ker (전업) 주부

□□□

homemaker [hóummèikər]

명 (전업) 주부

㉷ housewife 주부 househusband 가사를 맡은 남편
homesick 향수에 잠긴96수능 homeless 노숙자들04수능
homeland 고국, 조국08수능 homely 아늑한, 가정적인10수능

She is happy to be a **homemaker**.
그녀는 **주부**가 되어 행복하다.

0647 ★

hostag  인질, 볼모

□□□

hostage [hɑ́stidʒ]

명 인질, 볼모

They took a **hostage**.
그들은 **인질**을 잡았다.

0648 ★★★

janit  r 문지기, 수위, 관리인

□□□

janitor [dʒǽnətər]

명 문지기, 수위, 관리인

㉾ doorkeeper, doorman, gatekeeper

There are ten **janitors** in our school.
우리 학교의 **관리인**은 10명이다.

1분 안에 넘기기

시간 있으면 꼼꼼히 외우기

0649 ★★★

judg 

판사, 심판
재판하다, 판단하다

□□□ [94.97.98.99.00.02.03.07.11.12.13.15.16 수능기출]

judge [dʒʌ́dʒ]

명 판사, 심판 동 재판하다, 판단하다

파 judgment 판단, 재판

It is hard to **judge** the sex of a chicken.
닭의 암수 **판단**은 어렵다.

Perhaps your friend's **judgment** is simply unfair.
아마 당신 친구의 **판단**이 전혀 정당하지 않을 수도 있다. 07수능

0650 ★☆☆

j  ry

배심원단

□□□ 교육부

jury [dʒúəri]

명 배심원단

Most courts have a **jury**.
법원의 대부분은 **배심원**이 있다.

0651 ★★☆

livesto  k

가축

□□□ [98.11.12 수능기출]

livestock [láivstɑ̀k]

명 가축

Overgrazing of **livestock** resulted in further deterioration of the soil.
가축의 지나친 방목은 더 심한 토양 악화를 가져왔다. 12수능

0652 ★☆☆

mathemati  ian

수학자

□□□ [14 수능기출]

mathematician [mæθəmətíʃən]

명 수학자

He was a French **mathematician**.
그는 프랑스의 **수학자**였다.

mathematical concept
수학 개념 20수능

0653 ★★☆

mechani 

정비공, 역학, 기계학

□□□ [95.19 수능기출]

mechanic [məkǽnik]

명 정비공, 역학, 기계학

파 mechanism 기계 장치 13.19수능

팁 biomechanical 생물 기계학의, 생체 역학의

a good **mechanic**
훌륭한 **기술자** 95수능

0654 ★★☆

mer  hant

상인, 무역상

□□□ 교육부 [13 수능기출]

merchant [mə́:rtʃənt]

명 상인, 무역상

His father is a **merchant**.
그의 아버지는 **상인**이다.

0655 ★☆☆

m  ning

채굴, 채광, 광업

□□□

mining [máiniŋ]

명 채굴, 채광, 광업

He is in the **mining** business.

그는 **광산업**에 종사한다.

0656 ★★☆

minist  r

장관, 성직자

□□□ 교육부 [98 수능기출]

minister [mínəstər]

명 장관, 성직자

Here is a list of the government **ministers**.

장관들의 이름 목록이 여기 있습니다.

The **minister** told some funny stories at the party.

그 **목사님**이 파티에서 몇 가지 재미난 이야기를 했다. 98수능

0657 ★★☆

min  stry

내각, 부서

□□□ 교육부

ministry [mínəstri]

명 내각, 부서

Which **ministry** does he work for?

그는 어느 **정부 부서**에서 일하나?

0658 ★★☆

missi  nary

선교사

□□□

missionary [míʃənèri]

명 선교사

파 mission 사명, 사절단, 전도

He came here as a **missionary**.

그는 **선교사**로 이곳에 왔다.

0659 ★★☆

occupati  n

직업, 점령

□□□ [98.07 수능기출]

occupation [ɑ̀kjupéiʃən]

명 직업, 점령

They don't know much about anything else except their **occupations**.

그들은 자신들의 **직업**을 제외한 다른 어떤 것에 대해서는 잘 모른다. 07수능

0660 ★★★

offi  ial

공무원, 임원
공무상의, 공식적인

□□□ 교육부 [99.07.09.12 수능기출]

official [əfíʃəl]

명 공무원, 임원 형 공무상의, 공식적인

city **officials**

시 **공무원** 07수능

This was my first '**official**' journal.

이것이 나의 첫 '**공식적인**' 일기였다. 12수능

1분 안에 넘기기

시간 있으면 꼼꼼히 외우기

0661 ★☆☆

utlaw

무법자, 범법자
불법화하다, 금하다

□□□

outlaw [áutlɔ̀ː]

명 무법자, 범법자 동 불법화하다, 금하다

Drugs are **outlawed.**

마약은 **불법화되어 있다.**

0662 ★☆☆

past  r

목사,
종교 지도자

□□□

pastor [pǽstər]

명 목사, 종교 지도자

㊌ minister, clergyman

㊎ priest 사제 nun 수녀 monk 수도사 bishop 주교 Pope 교황

Every church has a **pastor.**

모든 교회에는 **목사님**이 있다.

0663 ★★☆

patr  n

후원자, 고객

□□□ [15 수능기출]

patron [péitrən]

명 후원자, 고객

㊋ patronize 후원하다 ㊌ supporter, sponsor

He is a **patron** of the arts.

그는 예술의 **후원자**이다.

0664 ★★☆

p  asant

농부, 소작농

□□□ [98 수능기출]

peasant [péznt]

명 농부, 소작농

Chinese **peasants** no longer suffer from famines.

중국의 **농부들**은 기근으로부터 더 이상 고통받고 있지 않다. 98수능

0665 ★★☆

physi  ian

(내과) 의사

□□□ [95,08 수능기출]

physician [fizíʃən]

명 (내과) 의사

㊗ surgeon 외과 의사 ㊎ physicist 물리학자

You should consult a **physician.**

당신은 **의사**와 상의해야만 한다. 95수능

0666 ★☆☆

plumb  r

배관공

□□□

plumber [plʌ́mər]

명 배관공

The **plumber** fixed the pipes.

배관공이 파이프를 수리했다.

0667 ★★★

politi  ian

정치가

□□□ [03.07.09.11.12.13 수능기출]

politician [pɑ̀lətíʃən]

명 정치가

㉺ politically 정치적으로 11수능 political 정치적인 07수능
politics 정치 09수능

Politicians are busy these days. 정치인들은 요즘 바쁘다.

기출 democratize 민주화하다 21수능

0668 ★★

pri  st

사제, 성직자

□□□ [98 수능기출]

priest [príːst]

명 사제, 성직자

㊌ clergyman

The **priest**'s tale was boring.
그 **신부**의 이야기는 지루했다. 98수능

0669 ★★★

prof  ssional

전문적인,
직업의

□□□ [94.99.04.05.06.07.09.12.14.15.17 수능기출]

professional [prəféʃənl]

형 전문적인, 직업의

㉺ profession 직업 profess 공언하다 professor 교수

professional literature
전문적인 서적 94수능

professional positions
전문적인 위치 09수능

0670 ★★

publi  ist

선동자,
홍보 담당자

□□□ [13.17 수능기출]

publicist [pʌblisist]

명 선동자, 홍보 담당자

The **publicist** did not return calls.
홍보담당자는 전화를 다시 하지 않았다.

0671 ★★★

representativ 

대표자
대표적인

□□□ 교육부 [96.20 수능기출]

representative [rèprizéntətiv]

명 대표자 형 대표적인

㉺ represent 대표하다, 대변하다

The **representative** of the warship is its captain.
전함의 **대표자**는 함장이다.

a sales **representative**
판매 **대표자** 96수능

0672 ★★★

retir 

은퇴하다,
퇴직하다

□□□ [94.00.05.19.20 수능기출]

retire [ritáiər]

명 은퇴하다, 퇴직하다

㉺ retirement 은퇴

Fortunately, I seem to remember that I **retired**.
다행히도, 난 내가 **퇴직했다**는 것은 기억하는 것 같다. 05수능

○ 1분 안에 넘기기

○ 시간 있으면 꼼꼼히 외우기

0673 ★★★

secret  ry

비서, 서기관

□□□ 교육부 [94.99.01.05 수능기출]

secretary [sékrətèri]

명 비서, 서기관

You must tell the **secretary** that you want to buy one.

당신은 **비서**에게 구입을 원한다고 말해야 합니다. 01수능

0674 ★★★

sham  n

주술사, 무당

□□□

shaman [ʃάːmən]

명 주술사, 무당

㉺ shamanism 샤머니즘(무교)

She looked for a **shaman**.

그녀는 **무당**을 찾아갔다.

0675 ★★★

sheph  rd

양치기
(양)을 지키다

□□□ [01 수능기출]

shepherd [ʃépərd]

명 양치기 동 (양)을 지키다

The **shepherds** who found the substance were curious about its softness.

그 물질을 발견한 **목동**은 그것의 부드러움에 호기심을 느꼈다. 01수능

0676 ★★★

sh  riff

군보안관

□□□

sheriff [ʃérif]

명 군보안관

The **sheriff** caught the criminal.

보안관은 범인을 잡았다.

0677 ★★★

subordinat 

부하, 종속된, 부차적인

□□□ 교육부

subordinate [səbɔ́ːrdənət]

명 부하 형 종속된, 부차적인

The newcomer is in a **subordinate** position.

초심자는 **종속적인** 위치에 있다.

0678 ★★★

sup  rior

상관
상급의, 우수한

□□□ [09.10.13.16 수능기출]

superior [səpíəriər]

명 상관 형 상급의, 우수한

The officer reported to his **superior**.

장교는 그의 **상사에게** 보고했다.

superior coffee beans **좋은** 커피콩 09수능

He is a highly **superior** and imaginative child.

그는 대단히 **우수하고** 상상력이 풍부한 아이다. 10수능

0673 세크러테어리 0674 샤먼 0675 셰퍼드 0676 셰리프 0677 섭오~디넡 0678 수~피리어

0679 ★★☆

temp  rary

일시적인, 임시의

□□□ [95.15 수능기출]

temporary [témpərèri]

형 일시적인, 임시의

파 temporarily 일시적으로, 임시로 20수능 반 permanent 영구적인

팁 temporal 시간의 19.20수능

He is a **temporary** employee.

그는 **임시** 고용인이다.

0680 ★★☆

t  nant

세입자, 소작인

□□□ [98 수능기출]

tenant [ténənt]

명 세입자, 소작인

유 resident 19수능 반 landlord 집주인, 임대인

It is wrong to ask the **tenants** to pay a large increase.

세입자에게 큰 인상액을 지불하도록 요구하는 것은 잘못입니다.98수능

0681 ★★★

trad 

거래, 무역

□□□ [94.98.09 수능기출]

trade [tréid]

명 거래, 무역

파 trading 거래, 영업 tradeoff 거래, 교환

숙 trade unionism 노동조합조직 19수능

It is necessary to make people aware of the importance of **trade.**

사람들이 **무역**의 중요한 역할을 인식하는 게 필요합니다.09수능

0682 ★★☆

undermin 

약화시키다, 손상시키다

□□□ [13.15 수능기출]

undermine [ʌndərmaɪn]

동 약화시키다, 손상시키다

This crisis **undermined** his position.

이런 위기가 그의 지위를 **약화시켰다**.

0683 ★★☆

undeserv  d

자격이 없는, 부당한, 과분한

□□□ [13 수능기출]

undeserved [ʌndizə́:rvd]

형 자격이 없는, 부당한, 과분한

The Internet has a totally **undeserved** instant credibility.

인터넷은 전혀 **자격이 없는** 즉각적인 신뢰성을 지닌다.13수능

His judgment is **undeserved**.

그의 판결은 **부당하다**.

0684 ★☆☆

ush  r

좌석 안내원
안내하다

□□□

usher [ʌ́ʃər]

명 좌석 안내원 동 안내하다

The **usher** led me to my seat.

안내인이 나를 좌석으로 이끌었다.

0685 ★☆☆

v ndor

행상인, 판매 회사, 매도인

□□□

vendor [véndər]

명 행상인, 판매 회사, 매도인

There are many **vendors** in the market.

시장에는 **노점상들**이 많이 있다.

0686 ★☆☆

vet rinarian

수의사

□□□

veterinarian [vètərənέəriən]

명 수의사

유 vet

He wants to be a **veterinarian** when graduates.

그는 졸업하면 **수의사**가 되고 싶어 한다.

0687 ★★☆

voc tion

천직, 직업, 소명의식

□□□

vocation [voukéiʃən]

명 천직, 직업, 소명의식

유 occupation, job, profession

She believed her **vocation** was to be a doctor.

그녀는 자신의 **직업**이 의사가 될 것이라고 믿었다.

0688 ★★☆

warri r

전사, 용사

□□□ [14 수능기출]

warrior [wɔ́:riər]

명 전사, 용사

팁 soldier 군인 gladiator 검투사 combatant 전투원

The **warriors** returned victorious.

그 **전사들**은 승리하여 돌아왔다.

0689 ★★★

witn ss

목격자, 증인

□□□ 교육부 [95.97.98.09.19 수능기출]

witness [wítnis]

명 목격자, 증인

유 observer 19수능 반 unwitnessed 감지되지 않은, 목격되지 않은

many **witnesses**

많은 **목격자들**97수능

I **witnessed** to some boy or man.

나는 어떤 소년이나 남자에게 **목격되었다**.09수능

0690 ★☆☆

w zard

(남자) 마법사

□□□

wizard [wízərd]

명 (남자) 마법사

파 witch 마녀 wizardry 마법, 마술

I have not seen any **wizards** recently.

나는 최근에 **마법사**를 본 적이 없다.

0691 ★★★

adv  rtise

광고하다

□□□ [96.97.00.05.09.10.13.19 수능기출]

advertise [ǽdvərtàiz]

명 광고하다

㉫ advertisement 광고19수능 advertiser 광고인, 광고 회사

They often work for **advertising** agencies.
그들은 종종 **광고** 대행사에서도 일한다.00수능

0692 ★

a  ronautics

항공학, 항공술

□□□

aeronautics [ɛ̀ərənɔ́:tiks]

명 항공학, 항공술

You must study **aeronautics** to fly a plane.
당신은 비행기를 조종하기 위해 **항공술**을 공부해야 한다.

0693 ★

agricultur 

농업

□□□ 교육부 [99.12 수능기출]

agriculture [ǽgrikʌ̀ltʃər]

명 농업

㉫ agricultural 농업의 기출 agriculturalist 농업 전문가18수능

agricultural chemistry
농화학 99수능

agricultural production
농업 생산 12수능

0694 ★★

a  rcraft

항공기

□□□ 교육부 [96.06 수능기출]

aircraft [ɛ́ərkræ̀ft]

명 항공기

기출 airborne 비행 중인, 공기로 운반되는18수능

Researchers are developing a solar-powered, single-pilot **aircraft**.
연구원들은 태양 동력의 조종사 한 명이 조종하는 **비행기**를 개발하고 있다.06수능

0695 ★

al  hemy

연금술, 신비한 힘, 마력

□□□

alchemy [ǽlkəmi]

명 연금술, 신비한 힘, 마력

Alchemy is not a true science.
연금술은 진정한 과학이 아니다.

0696 ★★

 ppliance

(가정용) 기기

□□□ [96.08 수능기출]

appliance [əpláiəns]

명 (가정용) 기기

㉷ applicant 신청자

home **appliances**
가전**제품**08수능

1분 안에 넘기기 | 시간 있으면 꼼꼼히 외우기

0697 ★★★

arrang 

마련하다, 정리하다

□□□ [00.02.07.09.10.11.14.17 수능기출]

arrange [əréindʒ]

통 마련하다, 정리하다

팁 arrangement 정리, 합의 기출 configuration 배치, 배열 19수능

숙 lay out=arrange : 배열하다, 배치하다 수능기출

We **arranged** a time we could talk.

우리는 이야기할 수 있는 시간을 **마련했다**. 00수능

0698 ★

authoriz 

권한을 부여하다,
~을 인가하다

□□□

authorize [ɔ́:θəràiz]

통 권한을 부여하다, ~을 인가하다

파 authority 지휘권, 권한 authoritarian 권위주의적인

The king **authorized** him to do it.

왕은 그에게 그것을 행할 **권한을 부여했다**.

0699 ★★★

broad  st

방송하다, 방영하다

□□□ [96.04.07.09.20 수능기출]

broadcast [brɔ́:dkæ̀st]

통 방송하다, 방영하다

broadcasting studio **방송국** 스튜디오 07수능

television **broadcasting** 텔레비전 **방송** 09수능

be **broadcast** live 생**중계**되다 20수능

0700 ★★★

bu  ld

짓다, 건설하다

□□□ [95.98.99.00.03.05.07.12.13.14.15.17 수능기출]

build [bíld]

통 짓다, 건설하다

파 building 건물 rebuild 재건하다, 개축하다

They **built** a solar power station.

그들은 태양 발전소를 **건설했다**. 95수능

0701 ★★★

burd  n

부담, 짐
부담을 주다

□□□ [09.12.13 수능기출]

burden [bə́:rdn]

명 부담, 짐 통 부담을 주다

반 unburden 털어놓다, 덜어 주다

Is the **burden** too heavy? 그 **짐**이 너무 무겁니?

Countries should share the **burden** of emission cuts.

국가들이 배기가스 감축에 대한 **부담**을 나누어야 한다. 12수능

0702 ★

c  nsus

인구 조사

□□□

census [sénsəs]

명 인구 조사

They take a **census** every five years.

그들은 5년마다 **인구 조사**를 한다.

0697 어레인지 0698 어떠라이즈 0699 브로~드캐스트 0700 빌드 0701 붤든 0702 쎈써스

0703 ★★★

ntract

계약
계약하다, 수축하다

□□□ 교육부 [05.13.14.19 수능기출]

contract [kάntrækt]

명 계약 동 계약하다, 수축하다

㉺ contraction 수축, 축소 13수능

The parents worry about which **contractor** to employ.

부모는 어떤 **계약자**를 고용할 것인가에 대해 걱정한다. 05수능

0704 ★★★

c  operation

협력, 협동

□□□ [99.11.12 수능기출]

cooperation [kouὰpəréiʃən]

명 협력, 협동

㉺ cooperate 협동하다

They **cooperate** to defend and protect each other.

그들은 서로를 방어하고 보호하기 위해서 **협동한다**. 12수능

0705 ★★

corporat 

기업의, 법인의

□□□ 교육부 [11 수능기출]

corporate [kɔ́:rpərət]

형 기업의, 법인의

㉺ incorporate 포함하다, 통합하다 19수능
corporation 법인

We need **corporate** responsibility.

우리는 **기업의** 책임이 필요합니다.

0706 ★★

delegat 

대표
(권한, 업무 등을) 위임하다

□□□

delegate [déligət]

명 대표 동 (권한, 업무 등을) 위임하다

㊒ representative, deputy 대표자

He is our **delegate**.

그는 우리의 **대표**입니다.

0707 ★★★

d  livery

배달, (화물) 인도

□□□ [94.00.01.11.14 수능기출]

delivery [dilívəri]

명 배달, (화물) 인도

㉺ deliver 배달하다, 전달하다 14.20수능

We will call you to resume **delivery**.

우리가 **배달**을 다시 해 달라고 전화를 하겠습니다. 11수능

0708 ★★★

dep  rtment

부서

□□□ 교육부 [97.00.12 수능기출]

department [dipά:rtmənt]

명 부서

Different **departments** protected their territory.

서로 다른 **부서들**은 자신들의 영역을 보호했다. 12수능

0709 ★☆☆

외교, 외교술, 사교 능력

□□□

diplomacy [diplóuməsi]

명 외교, 외교술, 사교 능력

There is a need for more **diplomacy**.
외교술이 더 필요하다.

0710 ★★☆

(짐) 내리다,
떠나는 것을 허락하다

□□□

discharge [distʃɑ́:rdʒ]

명 (짐) 내리다, 떠나는 것을 허락하다

He was **discharged** from the hospital.
그는 병원에서 **퇴원했다**.

0711 ★★★

다큐멘터리, 기록물
서류의

□□□ [97.07.08.12 수능기출]

documentary [dɑ̀kjuméntəri]

명 다큐멘터리, 기록물 형 서류의

㊥ document 서류, 문서

The **documentary** will be shown tonight.
그 **다큐멘터리**는 오늘 밤에 방영될 것이다.

documents and forms
서류와 양식 12수능

0712 ★★★

경제의

□□□ 교육부 [95.96.97.99.00.02.03.05.06.07.08.09.10.11.12.13.14.15.16.17 수능기출]

economic [èkənɑ́mik]

형 경제의

㊥ economics 경제학 economy 경제 economically 경제적으로
economist 경제학자 20수능
microeconomic theory 미시 경제학 이론 20수능

0713 ★★☆

생태계

□□□ [97.01.10 수능기출]

ecosystem [ékousìstəm]

명 생태계

㊐ ecologist 생태학자 ecology 생태학

This is the consequence of the destruction of **ecosystems**.
이것이 **생태계** 파괴의 결과이다. 10수능

0714 ★★★

유행, 인기, 풍조
(손으로) 만들다

□□□ 교육부 [94.00.05.07.08.09.12.17 수능기출]

fashion [fǽʃən]

명 유행, 인기, 풍조 동 (손으로) 만들다

㊥ fashionable 유행하는

㊕ up to date=in fashion=new-fashioned=in vogue : 유행의, 최신의 수능기출

latest **fashions** 최신 **유행** 09수능

0709 디플로우머시 0710 디스촤~지 0711 다큐멘트리 0712 에커나믹 0713 이코시스텀 0714 패션

0715 ★★★

finan 

재정, 자금, 재무
자금을 대다

□□□ 교육부 [96.03.05.09.14 수능기출]

finance [finǽns]

명 재정, 자금, 재무 동 자금을 대다

㉶ financial 재정의, 금융의 09수능

Include goals for your **finances** and career.
당신의 **재정**과 경력에 관련된 목표를 포함시켜라. 05수능

0716 ★★★

headquart  rs

본사, 본부

□□□ [09 수능기출]

headquarters [hédkwɔ̀ːrtərz]

명 본사, 본부

㉶ headquarter 본부를 두다 ㉺ branch office 지부

The general is in the **headquarters**.
그 육군 대장은 **본부** 안에 있다.

The **headquarters** are in Chicago.
본부가 시카고에 있다. 09수능

0717 ★★★

imp  rt

수입하다

□□□ 교육부 [95.03.09.13.14.15.16.17 수능기출]

import [impɔ́ːrt]

동 수입하다

㉺ export 수출하다

These are **imported** items. 이 품목들이 **수입**된다.

Some are concerned with the **import** or export of goods.
어떤 이들은 상품의 **수입이나** 수출에 대해 우려하고 있다. 09수능

0718 ★★★

incorporat 

포함하다, 설립하다

□□□ 교육부 [11 수능기출]

incorporate [inkɔ́ːrpərèit]

동 포함하다, 설립하다

You must truly own this idea and **incorporate**.
당신은 진정으로 이 개념을 소유하고, **포함시켜야** 한다. 11수능

0719 ★★★

in  ur

초래하다, 당하다

□□□ [14 수능기출]

incur [inkə́ːr]

동 초래하다, 당하다

This cost is to be **incurred** by the other.
이것은 상대방에 의해 **초래된** 비용이다. 14수능

0720 ★★★

inn  vation

혁신, 쇄신

□□□ [11.13.16 수능기출]

innovation [ìnəvéiʃən]

명 혁신, 쇄신

㉶ innovate 혁신하다 renovation 수리

Innovation requires noticing signals outside the company.
혁신은 회사 자체 밖에서 들려오는 신호들을 인식하는 것을 필요로 한다. 11수능

1분 안에 넘기기 | 시간 있으면 꼼꼼히 외우기

0721 ★★☆

 nquiry

질문, 조사

□□□ 교육부 [17.19 수능기출]

inquiry [inkwáiəri]

명 질문, 조사

팁 inquire 묻다, 알아보다

What was the result of the **inquiry**?

조사의 결과가 무엇입니까?

0722 ★★★

internati  nal

국제의, 국제적인

□□□ [94.95.98.99.00.02.05.08.09.13.17 수능기출]

international [ìntərnǽʃənl]

형 국제의, 국제적인

The Busan **International** Film Festival

부산 **국제** 영화제 00수능

international membership organization

국제적 회원 단체 09수능

0723 ★★☆

l  gal

법률의, 합법의

□□□ 교육부 [94.01.17 수능기출]

legal [líːgəl]

형 법률의, 합법의

파 illegal 불법의 legality 합법 유 legitimate, lawful 합법적인

The **legal** aspects are important.

법률적인 측면이 중요합니다.

legal suit

법적 소송 94수능

0724 ★★★

manag  ment

경영, 관리

□□□ [00.06.14.20 수능기출]

management [mǽnidʒmənt]

명 경영, 관리

파 manage 간신히 해내다, 성공하다 19수능 manager 매니저
management office 관리실 20수능

This is why there must be careful **management**.

이것이 왜 주의 깊게 **관리되어야** 하는지 하는 이유이다. 00수능

0725 ★★★

m  litary

군대
군의, 군사의

□□□ 교육부 [99.07.09.14 수능기출]

military [míliteri]

명 군대 형 군의, 군사의

military build-up

군비 증강 99수능

military surgeon

군의관 07수능

0726 ★★★

missi  n

임무, 사절단

□□□ [09.10.13.15.16 수능기출]

mission [míʃən]

명 임무, 사절단

팁 intermission (연극·영화 등의) 중간 휴식 시간, 중지

He carried out his **mission** well.

그는 자기 **임무**를 잘 수행했다.

manned space **missions**

유인 우주 **임무** 10수능

0727 ★☆☆

monet  **ry**

통화의, 금전적인

□□□ [99 수능기출]

monetary [mάnətèri]

형 통화의, 금전적인

파 money 돈

This is a **monetary** problem.
이것은 **금전적인** 문제이다.

The International **Monetary** Fund
국제 **통화 기금**IMF 99수능

0728 ★☆☆

own  **rship**

소유(권)

□□□ [12 수능기출]

ownership [óunərʃip]

명 소유(권)

Ownership of a stock only gives the illusion of having control of the stock.
주식의 **보유**는 주식을 통제하는 것에 대한 환상만을 준다. 12수능

0729 ★☆☆

patr  **l**

순찰
순찰을 하다

□□□

patrol [pətróul]

명 순찰 동 순찰을 하다

The soldier went out on **patrol**.
군인은 **순찰**을 나갔다.

0730 ★★★

p  **rmanent**

영구적인

□□□ [96.16.17 수능기출]

permanent [pə́ːrmənənt]

형 영구적인

유 eternal 영원히 everlasting 불후의 immortal 죽지 않는

This picture will be a **permanent** exhibit.
이 그림은 **영구적으로** 전시될 것이다.

0731 ★☆☆

personn 

인원,
직원, 인사과

□□□ [94 수능기출]

personnel [pə̀ːrsənél]

명 인원 전 직원, 인사과

파 person (개개의) 사람, 개인

The manager is in charge of **personnel**.
그 지배인이 **전 직원들**을 감독하고 있다.

0732 ★★★

pr  **sident**

대통령, 회장

□□□ [00.02.15 수능기출]

president [prézədənt]

명 대통령, 회장

팁 preside 사회를 보다, 통솔하다 presider 주재자, 사회자

숙 preside over : 사회를 보다, 의장이 되다 수능기출

president of Hartley Hotel
히틀러 호텔의 **사장** 00수능

1분 안에 넘기기 | 시간 있으면 꼼꼼히 외우기

0733 ★★★

pr  motion

승진, 조성, 판촉

□□□ [94.98.07.19 수능기출]

promotion [prəmóuʃən]

명 승진, 조성, 판촉

동 promote 조장하다, 촉진하다, 증진하다 19.20수능

He was **promoted** to president.
그는 사장으로 **승진했다**.

I work for the **promotion** of tourist attractions.
나는 관광 명소 **추진**을 위해 일한다. 07수능

0734 ★★★

pr  perty

재산, 부동산, 특성

□□□ 교육부 [95.07.09.10.16 수능기출]

property [prάpərti]

명 재산, 부동산, 특성

파 properly 제대로, 적절히

property taxes
재산세 09수능

personal **property**
개인의 **재산** 10수능

0735 ★★★

publ  sh

출판하다,
발표하다

□□□ [95.01.02.07.11.12.13.17 수능기출]

publish [pʌ́bliʃ]

동 출판하다, 발표하다

파 publication 발표, 출판 유 announce, issue

The school yearbook will be **published** soon.
졸업 앨범이 곧 **출간될** 것입니다. 11수능

기출 copyrigh 저작권; 저작권을 보호하다 21수능

0736 ★★★

purch  se

구매
구입하다

□□□ 교육부 [94.98.05.08.09.12.13.14.15.16.17 수능기출]

purchase [pə́ːrtʃəs]

명 구매 동 구입하다

반 sell 팔다 명 purchaser 구매자 22수능

It is important to be mindful about **purchasing** food.
식품을 **구입하는** 데 있어서 주의를 기울이는 것이 중요하다. 08수능

0737 ★★

railr  ad

철도, 선로

□□□ [97.11 수능기출]

railroad [réilròud]

명 철도, 선로 기출 junction 분기점 22수능

유 railway

The **railroad** had been established as the fittest technology for transportation.
철도는 이미 가장 최적의 운송 기술로 자리 잡고 있었다. 11수능

0738 ★★

rec  ption

접수처, 환영회

□□□ [11 수능기출]

reception [risépʃən]

명 접수처, 환영회

파 receive 받다 12수능 receiver 받는 사람, 수신기 11수능 receptive 수용적인 18수능 receipt 영수증

He received a warm **reception**.
그는 따뜻한 **환영회**를 받았다.

0733 프러모우션 0734 프라퍼티 0735 퍼블리쉬 0736 펄췌스 0737 뤠일로드 0738 리셉션

0739 ★★☆

r  cruit

모집하다, 뽑다
신병

□□□ [15 수능기출]

recruit [rikrú:t]

동 모집하다, 뽑다 명 신병

ⓟ recruitment 채용, 징병 ⓤ enlist 입대하다 enroll 등록하다

She has **recruited** two helpers.
그녀는 두 명의 일꾼을 **고용했다**.

0740 ★★★

r  fund

환불
환불하다

□□□ [09.15.16 수능기출]

refund [rifʌ́nd]

명 환불 동 환불하다

숙 be fully refunded 전액 환불되다 19수능

I'll go to the store and ask for a **refund**.
난 가게로 가서 **환불**을 요청할 것입니다. 09수능

0741 ★★★

r  gulate

규제하다, 조절하다

□□□ 교육부 [97.07.09 수능기출]

regulate [régjulèit]

동 규제하다, 조절하다

ⓟ regulatory 규제력을 지닌 22수능 regulation 규정, 규제 20.22수능

There are laws to **regulate** the traffic.
교통을 **통제하기** 위한 법률이 있다.

A water plant **regulates** its temperature.
수중 식물은 온도를 **조절한다**. 07수능

0742 ★★★

reli  ble

믿을 수 있는,
신뢰할 수 있는

□□□ [11.12.17 수능기출]

reliable [riláiəbl]

형 믿을 수 있는, 신뢰할 수 있는

ⓟ reliance 의존, 의지 19수능 rely 의지하다, 신뢰하다

He is a **reliable** secretary.
그는 **신뢰할 수 있는** 비서이다.

reliable guidelines for conformity
적합성에 대한 **신뢰할 수 있는** 지침 12수능

0743 ★★☆

r  placement

교체(물), 대체

□□□ [11 수능기출]

replacement [ripléismənt]

명 교체(물), 대체

He is a **replacement**.
그는 **교체자**이다.

I want to thank you for finding a **replacement**.
대리를 찾아 주셔서 감사합니다. 11수능

0744 ★★☆

r  tail

소매(상)
소매하다, 팔리다

□□□ [96.20 수능기출]

retail [rí:teil]

명 소매(상) 동 소매하다, 팔리다

ⓑ wholesale 도매

ⓣ retail sales 소매 판매 20수능

That is the largest **retailer** in the county.
그곳은 전국에서 가장 큰 **소매점**이다. 96수능

○ 1분 안에 넘기기 ○ 시간 있으면 꼼꼼히 외우기

0745 ★★★

□□□ 교육부 [05.12 수능기출]

salary [sǽləri]

명 급여, 봉급

팁 pay 일반적 급료 salary 월급 fee 전문가 사례금
wages 노동자 지급, 임금

She gave Betty two months' **salary** as severance pay.

그녀는 베티에게 두 달분의 **급여**를 퇴직 수당으로 주었다. 12수능

0746 ★

□□□

salvage [sǽlvidʒ]

명 구조하다, 인양하다

We **salvaged** the furniture after the fire.

우리는 화재 후 그 가구를 **인양했다**.

0747 ★★★

□□□ 교육부 [00.07.08.20 수능기출]

section [sékʃən]

명 부분, 구역

a mine laying **section**

지뢰 매설 **구역**

I work in a **section** of this building.

나는 이 건물의 한 **구역**에서 일한다. 07수능

0748 ★

□□□ 교육부 [16 수능기출]

sector [séktər]

명 부문, 분야

파 section 구역

I work in the commercial **sector**.

저는 판매**부**에서 일합니다.

0749 ★

□□□

sewage [sú:idʒ]

명 하수, 오물, 오수

유 filth 오물, 쓰레기

The **sewage** in this area is out-dated.

이 지역의 **하수** 오물 처리 시설은 구식이다.

0750 ★

□□□

spokesman [spóuksmən]

명 대변인

The president's **spokesman** had nothing to say.

그 대통령의 **대변인**은 아무 할 말이 없었다.

0751 ★☆☆

stat stics

통계, 통계학

□□□

statistics [stətístiks]

명 통계, 통계학

Statistics do not always tell the truth.
통계가 언제나 진실을 말하는 것은 아니다.

0752 ★★☆

strat gy

전략

□□□ 교육부 [03.06.10.11.22 수능기출]

strategy [strǽtədʒi]

명 전략

유 tactics 전술

파 strategic 전략적인 19수능 strategist 전략가 20수능

We can re-plan its **strategy**.
우리는 **전략**을 다시 세울 수 있다. 03수능

0753 ★★★

structur

구조, 구조물

□□□ 교육부 [01.11.14.15.17 수능기출]

structure [strʌ́ktʃər]

명 구조, 구조물

complex **structure** of society
복잡한 사회 **구조** 01수능

the densely **structured** wood
조밀한 **조직**의 나무 11수능

0754 ★☆☆

syntheti

합성한, 인조의, 종합적인

□□□

synthetic [sinθétik]

형 합성한, 인조의, 종합적인

This is made of **synthetic** material.
이것은 **합성** 물질로 만들어져 있다.

0755 ★★★

transp rtation

수송, 운송

□□□ [96.97.98.99.05.09.11.17 수능기출]

transportation [trænspərtéiʃən]

명 수송, 운송

파 transport 수송하다

public **transportation**
대중**교통** 09수능

the fittest technology for **transportation**
가장 최적의 **운송** 기술 11수능

0756 ★☆☆

wholesal

도매의, 대량의

□□□ [05 수능기출]

wholesale [hóulsèil]

형 도매의, 대량의

파 wholesaler 도매업자

They are **wholesalers** who sell directly.
그들은 직접 파는 **도매 상인들**이다. 05수능

○ 1분 안에 넘기기 ○ 시간 있으면 꼼꼼히 외우기

0757 ★

artill  ry

대포, 포병대

□□□

artillery [ɑːrtíləri]

명 대포, 포병대

I hear the sound of **artillery**.

대포 소리를 들었다.

0758 ★★

ass  t

자산, 재산

□□□ [11.98 수능기출]

asset [ǽset]

명 자산, 재산

파 assets 유산, 자산 유 property, fortune 부

the most important **asset**

가장 중요한 **자산** 98수능

the resulting **assets**

그 결과로 생긴 **자산** 11수능

0759 ★★

blad 

(칼 등의) 날,
(엔진 · 헬리콥터
등의) 날개깃

□□□

blade [bléid]

명 (칼 등의) 날, (엔진·헬리콥터 등의) 날개깃

This **blade** is not sharp.

이 **칼**은 날카롭지 않다.

0760 ★★

br  om

빗자루, 비

□□□ [07 수능기출]

broom [brúːm]

명 빗자루, 비

유 broomstick 대가 긴 빗자루

Sweep the floor with a **broom**.

빗자루로 바닥을 쓸어라.

0761 ★★

bull  t

총알

□□□

bullet [búlit]

명 총알

There are no **bullets** in the gun.

그 총에는 **총알**이 없다.

0762 ★★

bullet  n

게시, 고시, 공고

□□□ [20 수능기출]

bulletin [búlətin]

명 게시, 고시, 공고

유 board 팁 bulletin board 게시판 20수능

I read the news in the **bulletin**.

나는 **게시판**에서 뉴스를 읽는다.

0757 알**틸**러리 0758 **애**쎗 0759 블**레**이드 0760 브**루**~움 0761 **불**릿 0762 **불**르튼

0763 ★★★

대포
대포를 쏘다,
충돌하다

□□□
cannon [kǽnən]
명 대포 동 대포를 쏘다, 충돌하다
I saw some old **cannon.**
나는 좀 오래된 **대포**를 보았다.

0764 ★★

그릇, 컨테이너

□□□ [12.16 수능기출]
container [kəntéinər]
명 그릇, 컨테이너
A ship traveling through rough seas lost 12 cargo **containers.**
거친 바다를 항해하던 배 한 척이 12개의 화물 **컨테이너**를 잃어버렸다. 12수능

0765 ★★★

(농)작물, 수확량

□□□ [96.97.98.01.03.07.09.12.19 수능기출]
crop [krάp]
명 (농)작물, 수확량
The soil was converted to **crops** and pastureland.
그 땅은 **농작물**과 목초지로 바뀌었다. 12수능
crop failure
흉작 19수능

0766 ★

다임,
10센트 동전

□□□
dime [dáim]
명 다임, 10센트 동전
팁 single 1달러 지폐
A **dime** is not worth much.
10센트는 별로 가치가 없다.

0767 ★★

배수하다, 물을 빼내다

□□□ [06.09.10 수능기출]
drain [dréin]
동 배수하다, 물을 빼내다
파 drainage 배수, 배수 시설
The water **drained** away.
물이 **배수되었다.**
You need a good **drainage** system.
배수 시설이 잘 되는 게 필요하다. 06수능

0768 ★

틀 구조, 뼈대

□□□ 교육부
framework [fréimwə́:rk]
명 틀, 구조, 뼈대
Let's check the **framework.**
뼈대를 한번 체크해 봅시다.

1분 안에 넘기기 | 시간 있으면 꼼꼼히 외우기

0769 ★★★

fr  ight

화물 운송
운송하다

□□□

freight [fréit]

명 화물 운송 동 운송하다

㊌ transportation 운송 cargo 화물 22수능

The **freight** arrived on time.
화물이 제시간에 도착했다.

0770 ★★★

fun  tion

기능, 함수
작용하다, 기능하다

□□□ 교육부 [99.07.09.12.13.14.16.17.19.20 수능기출]

function [fʌ́ŋkʃən]

명 기능, 함수 동 작용하다, 기능하다

㊄ functionality 기능성, 기능 19수능 functionally 직무상으로 20수능

What is the machine's **function**?
기계의 **기능**이 뭔가요?

the positive **function** of culture
문화의 긍정적인 **기능** 12수능

0771 ★★★

g  ods

상품, 제품

□□□ 교육부 [94.95.96.00.09.10.13.17.19 수능기출]

goods [gúdz]

명 상품, 제품

luxury **goods**
사치**재** 09수능

hard **goods**
딱딱한 **상품** 10수능

0772 ★★★

hand  uff

수갑
수갑을 채우다

□□□

handcuff [hændkʌ̀f]

명 수갑 동 수갑을 채우다

He took off the **handcuffs**.
그는 **수갑**을 벗었다.

기출 handwritten 손으로 쓴 18수능

0773 ★★★

malfuncti  n

기능 부전, 고장

□□□

malfunction [mælfʌ́ŋkʃən]

명 기능 부전, 고장

What caused the **malfunction**?
고장의 원인이 무엇입니까?

0774 ★★★

m  ans

수단, 방법, 돈, 재력

□□□ [94.95.97.98.99.04.05.07.09.11.13.14.15.16.17 수능기출]

means [mí:nz]

명 수단, 방법, 돈, 재력

㊍ mean (~을) 의미하다, 비열한

㊅ by all means : 어떤 일이 있어도 수능기출 by means of=by virtue of : ~에 의하여 수능기출

He does have the **means** to live there. 그는 그곳에서 살 **능력**이 있다.

means of communication 의사소통의 **수단** 04수능

0775 ★★☆

merchandis 

물품, 상품

□□□ [13 수능기출]

merchandise [mə́:rtʃəndàiz]

명 물품, 상품

㊒ goods

All the **merchandise** is sold.

모든 **상품**이 팔렸다.

0776 ★☆☆

m  **p**

자루걸레
자루걸레로 닦다

□□□ [04 수능기출]

mop [mɑ́p]

명 자루걸레 동 자루걸레로 닦다

㊉ mob 폭도

She would scrub, **mop**, and dust everything.

그녀는 모든 물건을 문지르고, **닦고**, 먼지를 털어 내곤 했다. 04수능

0777 ★★★

operat 

작동하다, 영업하다, 수술하다

□□□ [95.08.10.12 수능기출]

operate [ɑ́pərèit]

동 작동하다, 영업하다, 수술하다

㊋ operation 수술, 작전, 작동 22수능

A human is capable of **operating** those instruments correctly.

인간은 그러한 도구들을 올바르게 **조작하는** 능력을 지니고 있다. 10수능

0778 ★☆☆

parachut 

낙하산 낙하하다

□□□

parachute [pǽrəʃù:t]

명 낙하산 동 낙하하다

㊋ paratroop 낙하산 부대 parasol 파라솔

Every pilot has a **parachute**.

모든 조종사는 **낙하산을 가지고 있다**.

0779 ★★☆

pat  **nt**

특허권
특허를 받다

□□□ [16 수능기출]

patent [pǽtnt]

명 특허권 동 특허를 받다

Who has the **patent** for that?

누가 그것의 **특허권**을 가지고 있지?

0780 ★★★

pl  **w**

쟁기
갈다, 경작하다

□□□

plow [pláu]

명 쟁기 동 갈다, 경작하다

㊉ hoe 괭이 shovel 삽 cultivator 경운기

A horse was used to **plow**.

말은 **쟁기**로 가는 데 사용되었다.

0781 ★☆☆

pott  **ry**

도자기, 도예

□□□

pottery [pátəri]

명 도자기, 도예

Pottery is easy to make.

도자기 만들기는 쉽다.

0782 ★★☆

publi  **ity**

홍보, 공표

□□□ [98 수능기출]

publicity [pʌblísəti]

명 홍보, 공표

㉫ public 일반인(대중)의

㉱ publicize 알리다 20.22수능

The actress loves **publicity.**

여배우는 **매스컴의 관심**을 사랑한다.

0783 ★★★

quart  **r**

4분의 1, 15분, 25센트, 거처

□□□ [01.09.10 수능기출]

quarter [kwɔ́:rtər]

명 4분의 1, 15분, 25센트, 거처

㉱ headquarters 본사 직원들

North American parents typically furnish a room as the infant's sleeping **quarters.**

북미의 부모들은 일반적으로 아기의 잠자는 **거처**로 방 하나를 준비한다. 10수능

0784 ★☆☆

questionnair 

설문지

□□□ [94 수능기출]

questionnaire [kwèstʃənέər]

명 설문지

㉫ question 질문, 문제

㉱ questionable 의심스러운 20수능

Will you please answer this **questionnaire**?

이 **설문지**에 답변을 주시겠습니까?

0785 ★★★

r 

alty

부동산

□□□

realty [rí:əlti]

명 부동산

㉯ personalty 동산 ㉱ realty operator 토지 중개인

He works in the **realty** business.

그는 **부동산** 업계에서 일하고 있다.

0786 ★★★

resourc 

자원, 자산

□□□ [00.09.11.13.14.15.16.17 수능기출]

resource [rí:sɔ:rs]

명 자원, 자산

㉫ resourcefulness 자원이 많음

a limited supply of **resources**

한정된 **자원**의 공급 11수능

0787 ★★★

rev  lver
리볼버,
회전식 연발 권총

□□□
revolver [riválvər]
명 리볼버, 회전식 연발 권총
He practiced shooting with a **revolver**.
그는 **연발 권총**으로 사격 연습을 했다.

0788 ★★★

rew  rd
보상, 사례금
보상하다

□□□ [99.08.09.11.12.16.20 수능기출]
reward [riwɔ́:rd]
명 보상, 사례금 동 보상하다
파 rewarding 보람이 있는, 보상으로서
top **rewards**
최고의 **포상** 08수능
It doesn't sound easy, but it must be **rewarding**.
그 일이 쉽지 않은 것 같지만 **보상**을 주어야 한다. 12수능

0789 ★★★

ru  t
녹
녹슬다, 부식하다

□□□ [13.14.16.17 수능기출]
rust [rʌ́st]
명 녹 동 녹슬다, 부식하다
팁 rustles 살랑거리다 96수능 유 corrosion 부식 rusty 녹슨
The tanks which had become **rusted** scrap iron was abandoned on the island.
녹슨 고철덩이가 된 전차는 그 섬에 버려졌다.

0790 ★★★

s  w
톱
톱질하다, see의 과거

□□□ [00.02.05.06.07.08.10.13.14.15.16 수능기출]
saw [sɔ́:]
명 톱 동 톱질하다, see의 과거
This is a **saw** to cut the logs.
이것은 통나무들을 **자를** 톱이다.

0791 ★★★

sit 
위치, 장소

□□□ [01.06.08.10.13.14.15.17 수능기출]
site [sáit]
명 위치, 장소
sites on the Internet
인터넷 **사이트** 01수능
major climbing **sites**
주요 등반 **장소** 10수능

0792 ★★★

skys  raper
고층 건물,
마천루

□□□
skyscraper [skáiskrèipər]
명 고층 건물, 마천루
Every city has a number of **skyscrapers**.
모든 도시에는 **고층 빌딩**이 다수 있다.

1분 안에 넘기기 | 시간 있으면 꼼꼼히 외우기

0793 ★★☆

spad 

삽, 스페이드
삽으로 파다

□□□

spade [spéid]

명 삽, 스페이드 동 삽으로 파다

The gardener uses a **spade** to dig holes.
정원사가 **삽**을 이용해서 구멍을 판다.

0794 ★☆☆

stockpil 

비축, 비축량 비축하다

□□□ [98.99 수능기출]

stockpile [stakpàil]

명 비축, 비축량 동 비축하다

㊉ stock 재고품, 비축, 줄기

We will **stockpile** petrol.
우리는 가솔린을 **비축할 것이다**.

food **stockpiles**
식량 **비축량** 98수능

0795 ★☆☆

storag 

저장, 저장고

□□□ [06 수능기출]

storage [stɔ́:ridʒ]

명 저장, 저장고

㊉ store 저장하다 storehouse, warehouse 창고

The luggage is kept in **storage**.
그 수하물은 **보관소**에 보관된다.

You must clean out your **storage room**.
너는 **창고**를 청소해야만 한다. 06수능

0796 ★☆☆

subsi  y

보조금, 장려금

□□□

subsidy [sʌ́bsədi]

명 보조금, 장려금

The government has stopped giving us a **subsidy**.
정부가 우리에게 국가 **보조금**을 주는 일을 그만두었다.

0797 ★★★

suffici  nt

충분한

□□□ 교육부 [94.96.02.08.11.12.15 수능기출]

sufficient [səfíʃənt]

형 충분한

㊉ suffice 충분하다 sufficiency 충분한 양 11수능
insufficient 불충분한 15수능

He resolved to secure **sufficient food** for his family.
그는 가족을 위해 **충분한** 음식을 확보하려고 결심했다. 11수능

0798 ★★☆

t  riff

관세, 요금표

□□□

tariff [tǽrif]

명 관세, 요금표

㊉ tax 세금

The **tariff** for parking is very high.
주차 **요금**이 매우 비싸다.

0799 ★★★

t x

세금

□□□ [95.09.13.14.17 수능기출]

tax [tǽks]

명 세금

some **taxes** on foreign imports
외국 수입품에 대한 일부 **세금** 95수능

steep gasoline **taxes**
터무니없는 가솔린 **세금** 09수능

0800 ★

warehous

창고

□□□ [98 수능기출]

warehouse [wɛ́ərhàus]

명 창고

유 storehouse

He operates his company's whole **warehouse** operation.
그가 회사의 모든 **창고**를 운영한다. 98수능

0801 ★★

w rrant

영장, 보증서
정당화하다

□□□ [07 수능기출]

warrant [wɔ́ːrənt]

명 영장, 보증서 동 정당화하다

파 warranty 품질 보증 기간 유 guarantee 보증서 19수능

The police were unable to issue him a **warrant**.
경찰들은 그에게 **구속영장**을 발급하지 못했다.

0802 ★

wasteb sket

휴지통

□□□ [95 수능기출]

wastebasket [wéistbæ̀skit]

명 휴지통

He fastened a basketball hoop over the **wastebasket**.
그는 **휴지통** 위에다 농구 링을 설치했다. 95수능

0803 ★★

we pon

무기, 병기

□□□ [14 수능기출]

weapon [wépən]

명 무기, 병기

She used the chopstick as a **weapon**.
그녀는 **무기**로 젓가락을 사용했다.

0804 ★

wingsp n

날개 길이, 날개폭

□□□ [06 수능기출]

wingspan [wiŋspæ̀n]

명 날개 길이, 날개폭

wingspan of 80 meters
80m의 **날개판** 06수능

1분 안에 넘기기 | 시간 있으면 꼼꼼히 외우기

0805 ★★☆

accumulat 

모으다, 축적하다

□□□ 교육부 [09.15.19 수능기출]

accumulate [əkjúːmjulèit]

동 모으다, 축적하다

파 accumulation 축적, 쌓음 16수능

By working hard you may **accumulate** a fortune.
열심히 일하면 큰돈을 **모을** 거야.

accumulated wisdom
축적된 지식 09수능

0806 ★★☆

 djust

조정하다, 적응하다

□□□ 교육부 [04.09.13.16.17.20 수능기출]

adjust [ədʒʌ́st]

동 조정하다, 적응하다

파 adjustment 조절, 조정

How do you **adjust** the volume?
볼륨은 어떻게 **조절**하나요?

Adjust the TV set so that you can hear it.
당신이 그것을 들을 수 있도록 TV를 **설정해라.** 09수능

0807 ★★★

affa 

r

사건, 일

□□□ [11 수능기출]

affair [əféər]

명 사건, 일

The newspaper reported the **affair** in detail.
신문이 그 **사건**을 자세히 전했다.

0808 ★★☆

gency

대리점, 대행사

□□□ [00.07.19 수능기출]

agency [éidʒənsi]

명 대리점, 대행사

파 agent 대리인 19수능

Select the travel **agency** carefully.
여행**사** 선정을 신중히 해라. 07수능

0809 ★☆☆

ambiv  lent

양면성이 있는

□□□ [14 수능기출]

ambivalent [æmbívələnt]

형 양면성이 있는

Those fruits are **ambivalent.**
그러한 성과들은 **양면적 성격을 갖는다.** 14수능

0810 ★☆☆

aquacultur 

수산양식, 수경재배

□□□ [15 수능기출]

aquaculture [ǽkwəkʌltʃər]

명 수산양식, 수경재배

The **aquaculture** industry was rapidly expanding.
수산 양식 산업이 급속히 확장되고 있다. 15수능

0805 어큐뮬레이트 0806 어줘스트 0807 어페어 0808 에이전시 0809 엠비벌런트 0810 아쿼컬쳐

0811 ★☆☆

au  tion

경매
경매에 부치다

□□□

auction [ɔ́:kʃən]

명 경매 동 경매에 부치다

We will sell it by **auction**.
우리는 그것을 **경매**로 팔 것이다.

0812 ★☆☆

autobi  graphy

자서전

□□□ [17 수능기출]

autobiography [ɔ́:toubaiάgrəfi]

명 자서전

㉺ autobiographic 자서전의, 자전적인 19수능

Next year I will write my **autobiography**.
내년에 난 나의 **자서전**을 쓸 것이다.

0813 ★☆☆

b  nkrupt

파산자
파산한

□□□ [17 수능기출]

bankrupt [bǽŋkrʌpt]

명 파산자 형 파산한

㉺ bankruptcy 파산

He went **bankrupt**.
그는 **파산**했다.

0814 ★★★

 id

입찰
명령하다, (값을) 매기다

□□□ [13.17 수능기출]

bid [bid]

명 입찰 동 명령하다, (값을) 매기다

I made a **bid** for that item.
나는 그 물건에 **입찰했다**.

0815 ★★★

b  ll

청구서, 계산서, 지폐, 법안

□□□ [94.96.15.16 수능기출]

bill [bil]

명 청구서, 계산서, 지폐, 법안

How much is the **bill**?
계산이 얼마입니까?

We usually think of currency, or coins and **bills**.
우리는 보통 현금인 동전이나 **지폐**를 생각한다. 96수능

0816 ★☆☆

breakthr  ugh

돌파구,
큰 발전

□□□ [11.19 수능기출]

breakthrough [breɪkθru:]

명 돌파구, 큰 발전

㊐ development 발달, 성장, 개발

Every victory one person makes is a **breakthrough** for all.
한 사람이 이룬 모든 승리는 모두에게 **돌파구**가 된다. 11수능

0811 **억**~션 0812 **오**러바이**아**그러피 0813 **뱅**크럽트 0814 **비**드 0815 빌 0816 **브**레이크뜨루

○ 1분 안에 넘기기

○ 시간 있으면 꼼꼼히 외우기

0817 ★★★

bri

뇌물
뇌물을 주다, 매수하다

□□□

bribe [braib]

명 뇌물 동 뇌물을 주다, 매수하다

ⓟ bribery 뇌물 수수 ⓣ bride 신부

He offered me a **bribe.**

그는 나에게 **뇌물**을 제공했다.

0818 ★★★

budgt

예산, 비용, 예산안

□□□ [05.08.09 수능기출]

budget [bʌdʒit]

명 예산, 비용, 예산안

Plan your **budget.**

예산안을 짜세요. 09수능

0819 ★★★

commrcial

상업의,
무역의 광고

□□□ [96.05.08.13.19.20.22 수능기출]

commercial [kəmə́ːrʃəl]

형 상업의, 무역의 명 광고

ⓟ commerce 무역, 상업 commercialization 상업화 19수능

ⓢ ocommercial break 광고 시간 19수능

In a **commercial** society, wealth is considered a status symbol.

상업 사회에서는 부유함이 지위의 상징으로 간주된다. 08수능

0820 ★★★

cnsist

이루어져 있다, 존재하다

□□□ 교육부 [94.99.09.12.15.16.17 수능기출]

consist [kənsíst]

동 이루어져 있다, 존재하다

ⓢ consist in=lie in : ~에 있다 19수능
consist with : 양립하다, 일치하다 수능기출

What does this **consist of**?

이것은 무엇으로 **구성되**어 있는가?

0821 ★★★

constru

건설하다, 구성하다
구성, 개념, 구성체

□□□ [95.98.05.08.09.10.13.14.15.17.19.20 수능기출]

construct [kənstrʌkt]

동 건설하다, 구성하다 명 구성, 개념, 구성체

ⓟ construction 건설08.09.10수능 constructive 건설적인98수능
reconstruction 복원, 재건10수능

trends in **constructing** hospitals

병원 **건설의** 경향08수능

0822 ★★★

nsumer

소비자

□□□ [96.01.03.06.09.14 수능기출]

consumer [kənsúːmər]

명 소비자

The **consumer** is king.

소비자가 왕이다.

Make a list of **consumers** who purchase.

구입하는 **소비자들**의 목록을 만들어라. 09수능

0817 브라이브 0818 버쥍 0819 커머셜 0820 컨씨스트 0821 컨스트럭트 0822 컨수머

0823 ★★☆

□□□ [15 수능기출]

costly [kɔ́:stli]

형 대가가 큰, 비용이 많이 드는

That is likely to be **costly**.
그것은 **많은 비용이 들** 것 같다.

0824 ★★☆

□□□ [15 수능기출]

deadlock [dedlɑ:k]

명 교착 상태

The strike has reached a **deadlock**.
파업이 **교착 상태**에 빠졌다.

0825 ★★★

□□□ [97.98.99.01.03.05.10.12.13.14.15.16.17 수능기출]

deal [di:l]

동 거래하다, (카드) 돌리다

숙 deal with something : (문제·과제 등을) 처리하다
a great(good) deal : 상당량, 많이
deal in (특정 상품을) 취급하다, 장사하다 deal with : 다루다 수능기출

Special-interest magazines **deal with** one subject.
특별한 관심사에 대한 잡지는 한 가지 주제를 **다룬다**. 01수능

0826 ★★★

□□□ [99.08.10.14.16 수능기출]

destruction [distrΛkʃən]

명 파괴, 파멸

What is the reason for its **destruction**?
파괴하는 이유가 뭐야?

the **destruction** of ecosystems
생태계의 **파괴** 10수능

0827 ★☆☆

□□□ [15 수능기출]

devastate [dévəstèit]

동 황폐화하다

High-density rearing led to **devastating the fish.**
고밀도의 사육은 어류를 **황폐화시켰다**. 15수능

0828 ★★☆

□□□ [19 수능기출]

editorial [èdətɔ́:riəl]

명 사설, 논설 형 편집의

파 editor 편집자 edit 편집하다

There is an **editorial** in the paper.
신문에는 **사설**이 있다.

내신·수능 핵심빈출단어
01 02 03 04 05 06 07 08 09 10
3-d. Ventures

1분 안에 넘기기 | 시간 있으면 꼼꼼히 외우기

0829 ★★★

empl  y

고용하다

□□□ 교육부 [95.96.99.13.14.15.17 수능기출]

employ [implɔ́i]

동 고용하다

㉥ employment 고용 unemployment 실업 employee 종업원 employer 고용주 ㊜ hire

Employers look for **employees.**

고용주들은 **고용자들**을 찾는다. 99수능

0830 ★★★

execut 

실행하다, 집행하다, 사형에 처하다

□□□ [05.11 수능기출]

execute [éksikjùːt]

동 실행하다, 집행하다, 사형에 처하다

㉥ execution 실행 11수능 executive 경영 간부 05수능

He **executed** the task well.

그 사람은 임무를 잘 **수행했다.**

an **executed** purpose

실행된 목적 11수능

0831 ★★★

exp  rt

수출하다

□□□ 교육부 [94.96.09 수능기출]

export [ikspɔ́ːrt]

동 수출하다

major **export** crop

주요 **수출** 작물 96수능

coffee **exports**

커피 **수출** 96수능

0832 ★★★

forf 

it

몰수, 벌금
몰수당하다,
박탈당하다

□□□

forfeit [fɔ́ːrfit]

명 몰수, 벌금 동 몰수당하다, 박탈당하다

㊜ fine, penalty

He had to **forfeit** the prize.

그는 상을 **박탈당했다.**

0833 ★★★

fr  ud

사기, 사기꾼

□□□

fraud [frɔ́ːd]

명 사기, 사기꾼

㊜ deception fraudulent 사기를 치는 ㊝ honesty 정직함

Be careful of **fraud.**

사기에 주의해라.

0834 ★★★

fun 

기금, 자금

□□□ [94.99.00.08.09.13.15.16 수능기출]

fund [fʌ́nd]

명 기금, 자금

insufficient **funds**

잔고 부족 94수능

emergency **fund**

비상**금** 09수능

0835 ★★★

impris  **n**

투옥하다, 감금하다

□□□ [08 수능기출]

imprison [imprízn]

동 투옥하다, 감금하다

파 imprisonment 투옥, 구금 유 jail

Invisible walls **imprisoned** him.

보이지 않는 벽은 그를 **가두었다.** 08수능

0836 ★★★

in  **me**

소득, 수입

□□□ 교육부 [94.95.15 수능기출]

income [ínkʌm]

명 소득, 수입

They need to live on reduced **incomes.**

그들은 줄어든 **수입**으로 살아갈 필요가 있다. 94수능

0837 ★★★

inflati 

n

인플레이션,
통화 팽창

□□□ [96 수능기출]

inflation [infléiʃən]

명 인플레이션, 통화 팽창

The cost of **inflation** is high.

인플레이션의 비용은 높다.

0838 ★★★

infrastructur 

사회 기반 시설

□□□ [12 수능기출]

infrastructure [ínfrəstrʌktʃə(r)]

명 사회 기반 시설

Rome could not provide sufficient energy to maintain its **infrastructure.**

로마는 **사회 기반**을 유지하기에 충분한 에너지를 제공할 수 없었다. 12수능

0839 ★★★

inst  **ll**

설치하다

□□□ [07.11.17.19.20 수능기출]

install [instɔ́:l]

동 설치하다

파 installment 할부 팁 installation 설치, 장치

I'll buy it by **installment.**

할부로 구입할게요

I will **install** the new program.

내가 새로운 프로그램을 **설치할게.**

0840 ★★★

intak 

섭취(량), 흡입

□□□ [07 수능기출]

intake [íntèik]

명 섭취(량), 흡입

The **intake** for the day was good.

하루 동안의 **섭취량**이 좋았다.

calorie **intake**

칼로리 **섭취** 07수능

0841 ★★★

la  or

노동, 근로
노동하다

□□□ [98.00.03.09.10.11.16 수능기출]

labor [léibər]

명 노동, 근로 동 노동하다

㉺ laborer 노동자98수능

a week's **labor**
일주일의 **노동**98수능

labor supply and demand
인력의 수요와 공급03수능

0842 ★★☆

l  se

임대차 계약
임대하다

□□□ [98.13.14.15.16.17 수능기출]

lease [lí:s]

명 임대차 계약 동 임대하다

The **lease** has been renewed three times
임대차 계약이 세 번 갱신되었습니다.

0843 ★★☆

l 

n

대출
대출하다

□□□ [07 수능기출]

loan [lóun]

명 대출 동 대출하다

㊒ borrow 빌리다 lend 빌려주다 rent 임대하다

The standard **loan** period is 21 days.
보통 **빌려주는** 기간은 21일이다.07수능

0844 ★★★

manufactur 

제조, 제품
제조하다

□□□ [96.98.05.06.09 수능기출]

manufacture [mæ̀njufǽktʃər]

명 제조, 제품 동 제조하다

㉺ manufacturer 제조업체 22수능

Manufacturers encourage the 'new is better' attitude.
제조업자들은 '새로운 것이 더 좋다'는 태도를 장려한다.98수능

0845 ★☆☆

maximiz 

극대화하다

□□□ [13 수능기출]

maximize [mǽksəmàiz]

동 극대화하다

He seeks to **maximize** his gain.
그는 자신의 이익을 **극대화하기**를 추구한다.13수능

0846 ★★☆

monop 

y

독점, 전매

□□□

monopoly [mənάpəli]

명 독점, 전매

They have a **monopoly** there.
그곳은 **독점 판매**를 하고 있다.

0841 레이버 0842 리~스 0843 론 0844 메뉴펙칠 0845 맥시마이즈 0846 머나폴리

0847 ★

mortgag

담보 대출
저당 잡히다

□□□

mortgage [mɔ́ːrgidʒ]

명 담보 대출 동 저당 잡히다

She has a **mortgage** on her house.
그녀는 집에 대한 **융자**가 있다.

0848 ★★

utset

착수, 시작

□□□

outset [áutsèt]

명 착수, 시작

팁 setout 준비, 출발 set out 출발하다 숙 at the outset : 처음에 수능기출

It's absurd we should encourage children to try out for a team and then exclude them **at the outset.**
우리가 아이들한테 팀에서 한번 뛰어보라고 해놓고선 **처음부터** 빼버린다는 건 말도 안됩니다. 16수특

0849 ★★

p  **n**

우리, 축사, 펜

□□□ [15 수능기출]

pen [pen]

명 우리, 축사, 펜

Fish **pens** were constructed. 15수능
수산 양식용 **가두리**가 지어졌다.

0850 ★★★

poli 

y

정책, 보험증권

□□□ [98.03.07.09.14.19 수능기출]

policy [pɑ́ləsi]

명 정책, 보험증권

파 politic 분별 있는 political 정치의 politician 정치가

policy-makers
정책 결정자들 03수능

insurance **policy**
보험 **증권** 07수능

0851 ★★★

produ  **tive**

생산하는, 생산적인

□□□ [00.02.03.04.05.06.07.08.09.10.11.12.15.19 수능기출]

productive [prədʌ́ktiv]

형 생산하는, 생산적인

파 production 생산 productivity 생산성 20수능 reproduction 생식 counterproductive 역효과를 낳는 unproductive 비생산적인 reproductive 번식의, 재생산의 19수능 product 제품 20수능

If they were well organized, they would be more **productive.**
만약 그들이 잘 정리된 환경에서 일을 한다면, 더 **생산적일 것이다.** 12수능

0852 ★★

profitabl

이익이 많은, 유익한

□□□ [94.13.17.19 수능기출]

profitable [prɑ́fitəbl]

형 이익이 많은, 유익한

팁 profits 수익금 20수능

You personally want to spend more **profitable** evenings.
당신이 개인적으로 **유익한** 밤을 보내길 원한다.

0853 ★☆☆

prpaganda

선전, 선전 활동

□□□ [19 수능기출]

propaganda [prɑ̀pəgǽndə]

명 선전, 선전 활동

I never believe **propaganda**.

나는 **선전**을 믿지 않는다.

0854 ★★☆

prsper

번영[번창]하다, 성공하다

□□□ [04.16.19 수능기출]

prosper [prɑ́spər]

동 번영[번창]하다, 성공하다

The individual who thinks creatively will **prosper**.

창조적인 생각을 한 개개인은 **성공할 것이다**. 04수능

0855 ★☆☆

pun

tuate

중단시키다,
잠시 그치게 하다

□□□ [15 수능기출]

punctuate [pʌ́ŋktʃuèit]

동 중단시키다, 잠시 그치게 하다

Companies records of success are **punctuated** by slips. 15수능

기업들은 성공 실적이 작은 실수 중에 **중단된다**.

0856 ★★☆

retenti

n

보유, 기억(력)

□□□

retention [riténʃən]

명 보유, 기억(력)

The combined turnover and **retention** percentages will always equal 100%. 15인수

총 매출액과 **보유**율은 항상 100% 동일합니다.

0857 ★☆☆

sever

nce

단절,
(고용) 계약 해지

□□□ [12 수능기출]

severance [sévərəns]

명 단절, (고용) 계약 해지

She also gave Betty two months' salary as **severance** pay.

그녀는 또한 Betty에게 두 달분의 급여를 **퇴직** 수당으로 주었다.

0858 ★★☆

slid

저하, 하락

□□□ 교육부 [15 수능기출]

slide [slaid]

명 저하, 하락

a downward **slide** in the price of oil

유가의 **하락**세

0859 ★★★

subscrib 

구독하다, 기부하다

□□□

subscribe [səbskráib]

동 구독하다, 기부하다

기출 Subscription 구독료, 구독 18수능

숙 subscribe to : 정기구독하다 수능기출

I'd like **to subscribe** to your magazine.
잡지를 **정기 구독하고** 싶어요.

0860 ★★★

su 

고소하다,
소송 제기하다

□□□

sue [sú:]

동 고소하다, 소송 제기하다

He tried to **sue** his neighbour for damages.
그는 손해에 대해 그의 이웃을 **고소했다**.

0861 ★★★

syn  **rgy**

시너지 효과,
동반 상승효과

□□□

synergy [sínərdʒi]

명 시너지 효과, 동반 상승효과

If you combine two substances it can result in **synergy**.
두 개의 물질을 결합하면 **시너지 효과**가 발생할 수 있다.

0862 ★★★

t  **p**

이용하다, 타진하다

□□□ [13 수능기출]

tap [tæp]

동 이용하다, 타진하다

Word -of -mouth forces are **tapped** for marketing.
구전의 힘은 마케팅을 위해 **이용된다**. 13수능

We need to **tap** the expertise.
우리는 전문 지식을 **이용할** 필요가 있다.

0863 ★★★

trans  **tion**

거래, 처리

□□□ [11,19 수능기출]

transaction [trænsǽkʃən]

명 거래, 처리

I am likely to earn much profit out of that **transaction**.
나는 이 **거래**로 많은 이익을 본 것 같다.

0864 ★★★

weav 

짜다, 엮다

□□□ 교육부

weave [wí:v]

동 짜다, 엮다

They **weaved** a new strategy.
그들은 새로운 전략을 **짰다**.

a fabric with a loose **weave**
짜임이 성긴 직물

0865 ★★★

abundan

풍부, 다량

□□□ [09.10.11.15 수능기출]

abundance [əbʌ́ndəns]

명 풍부, 다량

㉣ abundant 풍부한

There are food and meat in **abundance** ready for the table.

식탁을 준비할 **충분한** 음식과 고기가 있습니다. 11수능

0866 ★★★

additi

n

덧셈, 추가

□□□ [95.96.97.99.00.04.05.07.08.09.10.12.13.14.15.17.19 수능기출]

addition [ədíʃən]

명 덧셈, 추가

㉣ additionally 또한, 게다가 15수능 additional 추가의 19.20수능

㉠ into the bargain=besides=as well=in addition=additionally : 게다가, 덤으로, 그 위에
not only A but also B=B as well as A=both A and B=besides A, B=in addition to A, B : A뿐만 아니라 B도 역시 수능기출

0867 ★★★

llot

할당하다, 분배하다

□□□

allot [əlɑ́t]

동 할당하다, 분배하다

㉣ allotment 할당, 배분 ㉤ apportion 나누다 assign 배정하다

How many tasks did you **allot** to me?

당신은 나에게 얼마나 많은 작업을 **할당했나요?**

0868 ★★★

nnually

일년에 한 번

□□□

annually [ǽnjuəli]

부 일년에 한 번

㉣ annual 해마다의, 연례적인 19수능

Our company gives out a calender **annually**.

우리 회사는 **매년** 달력을 나눠준다.

0869 ★★★

symmetry

불균형, 비대칭

□□□ [13 수능기출]

asymmetry [eisímətri]

명 불균형, 비대칭

㉥ symmetry 대칭

All of us have **asymmetries** in our bodies.

우리는 모두 우리의 몸에 **비대칭성**을 가지고 있다.

0870 ★★★

aur

기운, 분위기

□□□ [13 수능기출]

aura [ɔ́:rə]

명 기운, 분위기

팁)aural 귀의, 듣는

Internet has the **aura** of technology around it.

인터넷은 기술이라는 **기운**을 두르고 있다. 13수능

There is definitely an **aura** about him.

그에게는 분명한 **분위기**가 있다.

0871 ★☆☆

ba kfire

역효과가 나타나다

□□□ [13 수능기출]

backfire [bækfaɪə(r)]

동 역효과가 나타나다

this method can **backfire.**

이 방법은 **역효과**를 낳을 수 있다. 13수능

Eating too much can **backfire.**

너무 많은 먹는 것은 **역효과**를 낳을 수 있다.

0872 ★★☆

ilingual

2개 언어를 하는

□□□ [06.08 수능기출]

bilingual [bailíŋgwəl]

형 2개 언어를 하는

팁 bilinguist 2개 국어 사용자 trilingual 3개 국어를 말하는
monolingual 1개 국어의 multilingual 다중 언어의

They consider **bilingual** speech communities inefficient.

그들은 **2개 국어를 사용하는** 사회를 비능률적으로 여깁니다. 06수능

0873 ★☆☆

b ost

격려
신장시키다, 북돋우다

□□□

boost [bú:st]

명 격려 동 신장시키다, 북돋우다

유 encour=agement, increase

The general gave a **boost** to the soldiers.

대장은 군인들에게 **사기**를 북돋워 주었다.

0874 ★☆☆

b oth

칸막이한 좌석, 부스, 매점

□□□

booth [bu:θ]

명 칸막이한 좌석, 부스, 매점

phone[telephone] booth : 공중전화 부스

0875 ★★★

c reer

직업, 경력, 이력

□□□ 교육부 [03.05.06.07.12.13.17 수능기출]

career [kəríər]

명 직업, 경력, 이력

The insights I gained through journal-keeping led me to a new **career.**

일기를 쓰면서 내가 얻었던 통찰력은 나를 새로운 **직업**으로 이끌었다. 17수능

0876 ★★☆

ompatible

호환이 되는, 양립할 수 있는

□□□ [19 수능기출]

compatible [kəmpǽtəbl]

형 호환이 되는, 양립할 수 있는

유 consistent 양립하는 19.20수능 반 incompatible 양립할 수 없는, 모순된

Many aims are broadly **compatible with** each other but exist in a certain tension.

많은 목적들은 널리 보면 서로 **공존할 수 있지만** 어느 정도의 긴장 상태에서 존재한다. 인터넷수능

1분 안에 넘기기 | 시간 있으면 꼼꼼히 외우기

0877 ★★☆

□□□ [98.10.13 수능기출]

compensation [kàmpənséiʃən]

명 배상, 보상, 갚음

숙 make up for=make amends for=compensate for=atone for : ~을 보상하다 수능기출

rights to **compensation**
배상을 요구할 수 있는 권리 10수능

0878 ★★☆

□□□ [13 수능기출]

complementary [kàmpləméntəri]

형 상호보완적인, 보충하는

파 complement 보완하다, 보충물

팁 complimentary 칭찬하는, 무료의

the players who **complement** each other
서로를 **보완해 주는** 선수들

0879 ★★★

□□□ 교육부 [95.05.09.12.13.14 수능기출]

confirm [kənfə́:rm]

동 확인하다, 확정하다

유 verify 확인하다, 입증하다 confident 자신감 있는, 확신하는

I want to **confirm** my reservation on Flight 707.
707편의 비행기 예약을 **확인하고** 싶습니다.

Please **confirm** the prices immediately.
그 가격을 즉시 **확인해라**. 09수능

0880 ★☆☆

□□□ [13 수능기출]

counterintuitive [kàuntərintjú:itiv]

형 직관에 반하는

He started to group these **counterintuitive** findings.
그는 이러한 **직관에 반한** 연구 결과들을 정리하기 시작했다. 13수능

0881 ★★☆

□□□ [13 수능기출]

credibility [krèdəbíləti]

명 진실성, 신뢰성

It has a totally undeserved instant **credibility**.
그것은 전혀 자격이 없는, 즉각적인 **신뢰성**을 지니고 있다. 13수능

0882 ★★★

□□□ 교육부 [11.17 수능기출]

debt [dét]

명 빚, 부채

Clearly, his **debt** to culture will vary with the nature of his education.
분명, 그에게 미친 문화의 영향은 그가 받은 교육의 성격에 따라 다를 것이다. 11수능

0877 캄펜쎄이션 0878 캄플리멘트리 0879 컨펌~ 0880 카운터인튜이디브 0881 크레더빌리티 0882 뎃트

0883 ★★☆

dit  h

도랑, 배수구

□□□
ditch [ditʃ]
명 도랑, 배수구
유 drain 배수하다, gutter 도랑, 배수로
The workers are digging a **ditch.**
인부들이 **도랑을** 파고 있다.

0884 ★★★

du 
때문에, ~할 예정인

□□□ 교육부 [94.08.10.11.13.15.16 수능기출]
due [djúː]
형 때문에, ~할 예정인
숙 be due to +명사 : ~에 기인하다 be due to +동사 : ~할 예정이다
due to : ~때문에 수능기출
He suffers **due to** social anxiety
그는 사회적 불안 **때문에** 힘들어한다. 11수능

0885 ★☆☆

 arnings
소득, 수입, 수익

□□□
earnings [ɜːnɪŋz]
명 소득, 수입, 수익
His **earnings** are not regular.
그는 **수입이** 일정하지 않다.

0886 ★★☆

enterpr  se
기업, 사업

□□□ 교육부 [13.19 수능기출]
enterprise [éntərpràiz]
명 기업, 사업
유 firm
We are beginning a new **enterprise.**
우리는 새로운 **사업**을 시작하고 있다.

0887 ★★☆

entitl 
자격을 주다,
제목을 붙이다

□□□ [19.20 수능기출]
entitle [intáitl]
동 자격을 주다, 제목을 붙이다
파 entitlement 권리, 자격 19수능
You are **entitled** to more.
넌 더 받을 **자격이 있다.**

0888 ★★☆

quity
공평, 자기자본, 형평법

□□□
equity [ékwəti]
명 공평, 자기자본, 형평법
파 equal 같은 equation 등식, 방정식 equality 평등, 균등
팁 equator 적도 equality
The issue of **equity** is crucial.
형평의 문제는 중요해.

0889 ★

rrand

심부름, 잡일

□□□

errand [érənd]

명 심부름, 잡일

A parent sends a child on an **errand** to buy a loaf of bread.

부모가 아이한테 빵 한 덩어리 사오라고 **심부름**을 보낸다.

0890 ★★

estat

사유지(토지), 단지

□□□ 교육부 [14 수능기출]

estate [istéit]

명 사유지(토지), 단지

유 property

He had an **estate** in the country.

그는 시골에 **사유지**를 가지고 있었다.

0891 ★★

estim  tion

판단, 평가, 존중

□□□ [98.09.16 수능기출]

estimation [èstəméiʃən]

명 판단, 평가, 존중

파 estimate 견적, 추정

Older children can compare prise and practice **estimation**.

더 큰 아이가 가격을 비교하고 **판단**을 할 수도 있다. 09수능

0892 ★★★

expens

지출, 비용, 경비

□□□ 교육부 [94.95.96.97.98.00.02.03.07.08.09.12.16 수능기출]

expense [ikspéns]

명 지출, 비용, 경비

public **expense**

공공**비용** 03수능

basic **expenses**

기본적인 **지출** 09수능

0893 ★

extr  vagance

낭비, 사치

□□□

extravagance [ikstrǽvəgəns(i)]

명 낭비, 사치

This clothes is an **extravagance**.

이 옷은 **사치**이다.

0894 ★★★

fact  r

요소, 요인

□□□ 교육부 [95.96.97.06.08.09.10.12.14.15.16.17 수능기출]

factor [fǽktər]

명 요소, 요인

Talent is an essential **factor** in life.

재능은 인생의 필수 **요소**이다. 12수능

0895 ★★☆

fa  tual

사실의, 실제의

□□□ [17 수능기출]

factual [fǽktʃuəl]

형 사실의, 실제의

반 fictional 허상의, 허구의

specific **factual** information

특정한 **사실적** 정보

0896 ★★★

f  rm

회사
단단한, 확고한

□□□ 교육부 [05.07.13.14.15.16 수능기출]

firm [fə́:rm]

명 회사 형 단단한, 확고한

파 firmly 단호히, 확고히 팁 plant 공장

Korean **firms**

한국 **회사** 05수능

Teachers must be **firm** in front of students.

교사들은 학생들 앞에서 **굳건해야** 한다.

0897 ★★★

guarant 

보증, 보장

□□□ 교육부 [96.06.08.09.14.16.17.19 수능기출]

guarantee [gæ̀rəntí:]

명 보증, 보장

유 warrant 영장, 보증서

This plan can **guarantee** our economic success.

이 계획은 우리의 경제적 성장을 **보장**할 수 있다. 09수능

0898 ★★☆

incentiv 

장려책, 자극

□□□ 교육부 [96.09.11.15 수능기출]

incentive [inséntiv]

명 장려책, 자극

유 inducement, encouragement

Good behavior must be reinforced with **incentives**.

좋은 행동은 틀림없이 **장려책**으로 강화된다. 11수능

0899 ★★★

incr  se

증가하다,
늘리다

□□□ 교육부 [94.95.96.97.98.99.00.05.06.09.11.12.13.14.15.16.17 수능기출]

increase [inkrí:s]

동 증가하다, 늘리다

파 increasingly 점점 더, 갈수록 더

Can you **increase** my salary?

내 월급을 **올려줄** 수 있나요?

the **increased** population

늘어나는 인구 00수능

0900 ★☆☆

indebt 

빚진, 부채가 있는,
감사하는

□□□

indebted [indétid]

형 빚진, 부채가 있는, 감사하는

I am **indebted** for your help.

나는 당신의 도움에 **빚을 졌습니다**.

1분 안에 넘기기 | 시간 있으면 꼼꼼히 외우기

0901 ★☆☆

ing nuity

재주, 재간, 독창성

□□□

ingenuity [indʒənjúːəti]

명 재주, 재간, 독창성

㉠ ingenious 기발한, 독창적인

She had the **ingenuity** to succeed.

그녀에게는 성공하는 **재주**가 있었다

0902 ★★★

int rnal

내부의, 내면의

□□□ 교육부 [08.11.12.15.17 수능기출]

internal [intə́ːrnl]

형 내부의, 내면의

㉡ external 외부의

An **internal** memory error has occurred.

내부 메모리 오류가 발생했다.

internal equilibrium

내적인 평형 상태 12수능

0903 ★★☆

legitimat

합법적인, 타당한, 정당한

□□□ [12.15 수능기출]

legitimate [lidʒítəmət]

형 합법적인, 타당한, 정당한

These are **legitimate** concerns that many people share.

이것들은 많은 사람이 공유하고 있는 **타당한** 걱정이다.

0904 ★★☆

millionair

백만장자

□□□ [94 수능기출]

millionaire [mɪljənɛə(r)]

명 백만장자

A check was once returned to a **millionaire** from a bank.

한번은 수표가 은행으로부터 **백만장자**에게로 되돌아왔다. 94수능

0905 ★★☆

misfortun

불운, 불행

□□□ [19 수능기출]

misfortune [misfɔ́ːrtʃən]

명 불운, 불행

It is a mouse's **misfortune** to meet a cat.

쥐가 고양이를 만난 것은 **불행**이다.

0906 ★☆☆

moral

사기, 의욕

□□□

morale [mərǽl]

명 사기, 의욕

㉢ moral 도덕의

The **morale** of the students is high.

그 학생들의 **사기**가 높아집니다.

0907 ★

negotiat

협상하다, 교섭하다

□□□ 교육부 [12 수능기출]

negotiate [nigóuʃièit]

동 협상하다, 교섭하다

㉰ negotiation 협상 negotiator 협상자 ㊒ bargain

They **negotiated** better wages.

그들은 더 나은 임금으로 **협상했다**.

0908 ★★★

objectiv

목적, 목표, 객관적인

□□□ 교육부 [94.95.03.05.12.13.14.17.20 수능기출]

objective [əbdʒéktiv]

명 목적, 목표 형 객관적인

㉰ objectivity 객관성, 객관적 타당성 반론18수능 objectionable 불쾌한

㊕ for the purpose of=with a view to=with the view of=with the object of=with the intention of : ~할 목적으로 수능기출

0909 ★★

obl ation

의무, 책무

□□□

obligation [àbləgéiʃən]

명 의무, 책무

㉰ obligate 의무를 지우다 obligatory 의무적인

The duty to educate is one the people's **obligations**.

교육의 의무는 국민의 **의무** 중 하나이다.

0910 ★★★

rganization

조직, 단체, 기구

□□□ [94.95.97.99.00.07.09.10.15.17.19 수능기출]

organization [ɔ̀:rgənizéiʃən]

명 조직, 단체, 기구

㉰ organize 준비(조직)하다 organic 생물의, 유기체의, 유기농의 19수능

private **organizations**

민간 **단체** 95수능

organization's reputation

집단의 명성 07수능

0911 ★★

ov rwork

과로하다, 혹사하다

□□□

overwork [òuvərwə́:rk]

동 과로하다, 혹사하다

He is inclined to **overwork**.

그는 **과로하는** 경향이 있다.

0912 ★★★

ow

빚지고 있다,
신세 지고 있다

□□□ 교육부 [98.06.07.13.14.15.16.17 수능기출]

owe [óu]

동 빚지고 있다, 신세 지고 있다

㊕ owing to : ~ 때문에 owe (A) to (B) : A를 B 덕택으로 여기다수능기출

How much do I **owe** you?

당신에게 얼마를 **줘야 하나요**?98수능

0913 ★★☆

perseveranc

인내, 인내심

□□□

perseverance [pə́:rsəvíərəns]

명 인내, 인내심

파 persevere 인내하다 유 endurance 참을성

If you have **perseverance** you will win.
네가 **인내력**이 있다면 승리할 것이다.

0914 ★★★

p**tential**

잠재력
잠재적인

□□□ 교육부 [98.01.08.10.11.12.14.16.20 수능기출]

potential [pətén∫əl]

명 잠재력 형 잠재적인

파 potent 강력한, 유력한 potentiality 잠재 가능성
potentially 어쩌면, 잠재적으로 20수능

Most people realize only a small part of their **potential**.
대부분의 사람은 자신의 **잠재 능력**의 작은 부분만을 깨닫고 있다. 01수능

0915 ★★☆

pov**rty**

가난, 빈곤

□□□ 교육부 [96.03 수능기출]

poverty [pávərti]

명 가난, 빈곤

파 impoverish 빈곤하게 하다 유 pennilessness 무일푼

He spent his whole life in **poverty**.
그는 인생을 **가난** 속에서 보냈다. 03수능

기출 impoverished 빈곤한 18수능

0916 ★★★

practi**al**

현실적인, 실제의

□□□ [94.95.99.00.04.07.08.09.10.11.12.14.15.16.19 수능기출]

practical [prǽktikəl]

형 현실적인, 실제의

파 practice 실행, 연습, 연습하다 19.20수능 practically 사실상
practicable 실현 가능한 impractical 터무니없는, 비현실적인

유 virtually 사실상 20수능 It is a **practical situation where there is no room for error.** 실수에 대한 여유가 전혀 없는 실제적인 상황이다. 10수능

0917 ★☆☆

prec**dent**

선례, 판례, 전례

□□□

precedent [présədənt]

명 선례, 판례, 전례

There is no **precedent** for it.
그것은 **선례**가 없는 일이다.

0918 ★☆☆

profil

옆얼굴, 윤곽, 프로필

□□□

profile [próufail]

명 옆얼굴, 윤곽, 프로필

He likes looking at her **profile**.
그는 그녀의 **프로필**을 보고 좋아한다.

0919 ★★★

qua  fy

자격을 얻다,
자격을 주다

□□□ 교육부 [95.97.99.06.10.12.19 수능기출]

qualify [kwɑ́ləfài]

동 자격을 얻다, 자격을 주다

㉑ qualification 자격증, 자격 qualifier 예선 통과자, 예선전

반 disqualify 실격시키다

He is friendly and well-**qualified**.

그는 친절하고 충분한 **자격을 갖추었다.** 95수능

0920 ★★☆

rec  pt

영수증, 수령

□□□

receipt [risí:t]

명 영수증, 수령

㉑ recive 받다 reception 응접, 환영

Here is a **receipt** for the camera.

여기에 카메라의 **영수증**이 있습니다.

0921 ★★★

recomm  nd

추천하다, 권고하다

□□□ [94.98.03.05.09.10.11.15.17 수능기출]

recommend [rèkəménd]

동 추천하다, 권고하다

㉑ recommendation 추천서, 추천 20수능

Can you **recommend** a place to visit in Seoul?

서울에 방문할 장소를 **추천**해 줄 수 있어요? 11수능

0922 ★★☆

r  sign

사직하다, 물러나다

□□□ 교육부

resign [rizáin]

동 사직하다, 물러나다

He was asked to **resign** from his job.

그는 직장에서 **사직**을 요구받았다.

0923 ★★☆

signatur 

서명

□□□ [95.07 수능기출]

signature [sígnətʃər]

명 서명

Kids under 18 need their parent's **signature** on the registration form.

18세 이하의 아이들은 등록 용지에 부모의 **서명**을 받아야 한다. 07수능

0924 ★★★

situati  n

상황, 처지, 위치

□□□ 교육부 [96.98.99.02.03.06.07.08.09.10.11.12.14.15.16 수능기출]

situation [sìtʃuéiʃən]

명 상황, 처지, 위치

In dangerous **situations**, people can lose clarity over their role.

위험한 **상황**에서, 사람들은 자신의 역할에 대한 명확함을 놓치게 된다. 12수능

0925 ★★★

sk  llful

숙련된, 능숙한

□□□ [14 수능기출]

skillful [skílfəl]

형 숙련된, 능숙한

유 skilled 노련한

He is a very **skillful** mechanic.
그는 매우 **숙련된** 수리공입니다.

0926 ★★★

st  ff

직원, 참모

□□□ [97.08.17 수능기출]

staff [stǽf]

명 직원, 참모

유 employee 종업원 personnel 인원, 직원들

a **staff** of 10 workers
10명의 **직원** 97수능

patients and **staffs**
환자들과 **직원**들 08수능

0927 ★★★

stak 

말뚝,
내기에 건 돈

□□□ [09.15 수능기출]

stake [stéik]

명 말뚝, 내기에 건 돈

숙 at stake : 위태로운, ~이 걸려있는 수능기출

The tree is supported by a **stake**.
그 나무는 **말뚝**에 의해 지탱되고 있다.

the highest **stakes**
높은 **위험부담** 09수능

0928 ★★★

stan 

입장, 자세

□□□ [94.13.14.15.16.17 수능기출]

stance [stǽns]

명 입장, 자세

Today he has changed his **stance** and attitude.
오늘 그는 자기 **입장**과 태도를 바꿨다.

0929 ★★★

standp  int

견지, 관점

□□□

standpoint [stǽndpɔ̀int]

명 견지, 관점

He has a different **standpoint** from mine.
그는 나랑 다른 **관점**을 가지고 있다.

0930 ★★★

su  cess

성공, 출세

□□□ [96.97.99.00.05.06.08.09.10.11.12.13.14.15.17 수능기출]

success [səksés]

명 성공, 출세

파 successfully 성공적으로 successful 성공한
unsuccessful 성공하지 못한

Their efforts led to the good results and **success**.
그들의 노력이 좋은 결과와 **성공**을 끌어냈다. 11수능

0931 ★★☆

surp  us

과잉, 흑자
과잉의

□□□ [11 수능기출]

surplus [sə́:rplʌs]

명 과잉, 흑자 형 과잉의

㊒ excess 과도 extra 추가의 20수능 ㉯ shortage 부족

What should we do with the **surplus**?
남은 여분은 어떻게 해야 하지?

0932 ★★☆

 wift

신속한, 빠른

□□□ [07 수능기출]

swift [swíft]

형 신속한, 빠른

He coped **swiftly** with the accident.
그는 사고에 **신속하게** 대처했다.

The tiger **swiftly** pursued its victim.
호랑이는 **재빠르게** 먹잇감을 뒤쫓았다. 07수능

0933 ★☆☆

thr 

ft

절약, 검약

□□□

thrift [θríft]

명 절약, 검약

He is rich because he practices **thrift**.
그는 **절약**을 실천하기 때문에 부유하다.

0934 ★★★

tr 

nsfer

옮기다, 이동하다, 갈아타다

□□□ 교육부 [94.11.14 수능기출]

transfer [trænsfə́:r]

동 옮기다, 이동하다, 갈아타다

How can I **transfer** money from my bank account to his?
제가 저의 계좌에서 그의 계좌로 어떻게 **송금**할 수 있나요?

The information has been **transferred**.
정보가 **전달됐다**. 11수능

0935 ★☆☆

tr 

nsition

변천, 이행, 과도기

□□□ [17 수능기출]

transition [trænzíʃən]

명 변천, 이행, 과도기

㉶ transit 변화, 통과

She coped well with the **transition**.
그녀는 **과도기**를 잘 극복했다.

0936 ★★☆

tren 

경향, 추세, 유행

□□□ 교육부 [08.14.17 수능기출]

trend [trénd]

명 경향, 추세, 유행

She always follows the latest **trend**.
그녀는 항상 최신 **유행**을 따른다.

○ 1분 안에 넘기기 | ○ 시간 있으면 꼼꼼히 외우기

0937 ★★★

un  mployment

실업, 실직 상태,
실업률

□□□ [94.96.17 수능기출]

unemployment [ʌ̀nimplɔ́imənt]

명 실업, 실직 상태, 실업률

팁 the unemployed 실직자들

Lack of housing, **unemployment** bring about an increase in poverty and crime.

주택 부족, **실업**은 빈곤과 범죄의 증가를 가져온다. 96수능

0938 ★★★

valu 

가치
가치 있게 여기다

□□□ 교육부 [94.96.98.99.00.05.06.07.08.09.10.11.12.14.15.16 수능기출]

value [vǽlju:]

명 가치 동 가치 있게 여기다

Activities like these also enhance the **value** of hard work and persistence.

이러한 활동은 또한 어려운 일의 **가치**와 인내력을 길러준다. 09수능

0939 ★★

v  nture

벤처사업
위험을 무릅쓰고 ~하다

□□□ [98.13.19 수능기출]

venture [véntʃər]

명 벤처사업 동 위험을 무릅쓰고 ~하다 모험하다

The government must support **venture** businesses.

정부는 **벤처** 기업을 지원해야 한다.

the amount of **venture** capital

벤처 자본의 총액 98수능

0940 ★★

war 

제품, 상품

□□□ [13.14.15 수능기출]

ware [wɛ́ər]

명 제품, 상품

팁 warehouse 창고

She sells her **wares** in the market.

그녀는 시장에서 **상품**을 판매하고 있다.

0941 ★★

worklo  d

업무량, 작업량

□□□ [04.08 수능기출]

workload [wː rkloud]

명 업무량, 작업량

Our increased **workload** puts pressure on us.

우리에게 늘어난 **일**이 우리를 압박한다. 04수능

0942 ★★★

w  rth

가치가 있는

□□□ 교육부 [95.98.99.00.02.10.14.16.17 수능기출]

worth [wə́:rθ]

형 가치가 있는

파 worthwhile 가치가 있는 worthless 가치 없는

숙 be worth + ~ing=be worthy of ~ing=It is worth while to + 동사원형 : ~할 만한 가치가 있다 수능기출

One picture is **worth** a thousand words.

백문이 **불여일견**이다. 00수능

Chapter 3

Review Test

A. 수능에 출제되는 단어 또는 단어의 뜻을 쓰시오.

01. 어장, 어업 ________
02. 일시적인, 임시의 ________
03. 질문, 조사 ________
04. 영구적인 ________
05. 구매 동) 구입하다 ________
06. 수송, 운송 ________
07. 모으다, 축적하다 ________
08. 건설하다, 구성하다 ________
09. 판단, 평가, 존중 ________
10. 변천, 이행, 과도기 ________
11. application ________
12. politician ________
13. publicist ________
14. undermine ________
15. arrange ________
16. property ________
17. strategy ________
18. destruction ________
19. asymmetry ________
20. compensation ________

B. 수능에 출제되는 문장의 문맥에 맞는 단어를 고르시오.

01. Overgrazing of ________ resulted in further deterioration of the soil.
02. The parents worry about which ________ to employ.
03. Those fruits are ________.

ⓐ contractor	ⓑ livestock	ⓒ vocation	ⓓ ambivalent	ⓔ peasant

04. High-density rearing led to ________ the fish.
05. Rome could not provide sufficient energy to maintain its ________.
06. Internet has the ________ of technology around it.

ⓐ infrastructure	ⓑ resource	ⓒ aura	ⓓ execute	ⓔ devastating

정답 01.ⓑ 02.ⓐ 03.ⓓ 04.ⓔ 05.ⓐ 06.ⓒ

01. (가축)의 지나친 방목은 더 심한 토양 악화를 가져왔다. 12수능
02. 부모는 어떤 (계약자)를 고용할 것인가에 대해 걱정한다. 05수능
03. 그러한 성과들은 (양면적 성격을 갖는다). 14수능
04. 고밀도의 사육은 어류를 (황폐화시켰다). 15수능
05. 로마는 (사회 기반)을 유지하기에 충분한 에너지를 제공할 수 없었다. 12수능
06. 인터넷은 기술이라는 (기운)을 두르고 있다. 13수능

수능완성단어

수능기본 접속사와 숙어

예	□ for example : 예를 들면	in another case :다른 경우라면
	□ for instance : 예를 들면	in particular : 특히
	□ in this case : 이 경우	in this manner : 이런 식으로
	□ namely : 즉	that is : 즉
	□ such as : ~와 같은 것	for this reason : 이런 이유 때문에
목적	□ in an effort to : ~할 노력으로	in order to : ~하기 위해
	□ to the purpose of : ~의 목적으로	to this end : 이런 목적으로
	□ with this purpose : 이런 목적으로	
대체	□ in place of : ~대신에	instead of : ~대신에
	□ or : 혹은	rather : 차라리
반복, 재 언급	□ in other words : 다시 말해서	in short : 간단히 말하면
	□ to put it more simply : 더 간단히 말하면	namely : 즉, 다시 말해
	□ rather : 차라리	so to speak : 말하자면
	□ that is : 즉	that is to say : 즉
도입	□ at first : 처음에	by the way : 그런데
	□ concerning : ~에 관한	first of all : 먼저, 무엇보다도
	□ in the first place : 먼저, 무엇보다도	initially : 처음에
	□ on the one hand : 한편으로는	regarding : ~에 관하여
	□ speaking of : ~에 관해서 말한다면	to begin with : 우선, 먼저
	□ to start with : 우선, 먼저	at the same time : 동시에, 또한
매개	□ by : ~으로	by means of : ~을 통해
	□ in this way : 이런 식으로	through : ~을 통해
증거, 확실성	□ certainly, evidently : 분명히	doubtlessly : 의심 없이
	□ in deed : 참으로, 실(제)로	naturally : 물론, 당연히
	□ needless to say : ~은 말할 필요도 없이	not to mention :~은 말할 것도 없고
	□ obviously : 분명히	of course : 물론
	□ undoubtedly : 의심할 여지없이	without question : 문제[이의]없이
	□ without a doubt : 의심할 여지없이	
결론, 요약	□ after all : 결국	at last : 마침내, 드디어
	□ briefly : 간단히 말해	finally : 마침내
	□ in brief : 간단히 말해서	in conclusion : 결론적으로, 끝으로
	□ in short : 요컨대, 요약하면	in summary : 요컨대, 요약하면
	□ lastly : 마지막으로	on the whole : 대체로
	□ to conclude : 결론적으로 말하면	to sum up : 요컨대, 요약해서 말하면

40점 넘기기

Chapter 04

School / 학교

ⓐ Professions (직업)

ⓑ Fields of Responsibility (책임 분야)

ⓒ Equipment and Resources (장비와 자료)

ⓓ Ventures (사업)

ⓔ Associated Words (연관 단어)

1분 안에 넘기기 | 시간 있으면 꼼꼼히 외우기

0943 ★☆☆

nnals
연대기, 연보

□□□
annals [ǽnlz]
명 연대기, 연보
㉶ annual 1년의, 해마다의, 연례적인 19수능 anniversary 기념일
My job is to write the school **annals.**
나의 일은 학교 **연대기**를 작성하는 것이다.

0944 ★★☆

ann 

versary
기념일

□□□ 교육부 [03 수능기출]
anniversary [æ̀nəvə́ːrsəri]
명 기념일
30th wedding **anniversary**
30번째 결혼**기념일**03수능

0945 ★★★

ssemble
모으다, 조립하다

□□□ 교육부 [96.05.06.07.08.10.11.17 수능기출]
assemble [əsémbl]
동 모으다, 조립하다
㉶ assembly 의회, 입법 기관96수능
㉷ disassemble 분해하다07수능 ㉸ put together : 조립하다 수능기출
They select and **assemble** movie scenes.
그들은 영화 장면들을 선택하고 **모은다**.06수능

0946 ★★★

assi  n
할당하다, 임명하다, 지정하다

□□□ 교육부 [08.10.12.13.15.16.20 수능기출]
assign [əsáin]
동 할당하다, 임명하다, 지정하다
㉶ assignment 과제, 임무
I was **assigned** to this job.
나는 이 일을 **배정받았다**.
a chemistry **assignment**
화학 **과제** 10수능

0947 ★★☆

uditorium
객석, 강당

□□□ [15 수능기출]
auditorium [ɔ́ːdətɔ́ːriəm]
명 객석, 강당
The **auditorium** was nearly full.
관중석이 거의 다 찼다.

0948 ★★★

auth  rity
권한, 권위, 당국

□□□ 교육부 [96.08.13.14.17.20 수능기출]
authority [əθɔ́ːrəti]
명 권한, 권위, 당국
㉶ authorize 권한을 부여하다 authorized 허가를 얻은, 검정필의
local **authority**
지방 정부 **당국** 96수능
authority figure present
권위 있는 인물 08수능

혓바닥 **e** 입벌린 **c** 머리묶은 **a** 동글이 **o** 목떨어진 **i**

0943 **애**널스 0944 애니**벌**서리 0945 어**셈**블 0946 어**싸**인 0947 **어**디**토**~리엄 0948 어**또**~리티

0949 ★★★

w

절하다, 숙이다, 휘다

□□□ 교육부 [99.14 수능기출]

bow [báu]

동 절하다, 숙이다, 휘다

He greeted with a **bow**.

그는 **고개 숙여** 인사했다.

He saw the fishing rod **bowing** like a question mark.

그는 낚싯대가 물음표처럼 **휘는** 것을 보았다. 99수능

0950 ★☆☆

nsorship

검열

□□□

censorship [sénsərʃip]

명 검열

파 censor 검열관

There is no **censorship** in our country.

우리나라에는 **검열**이 없다.

0951 ★★☆

ch

rter

헌장, 선언문

□□□

charter [tʃɑ́:rtər]

명 헌장, 선언문

The content is stated in the UN **charter**.

그 내용이 유엔 **헌장**에 명시되어 있다.

0952 ★★★

committe

위원회

□□□ 교육부 [96.05 수능기출]

committee [kəmíti]

명 위원회

유 commission 위원단 팁 commitment 약속, 헌신

We are trying to form a strong **committee**.

우리는 강력한 **위원회**를 만들려고 노력하고 있다. 05수능

0953 ★★★

ommunity

공동체, 지역 사회

□□□ 교육부 [95.96.01.04.05.06.07.08.11.14.15.17 수능기출]

community [kəmjú:nəti]

명 공동체, 지역 사회

파 communicate 의사소통을 하다, 연락을 주고받다

the **community**

공동체 07수능

the academic **community**

학**계** 11수능

0954 ★★☆

debat

토론, 논쟁
토론하다

□□□ 교육부 [11.15 수능기출]

debate [dibéit]

명 토론, 논쟁 동 토론하다

open **debate**

공개 **토론** 11수능

○ 1분 안에 넘기기 | ○ 시간 있으면 꼼꼼히 외우기

0955 ★★★

d  ree

정도, 학위,
(온도 • 각도 등의) 도

□□□ 교육부 [95.02.07.08.15.16.17 수능기출]

degree [digríː]

명 정도, 학위, (온도 • 각도 등의) 도

숙 by degrees=step by step=gradually : 점차로 수능기출

the **degree** of social contact
사회적인 접촉의 **정도** 07수능

0956 ★☆☆

diplom 

졸업 증서, 수료증

□□□

diploma [diplóumə]

명 졸업 증서, 수료증

You must have a **diploma**.
너는 **졸업장**이 있어야 해.

0957 ★★★

disciplin 

훈련, 규율
훈련하다, 단련하다

□□□ [97.04.11.13.15 수능기출]

discipline [dísəplin]

명 훈련, 규율 동 훈련하다, 단련하다

파 self-disciplined 자기 훈련이 된, 수양이 된 97수능

People get more **disciplined** by overcoming difficulties.
사람들은 어려움을 이겨내면서 좀 더 **단련된다**. 04수능

0958 ★★☆

donat  n

기부, 기증

□□□ [94.08.12.19.20 수능기출]

donation [dounéiʃən]

명 기부, 기증

파 donate 기부하다, 기증하다 19수능

public **donations** 공적 **기부금** 94수능

The businessman **donates** money for starving children.
사업가는 굶주린 아이들을 위해 돈을 **기부합니다**. 08수능

0959 ★★☆

 ementary

초보의, 초급의, 기본적인

□□□ 교육부 [05.06.13 수능기출]

elementary [èləméntəri]

형 초보의, 초급의, 기본적인

유 primary, basic, fundamental 기출 preschooler 미취학 아동 20수능

We should test our children's aptitude in their last year of **elementary** school.
우리는 **초등**학교 마지막 학년 동안 아이들의 적성을 테스트해야 한다. 06수능

0960 ★☆☆

 mblem

상징

□□□

emblem [émbləm]

명 상징

What is your national **emblem**?
너희 나라의 **상징**은 뭐야?

0955 디그리~ 0956 디플로우마 0957 디써플린 0958 도우네이션 0959 엘리멘터리 0960 엠블럼

0961 ★★☆

enr  **ll**

입학하다,
등록하다

□□□ [94.09.12.19 수능기출]

enroll [inróul]

통 입학하다, 등록하다

㉣ enrollment 등록, 입학 ㊌ enlist 입대하다

the **enrollment** rate for youth ages
아이들의 **등록자** 비율 09수능

0962 ★★★

entr  **nce**

입장, 입구,
입학

□□□ 교육부 [97.98 수능기출]

entrance [éntrəns]

명 입장, 입구, 입학

㉣ enter 들어가다 entrant 갓 들어온 사람, 출전자 ㊇ exit 출구

I have to study for the **entrance** exam.
나는 **입학** 시험 공부를 해야 한다. 97수능

the front **entrance**
정문 **출입구** 98수능

0963 ★★☆

fa  **ulty**

능력, 재능,
학부, 교수진

□□□

faculty [fǽkəlti]

명 능력, 재능, 학부, 교수진

That university has an excellent **faculty**.
그 대학은 우수한 **교수진**을 갖추고 있다.

0964 ★★☆

f 

rbid

금지하다

□□□ 교육부

forbid [fərbíd]

통 금지하다

㉢ forbade(과거형) forbidden(과거분사형)

My parents **forbid** me from smoking.
나의 부모님은 내가 담배 피우는 것을 금하신다.

0965 ★★★

gradu  **tion**

졸업식

□□□ [96.06.08.12 수능기출]

graduation [grӕ̀dʒuéiʃən]

명 졸업식

㉣ graduate 졸업자, 졸업하다

Upon **graduating** from high school, I went to college.
고등학교를 **졸업하**고, 나는 대학에 갔다. 12수능

0966 ★☆☆

h  **admaster**

교장

□□□

headmaster [hédmӕ̀stər]

명 교장

The **headmaster** is very strict.
그 **교장**은 매우 엄격하다.

1분 안에 넘기기 | 시간 있으면 꼼꼼히 외우기

0967 ★☆☆

illiterat 

글을 모르는, 문맹의

□□□

illiterate [ilítərət]

형 글을 모르는, 문맹의

㊀ nonliterate 읽고 쓸 수 없는 20수능 ignorant 무지한, 무학의

He is an **illiterate** person.

그는 **문맹**입니다.

0968 ★★☆

instituti  **n**

기관, 제도

□□□ 교육부 [08.11.17.19 수능기출]

institution [ìnstətjúːʃən]

명 기관, 제도

㊉ institute 기관, 도입하다 institutional 제도적인 19수능

educational **institutions**

교육 **기관** 11수능

institutional

제도적인 19수능

0969 ★☆☆

intermed 

ate

중간의, 중급의

□□□ 교육부

intermediate [ìntərmíːdiət]

형 중간의, 중급의

This is an **intermediate** solution.

이는 **중급** 해법 풀이입니다.

0970 ★☆☆

intermissi  **n**

중간 휴식 시간, 중지

□□□

intermission [ìntərmíʃən]

명 중간 휴식 시간, 중지

Now is the **intermission** time.

지금은 **중간 휴식 시간**이다.

0971 ★★★

m  **morial**

기념비
추도의, 추모의

□□□ [96.99.08.11.12 수능기출]

memorial [məmɔ́ːriəl]

명 기념비 형 추도의, 추모의

㊉ memorize 기억하다, 암기하다 memory 기억

㊈ learn ~ by heart=memorize 암기하다 수능기출

He was at the **memorial** service.

그는 **추도식**에 있다.

0972 ★★★

notic 

주의, 주목, 공고문
알다, 알아차리다

□□□ 교육부 [03.05.07.08.10.11.12.13.14.15.17.20 수능기출]

notice [nóutis]

명 주의, 주목, 공고문 동 알다, 알아차리다

㊈ attend to=pay attention to=give attention to=take notice of=see to it that : ~에 유의하다, 주의를 기울이다 수능기출

You should **notice** something odd.

당신은 이상한 점을 **알아채게** 될 것이다. 10수능

0973 ★

prestig

위신, 명성
이름난, 명성 있는

□□□

prestige [prestíːʒ]

명 위신, 명성 형 이름난, 명성 있는

His **prestige** is high in the company
그의 **명성**은 사내에서 유명하다.

0974 ★★★

prim ry

주된, 기본적인,
최초의

□□□ [95.05.07.11.12.13.16.19 수능기출]

primary [práimeri]

형 주된, 기본적인, 최초의

㉺ primarily 주로 기출 primate 영장류 20수능

the **primary** aims
1차 목표 95수능

the **primary** characteristics
주된 특징들 05수능

0975 ★★★

princip l

학장, 총장, 주요한, 주된

□□□ 교육부 [07.13.15.16 수능기출]

principal [prínsəpəl]

명 학장, 총장 형 주요한, 주된

㉩ principle 원칙, 원리 assistant principal 교감 수능기출

He eventually became **principal** surgeon.
그는 마침내 **수석** 군의관이 되었다. 07수능

0976 ★★

privil ge

특권, 특혜
특권을 주다

□□□ [12.13 수능기출]

privilege [prívəlidʒ]

명 특권, 특혜 동 특권을 주다

㉥ underprivileged 혜택을 못 받는

He has **privileges**.
그는 **특권**을 가지고 있다.

0977 ★★

r cess

휴회, 휴식, 휴회 기간

□□□ [11.13 수능기출]

recess [risés]

명 휴회, 휴식, 휴회 기간

㉤ rest 휴식

The judge called a short **recess**.
판사가 잠깐 동안 **휴회**를 선언했다.

lunch **recess**
점심시간의 **휴식** 11수능

0978 ★★★

r gister

등록하다, 신고하다

□□□ 교육부 [09.15.17.19.20 수능기출]

register [rédʒistər]

동 등록하다, 신고하다

㉺ registration 등록 ㉤ enroll 등록하다

㉩ registration form : 등록 신청서 수능기출

It has succeeded in **registering** hundreds of thousands of voters.
그것은 수십만의 투표권자들을 **등록시키는** 데 성공했다. 09수능

0979 ★★★

r  gular

규칙적인, 정기적인

□□□ 교육부 [94.95.96.97.98.02.05.10.11.13.17.20 수능기출]

regular [régjulər]

형 규칙적인, 정기적인

ⓟ regularly 정기적으로, 규칙적으로 20수능 irregular 불규칙적인 20수능 irregularities 부조리, 잘못

Exercise **regularly**. **규칙적으로** 운동해라. 95수능

regular rate **일반** 요금 20수능

0980 ★★☆

s  lemn

엄숙한, 침통한

□□□ [97 수능기출]

solemn [sάləm]

형 엄숙한, 침통한

No one laughed as it was a **solemn** occasion.
엄숙한 경우에는 아무도 웃지 않는다.

regretful and **solemn**
애석하고 **엄숙한** 97수능

0981 ★★☆

statu 

조각상

□□□

statue [stætʃuː]

명 조각상

ⓣ status 신분, 지위, 높은 지위

There is a **statue** of the hero in the yard.
마당에 영웅의 **동상**이 있다.

0982 ★★☆

supervis 

감독하다, 지휘하다

□□□ [98.09 수능기출]

supervise [súːpərvàiz]

동 감독하다, 지휘하다

ⓟ supervisor 감독관

He had **supervised** one of his company's warehouses.
그는 회사의 창고 중 하나를 **감독해** 왔었다.

0983 ★★☆

susp  nd

매달다,
유예하다

□□□ 교육부 [97 수능기출]

suspend [səspénd]

동 매달다, 유예하다

ⓟ suspense 긴장감 suspension 정직, 정학

Every man is born into the world with two bags **suspended** from his neck.
모든 인간은 목에 2개의 가방을 **달고서** 이 세상에 태어난다 97수능

0984 ★★★

tr  dition

전통

□□□ 교육부 [94.96.03.04.07.09.11.13.15 수능기출]

tradition [trədíʃən]

명 전통

ⓟ traditionally 전통적으로 traditional 전통의

ⓤ convention 관습, 관행 20수능

By the time I was 25, I had created my own Christmas **tradition**.
내가 25세가 되었을 때, 나 자신만의 크리스마스 **전통**을 만들었다. 03수능

0979 레귤러 0980 썰~렘 0981 스태튜~ 0982 수~퍼바이즈 0983 써스펜드 0984 트러디션

0985 ★★★

alg  bra

대수학

□□□ [98 수능기출]

algebra [ǽldʒəbrə]

명 대수학

㉶ algebraic 대수의

Mathematics includes many different kinds of **algebraic** expressions to solve problem.
수학은 문제를 풀기 위한 서로 다른 종류의 많은 **대수학적** 표현들을 포함한다. 98수능

0986 ★★★

anthropol  y

인류학

□□□ [08 수능기출]

anthropology [æ̀nθrəpɑ́lədʒi]

명 인류학

㉶ anthropologist 인류학자

Anthropology is the science that studies humans.
인류학은 사람을 연구하는 학문이다.

0987 ★★★

ar  itecture

건축학,
건축 양식, 구조

□□□ [07,10,19 수능기출]

architecture [ɑ́ːrkətèktʃər]

명 건축학, 건축 양식, 구조

㉶ architect 건축가

styles of **architecture**
건축술의 유형 07수능

0988 ★★★

arithm  tic

산수, 계산

□□□ [19 수능기출]

arithmetic [əríθmətik]

명 산수, 계산

My best subject is **arithmetic**.
내가 제일 잘하는 과목은 **산수**다.

0989 ★★★

bibli  graphy

참고 문헌,
서지학

□□□

bibliography [bìbliɑ́grəfi]

명 참고 문헌, 서지학

There is a **bibliography** in the final pages of the book.
책의 마지막 페이지에 **참고 문헌** 목록이 있습니다.

0990 ★★★

buddh  sm

불교

□□□

buddhism [búːdizm]

명 불교

Have you studied **Buddhism**?
너는 **불교**를 공부해 본 적 있니?

0991 ★☆☆

alligraphy
서예, 달필

□□□
calligraphy [kəlígrəfi]
명 서예, 달필
He is good at **calligraphy**.
그는 **서예**에 능하다.

0992 ★☆☆

pitalism
자본주의

□□□ [19 수능기출]
capitalism [kǽpətəlìzm]
명 자본주의
I am in favor of **capitalism**.
나는 **자본주의**에 찬성한다.
기출 capitalist 자본주의자, 자본가 18수능

0993 ★☆☆

c

holicism
가톨릭교, 천주교

□□□
catholicism [kəθάləsìzm]
명 가톨릭교, 천주교
Catholicism has a long history.
가톨릭교는 오랜 역사를 가지고 있다.

0994 ★★☆

civilizati

n
문명

□□□ [96.09 수능기출]
civilization [sìvəlizéiʃən]
명 문명
파 civilize 개화(교화)하다 civil 시민(들)의
the understanding of **civilization**
문명의 이해 09수능

0995 ★★★

omposition
구성, 작품, 작문

□□□ [04.14 수능기출]
composition [kὰmpəzíʃən]
명 구성, 작품, 작문
파 compose 구성하다, 작곡하다
the European children's folk songs that inspired many of their **compositions**
자신들의 많은 **작품**에 영감을 주었던 유럽의 민속 동요 14수능

0996 ★☆☆

onsonant
자음
자음의, 일치하는

□□□
consonant [kάnsənənt]
명 자음 형 자음의, 일치하는
팁 vowel 모음
How many **consonants** are in that word?
그 단어에는 **자음**이 몇 개 있나요?

0997 ★★★

cnstitution

헌법, 체질, 구조

□□□ 교육부 [98.09 수능기출]

constitution [kὰnstətjúːʃən]

명 헌법, 체질, 구조

㉺ constitute ~이 되다, 구성하다 19수능
constitutional 체제[구성]상의, 헌법(상)의 20수능

our country's **constitution** 우리나라의 **헌법**

The specific combination of foods **constitute** a healthy diet. 음식의 특정한 궁합은 건강한 식사가 **된다**. 09수능

0998 ★★★

crft

수공예, 기술, 술책

□□□ [06 수능기출]

craft [kræft]

명 수공예, 기술, 술책

㉺ aircraft 항공기 craftsman 장인

Who made these **crafts**?
이 **공예품**을 누가 만들었나요?

0999 ★★★

currculum

교육 과정,
커리큘럼

□□□ 교육부

curriculum [kərίkjuləm]

명 교육 과정, 커리큘럼

The **curriculum** changes every year.
교과 과정은 매년 변경됩니다.

1000 ★★★

definitin

정의, 선명도

□□□ [95.10.11.15 수능기출]

definition [dèfəníʃən]

명 정의, 선명도

㉺ definitely 분명히, 확실히

Social **definitions** of the body are grounded in social relations.
신체의 사회적 **정의**는 사회적 관계에서 기반을 둔다. 11수능

1001 ★★★

dictatn

받아쓰게 하기, 구술

□□□

dictation [diktéiʃən]

명 받아쓰게 하기, 구술

㉺ dictate 받아쓰게 하다, 지시하다, 받아쓰게 하다

The student had a **dictation** test.
그 학생은 **받아쓰기** 시험을 봤다.

1002 ★★★

ecoly

생태, 생태학

□□□ [11 수능기출]

ecology [ikάlədʒi]

명 생태, 생태학

㉺ ecological 생태계의 ecologist 생태학자

Today we study **ecology**.
오늘 우리는 **생태학**을 공부한다.

ecological diversity
생태의 다양성 11수능

1분 안에 넘기기 | 시간 있으면 꼼꼼히 외우기

1003 ★★★

educat  교육하다, 가르치다

□□□ [94.96.98.00.06.07.09.10.11.12 수능기출]

educate [édʒukèit]

동 교육하다, 가르치다

파 education 교육 educator 교육자 educational 교육의

A genuinely **educated** person can express himself tersely.

성실하게 **교육을 받은** 사람은 간결하게 자신을 표현할 수 있다. 11수능

1004 ★★☆

encycl  pedia 백과사전

□□□ [10 수능기출]

encyclopedia [insàikləpíːdiə]

명 백과사전

Why don't you find some information from the **encyclopedia** over there?

저쪽에 있는 **백과사전**에서 정보를 좀 찾지 그러니? 10수능

1005 ★☆☆

equ 

tion 방정식, 등식

□□□ [98.20 수능기출]

equation [ikwéiʒən]

명 방정식, 등식

파 equate 동일시하다

An **equation** with two unknown quantities.

두 개의 미지수가 들어간 **등식**이다. 98수능

1006 ★★☆

 thics 윤리(학), 도덕

□□□ [96.07 수능기출]

ethics [éθiks]

명 윤리(학), 도덕

파 ethical 윤리적인 ethicist 윤리학자, 도덕가 18수능

The root of all **ethics** is love.

모든 **윤리**의 뿌리는 사랑이다.

They learn to behave morally and **ethically**.

그들은 도덕적이고 **윤리적으로** 행동하는 방식을 배운다. 07수능

1007 ★★★

explanat  n 설명, 이유, 해명

□□□ [00.06.07.11.12.13.14 수능기출]

explanation [èksplənéiʃən]

명 설명, 이유, 해명

The more difficult the word, the shorter the **explanation**.

단어가 어려우면 어려울수록 **설명**은 더 짧아진다. 11수능

1008 ★★☆

fracti  n 부분, 일부, 분수

□□□ [13 수능기출]

fraction [frǽkʃən]

명 부분, 일부, 분수

This is a **fraction** of what I own.

이것은 내가 소유하고 있는 **일부분**이다.

1009 ★★★

ge  re

장르, 유형

□□□ [05.07.13 수능기출]

genre [ʒɑ́:nrə]

명 장르, 유형

This picture is a special **genre**.
이 사진은 특별한 **장르**이다.

wide variety of **genres**
다양한 **장르** 07수능

1010 ★★★

ge  graphy

지리, 지리학

□□□ [09.01.13.17 수능기출]

geography [dʒiɑ́grəfi]

명 지리, 지리학

㉺ geographical 지리적인 10수능 기출 topography 지형 19수능

Do you understand the significance of **geography** in understanding history?
역사를 이해하는 데 있어 **지리학**의 중요성을 이해하고 있습니까? 09수능

1011 ★★☆

ge  metry

기하학

□□□ [98.05 수능기출]

geometry [dʒiɑ́mətri]

명 기하학

Renaissance artists achieved perspective using **geometry**.
르네상스 예술가들은 **기하학을 이용해서 원근법**을 나타냈다. 05수능

1012 ★★☆

gymn  stics

체조

□□□ [99.07 수능기출]

gymnastics [dʒimnǽstiks]

명 체조

㉺ gymnastic 체조의 gymnasium 체육관

She is good at **gymnastics**.
그녀는 **체조**를 잘한다.

1013 ★☆☆

horticultur 

원예(학)의

□□□ [15 수능기출]

horticultural [hɔ̀:rtəkʌltʃərəl]

명 원예(학)의

horticultural publications 15수능
원예 출판물들

1014 ★★☆

id  logy

이데올로기, 이념, 관념

□□□ [09.17 수능기출]

ideology [àidiɑ́lədʒi]

명 이데올로기, 이념, 관념

㉺ ideological 사상적인, 이념적인

What is your **ideology**?
귀하의 **이념**은 무엇입니까?

Ideological influences also factored in.
이데올로기 의 영향 또한 고려되었다. 09수능

1009 쟌~러 1010 쥐아그러피 1011 쥐아머트리 1012 쥠내스틱스 1013 홀티컬츄럴 1014 아이디알러지

1분 안에 넘기기 | 시간 있으면 꼼꼼히 외우기

1015 ★☆☆

impart  l

공정한

□□□

impartial [impɑ́ːrʃəl]

형 공정한

유 fair 공정한, 공평한

It was obvious the judges weren't **impartial**.

분명히 심판들이 **공평하지** 않았다.

1016 ★★★

independen  e

독립, 자주

□□□ 교육부 [94.97.01.04.05.10.11.14 수능기출]

independence [indipéndəns]

명 독립, 자주

파 independent 독립된 independently 독립하여, 자주적으로

반 dependence 의존도, 의존(성) 20수능

In the past Countries and regions were economically **independent** of one another.

과거에는 국가와 지역이 경제적으로 서로 **독립**된 상태였다. 10수능

1017 ★★★

instru  tion

설명(서), 교육, 지시

□□□ [94.97.98.07.08.11.16.17.19 수능기출]

instruction [instrʌ́kʃən]

명 설명(서), 교육, 지시

파 instruct 가르치다, 지시하다 instructor 강사 instructional 교육의 19 수능

Please read the accompanying **instructions**.

첨부된 **지시 사항**을 읽어주세요. 11수능

1018 ★☆☆

k  ndergarten

유치원

□□□

kindergarten [kíndərgɑ̀ːrtn]

명 유치원

39% of the students in the **kindergarten** to grade 3 group use them.

유치원~3학년의 그룹은 39%의 학생들이 그것들을 사용한다.

1019 ★★★

lit  rary

문학의

□□□ [05.07.11.19 수능기출]

literary [lítərèri]

형 문학의

파 literacy 읽고 쓸 줄 앎 97.19수능 literature 문학 08수능

literary fiction

문예 소설 05수능

literary critic

문학 평론가 11수능

1020 ★★★

logi  l

타당한,
논리적인

□□□ [12.13.14.15.16.17 수능기출]

logical [lɑ́dʒikəl]

형 타당한, 논리적인

That seems **logical**.

그것은 **논리적인** 것처럼 보인다.

1021 ★☆☆

mandat

ry

의무적인, 강제적인, 명령의

□□□ [11 수능기출]

mandatory [mǽndətɔ̀:ri]

형 의무적인, 강제적인, 명령의

Wearing a hat is **mandatory**.
모자를 착용하는 것이 **필수입니다**.

It is far from **mandatory**.
이것은 **강제적인** 것과는 거리가 멀다. 11수능

1022 ★★☆

manusript

원고, 필사본, 사본

□□□

manuscript [mǽnjuskrìpt]

명 원고, 필사본, 사본

Did you see the **manuscript**?
당신은 **원고**를 보았습니까?

1023 ★★☆

mdieval

중세의, 고풍의

□□□

medieval [mì:dií:və]

형 중세의, 고풍의

He lived in the **medieval** period.
그는 **중세**에 살았다.

1024 ★☆☆

noveliztion

소설화

□□□ [13 수능기출]

novelization [nɑ̀vələzéiʃən]

명 소설화

The book is a **novelization** of a film.
그 책은 영화를 **소설화**한 것이다. 13수능

1025 ★★☆

parliamnt

의회, 국회

□□□ 교육부 [17 수능기출]

parliament [pɑ́:rləmənt]

명 의회, 국회

Today is the final day of **parliament**.
오늘은 **의회**의 마지막 날이다.

1026 ★★☆

philosphy

철학

□□□ [11.14.15 수능기출]

philosophy [filɑ́səfi]

명 철학

㉶ philosopher 철학자

Eastern **philosophy**
동양 **철학** 11수능

1분 안에 넘기기 | 시간 있으면 꼼꼼히 외우기

1027 ★★★

polits

정치, 정치적 견해

□□□ 교육부 [03.07.09.11.12.14 수능기출]

politics [pάlətiks]

명 정치, 정치적 견해

㉺ political 정치적인 politically 정치적으로 politic 현명한 policy 정책 politician 정치인

fields of **politics** **정치** 분야 09수능

energy trade and **politics**

에너지 무역과 **정치** 09수능

1028 ★☆☆

prehistori

선사 시대의

□□□ [19 수능기출]

prehistoric [prìːhistɔ́ːrik(əl)]

형 선사 시대의

㉺ previous 이전의

Those bones are **prehistoric**.

그 뼈는 **선사 시대의** 것이다.

1029 ★★★

presnt

선물, 현재의, 참석한
주다, 제출하다,
보여주다

□□□ 교육부 [96.98.99.00.05.01.02.05.03.08.09.10.11.12.13.14.15.16.17 수능기출]

present [ˈpreznt]

명 선물 형 현재의, 참석한 동 주다, 제출하다, 보여주다

㉺ presentation 제출, 발표 19수능 represent 대표하다, 나타내다 19.20수능

He was **present** at the commencement ceremony.

그는 졸업식에 **참석했다**.

delight in the **present**

현재의 즐거움 11수능

1030 ★★☆

prse

산문, 산문체

□□□ [06 수능기출]

prose [próuz]

명 산문, 산문체

relationship between **prose** and poetry

산문과 운문 간의 관계 06수능

1031 ★★☆

punctul

시간을 지키는

□□□ 교육부 [06 수능기출]

punctual [pʌ́ŋktʃuəl]

형 시간을 지키는

㉺ punctually 시간대로, 정각에

㊈ on schedule=on time=punctually : 정시에 수능기출

Punctually as always, she listened and heard the car approach.

항상 **그렇듯이** 그녀는 차가 다가오는 것을 귀 기울여 들었다. 06수능

1032 ★★★

rview

검토, 논평, 비평, 보고서
재검토하다

□□□ 교육부 [10.15.17.20 수능기출]

review [rivjúː]

명 검토, 논평, 비평, 보고서 동 재검토하다

㊌ trailer 예고편

We should consider this when **reviewing** the results of a survey.

우리는 조사의 결과를 **검토할** 때 이것을 고려해야 한다. 10수능

1027 팔러틱스 1028 프리히스토~릭 1029 프리젠트 1030 프로즈 1031 펑츄얼 1032 리뷰~

1033 ★★☆

revis 

변경하다, 개정하다

□□□ 교육부 [94.12 수능기출]

revise [riváiz]

동 변경하다, 개정하다

㉺ revision 개정, 교정

We may have to **revise** this figure upwards.
우리가 이 수치를 상향 **조정해야** 할 것이다.

a **revised** edition
개정판 12수능

1034 ★★★

r  **volution**

혁명

□□□ 교육부 [94.94.05.07.13.14 수능기출]

revolution [rèvəlú:ʃən]

명 혁명

㉺ revolutionize 대변혁을 일으키다 revolt 반란 revolve 돌다

During the France **Revolution**, in 1792, he joined the Army of the North as a military surgeon.
1972년의 프랑스 **대혁명** 동안, 그는 북군에 군의관으로 입대했다. 07수능

1035 ★☆☆

rhet  **rical**

수사법의, 화려한

□□□ [14 수능기출]

rhetorical [ritɔ́:rikəl]

형 수사법의, 화려한

the use of **rhetorical** expressions such as metaphor and irony
은유와 반어 같은 **수사적인** 표현의 사용

1036 ★☆☆

rhym 

운, 운문

□□□ [06 수능기출]

rhyme [ráim]

명 운, 운문

It is hard to forget a good **rhyme**.
좋은 **운율**은 잊기 어렵다.

the most popular nursery **rhymes** for two-year-olds
2세 아동을 위한 가장 인기 있는 **동요들** 06수능

1037 ★★☆

satir 

풍자

□□□

satire [sǽtaiər]

명 풍자

Madang-nori is a form of **satire**.
마당놀이는 **풍자**의 한 형태이다.

1038 ★☆☆

s  **holarship**

장학금, 학문

□□□ [94 수능기출]

scholarship [skάlərʃip]

명 장학금, 학문

One's personal morality must never get in the way of **scholarship**.
한 개인의 도덕심이 **학문**을 방해해서는 안 된다. 94수능

He went through college on a **scholarship**.
그는 **장학금**을 받고 대학을 다녔다

1039 ★★★

s ssion

(특정한 활동) 시간, 기간, 학년

□□□ [94.05 수능기출]

session [séʃən]

명 (특정한 활동) 시간, 기간, 학년

The first **session** of the exams is over.
시험의 첫 **교시**가 끝났다.

a single **session**
한 **강의** 94수능

1040 ★★★

stat  sman

정치인

□□□

statesman [stéitsmən]

명 정치인

He is famous as a **statesman**.
그는 **정치인**으로 유명하다.

1041 ★★★

strid 

한 걸음(의 폭)

□□□ [15 수능기출]

stride [straid]

명 한 걸음(의 폭)

They measured the length of their **strides**.
그들은 그들의 **보폭**을 측정했다. 15수능

1042 ★★★

subtr 

ct

빼다

□□□ [94 수능기출]

subtract [səbtrǽkt]

동 빼다

팁 add 더하다 plus ~을 더한, 양수의 minus ~을 뺀, 음수의 multiply 곱하다 divide 나누다 square 제곱, 제곱하다 equation 방정식

But every educator would add or **subtract** a few subjects.
그러나 모든 교육자는 약간의 과목을 더하거나 **빼기도** 할 것이다. 94수능

1043 ★★★

suff 

x

접미사

□□□

suffix [sʌ́fiks]

명 접미사

반 prefix 접두사

There is a **suffix** at the end of that word.
그 단어 끝에는 **접미사**가 붙어 있다.

1044 ★★★

summ  ry

요약, 개요, 간략한

□□□ [01 수능기출]

summary [sʌ́məri]

명 요약, 개요 형 간략한

파 summarize 요약하다

숙 sum up=summarize : 요약하다 수능기출

Can you tell me about the meeting in **summary**?
그 미팅 내용에 대해 **요약**해서 말해줄 수 있나요?

1045 ★★☆

symph ny

교향곡, 심포니

□□□ [00 수능기출]

symphony [símfəni]

명 교향곡, 심포니

A **symphony** orchestra can fill a whole building with music.
교향악단은 건물 전체를 음악으로 채울 수도 있다. 00수능

1046 ★★☆

syn nym

동의어, 유의어

□□□

synonym [sínənìm]

명 동의어, 유의어

반 antonym 반의어

팁 abbreviation 약어 terminology 용어 homonym 동음이의어

What is a **synonym** for this word?
이 낱말의 **동의어**는 무엇인가?

1047 ★☆☆

terminol gy

(전문) 용어

□□□

terminology [tə̀:rmənάlədʒi]

명 (전문) 용어

I find scientific **terminology** hard to understand.
과학 **용어**가 이해하기 어렵다고 생각한다.

1048 ★★☆

th me

주제, 테마

□□□ 교육부 [11.12 수능기출]

theme [θí:m]

명 주제, 테마

I won second prize in the essay contest on the **theme** of 'future career'.
나는 '장래 직업'이라는 **주제**의 에세이 대회에서 2등 상을 탔다. 12수능

1049 ★★☆

translat

번역하다

□□□ 교육부 [13 수능기출]

translate [trænsléit]

동 번역하다

파 translation 번역 19수능

I **translated** it from English to Korean.
나는 영어를 한국어로 **번역했다**.

기출 transcribe 필사하다 기록하다 19수능

1050 ★★☆

tr aty

조약

□□□

treaty [trí:ti]

명 조약

파 treat 대하다, 처리하다

The **treaty** was signed.
그 **협정**이 체결되었다.

1분 안에 넘기기 | 시간 있으면 꼼꼼히 외우기

1051 ★

tuiti n

교습, 수업료

□□□ [15.20 수능기출]

tuition [tjuːíʃən]

명 교습, 수업료

He has earned most of the **tuition**.

그는 **수업료** 대부분을 벌었다.

tuition fee

수업료 20수능

1052 ★

tyr nt

폭군, 독재자

□□□

tyrant [táiərənt]

명 폭군, 독재자

㉕ tyranny 전제 정치, 독재 정치

The most infamous of Rome's **tyrant** is Nero.

로마의 가장 악명 높은 **폭군**은 네로 황제이다.

1053 ★★

ver l

말의, 구두의, 언어의

□□□ [05.08.13 수능기출]

verbal [və́ːrbəl]

형 말의, 구두의, 언어의

You hope you will get some **verbal** clues in the words.

당신은 그 단어에서 몇가지 **언어적** 단서를 얻게 되기를 바란다. 05수능

1054 ★★

v rse

시몬! 너는 아느냐 낙엽··

운문, 절, 시

□□□ 교육부

verse [vəːrs]

명 운문, 절, 시

㉕ prose 산문 poetry 시

She knows two **verses** of the poem.

그녀는 그 시의 두 **구절**을 알고 있다

1055 ★★★

violen e

폭력, 격렬

□□□ 교육부 [07.08.10.15 수능기출]

violence [váiələns]

명 폭력, 격렬

incredible **violence**

엄청난 **기세** 08수능

violence and war

폭력과 전쟁 10수능

1056 ★

vow l

모음

모음, 모음자

□□□

vowel [váuəl]

명 모음, 모음자

㉯ consonant 자음

Some **vowels** are hard to pronounce.

몇몇 **모음**은 발음하기 어렵다.

1057 ★

olescent

청소년

□□□ [08 수능기출]

adolescent [æ̀dəlésnt]

명 청소년

㉺ adolescence 청소년기

childhood, **adolescence**, maturity and old age

유년기, **청년기**, 장년기, 노년기08수능

1058 ★★

pplaud

박수를 치다, 갈채를 보내다

□□□ [98 수능기출]

applaud [əplɔ́:d]

동 박수를 치다, 갈채를 보내다

㉺ applause 박수, 갈채 applausive 박수갈채의

She **applauded** his passionate performance.

그녀는 그의 열정적인 연주에 **갈채를 보냈다**.98수능

1059 ★

aptitud

소질, 적성

□□□ [06 수능기출]

aptitude [ǽptətjù:d]

명 소질, 적성

Students need to excel in their **aptitude** tests.

학생들은 그들의 **적성**검사에서 우수한 성적을 낼 필요가 있다.06수능

1060 ★★

aspirat

n

열망, 포부, 염원

□□□ [08 수능기출]

aspiration [æ̀spəréiʃən]

명 열망, 포부, 염원

㉺ aspire 열망하다

Coins reflect both a country's history and its **aspirations**.

동전은 한 나라의 역사와 **열망**을 반영한다.08수능

1061 ★★★

bor

dom

지루함, 따분함

□□□ [03.10.12 수능기출]

boredom [bɔ́:rdəm]

명 지루함, 따분함

㉺ bored 지루해하는

That friend broke the **boredom**.

그 친구는 **따분함**을 단래 주었다

1062 ★★★

compani

n

동반자, 동행, 친구

□□□ 교육부 [06.07.10 수능기출]

companion [kəmpǽnjən]

명 동반자, 동행, 친구

Suffering is our only **companion**.

고통이 우리의 유일한 **동행자**이다.06수능

imaginary **companions**

가상의 **친구들** 10수능

1063 ★★★

oncentration

집중(력), 집결

□□□ [00.04.06.10.11.12.15 수능기출]

concentration [kɑ̀nsəntréiʃən]

명 집중(력), 집결

동 concentrate 집중하다 20수능

These days my **concentration** weakens.
요즘 나의 **집중력**이 떨어진다.

You will tend to **concentrate** better on the event at hand.
당신은 지금 현재 벌어지고 있는 일에 더 **집중**을 하게 될 것이다. 00수능

1064 ★

discipl

제자

□□□

disciple [disáipl]

명 제자

파 discipline 훈련, 규율 유 pupil 제자, 문하생

He has many **disciples**.
그는 많은 **제자**가 있습니다.

1065 ★

d

dge

요리조리 피하다, 홱 피하다

□□□ [16 수능기출]

dodge [dadʒ]

동 요리조리 피하다, 홱 피하다

He may learn to **dodge** difficult math problems.
그들은 어려운 수학 문제를 **요리조리 피하는** 방법을 배우게 될 것이다.

1066 ★★★

enduran

e

지구력

□□□ [13 수능기출]

endurance [indjúərəns]

명 지구력

파 endure 참다, 견디다

They perform better in **endurance** exercises.
그들은 **지구력** 운동에서 더 잘 수행한다. 13수능

1067 ★

entr

nt

신참, 참가자

□□□

entrant [éntrənt]

명 신참, 참가자

파 entrance 입구, 입장

She is the final **entrant**.
그녀는 최종 **참가자**입니다.

1068 ★★★

ventually

결국, 마침내

□□□ [97.05.07.08.10.11.12.13.14.15 수능기출]

eventually [ivéntʃuəli]

부 결국, 마침내

숙 at last=at length=in the end=after all=in the long run=eventually =finally : 마침내, 결국 수능기출

파 eventual 궁극적인 20수능

We will **eventually** win.
우리는 **결국** 승리한다.

1063 칸슨트레이션 1064 디사이플 1065 다아쥐 1066 인듀런스 1067 엔트런트 1068 이벤츄얼리

1069 ★★★

□□□ [06.07.12.13 수능기출]

excel [iksél]

동 뛰어나다, 탁월하다

㉰ excellent 훌륭한, 탁월한 ㉱ exceed (양, 정도) 초과하다

㊌ excel at : ~에 탁월하다 excel in : ~에서 뛰어나다

Some women continue to **excel in** their field.
일부 여성들은 자기 분야에서 지속적으로 **두각을 나타내고 있다.**

1070 ★

□□□ [15 수능기출]

expel [ikspél]

동 쫓아내다

㉰ expulsion 배제, 제명

The student was **expelled**.
그 학생은 **퇴학당했다**.

1071 ★

□□□ [16 수능기출]

extrinsic [ikstrínsik]

형 외적인

extrinsic motivators such as grades
성적과 같은 **외적인** 동기 부여 요인

1072 ★

□□□

forthright [fɔ:rθrait]

형 솔직 담백한

㊜ outspoken 노골적으로[거침없이] 말하는

She is **forthright** and does not lie.
그녀는 **솔직담백**하고 거짓이 없다.

1073 ★★

□□□ [13 수능기출]

forthwith [fɔ̀:rθwíθ]

부 곧, 즉시

I resort **forthwith** to the pen.
나는 **즉시** 펜에 의존한다. 13수능

1074 ★

□□□ [12 수능기출]

freshman [fréʃmən]

명 신입생

I am a **freshman** in high school.
나는 고등학교 **1학년**이다. 12수능

1분 안에 넘기기 | 시간 있으면 꼼꼼히 외우기

1075 ★★★

g  nius

천재, 천재성,
특별한 재능

□□□ [00.05.17 수능기출]

genius [dʒíːnjəs]

명 천재, 천재성, 특별한 재능

팁 genuine 진짜의, 참된

If I were a **genius**, I would not mind being treated like one.

만약 내가 **천재**라면, 난 천재처럼 다루어지는 것을 꺼리지 않을 텐데. 00수능

1076 ★★★

 rant

주다, 승인하다, 인정하다
보증금

□□□ [94.97.05.08.13.16 수능기출]

grant [grǽnt]

동 주다, 승인하다, 인정하다 명 보증금

숙 take it for granted that : ~을 당연한 것으로 여기다 수능기출

They receive state **grants** for the university.

그들은 대학에 다니기 위해서 국가**보조금**을 받는다. 94수능

1077 ★★

hallw  y

복도

□□□ [16 수능기출]

hallway [hɔ:lweɪ]

명 복도

She was seated in the fifth row, **hallway** side.

그녀는 **복도** 쪽 다섯 번째 줄에 앉았다.

1078 ★★

id  ntity

신원, 신분, 정체

□□□ 교육부 [17.19.20 수능기출]

identity [aidéntəti]

명 신원, 신분, 정체

파 identifiable 확인[인식] 가능한 15.20수능 identification 신분증
identical 동일한 identify 알아내다, 식별하다 20수능

I am a person with a clear **identity**.

나는 **신원**이 확실한 사람이다.

1079 ★★★

individu  l

각각의, 개인의

□□□ 교육부 [94.95.97.99.00.07.08.11.12.13.14.15.16.17 수능기출]

individual [ìndəvídʒuəl]

형 각각의, 개인의

파 individuality 개성 individualism 개인주의 individualist 개인주의자

Individuals and teams stopped sharing information.

개인과 팀들은 정보 공유를 중단했다. 12수능

1080 ★★★

influen  e

영향, 영향을 미치다

□□□ 교육부 [96.00.03.05.07.09.10.12.13.15.16.17 수능기출]

influence [ínfluəns]

명 영향 동 영향을 미치다

숙 have an effect on=have an influence on=affect=influence=tell on : ~에 영향을 미치다 수능기출

The amount of the bet will **influence** the outcome.

베팅의 금액은 결과에 **영향을 미칠 것**이다. 12수능

1075 쥐~니어스 1076 그랜트 1077 호울웨이 1078 아이덴너티 1079 인디비쥬얼 1080 인플루언스

1081 ★☆☆

innat 

타고난, 선천적인

□□□

innate [inéit]

형 타고난, 선천적인

㊒ inborn 타고난 inherent 내재하는

㊙ acquired 후천적인

He has **innate** qualities.

그는 **타고난** 자질을 가지고 있다.

1082 ★★★

inn  r

내부의

□□□ 교육부 [98.06.07.12.13.14.15 수능기출]

inner [ínər]

형 내부의

㊙ outer 외부의

He went into the **inner** rooms.

그는 방 **내부**로 들어갔다.

a powerful **inner** voice

확고한 **내면의** 목소리 07수능

1083 ★★★

ins  ght

통찰력, 이해

□□□ 교육부 [96.05.12.14.15.19 수능기출]

insight [ínsàit]

명 통찰력, 이해

㉺ insightful 통찰력 있는 sight 시야, 시각

He has brilliant **insights**.

그는 뛰어난 **통찰력**을 가지고 있다.

1084 ★★★

inspir  tion

영감, 기발한 생각

□□□ [08.11.16.19.20 수능기출]

inspiration [ìnspəréiʃən]

명 영감, 기발한 생각

At that moment, a sudden **inspiration** took hold

그 순간 갑작스럽게 **영감**이 떠올랐다. 11수능

1085 ★★★

intell  ctual

지성의, 지적인

□□□ 교육부 [94.99.08.11.13.14.16.17.19 수능기출]

intellectual [ìntəléktʃuəl]

형 지성의, 지적인

㉺ intellect 지적 능력 intellective 지성의, 지적인

His **intellect** led to achievements in modern science.

그의 **지성**은 현대 과학에서 업적을 이끌었다. 99수능

1086 ★★☆

intuitiv 

직관에 의한, 직감하는

□□□ [13.16 수능기출]

intuitive [intjú:ətiv]

형 직관에 의한, 직감하는

㉺ intuition 직관

He is an **intuitive** person.

그는 **직관적인** 사람이다.

1081 이네잍 1082 이너 1083 인사이트 1084 인스퍼레이션 1085 인터렉츄얼 1086 인튜이티브

1분 안에 넘기기 | 시간 있으면 꼼꼼히 외우기

1087 ★★★

inwar 

마음속의, 내심의

□□□ 교육부

inward [ínwərd]

형 마음속의, 내심의

It disturbed his **inward** feelings

그것은 자신의 **내면적** 감정을 방해했다.

1088 ★★★

juv  nile

청소년의, 아동의

□□□

juvenile [dʒúːvənl]

형 청소년의, 아동의

He is still a **juvenile.**

그는 아직도 **소년이다.**

1089 ★★★

mimi 

흉내를 내다, 모방하다

□□□ [11.19 수능기출]

mimic [mímik]

동 흉내를 내다, 모방하다

㊒ imitate 본뜨다, 모방하다 19수능

He also **mimics** accents.

그는 말씨를 **흉내 내기도** 한다. 11수능

1090 ★★★

ob  dient

순종적인, 복종하는

□□□ [97.17 수능기출]

obedient [oubíːdiənt]

형 순종적인, 복종하는

㊕ obedience 복종 obey 복종하다 disobedient 반항하는, 거역하는 14수능

㊎ defiant 반항적인 defy 거역하다

The dog is **obedient.** 그 개는 **순종적**이다

Computers have infinite patience and **obedience.**

컴퓨터는 무한한 인내와 **복종**을 갖고 있다. 97수능

1091 ★★★

 rdinary

보통의, 일상적인, 평범한

□□□ [99.08.09.10.12.13 수능기출]

ordinary [ɔ́ːrdənèri]

형 보통의, 일상적인, 평범한

㊕ ordinarily 정상적으로, 대개는

ordinary people

평범한 사람들 99수능

ordinary life

일상 생활 08수능

1092 ★★★

out  ast

따돌림받은 사람, 추방자, 폐물

□□□ [95 수능기출]

outcast [áutkæ̀st]

명 따돌림받은 사람, 추방자, 폐물

They are often treated like **outcasts.**

그들은 종종 **폐물**처럼 다루어진다. 95수능

1093 ★★☆

utfit

옷, 용품, 갖추다

□□□

outfit [áutfit]

명 옷, 용품 동 갖추다

유 costume, clothes

I like this new **outfit**.

나는 이 새로운 **옷**이 좋다.

1094 ★☆☆

pastim 

취미

□□□ [07 수능기출]

pastime [pǽstàim]

명 취미

pastime activities

취미 활동들07수능

1095 ★★★

p  er

또래, 귀족

□□□ [11.12.17 수능기출]

peer [píər]

명 또래, 귀족

팁 colleague 동료 coworker 동료 comrade 동무

People tend to agree with their **peers**.

사람들은 그들의 **동료들**에게 동의하는 성향이 있다.11수능

1096 ★★★

perf  rmance

공연, 연기, 실적, 수행

□□□ [96.98.99.03.05.06.07.11.12.13.16.17 수능기출]

performance [pərfɔ́ːrməns]

명 공연, 연기, 실적, 수행

파 perform 실행하다 performer 연기자

live **performance** 실제 **공연** 07수능

An Olympic inspires others to set new records of human **performance**.

올림픽은 다른 이들에게 인간 **수행**의 새로운 기록을 세우도록 고무한다.12수능

1097 ★★★

person  ity

성격, 인격, 개성

□□□ [94.09.10.16 수능기출]

personality [pə̀ːrsənǽləti]

명 성격, 인격, 개성

파 personalize 개인화하다, 인격화하다

팁 personhood 개성, 인간성 20수능

Birth order directly affects both **personality** and achievement in adult life.

생일 순서는 **성격**과 어른의 삶에서의 성취에 영향을 미친다.09수능

1098 ★★★

perspectiv 

관점, 원근법

□□□ 교육부 [05.09.14.15.16.17.20 수능기출]

perspective [pərspéktiv]

명 관점, 원근법

숙 put ~ in perspective ~을 이해하다, ~을 전체적인 시야로 보다 20수능

He portrays the essential form of objects in **perspective**.

그는 사물의 본질적 형태를 **원근법**적으로 묘사한다.05수능

1099 ★★★

p  rtrait

초상화, 묘사

□□□ [12 수능기출]

portrait [pɔ́:rtrit]

명 초상화, 묘사

파 portray (그림 등을) 그리다, 표현하다

This is a **portrait** of the artists.

이것은 예술가들의 **초상화**이다. 12수능

1100 ★★★

pr  mpt

즉각적인, 신속한

□□□ [12.14.15 수능기출]

prompt [prɑ́mpt]

형 즉각적인, 신속한

파 promptly 즉시, 지체없이

Thank you for your **prompt** reply.

신속하게 답변 주셔서 감사합니다.

1101 ★★★

pupi 

학생, 눈동자(동공)

□□□ 교육부 [95.97.99 수능기출]

pupil [pjú:pəl]

명 학생, 눈동자(동공)

유 student 팀 instructor 교사, 강사

I am his **pupil** and admirer.

나는 그의 **제자**이자 찬양자이다. 99수능

1102 ★★★

reb  l

반역자, 반항아

□□□

rebel [rébəl]

명 반역자, 반항아

파 rebellion 반란 rebellious 반역하는 유 traitor 반역자

She was a **rebel** when she was young.

그녀는 어렸을 때 **반항아**였다.

1103 ★★★

reputat  n

평판, 명성

□□□ 교육부 [07.08.10.15 수능기출]

reputation [rèpjutéiʃən]

명 평판, 명성

파 repute 평하다, 여기다

After the fall of Napoleon, Larrey's medical **reputation** saved him.

나폴레옹의 몰락 후에, 라레의 의학적 **명성**은 그를 구해 주었다. 07수능

1104 ★★★

r  sponsible

책임지고 있는

□□□ 교육부 [07.08.09.11.14.16.17 수능기출]

responsible [rispɑ́nsəbl]

형 책임지고 있는

파 responsibility 책임, 의무

숙 answer for=be responsible for=be liable for=be in charge of=be accountable for : ~에 책임이 있다 수능기출

You have to be **responsible** for what you did.

당신이 한 일에 대해 **책임을 져야** 합니다. 09수능

1105 ★★★

r 

union

모임, 동창회, 재회

□□□ [95.10.12.19 수능기출]

reunion [rìːjúːnjən]

명 모임, 동창회, 재회

class reunion 동창회 19수능

They rushed on ahead to this joyful **reunion**.

이런 즐거운 **재회**를 위해 그들은 앞으로 달려왔다.95수능

1106 ★★★

riddl 

수수께끼, 불가사의

□□□

riddle [rídl]

명 수수께끼, 불가사의

Can you answer this **riddle**?

너는 이 **수수께끼**에 대답을 할 수 있니?

1107 ★★★

rol 

역할, 배역

□□□ 교육부 [98.99.01.03.04.05.07.08.09.10.11.12.13.14.15.16 수능기출]

role [róul]

명 역할, 배역

The **role** of social bonds and affection are taught in homes.

사회적 유대감과 애착의 **역할**은 가정에서 배운다.11수능

1108 ★★★

r  utine

(일상의) 틀, 일과

□□□ [13.16.20 수능기출]

routine [ruːtíːn]

명 (일상의) 틀, 일과

exercise routine

정해진 운동 순서 20수능

A squirrel repeats the same **routine** every day.

다람쥐는 매일 똑같은 **일상**을 반복한다.

1109 ★★★

selfl 

ss

이기심 없는,
사심 없는

□□□ [07 수능기출]

selfless [sélflis]

형 이기심 없는, 사심 없는

They are **selfless** people who perform extraordinary acts.

그들은 비범한 일을 해내는 **이기심이 없는** 이들이다.07수능

1110 ★★★

s  nior

연장자, 선배, 연상의

□□□ 교육부 [97.06.14 수능기출]

senior [síːnjər]

명 연장자, 선배 형 연상의

She is our **senior** by many years.

그녀는 우리의 한참 **선배이다**.

This is their **senior** year in highschool.

올해가 고등학교 **마지막** 학년이다. 06수능

1분 안에 넘기기 | 시간 있으면 꼼꼼히 외우기

1111 ★★☆

solitud
고독

□□□ [07,14 수능기출]

solitude [sάlətjùːd]

명 고독

파 solitary 혼자의, 외로운

solitude and relaxation
고독과 휴식 07수능

기출 relaxation 휴식 08수능

1112 ★★☆

speculat
추측[짐작]하다, 투기하다

□□□ [16 수능기출]

speculate [spékjulèit]

동 추측[짐작]하다, 투기하다

파 speculation 사색 speculative 사색적인

As for their shape and size, we can only **speculate.**
그것들의 모양과 크기에 있어서 우리는 그저 **추측**만 할 수 있을 뿐이다.

1113 ★☆☆

stereotyp
고정관념, 정형화하다

집안일은
여자가…

□□□

stereotype [stériətàip]

명 고정관념 동 정형화하다

Now that's just an unfair **stereotype.**
이제, 그것은 불공평한 **고정관념**일 뿐이다.

1114 ★★☆

symb lic
상징적인, 상징하는

□□□ [05,14,15,17 수능기출]

symbolic [simbάlik(əl)]

형 상징적인, 상징하는

파 symbol 상징 symbolize 상징하다

It is flat and **symbolic.**
이것은 평면적이고 **상징적이다.** 05수능

1115 ★★☆

ti y
깔끔한, 잘 정돈된

□□□

tidy [táidi]

형 깔끔한, 잘 정돈된

파 tide 조수, 흐름

Our living room is always **tidy.**
우리의 거실은 항상 **깔끔하다.**

1116 ★☆☆

turm il
혼란, 소란

□□□ [12 수능기출]

turmoil [təːrmɔil]

명 혼란, 소란

Those who eat at night are responding to emotional **turmoil.**
야식을 먹는 사람들은 감정적인 **혼란**에 반응하는 것이다. 12수능

1117 ★

undergraduat

대학생

□□□

undergraduate [ʌ̀ndərgrǽdʒuət]

명 대학생

The **undergraduate** is busy now.

그 **대학생**은 지금 바쁘다.

1118 ★★★

uni n

조합, 결합

□□□ 교육부 [98.13.15.17 수능기출]

union [júːnjən]

명 조합, 결합

팁 reunion 동창회, 모임 95.10수능

They agreed to a **union** of the two teams.

그들은 그 두 팀의 **결합**에 동의했다.

1119 ★★★

volunte r

자원봉사자, 지원병, 자원봉사하다

□□□ [02.11.14.17.19 수능기출]

volunteer [vɑ̀ləntíər]

명 자원봉사자, 지원병 동 자원봉사하다

파 voluntary 자발적인, 자진한

volunteers to work

일할 **자원 봉사자**11수능

1120 ★

wh z

(바람을 가르는) 윙 하는 소리

□□□

whiz [hwíz]

명 (바람을 가르는) 윙 하는 소리

The bullet made a **whizzing** sound.

총알이 **윙 하는 소리**를 냈다.

1121 ★

w tty

재치 있는, 기지 있는

□□□ [98 수능기출]

witty [wíti]

형 재치 있는, 기지 있는

this **witty** remark

이 **재치 있는** 말98수능

1122 ★★

zeal us

열성적인

□□□ [96.13 수능기출]

zealous [zéləs]

형 열성적인

파 zealot 광신도, 열성분자

a **zealous** supporter

열성적 지지자

1117 **언더**그레**쥬**에잇 1118 **유**~니언 1119 **발**런**티**어 1120 **위**즈 1121 **위**티 1122 **젤**러스

1123 ★★★

abstra  t

추상적인, 관념적인
발췌, 요약

□□□ 교육부 [05.09.15.19 수능기출]

abstract [æbstrǽkt]

형 추상적인, 관념적인 명 발췌, 요약

㊙ abstraction 관념, 추상적 개념

I like **abstract** paintings.

나는 **추상적인** 그림들을 좋아한다.

1124 ★

aesth  tics

미학

□□□

aesthetics [esθétiks]

명 미학

㊙ aesthetic 미적인

I took a course in **aesthetics**.

나는 **미학** 수업을 들었다.

1125 ★

 ltruism

이타주의

□□□

altruism [ǽltru:ìzm]

명 이타주의

㊍ ethics of altruism : 이타주의 윤리관
altruism gene : 이타심 유전자 수능기출

Altruism has always existed.

이타주의는 언제나 존재해 왔다.

1126 ★★

anc  stor

조상, 선조

□□□ [06.13 수능기출]

ancestor [ǽnsestər]

명 조상, 선조

Our **ancestors** inhabited an innocent world.

우리의 **조상들**은 단순한 세상에 살았다. 06수능

1127 ★★

ane  ote

일화,
개인적인 진술

□□□ [12 수능기출]

anecdote [ǽnikdòut]

명 일화, 개인적인 진술

He combined biographical **anecdotes** with critical comment.

그는 전기적인 **일화들**을 비판적인 언급과 결합시켰다. 12수능

1128 ★★★

beli  f

확신, 믿음

□□□ [97.98.99.09.11.12.16.17 수능기출]

belief [bilí:f]

명 확신, 믿음

Our self-image is formed by our **beliefs**.

우리가 **믿는 것**으로 인해 우리 자신의 이미지가 형성된다는 것이다. 99수능

1129 ★☆☆

burr  **w**

굴, 은신처
(굴을) 파다

□□□ [13 수능기출]

burrow [bə́:rou]

명 굴, 은신처 동 (굴을) 파다

I guessed the rain had washed out his **burrow**.

나는 비에 그의 **굴**이 휩쓸려갔을 것으로 생각했다. 13수능

1130 ★★☆

 **entrality**

중요성, 중심임

□□□ [15 수능기출]

centrality [sentrǽləti]

명 중요성, 중심임

centrality of this mode of thinking 15수능

사고방식의 **중요성**

1131 ★★☆

c  **mmitment**

몰두, 헌신, 위임

□□□ [13 수능기출]

commitment [kəmítmənt]

명 몰두, 헌신, 위임

children's **commitment**

아이들의 **몰두** 13수능

1132 ★★☆

c  **mmunism**

공산주의

□□□

communism [kámjunìzm]

명 공산주의

Communism is already outdated.

공산주의 시대는 이미 지났다.

1133 ★☆☆

c  **nfucius**

공자(유교의 창시자)

□□□

confucius [kənfjú:ʃəs]

명 공자(유교의 창시자)

팁 the Analects of Confucius 논어

Confucius was a Chinese scholar.

공자는 중국의 학자였다.

1134 ★★☆

divin 

신의, 신성한

□□□

divine [diváin]

형 신의, 신성한

파 divinity 신성, 신

I need some **divine** help.

난 **신의** 도움이 좀 필요해.

1135 ★★☆

do  trine

교리, 주의

□□□

doctrine [dάktrin]

명 교리, 주의

This is a new **doctrine**.

이는 새로운 **교리**이다.

1136 ★★☆

ena  t

제정하다,
상연하다

□□□ [11.20 수능기출]

enact [inǽkt]

동 제정하다, 상연하다

ⓟ enactment 법률 제정, 법규

The new law was **enacted**.

그 새로운 법이 **제정됐다**.

In primitive societies, their way of life is **enacted** before all.

원시 사회는 그들의 생활 방식이 모든 눈앞에서 **벌어진다**. 11수능

1137 ★☆☆

 nlightenment

깨우침, 계몽주의 시대(18세기)

□□□

enlightenment [inláitnmənt]

명 깨우침, 계몽주의 시대(18세기)

ⓟ enlighten 이해시키다

The time for **enlightenment** is over.

계몽기가 끝났다.

1138 ★★★

et  rnal

영원한, 끊임없는

□□□ [94.07 수능기출]

eternal [itə́:rnl]

형 영원한, 끊임없는

ⓟ eternally 영원히 ⓤ everlasting 영원한 permanent 불변의

They are people who will shine **eternally**.

그들은 **영원히** 빛날 사람들이다. 07수능

1139 ★☆☆

ethn 

민족의, 인종의

□□□ [99.06.11 수능기출]

ethnic [éθnik]

형 민족의, 인종의

ⓟ ethnicity 인종, 민족

ethnic group

민족 99수능

different **ethnic** groups

다른 소수 **민족** 11수능

1140 ★★☆

extr  vert

외향적인 사람

□□□ [15 수능기출]

extrovert [ékstrəvə̀:rt]

명 외향적인 사람

ⓑ introvert 내향적인 사람

His wife is an **extrovert**.

그의 부인은 **외향적인 사람**이다.

1135 닥트린 1136 이낵트 1137 인라이튼먼트 1138 이터~널 1139 에띠닉 1140 엑스트러버~트

1141 ★★★

f ith

믿음, 신뢰, 신앙

□□□ 교육부 [07,16 수능기출]

faith [féiθ]

명 믿음, 신뢰, 신앙

㉺ faithful 충실한

It is a rapidly growing **faith.**

그것은 급속하게 성장하고 있는 **신앙**이다.

1142 ★★☆

fat

운명

□□□ 교육부 [13 수능기출]

fate [féit]

명 운명

㊌ destiny 운명 doom 비운

What will be my **fate**?

내 **운명**은 어떻게 되나요?

1143 ★☆☆

folklor

민속, 전통 문화

□□□

folklore [fóuklɔ̀:r]

명 민속, 전통 문화

Our village has a unique traditional cuisine and **folklore.**

우리 마을은 독특한 전통적 음식과 **민속**이 있다.

1144 ★☆☆

folkta

민간 설화, 전설

□□□

folktale [fóuktèil]

명 민간 설화, 전설

That is only a **folktale.**

그것은 단지 **민간 설화**일 뿐입니다.

1145 ★☆☆

forefath r

조상

□□□

forefather [fɔ́:rfɑ̀:ðər]

명 조상

Our **forefathers** were great men.

우리의 **조상들**은 위대한 분들이었다.

1146 ★☆☆

gen alogy

족보, 가계(도), 혈통

□□□

genealogy [dʒì:niɑ́lədʒi]

명 족보, 가계(도), 혈통

㉺ gene 유전자 genetic 유전의

Each family has its **genealogy.**

각 가족은 **가계도**가 있다.

○ 1분 안에 넘기기

○ 시간 있으면 꼼꼼히 외우기

1147 ★★★

gourm  t

미식가

□□□ [15 수능기출]

gourmet [gúərmei]

명 미식가

Gourmets cook multi-course dinners. 15수능

미식가들은 여러 단계의 코스 저녁 식사를 요리한다.

1148 ★★★

h  ll

지옥

□□□ 교육부 [17 수능기출]

hell [hél]

명 지옥

유 Hades 저승 반 heaven 천국

Hell is a very hot place.

지옥은 매우 뜨거운 곳이다.

1149 ★★★

hereaft  r

이후로, 사후에, 내세에

□□□ [16 수능기출]

hereafter [hìəræftər]

부 이후로, 사후에, 내세에

유 in the future : 장차, 미래에 thereafter 그 후에

Do you believe in a life **hereafter**?

너는 **내세**를 믿니?

1150 ★★★

heritag 

유산

□□□ [11.19 수능기출]

heritage [héritidʒ]

명 유산

파 inherit 상속하다, 물려받다

The child acquires the **heritage** of his culture.

아이는 문화 **유산**을 얻는다. 11수능

1151 ★★★

human  ty

인류, 인간성, 인간애

□□□ [08 수능기출]

humanity [hju:mǽnəti]

명 인류, 인간성, 인간애

팁 humility 겸손

a biologically less evolved form of **humanity**

생물학적으로 덜 진화된 형태의 **인종** 08수능

1152 ★★★

id  al

이상적인, 가장 알맞은

□□□ 교육부 [01.09.10.11.12.14.15 수능기출]

ideal [aidí:əl]

형 이상적인, 가장 알맞은

파 idealistic 이상주의적인 idealism 이상주의 idealist 이상주의자

You have the **ideal** cure for sleeplessness.

당신은 불면증에 대한 **이상적인** 치료법을 갖게 된다. 01수능

1147 고메이 1148 헬 1149 히얼애프터 1150 헤리티쥐 1151 휴매너디 1152 아이디~얼

1153 ★★☆

lumination
(불)빛, 조명

□□□

illumination [ilùːmənéiʃən]

명 (불)빛, 조명

The **illumination** made it bright.
그 **조명**은 밝게 해 주었다.

1154 ★★☆

illus n

환상, 착각

□□□ [12.13.14.15 수능기출]

illusion [ilúːʒən]

명 환상, 착각

㊀ illusory 현혹시키는 illusionist 마술사, 요술쟁이 13수능

He has not yet awakened from the **illusion**.
그는 아직도 **환상**에서 깨어나지 못하고 있다.

Control of the outcome is clearly an **illusion**.
결과에 대한 통제는 명백히 **착각**이다. 12수능

1155 ★☆☆

ina enable

양보할 수 없는,
빼앗을 수 없는

□□□

inalienable [inéiljənəbl]

형 양보할 수 없는, 빼앗을 수 없는

Our rights are **inalienable**.
우리의 권리를 **양도할 수 없습니다**.

1156 ★★☆

irrati nal

비이성적인,
비합리적인

□□□ [14 수능기출]

irrational [irǽʃənl]

형 비이성적인, 비합리적인

His **irrational** thoughts are ignorant.
그의 **비이성적인** 생각들은 무식하다.

1157 ★☆☆

kinshi

친족, 연대감

□□□ [13 수능기출]

kinship [kínʃip]

명 친족, 연대감

Females sound the alarm for **kinship** groups.
암컷은 **친족**을 위해 경고음을 낸다. 13수능

1158 ★☆☆

lega y

유산

□□□

legacy [légəsi]

명 유산

㊒ heritage (국가·사회의) 유산 bequest 유증, 유산

He left a large **legacy**.
그는 많은 **유산**을 남겼다.

1159 ★★★

leg  **nd**

전설

□□□ [98.01.17 수능기출]

legend [lédʒənd]

명 전설

㉺ legendary 전설적인, 아주 유명한

The tiger who smoked cigarettes is already a **legend**.

담배 피우던 호랑이는 이미 **전설**이다.

1160 ★★★

lib  **rty**

자유

□□□ 교육부

liberty [líbərti]

명 자유

the fight for justice and **liberty**.

정의와 **자유**를 위한 싸움

1161 ★★★

l  **gography**

한자

□□□

logography [lɔ:gou-grəfi]

명 한자

Today we studies **logograph**.

오늘 우리는 **한자** 공부를 한다.

1162 ★★★

m  **ss**

큰 덩어리, 대중

□□□ 교육부 [95.99.06.07.08.09.10.12.13 수능기출]

mass [mǽs]

명 큰 덩어리, 대중

㉺ massive (육중하면서) 거대한 massiveness 거대함 19수능 ㉸ lump 덩어

mass production

대량 생산 07수능

mass culture

대중 문화 09수능

1163 ★★★

m  **ral**

도덕적인, 교훈적인

□□□ 교육부 [94.98.07.11.13.15 수능기출]

moral [mɔ́:rəl]

형 도덕적인, 교훈적인

㉺ morality 도덕 morally 도덕적으로

morally and ethically

도덕적이고 윤리적인 07수능

moral courage

도덕적인 용기 11수능

1164 ★★★

myt 

신화

□□□ [01.07.08.10.13.15 수능기출]

myth [míθ]

명 신화

㉺ mythical 신화 속에 나오는 mythology 신화 19수능

The stormy skies and dark seas were ruled by the **mythical** gods.

폭풍우를 만들어내는 하늘과 어두운 바다가 **신화에 등장하는** 신들에 의해 다스려졌다. 07수능

1165 ★☆☆

nat  l

출생의

□□□ [13 수능기출]

natal [néitl]

형 출생의

Females stay in their **natal** area.
암컷은 **태어난** 곳에서 지낸다. 13수능

His **natal** place was a stable.
그가 **태어난** 곳은 마굿간이다.

1166 ★★★

not  on

개념, 관념, 생각

□□□ 교육부 [08.10.13.16.17.19.20 수능기출]

notion [nóuʃən]

명 개념, 관념, 생각

㉫ notional 관념상의, 개념상의 19수능

along with the **notion**
생각과 더불어 08수능

a well-established **notion**
잘 확립된 **개념** 10수능

1167 ★★☆

 ffspring

자식, 자손,
(동물의) 새끼

□□□ [11 수능기출]

offspring [ɔ́:fspriŋ]

명 자식, 자손, (동물의) 새끼

㉯ descendant 후손 ancestor 조상

the **offspring** of primitive man
원시인의 **자손** 11수능

1168 ★☆☆

om  n

징조, 조짐

□□□

omen [óumən]

명 징조, 조짐

This is a good **omen**.
이것은 좋은 **징조**이다.

1169 ★☆☆

parabl 

우화

□□□

parable [pǽrəbl]

명 우화

㊌ fable 우화, 꾸며낸 이야기

㉯ mythology 신화 fairy tale 동화 folktale 설화 tale 이야기
anecdote 일화

This story is just a **parable**.
이 이야기는 단지 **우화**이다.

1170 ★★☆

parad 

x

역설, 패러독스

□□□ [11.19 수능기출]

paradox [pǽrədɑ̀ks]

명 역설, 패러독스

This is one of the little understood **paradoxes**.
거의 이해가 되지 않는 **역설**들 중 하나이다. 11수능

1171 ★★★

par  ntal

부모의, 어버이의

□□□ [01.03.06.10.14.15 수능기출]

parental [pəréntl]

형 부모의, 어버이의

the **parental** care of children's physical health

아이들의 신체적 건강에 대한 **부모의** 돌봄 06수능

1172 ★★☆

patri  t

애국자

□□□

patriot [péitriət]

명 애국자

파 patriotism 애국심 patriotic 애국적인

My father is a **patriot**.

나의 아버지는 **애국자**다.

1173 ★★☆

preferenc 

선호(도), 선택, 우선권[특혜]

□□□ [19 수능기출]

preference [préfərəns]

명 선호(도), 선택, 우선권[특혜]

My **preference** is the sport car.

내가 **선호**하는 것은 스포츠카이다.

1174 ★★☆

pr  monition

(불길한) 예감, 예고

□□□ [12 수능기출]

premonition [pri:məníʃn]

명 (불길한) 예감, 예고

It is understandable to assume that the dream was a **premonition** of his death.

그 꿈이 그의 죽음에 대한 **예고**였다고 생각하는 것은 당연하다. 12수능

1175 ★★★

princ  ple

원칙

□□□ 교육부 [09.11.14.15 수능기출]

principle [prínsəpl]

명 원칙

팁 principal 교장 숙 in principle : 원칙적으로

one of the main **principles**

주요 **원칙** 중 하나 09수능

1176 ★★☆

proph  cy

예언, 예언력

□□□ [12 수능기출]

prophecy [prάfəsi]

명 예언, 예언력

파 prophesy 예언하다 prophet 예언자

His **prophecy** about the economy came true.

경제에 대한 그의 **예언**이 맞았다.

1177 ★★★

quotati  n

인용구

□□□ [10 수능기출]

quotation [kwoutéiʃən]

명 인용구

the **quotation** on the wall

벽에 걸려 있는 **글귀** 10수능

1178 ★★★

ra  al

인종의, 민족의

□□□ [94.09 수능기출]

racial [réiʃəl]

형 인종의, 민족의

파 multiracial 다민족의

the various **racial** group

다양한 **인종** 집단 94수능

social, **racial**, and economic justice

사회적, **민족적**, 경제적 정의 09수능

1179 ★★★

r  sonable

타당한, 합리적인, 적당한

□□□ [97.98.99.06.12.16.17.20 수능기출]

reasonable [ríːzənəbl]

형 타당한, 합리적인, 적당한

파 reasonably 상당히, 합리적으로 reason 이유

Please explain it **reasonably**.

논리적으로 설명해 주세요.

This seemingly **reasonable** explanation has held up.

겉보기에 **합리적으로** 보이는 이 설명은 신봉이 되어 왔다. 06수능

1180 ★★★

ritu  l

의식, 의례

□□□ [94.08.11.17 수능기출]

ritual [rítʃuəl]

명 의식, 의례

유 rite (특히 종교상의) 의식

팁 ceremony 식, 의식 20수능

rituals, hunts, festivals, cultivation and harvesting

의식, 사냥, 축제, 경작 그리고 추수 11수능

1181 ★★★

sa  red

신성한, 성스러운, 종교적인

□□□ 교육부 [09 수능기출]

sacred [séikrid]

형 신성한, 성스러운, 종교적인

팁 scared 무서워하는

This is a **sacred** sacrifice.

이것은 **신성한** 제물이다.

1182 ★★★

sacrific 

희생, 제물, 희생시키다

□□□ 교육부 [95.07.16 수능기출]

sacrifice [sǽkrəfàis]

명 희생, 제물 동 희생시키다

Their glory lies not in their achievements but in their **sacrifices**.

그들의 영광은 그들의 성취가 아니라 그들의 **희생**에 있다. 07수능

1분 안에 넘기기 | 시간 있으면 꼼꼼히 외우기

1183 ★★★

sag 

현인
현명한

□□□ [16,17 수능기출]

sage [séidʒ]

명 현인 형 현명한

They called Confucius a **sage**.
그들은 공자를 **현인**이라 불렀다.

1184 ★★★

sain 

성인, 성자

□□□ [07 수능기출]

saint [séint]

명 성인, 성자

This neighbor was a **saint**.
이 이웃은 **성자**였다. 07수능

1185 ★★★

si  ling

형제자매

□□□ [15 수능기출]

sibling [síbliŋ]

명 형제자매

He is intervening in disputes between **siblings**.
그는 **형제자매** 사이의 논쟁에 끼어들고 있다. 15수능

1186 ★★★

sup  rnatural

초자연적 현상
초자연적인

□□□ [14 수능기출]

supernatural [sù:pərnǽtʃərəl]

명 초자연적 현상 형 초자연적인

ⓟ supernaturalistic 초자연주의적인 18수능 superb 뛰어난 superior 우수한 supreme 최상의

ⓤ magical 아주 멋진 21수능

She seems to have **supernatural** powers.
그녀는 **초자연적인** 힘을 가진 것 같다.

1187 ★★★

sup  rstition

미신

□□□

superstition [sù:pərstíʃən]

명 미신

Some **superstitions** remain strong.
일부 **미신**이 강하게 남아 있다.

1188 ★★★

tabo 

금기, 터부

□□□

taboo [təbú:]

명 금기, 터부

Each culture has its own **taboos**.
각 문화에는 고유한 **금기**가 있다.

1183 세이쥐 1184 쎄인트 1185 시블링 1186 수~퍼내츄럴 1187 수~퍼스티션 1188 테부~

1189 ★★★

(성격상의) 특성

□□□ [02.13.16.20 수능기출]

trait [tréit]

명 (성격상의) 특성

유 feature 특징, 특색 20수능

It is a human **trait** to define and classify things.
사물에 대하여 정의를 내리고 분류하는 것은 인간의 **특성**이다. 02수능

1190 ★☆☆

정신적 외상의, 대단히 충격적인

□□□ [12 수능기출]

traumatic [trəmǽtik]

형 정신적 외상의, 대단히 충격적인

파 trauma 정신적 외상, 트라우마

He is concerned about a **traumatic** event.
그는 **충격적인** 사건에 대해 우려하고 있다. 12수능

1191 ★★★

부족, 종족

□□□ [10.14 수능기출]

tribe [tráib]

명 부족, 종족

파 tribal 부족의 팁 race 인종 clan 씨족

기출 tribesmen 부족[종족] 구성원 18수능

Art in **tribal** societies is frequently abandoned.
부족 사회의 예술은 자주 버려진다. 10수능

1192 ★☆☆

실용적인, 공리주의의

□□□ [14.18 수능기출]

utilitarian [jùːtìlətέəriən]

형 실용적인, 공리주의의

It is solid and **utilitarian.**
그것은 튼튼하고 **실용적이다.**

유 pragmatic 실용적인 19수능

1193 ★☆☆

마법, 마술

□□□

witchcraft [wítʃkræ̀ft]

명 마법, 마술

He's interested in **witchcraft**.
그는 **마법**에 관심이 있다.

1194 ★★★

예배하다, 숭배하다

□□□ 교육부 [95.07.17 수능기출]

worship [wə́ːrʃip]

동 예배하다, 숭배하다

파 worshiper 예배를 보는 사람, 숭배자

Now we **worship** in a church.
교회에서 **예배 드리고** 있는 중이다.

They also live in a culture that **worships** youth.
그들은 또한 젊음을 **숭배하는** 문화 속에서 산다. 95수능

1195 ★★★

aft  rward

나중에, 그 후에

□□□ [96.11.17 수능기출]

afterward [ǽftərwərd]

부 나중에, 그 후에

유 later

We can see the results **afterward.**

우리는 나중에 **결과**를 볼 수 있다.

1196 ★★★

alt  r

변경하다, 바꾸다, 고치다

□□□ 교육부 [10.14.15.17 수능기출]

alter [ɔ́:ltər]

동 변경하다, 바꾸다, 고치다

파 alternation 교대, 교체 alternative 대체(의), 대안(의) 19수능

유 change 대안 fluctuate 변동하다 20수능 팁 altar 제단

Could you **alter** it for me?

당신이 나를 위해 그것을 **변경할** 수 있나요?

1197 ★

aristo  rat

귀족

□□□

aristocrat [ərístəkræ̀t]

명 귀족

There are few **aristocrats** left.

남아 있는 **귀족들**은 거의 없다.

1198 ★★★

arti  le

글, 기사, 물품

□□□ 교육부 [00.04.07.13.15.19 수능기출]

article [ɑ́:rtikl]

명 글, 기사, 물품

newspaper **articles** 신문 기사 04수능

an **article of necessity** 필수적인 물건 07수능

기출 newsstand 신문·잡지 판매[가판]대 18수능

1199 ★★★

att  in

이루다, 달성하다

□□□ 교육부 [11.16 수능기출]

attain [ətéin]

동 이루다, 달성하다

파 attainment 달성 유 accomplish 완수하다, 해내다

We have worked hard to **attain** them.

그것들을 **얻기** 위해서 우리는 열심히 노력해 왔다. 11수능

1200 ★★★

 udience

청중, 시청자

□□□ 교육부 [94.96.01.03.04.05.08.10.17 수능기출]

audience [ɔ́:diəns]

명 청중, 시청자

팁 audit 회계, 감사

Find out everything you can about your **audience.**

청중에 대해 당신이 할 수 있는 모든 것을 찾아라. 94수능

1201 ★★★

aver  ge

평균의, 보통의, 평범한
평균

□□□ 교육부 [96.02.06.14.16 수능기출]

average [ǽvəridʒ]

형 평균의, 보통의, 평범한 명 평균

What is your **average** score?
너 **평균** 점수가 몇이니?

People all around the world spend an **average** of 1.1 hours on the road each day.
세계의 사람들은 하루 **평균** 1시간 10분을 길거리에서 소비한다. 02수능

1202 ★★☆

 ward

상, 상금, 수여하다

□□□ 교육부 [05.17.19 수능기출]

award [əwɔ́:rd]

명 상, 상금 동 수여하다

He won the Livingstone **Award** in 2003.
그는 2003년에 리빙스톤 **상**을 받았다. 05수능

1203 ★★☆

bi  graphy

전기, 일대기

□□□ [10.12.17 수능기출]

biography [baiάgrəfi]

명 전기, 일대기

㉺ biographical 전기의

㉼ bio 약력 20수능

This is Napoleon's **biography**.
이것은 나폴레옹 **전기**이다.

1204 ★☆☆

br 

dly

대체로, 명백히,
폭넓게

□□□

broadly [brɔ́:dli]

부 대체로, 명백히, 폭넓게

㉺ broad 광대한, 폭넓은

Broadly speaking, he is correct.
대체로 그가 옳아.

1205 ★☆☆

bygon 

지나간, 옛날의

□□□

bygone [báigɔ̀:n]

형 지나간, 옛날의

That was in **bygone** days.
그것은 **왕년**이었다.

1206 ★☆☆

cer  mic

도자기, 도자기 공예,
도자기의

□□□ [17 수능기출]

ceramic [sərǽmik]

명 도자기, 도자기 공예 형 도자기의

We saw a display of **ceramics**.
우리는 **도자기** 전시회를 봤습니다.

1분 안에 넘기기 | 시간 있으면 꼼꼼히 외우기

1207 ★☆☆

chor 

집안일, 허드렛일

□□□ [09 수능기출]

chore [tʃɔ́:r]

명 집안일, 허드렛일

유 household 가정, 가족, 가사 20수능

Every day, opportunities exist in the form of meal preparation and **chores**.

매일 기회는 식사 준비나 **집안일**과 같은 형태로 존재한다. 09수능

1208 ★★☆

c  umn

기둥, (신문) 칼럼

□□□ 교육부

column [kάləm]

명 기둥, (신문) 칼럼

The **column** holds up the building.

그 **기둥**은 건물을 지탱해 준다.

1209 ★★★

 mpetition

경쟁, 경기, 대회

□□□ 교육부 [95.96.97.99.00.01.03.04.06.07.08.09.10.12.14.19.20 수능기출]

competition [kὰmpətíʃən]

명 경쟁, 경기, 대회

파 competitive 경쟁을 하는 competitor 경쟁자 compete 경쟁하다
competitiveness 경쟁력 18, 20수능

new **competition** 새로운 **경쟁** 00수능

athletic **competition** 육상 **경기** 09수능

1210 ★★★

c  nform

따르다, 순응하다

□□□ 교육부 [96.11.12.15 수능기출]

conform [kənfɔ́:rm]

동 따르다, 순응하다

파 conformist 순응주의자 conformity 따름, 순응

Today is a start to having to **conform**.

오늘은 **순응해야만** 하는 첫출발이다. 96수능

1211 ★★☆

c  nscience

양심, 가책

□□□ [07 수능기출]

conscience [kάnʃəns]

명 양심, 가책

파 conscientious 양심적인, 성실한 conscious 의식하는

It goes against my **conscience**.

그건 내 **양심**에 반하는 겁니다.

We want our children to develop a **conscience**.

우리는 우리 자녀들이 **양심**을 계발하기 바란다. 07수능

1212 ★★★

conv  rt

전환시키다,
바꾸다,
개종하다

□□□ 교육부 [09.12.19 수능기출]

convert [kənvə́:rt]

동 전환시키다, 바꾸다, 개종하다

파 converter 변환기 convertible 변환 가능한

숙 change A into B=convert A into B=transform A into B=turn A into B : A를 B로 바꾸다. 수능기출

The soil **converted** to crops and pastureland.

그 땅은 농경지 및 목초지로 **바뀌었다.** 12수능

1213 ★★★

c ordinate
조직화하다, 편성하다, 동등한, 동격, 좌표

□□□ 교육부 [15 수능기출]

coordinate [kouɔ́:rdənət]

동 조직화하다, 편성하다 형 동등한 명 동격, 좌표

We need to develop a **coordinated** approach to the problem.
우리는 그 문제에 대해 **조직적인** 접근 방법을 개발할 필요가 있다.

1214 ★★★

dem rit
단점, 약점, 벌점

□□□

demerit [dimérit]

명 단점, 약점, 벌점

유 fault, defect 반 merit 장점

He received ten **demerits**.
그는 **벌점** 10개를 받았다.

1215 ★★★

distracti n
정신 산란, 주의 산만

□□□ [06 11 수능기출]

distraction [distrǽkʃən]

명 정신 산란, 주의 산만

파 distract 집중이 안 되게 하다, (주의를) 딴 데로 돌리다

What caused the **distraction**?
산만한 원인이 뭐니?

We can be **distracted** from what is before our eyes.
우리는 눈앞에 있는 것으로부터 **집중이 안 될 수** 있다. 11수능

1216 ★★★

endeav r
노력
노력하다, 애쓰다

□□□ [14 수능기출]

endeavor [indévər]

명 노력 동 노력하다, 애쓰다

I will **endeavor** to do my best.
나는 최선을 다하도록 **노력할** 것이다.

adventurous **endeavors**
모험을 즐기는 **노력** 14수능

1217 ★★★

energeti ally
힘차게, 정력적[활동적]으로

□□□ [16 수능기출]

energetically [ènərdʒétikəli]

형 힘차게, 정력적[활동적]으로

The principal was **energetically** addressing them.
교장 선생님은 그들에게 **힘차게** 말씀하고 있었다.

1218 ★★★

f uitful
생산적인, 수확이 많은

□□□ [11 수능기출]

fruitful [frú:tfəl]

형 생산적인, 수확이 많은

We have enjoyed a **fruitful** year.
우리는 **알찬** 한 해를 즐겼다.

Life becomes **fruitful** with our endless pursuit of dreams.
삶은 우리의 꿈을 향한 끝없는 추구로써 **풍족하게** 된다. 11수능

1분 안에 넘기기 | 시간 있으면 꼼꼼히 외우기

1219 ★★☆

influntial

영향력 있는,
세력 있는

□□□ [05.16.20 수능기출]

influential [ìnfluénʃəl]

형 영향력 있는, 세력 있는

ⓟ influence 영향

He is one of the most **influential** figures in the locality.

그는 이 지역에서 가장 **영향력 있는** 인물 중 한 사람이다.

1220 ★☆☆

intrvert

내성적인 사람

□□□ [15 수능기출]

introvert [íntrəvə̀ːrt]

명 내성적인 사람

He joined a group of **introverts**.

그는 **내성적인 사람들** 한 집단에 가입했다. 15수능

1221 ★★★

invitatn

초대, 초대장

□□□ [95.09.13.15 수능기출]

invitation [ìnvətéiʃən]

명 초대, 초대장

ⓟ invite 초대하다

Did you receive an **invitation**?

넌 **초대장** 받았어?

Thank you for **inviting** me.

초대해 줘서 고마워. 95수능

1222 ★☆☆

likn

비유하다

□□□ [13 수능기출]

liken [láikən]

동 비유하다

We can **liken** the eye to a camera.

우리는 눈을 카메라에 **비유해** 볼 수 있다. 13수능

1223 ★★☆

maxm

격언, 금언

□□□ [13.15.17 수능기출]

maxim [mǽksim]

명 격언, 금언

ⓣ maximum 최대한, 최대량 ⓑ minimum 최소한

the proverbs and **maxims**

속담이나 **격언**

1224 ★☆☆

n

rm group

기준 집단, 준거 집단

□□□ [16 수능기출]

norm group [nɔːrm gruːp]

형 기준 집단, 준거 집단

Compare with some average or **norm group**.

어떤 평균 혹은 **기준 집단**과 비교해라. 16수능

1225 ★★☆

pan l

패널, 판, 천 조각

□□□ 교육부 [06 수능기출]

panel [pǽnl]

명 패널, 판, 천 조각

Specialists from each field were on the **panel**.
각계의 전문가들이 **패널**로 참석했다.

solar electric **panels**
태양 전기**판** 06수능

1226 ★★☆

past

반죽, 풀
풀로 붙이다

□□□ 교육부

paste [péist]

명 반죽, 풀 동 풀로 붙이다

㉠ pasty 창백한

We **pasted** it on the wall.
우리는 벽에 그것을 **붙였어**.

1227 ★★★

p rfection

완벽, 완전

□□□ [97.05.08.10.11 수능기출]

perfection [pərfékʃən]

명 완벽, 완전

㉮ imperfect 불완전한 perfect 완벽한 perfectly 완전히

The **perfection** of an existing product is the best investment.
현재 사용되는 제품의 **완벽성**이 최고의 투자이다. 11수능

1228 ★☆☆

pigm nt

색소, 물감 재료

□□□

pigment [pígmənt]

명 색소, 물감 재료

It is used as a **pigment** in paints.
그것은 그림에서 **색소**로써 사용됩니다.

1229 ★★☆

portr y

그리다, 묘사하다,
나타내다

□□□ [05.12 수능기출]

portray [pɔːrtréi]

동 그리다, 묘사하다, 나타내다

㉮ portrait 초상화

People are afraid of the world that is **portrayed** on TV.
사람들은 텔레비전에서 **묘사되는** 세상을 두려워한다. 12수능

1230 ★★★

rat nal

이성적인,
합리적인

□□□ [94.11.13.14.20 수능기출]

rational [rǽʃənl]

형 이성적인, 합리적인

㉮ rationalize 합리화하다 rationalism 합리주의 ㉠ rationale 논리적 근거, 이유 20수능 ㊤ reasonable 온당한 sensible 분별 있는

Psychologist wanted to discover people's **rational** judgment.
심리학자는 사람들의 **이성적인** 판단에 관해서 알아내고 싶었다. 11수능

1231 ★☆☆

refug

피난, 피난처

□□□ [16 수능기출]

refuge [réfjuːdʒ]

명 피난, 피난처

유 shelter 대피소 refugee 피난민

My room is my **refuge**.

내 방은 나의 **피난처**이다.

1232 ★☆☆

repertoir

목록

□□□ [16 수능기출]

repertoire [répərtwɑ̀ːr]

명 목록

It should fit nicely in the counselor's **repertoire** of techniques.

그것은 상담사의 기법 **목록**에 잘 어울려야 한다. 16수능

1233 ★★★

restri t

제한하다, 한정하다

□□□ 교육부 [98.02.06.12.16 수능기출]

restrict [ristríkt]

동 제한하다, 한정하다

파 restriction 규제, 제한, 한정 02.20수능 unrestricted 제한 없는 98수능

Her parents **restricted** her going out.

그녀의 부모님이 그녀의 외출을 **제한했다**.

Restrictions were lifted.

제한이 해제되었다. 02수능

1234 ★★☆

retr spect

회상, 회고
회상하다, 회고하다

□□□ [15 수능기출]

retrospect [rétrəspèkt]

명 회상, 회고 동 회상하다, 회고하다

반 prospect 전망, 조망

In **retrospect**, I can see that he did the right thing.

돌이켜보면, 그가 옳은 일을 했음을 알 수 있다.

1235 ★★☆

salut

경례를 하다,
경의를 표하다

□□□

salute [səlúːt]

동 경례를 하다, 경의를 표하다

We **salute** the flag every day.

우리는 매일 국기에 **경례한다**.

1236 ★☆☆

sh d

헛간, 작업장

□□□

shed [ʃéd]

명 헛간, 작업장

The dog lives in the **shed**.

그 개는 **헛간** 안에서 산다.

1237 ★★★

s  ial
사회적인, 사교상의

□□□ 교육부 [94.97.00.04.07.08.09.10.11.12.15.17 수능기출]

social [sóuʃəl]

형 사회적인, 사교상의

파 socially 사회적으로 11수능 sociable 사교적인 97.00.07수능

The role of **social** bonds and affection among group members is important.
집단 구성원들 사이에서 **사회적** 유대감과 애착의 역할은 중요하다. 11수능

1238 ★

spe  r
창

□□□

spear [spiər]

명 창

반 shield 방패,보호하다

팁 lance 창 sword 검 dagger 단검 iron hammer 쇠망치 shield 방패

1239 ★★

st  ll
가판대, 마구간
멎다, 시동이 꺼지다

□□□ [11.17 수능기출]

stall [stɔ́:l]

명 가판대, 마구간 동 멎다, 시동이 꺼지다

She has a **stall** in the market.
그녀는 시장 안의 **노점**을 가지고 있다.

1240 ★★

surp  ss
능가하다,
뛰어넘다

□□□ [11.12 수능기출]

surpass [sərpǽs]

동 능가하다, 뛰어넘다

유 outdo 능가하다 surpassing 빼어난

It was an astounding achievement that was not **surpassed** for 28 years.
그것은 28년 동안 넘지 못한 **놀라운** 업적이었다. 12수능

1241 ★★★

vari  ty
다양성, 품종, 변종

□□□ 교육부 [94.97.07.08.09.10.11.12.16.17 수능기출]

variety [vəráiəti]

명 다양성, 품종, 변종

유 a variety of 다양한 diversity 포괄성

the **variety** of places where life exists
생물이 존재하는 장소들의 **다양성** 11수능

1242 ★★★

worthwhil 
가치가 있는, 보람 있는

□□□ [01.10.11.12 수능기출]

worthwhile [wə́:rθhwáil]

형 가치가 있는, 보람 있는

파 worth 가치 worthless 가치 없는

It is probably well **worthwhile**.
그것은 아마 상당히 **가치 있는 일일** 것이다. 10수능

1237 쏘셜 1238 스피얼 1239 스톨~ 1240 썰패스 1241 버라이어티 1242 월~쓰와일

Chapter 4

Review Test

A. 수능에 출제되는 단어 또는 단어의 뜻을 쓰시오.

01. 훈련, 규율 ______________
02. 초보의, 기본적인 ______________
03. 기하학 ______________
04. 지성의, 지적인 ______________
05. 직관에 의한, 직감하는 ______________
06. 관점, 원근법 ______________
07. 추상적인, 관념적인 ______________
08. 민족의, 인종의 ______________
09. 경쟁, 경기 ______________
10. 제한하다, 한정하다 ______________
11. authority ______________
12. definition ______________
13. logical ______________
14. rhetorical ______________
15. extrinsic ______________
16. obedient ______________
17. centrality ______________
18. utilitarian ______________
19. influential ______________
20. repertoire ______________

B. 수능에 출제되는 문장의 문맥에 맞는 단어를 고르시오.

01. It has succeeded in ________ hundreds of thousands of voters.
02. They measured the length of their ________.
03. He combined biographical ________ with critical comment.

ⓐ entrant	ⓑ strides	ⓒ verse	ⓓ registering	ⓔ anecdotes

04. It is understandable to assume that the dream was a ________ of his death.
05. We can be ________ from what is before our eyes.
06. Psychologist wanted to discover people's ________ judgment.

ⓐ insight	ⓑ distracted	ⓒ rational	ⓓ premonition	ⓔselfless

정답 01.ⓓ 02.ⓑ 03.ⓔ 04.ⓓ 05.ⓑ 06.ⓒ

01. 그것은 수십만의 투표권자들을 (등록시키는) 데 성공했다. 09수능
02. 그들은 그들의 (보폭)을 측정했다. 15수능
03. 그는 전기적인 (일화들)을 비판적으로 언급했다. 12수능
04. 그 꿈이 그의 죽음에 대한 (예고)였다고 생각하는 것은 당연하다. 12수능
05. 우리는 눈앞에 있는 것으로부터 (집중이 안 될 수) 있다. 11수능
06. 심리학자는 사람들의 (이성적인) 판단에 관해서 알아내고 싶었다. 11수능

50점 넘기기

Chapter 05

World News / 세계의 뉴스

ⓐ Sports (스포츠)

ⓑ Crime and Disaster (범죄와 질병)

ⓒ Historical (역사)

ⓓ Social and Domestic (사회와 가정)

ⓔ Formal Language (형식 언어)

1243 ★★★

achiev 

이루다, 성취하다

□□□ 교육부 [95.96.99.00.01.03.04.05.12.14.15 수능기출]

achieve [ətʃíːv]

동 이루다, 성취하다

파 achievement 업적, 성취

We congratulate you on your remarkable **achievements.**

너의 놀라운 **성취**를 진심으로 축하해. 03수능

1244 ★★★

 **dapt**

적응하다, 순응하다

□□□ 교육부 [00.05.17 수능기출]

adapt [ədǽpt]

동 적응하다, 순응하다

파 adaptation 적응 팁 adept 능숙한 adopt 입양하다

I have the ability to **adapt** easily to new circumstances.

나는 새로운 상황에 쉽게 **적응하는** 능력이 있다.

1245 ★★★

advantag 

유리한 점, 이점, 장점

□□□ 교육부 [96.99.03.11.13.15.17 수능기출]

advantage [ædvǽntidʒ]

명 유리한 점, 이점, 장점

반 disadvantage 불리한 점, 약점 숙 take advantage of + 사물 20수능 =avail oneself of=make the most of=make use of=put + 목적어 + to use=utilize : 이용하다 수능기출

We encourage you to take **advantage.**

여러분이 **이점**을 활용하시기 권합니다. 17수능

1246 ★

arch  **ry**

양궁, 활쏘기

□□□

archery [ɑ́ːrtʃəri]

명 양궁, 활쏘기

파 archer 궁수 팁 arrow 화살 bow 활 target 타깃

Archery is an Olympic sport.

양궁은 올림픽 스포츠이다.

1247 ★★

athleti 

운동 경기의,
(몸이) 탄탄한

□□□ [09 수능기출]

athletic [æθlétik]

형 운동 경기의, (몸이) 탄탄한

파 athlete 운동선수

Nowadays, we can enjoy **athletic** competitions of every kind.

오늘날 우리는 모든 종류의 **스포츠** 경기를 즐길 수 있다. 09수능

1248 ★★★

attem  **t**

시도하다, 시도

□□□ 교육부 [96.97.07.09.11.13.16 수능기출]

attempt [ətémpt]

동 시도하다 명 시도

After several futile **attempts,** she was at wit's end.

그녀는 몇 번의 **시도**에 실패한 후 어찌할 바를 몰랐다. 11수능

1249 ★★★

ait

미끼, 미끼를 달다

□□□

bait [béit]

명 미끼 동 미끼를 달다

You need a **bait** to catch fish.

낚시를 하려면 **미끼**가 필요하다.

1250 ★★★

bum

혹, 충돌
부딪치다

□□□

bump [bʌ́mp]

명 혹, 충돌 동 부딪치다

You've got a **bump** on your forehead.

이마에 **혹**이 났군요.

bumpy vegetables

울퉁불퉁한 채소들 10수능

1251 ★★★

champi

n

챔피언, 선수권 대회 우승자

□□□ [08.01.11 수능기출]

champion [ʧǽmpiən]

명 챔피언, 선수권 대회 우승자

㉤ championship 선수권 대회, 챔피언전

My dream is to be the world chess **champion**.

내 꿈은 세계 체스 **챔피언**이 되는 것이다. 11수능

1252 ★★★

coverag

보도, 방송, 보급

□□□ [07.14 수능기출]

coverage [kʌ́vəridʒ]

명 보도, 방송, 보급

After the news **coverage**, the company lost its reputation.

주요 뉴스의 **보도**가 있은 직후 그 회사는 명성을 잃었다.

1253 ★★★

drawb

ck

결점, 문제점

□□□ [07.01.20 수능기출]

drawback [drɔ́:bæ̀k]

명 결점, 문제점

㊒ disadvantage 약점 ㊦ merit 장점

There is just one **drawback**.

단 하나 **난점**이 있다.

1254 ★★★

eff

rt

수고, 노력

□□□ 교육부 [11.14.15.16.17 수능기출]

effort [éfərt]

명 수고, 노력

㉤ effortlessly 소극적으로, 쉽게 ㊈ make an effort=make efforts=exert oneself=endeavor : 노력하다 수능기출

A person's body or mind is stretched to its limits in voluntary **effort**.

자발적인 **노력** 속에서 한 개인의 신체나 정신이 한계점에 다다른다. 11수능

1255 ★★★

gu t

세찬 바람, 돌풍
몰아치다

□□□ [98 수능기출]

gust [gʌ́st]

명 세찬 바람, 돌풍 동 몰아치다

팁 breeze 산들바람 blast 강한 바람 storm 폭풍 tempest 거센 폭풍

Gusts of wind threated to blow away everything.
돌풍이 모든 것을 날려버릴 듯 위협했다. 98수능

1256 ★★★

harp on

작살
작살로 잡다

□□□

harpoon [hɑːrpúːn]

명 작살 동 작살로 잡다

He threw the **harpoon** at the whale.
그는 고래를 향해 **작살**을 던졌다.

1257 ★★★

imme iate

즉시의, 직접의,
인접한, 당면한

□□□ 교육부 [09.13.14.15.16.17.20 수능기출]

immediate [imíːdiət]

형 즉시의, 직접의, 인접한, 당면한

파 immediately 즉시, 즉각 14수능

숙 at once=immediately=right now =right away=in no time=without delay =promptly=swiftly=rapidly : 즉시 수능기출

He **immediately** ran off. 그는 **즉시** 달려갔다. 09수능

1258 ★★★

ind or

실내의,
실내용의

□□□ [06.08 수능기출]

indoor [índɔ́ːr]

형 실내의, 실내용의

Healing gardens help one escape from barren, **indoor** surroundings.
치유의 정원은 황폐한 **실내** 환경에서 벗어나게 해준다. 08수능

1259 ★★★

l ague

리그, 연합, 연맹

□□□ 교육부 [05 수능기출]

league [líːg]

명 리그, 연합, 연맹

I was taken to my first big-**league** game.
나는 처음으로 빅 **리그** 경기에 따라갔다. 05수능

1260 ★★★

offens

범죄, 위반, 무례, 공격

□□□ [05.10.13 수능기출]

offense [əféns]

명 범죄, 위반, 무례, 공격

유 offence 위법 행위, 범죄

Their **offense** was weak.
그들의 **공격**은 약했다.

My unintended **offense** made him angry.
나의 의도하지 않은 **무례**가 그를 화나게 했다. 10수능

1255 거스트 1256 할푼~ 1257 이미~디어트 1258 인도~어 1259 리~그 1260 어페스

1261 ★★★

oppnent
상대, 반대자

□□□ [98.07.10.16.17 수능기출]

opponent [əpóunənt]

명 상대, 반대자

반 proponent 지지자

You lose points by putting the ball out of bounds in the **opponent**'s side.
상대방 코트에서 벗어나게 공을 던지면 당신은 점수를 잃는다. 07수능

1262 ★★★

pportunity
기회

□□□ 교육부 [07.13.15.17 수능기출]

opportunity [ɑ̀pərtjúːnəti]

명 기회

유 chance

I have had the **opportunity** to look them over.
나는 그것들을 살펴볼 **기회**를 가졌다. 07수능

1263 ★★★

opposit

반대의, 반대편의

□□□ 교육부 [94.98.00.03.05.07.08.09.11.12.14 수능기출]

opposite [ɑ́pəzit]

형 반대의, 반대편의

파 oppose 반대하다, 적대하다 20수능 opposition 반대

기출 as opposed to ~와 달리 20수능

숙 object to+명사=be opposed to+명사=have an objection to+명사 : ~에 반대하다 수능기출

1264 ★★

outome

결과

□□□ 교육부 [12.14 수능기출]

outcome [áutkʌ̀m]

명 결과

They can predict the **outcome** with credible information.
그들은 믿을 만한 정보로 **결과**를 예측할 수 있다. 12수능

1265 ★

outd
능가하다, 이기다

□□□ [12 수능기출]

outdo [àutdúː]

동 능가하다, 이기다

He **outdid** his opponent.
그는 상대를 **압도했다**.

1266 ★

val
계란형, 타원형
타원형의

□□□ [14 수능기출]

oval [óuvəl]

명 계란형, 타원형 형 타원형의

팁 Oval Office 대통령 집무실

It is a round or **oval** fruit that grows on the tropical islands.
그것은 열대 섬에서 자라는 둥글거나 **타원형의** 과일이다.

1분 안에 넘기기 | 시간 있으면 꼼꼼히 외우기

1267 ★☆☆

p  rspiration

땀, 발한

□□□ [06 수능기출]

perspiration [pə́ːrspəréiʃən]

명 땀, 발한

㉫ perspire 땀을 흘리다

Perspiration dampened his face and neck.

땀이 그의 얼굴과 목을 적셨다.

1268 ★★★

physi  l

육체의, 물질적인

□□□ 교육부 [08.13.15.16.17 수능기출]

physical [fízikəl]

형 육체의, 물질적인

㉫ physically 신체적으로, 물리적으로

The tension is due to **physical** contact.

긴장은 **신체적** 접촉에 기인한다. 08수능

1269 ★★★

pit  h

던지다

□□□ 교육부 [04.08.14.17 수능기출]

pitch [pítʃ]

동 던지다

Imagine, for example, that baseballs are **pitched** to two different batters.

예를 들어, 야구공이 두 명의 서로 다른 타자에게 **던져진다고** 상상해 보라. 17수능

1270 ★★☆

pr  vail

우세하다, 이기다, 보급되다

□□□ [96.11 수능기출]

prevail [privéil]

동 우세하다, 이기다, 보급되다

㉫ prevalent 널리 퍼진 ㉲ widespread 널리 보급된

㊌ prevail on=persuade : 설득하다 수능기출

prevailing method of interpretation.

지배적인 해석 방법 11수능

1271 ★☆☆

ref  ree

심판
심판하다

□□□

referee [rèfəríː]

명 심판 동 심판하다

The **referee** blew the final whistle.

심판은 마치는 호각을 불었다.

1272 ★★★

s  ore

스코어, 득점
득점하다, 득점을 매기다

□□□ 교육부 [96.06.07.13 수능기출]

score [skɔ́ːr]

명 스코어, 득점 동 득점하다, 득점을 매기다

To my dismay, the other team **scored** three runs.

실망스럽게도, 상대팀은 3점을 **얻었다.** 96수능

1273 ★★★

단거리 경기, 전력 질주
전속력으로 달리다

□□□ [11.13 수능기출]

sprint [sprínt]

명 단거리 경기, 전력 질주 동 전속력으로 달리다

㉺ sprinter 단거리 주자

He **sprinted** to get ahead.
그는 앞서서 **전력 질주**하였다.

1274 ★★★

착실하게, 끊임없이

□□□ [99.11.14 수능기출]

steadily [stédili]

부 착실하게, 끊임없이

㉺ steady 꾸준한, 변함없는

The proof of a change in children has been increasing **steadily**.
아이들 변화의 증거는 **꾸준히** 증가해 오고 있다. 99수능

1275 ★★★

몹시 힘든, 격렬한

□□□ [99 수능기출]

strenuous [strénjuəs]

형 몹시 힘든, 격렬한

It is quite a **strenuous** exercise.
그것은 꽤 **격렬한** 운동이다.

1276 ★★★

노력하다, 애쓰다

□□□ [11 수능기출]

strive [stráiv]

동 노력하다, 애쓰다

㉾ endeavor 노력하다, 시도하다

We can **strive** to understand them.
우리는 그들을 이해하려고 **노력할 수 있다**. 11수능

1277 ★★★

땀
땀을 흘리다

□□□ 교육부 [11 수능기출]

sweat [swét]

명 땀 동 땀을 흘리다

㉩ sweater 스웨터 13수능

He wiped the **sweat** with a towel.
그는 수건으로 **땀을** 닦았다.

1278 ★★★

다루다, (태클)하다

□□□ [15 수능기출]

tackle [tǽkl]

동 다루다, (태클)하다

A footballer should know how to **tackle** his opponent.
축구 선수는 상대에게 **태클** 거는 방법을 알아야 한다.

1분 안에 넘기기 | 시간 있으면 꼼꼼히 외우기

1279 ★

tacti

(주로 복수)전략, 전술

□□□

tactic [tǽktik]

명 (주로 복수)전략, 전술

파 tactical 전술적인 tactically 전술상, 전술로 17수능

유 strategy 계획, 전략

The new **tactic** is to fire the guns enthusiastically.

새 **전술**은 매우 열심히 총을 쏘는 것이다.

1280 ★★

timly

시기적절한

□□□

timely [táimli]

형 시기적절한

The rescuers made a **timely** arrival.

구조대는 **적시에** 도착했다.

1281 ★★

unfr

부당한, 불공평한

□□□ [07 수능기출]

unfair [ʌ̀nfέər]

형 부당한, 불공평한

Perhaps your friend's judgment is simply **unfair.**

아마도 당신 친구의 판단은 전혀 **정당하지 않을** 수도 있다.07수능

1282 ★

vrsus

~대(對), ~에 비해, ~에 대한

□□□ [06 수능기출]

versus [və́:rsəs]

전 ~대(對), ~에 비해, ~에 대한

It is France **versus** Korea in the final.

결승전은 프랑스 **대** 한국 경기이다.

How can I measure light **versus** dark differences?

어떻게 내가 명암의 차이**에 대해** 측정할 수 있나요?06수능

1283 ★★

victorius

승리를 거둔, 이긴

□□□ [06.07 수능기출]

victorious [viktɔ́:riəs]

형 승리를 거둔, 이긴

파 victory 승리

The **victorious** team opened a bottle of champagne.

이긴 팀은 샴페인을 터뜨렸다.

1284 ★

wrstle

맞붙어 싸우다, 레슬링하다

□□□ [06 수능기출]

wrestle [résl]

동 맞붙어 싸우다, 레슬링하다

숙 wrestle with ~와 싸우다 19수능

The two boys **wrestled** in the classroom.

두 아이가 교실에서 **레슬링을 했다**.

1285 ★☆☆

a  nymous

익명인,
익명으로 된

□□□
anonymous [ənɑ́nəməs]
형 익명인, 익명으로 된
(파) anonymity 익명(성) (유) nameless 익명의, 이름 없는
The donor wishes to be **anonymous.**
기증자는 **익명을** 원한다.

1286 ★☆☆

appreh  nd

체포하다, 깨닫다

□□□
apprehend [æ̀prihénd]
동 체포하다, 깨닫다
The thief was **apprehended.**
그 도둑이 **체포됐다.**

1287 ★★☆

blaz 

화재, 불길
활활 타다,
타오르다

□□□
blaze [bléiz]
명 화재, 불길 동 활활 타다, 타오르다
(팁) blazer 블레이저(운동 선수들의 화려한 유니폼)
The **blaze** spread quickly.
불길은 빠르게 번졌다.

1288 ★☆☆

bystand  r

구경꾼, 방관자

□□□
bystander [báistæ̀ndər]
명 구경꾼, 방관자
I was only a **bystander.**
난 단지 **방관자**였을 뿐이다.

1289 ★★☆

 alamity

재앙, 재난

□□□
calamity [kəlǽməti]
명 재앙, 재난
(유) disaster 참사, 재해 catastrophe 참사, 재앙
That was a great **calamity.**
그것은 큰 **재앙**이었다.

1290 ★★☆

captiv 

포로, 사로잡힌,
억류된

□□□
captive [kǽptiv]
명 포로 형 사로잡힌, 억류된
(파) capture 붙잡다 (팁) incapable ~할 능력이 없는
He was held **captive.**
그는 **포로**가 되었다.

○ 1분 안에 넘기기

○ 시간 있으면 꼼꼼히 외우기

1291 ★☆☆

catastr  phe

참사, 재앙

□□□

catastrophe [kətǽstrəfi]

명 참사, 재앙

That was a terrible **catastrophe**.

그것은 끔찍한 대**참사**였다.

1292 ★★☆

clu 

단서,
실마리

□□□ [05.20 수능기출]

clue [klúː]

명 단서, 실마리

vital **clues**

중대한 **단서들** 05수능

1293 ★☆☆

collisi  n

충돌 (사고),
부딪침

□□□

collision [kəlíʒən]

명 충돌 (사고), 부딪침

㊋ collide 충돌하다

I had a three-car rear-end **collision**.

3중 **추돌**을 했어요.

1294 ★★★

 rash

굉음, 충돌
부서지다, 충돌하다

□□□ 교육부 [94.99.08.10 수능기출]

crash [krǽʃ]

명 굉음, 충돌 동 부서지다, 충돌하다

an automobile **crash**

자동차 **사고** 94수능

1295 ★★★

crim 

범죄, 범행

□□□ 교육부 [96.07.12 수능기출]

crime [kráim]

명 범죄, 범행

㊋ criminal 범인, 범죄의 17수능

Urban Overcrowding: Poverty and **Crime**

도시 인구 과잉: 빈곤과 **범죄** 96수능

1296 ★☆☆

 rook

사기꾼
구부리다

□□□ [10 수능기출]

crook [krúk]

명 사기꾼 동 구부리다

He is a **crook**.

그는 **사기꾼**이야.

crooked carrots

꼬부라진 당근 10수능

1291 커태스트러피 1292 클루~ 1293 컬리전 1294 크래쉬 1295 크라임 1296 크룩

1297 ★★★

desperat 

자포자기한, 필사적인

□□□ [09.10.17 수능기출]

desperate [déspərət]

형 자포자기한, 필사적인

㊫ despair 절망, 절망하다 desperately 절망적으로

㊠ for one's life=desperately : 필사적으로 수능기출

sad and **desperate**
슬프고 **자포자기한**09수능

1298 ★★★

detectiv 

형사, 탐정

□□□

detective [ditéktiv]

명 형사, 탐정

㊟ detective conan 명탐정 코난

The **detective** surveyed the scene.
형사는 사건 현장을 살펴보았다.

1299 ★★★

emb  **d**

깊숙이 박다,
끼워 넣다

□□□

embed [imbéd]

동 깊숙이 박다, 끼워 넣다

She still has glass **embedded** in her knee.
그녀는 자기의 무릎에 **박혔던** 유리를 아직도 가지고 있다.

1300 ★★★

evacuat 

대피시키다, 떠나다

□□□ [11 수능기출]

evacuate [ivǽkjuèit]

동 대피시키다, 떠나다

They had to **evacuate** the children.
그들은 아이들을 **대피시켜야**만 했다.

1301 ★★★

gambl 

도박
돈을 걸다, 도박히다

□□□ [17 수능기출]

gamble [gǽmbl]

명 도박 동 돈을 걸다, 도박하다

㊌ bet 돈을 걸다

She likes to **gamble**.
그녀는 **도박**을 좋아한다.

1302 ★★★

homicid 

살인

□□□

homicide [hάməsàid]

명 살인

This is a **homicide** case.
이것은 **살인** 사건이다.

1분 안에 넘기기

시간 있으면 꼼꼼히 외우기

1303 ★☆☆

idi  t

바보, 멍청이, 백치

□□□

idiot [ídiət]

명 바보, 멍청이, 백치

유 fool 바보, 어릿광대

He is a complete **idiot.**

그 사람은 완전 **멍청이**야.

1304 ★★☆

immin  nt

임박한, 절박한

□□□ [01.08 수능기출]

imminent [ímənənt]

형 임박한, 절박한

The danger is **imminent.**

위험이 **임박했다.**

1305 ★★☆

imm  ral

비도덕적인,
부도덕한

□□□ [13.15 수능기출]

immoral [imɔ́:rəl]

형 비도덕적인, 부도덕한

What he does is **immoral.**

그의 행실이 **부도덕하다.**

1306 ★★☆

in  ident

일, 사건

□□□ 교육부

incident [ínsədənt]

명 일, 사건

유 accident 사고, 우연 팁 incidental 부수적인 (일)

숙 by accident=accidentally=by chance=incidentally : 우연히 수능기출

Do you remember the 911 terrorist **incident?**

911 테러 **사건**을 기억합니까?

1307 ★☆☆

l  ak

새는 곳
새다, (비밀을) 누설하다

□□□ [05 수능기출]

leak [lí:k]

명 새는 곳 동 새다, (비밀을) 누설하다

파 leaky 새는, 구멍이 난 유 spill 엎지르다

The roof **leaks.**

지붕이 **샌다.** 05수능

1308 ★★☆

mischanc 

불운

□□□ [99.08 수능기출]

mischance [mistʃǽns]

명 불운

He came here by **mischance.**

그는 **운 나쁘게** 여기에 왔다.

1309 ★★★

m  b

군중, 무리

□□□ [05 수능기출]

mob [mɑ́b]

명 군중, 무리

팁 mop 대걸레

The **mob** began to shout.
군중은 소리를 지르기 시작했다.

1310 ★★★

now 

days

요즘에는

□□□

nowadays [náuədèiz]

부 요즘에는

숙 of late=lately=recently=nowadays : 최근에 수능기출

Nowadays, many people do diet.
오늘날, 많은 사람이 다이어트를 한다.

1311 ★★★

pl  ght

곤경, 나쁜 상태

□□□

plight [pláit]

명 곤경, 나쁜 상태

팁 flight 비행

Think of the **plight** of the homeless.
노숙자의 **처지**를 생각해라.

1312 ★★★

p  rtion

부분, 1인분, 몫
나누다

□□□ 교육부 [98.05.08.09 수능기출]

portion [pɔ́ːrʃən]

명 부분, 1인분, 몫 동 나누다

I ate a **portion** of the food.
나는 **1인분**을 먹었다.

a regular **portion** of meat
정**량**의 고기 98수능

1313 ★★★

pr  dator

포식자, 약탈자,
육식 동물

□□□ [14 수능기출]

predator [prédətər]

명 포식자, 약탈자, 육식 동물

파 predatory 포식성의

팁 meat diet 육식 eating grass 초식 a mixed diet 잡식

The lion is a **predator**.
사자는 **육식동물**이다.

1314 ★★★

r  lly

집회, 대회
결집하다

□□□ [98.16 수능기출]

rally [rǽli]

명 집회, 대회 동 결집하다

The captain needs to **rally** his team.
주장은 그의 팀을 **결집**해야 한다.

1315 ★★★

robb  ry

강도 (사건)

□□□

robbery [rάbəri]

명 강도 (사건)

㊄ rob 털다 robber 강도

At what time did the **robbery** take place?

강도가 일어난 시간이 몇 시죠?

1316 ★★★

sak 

위함, 이익, 목적

□□□ 교육부

sake [séik]

명 위함, 이익, 목적

㊅ for one's sake=for the sake of=for the benefit of : ~을 위하여 수능기출

I have always taught my children politeness for its own **sake**.

나는 아이들에게 항상 공손함 그 **자체**를 가르쳐 주었다. 11수능

1317 ★★★

s  ript

대본, 필적

□□□

script [skrípt]

명 대본, 필적

film **script**

영화 **대본**

Few people were able to learn to write this early **script**.

이러한 초기의 **문자**를 쓰는 것을 배운 사람은 거의 없었다.

1318 ★★★

s  ldom

좀처럼 ~않는, 드물게

□□□ 교육부 [95.02.05.11.15 수능기출]

seldom [séldəm]

부 좀처럼 ~않는, 드물게

Happiness is too **seldom** found in the present.

행복은 현재에서 발견되는 경우가 **거의 없다**. 05수능

1319 ★★★

s  n

죄, 잘못

□□□ [06 수능기출]

sin [sín]

명 죄, 잘못

If you commit a **sin** you will be punished.

죄를 지으면 벌을 받는다.

1320 ★★★

starvati  n

기아, 굶주림

□□□ [11.13.15 수능기출]

starvation [stɑːrvéiʃən]

명 기아, 굶주림

㊌ famine 기근

He is close to **starvation**.

그는 **굶어 죽기** 직전에 있다. 11수능

1321 ★★☆

testim  ny

증거, 증언

□□□ [14 수능기출]

testimony [téstəmòuni]

명 증거, 증언

㉷ testimonial 증명서, 추천장 17수능

I want to hear his **testimony**.

나는 그의 **증언**이 듣고 싶다.

1322 ★★☆

th  ft

절도

□□□ [07.11 수능기출]

theft [θéft]

명 절도

㉷ thief(thieves) 도둑 ㉾ stealing 도둑질 thieve 훔치다

They are the most expert of **thieves**.

이들은 최고의 전문 **절도범들**이다. 07수능

1323 ★★★

thr  at

협박, 위협, 위험

□□□ 교육부 [03.13.14.16.17 수능기출]

threat [θrét]

명 협박, 위협, 위험

㉷ threaten 협박하다 threatened 멸종 위기에 놓여 있는

They are faced with opportunities and **threats**.

그들에게는 직면한 기회와 **위험**이 있다. 03수능

1324 ★★★

tri  l

재판, 시도, 시험

□□□ [07.13 수능기출]

trial [tráiəl]

명 재판, 시도, 시험

He took the new car on a **trial** run.

그는 **시험** 운행에 새로운 차를 탔다.

They suffered unceasing **trial** and error.

그들은 끊임없는 **시행**착오를 겪었다. 07수능

1325 ★★☆

wo 

비통, 불행, 재난

□□□ [15 수능기출]

woe [wóu]

명 비통, 불행, 재난

㉷ woeful 통탄할, 비통한 14수능

Her life was full of sorrow and **woe**.

그녀의 삶은 고통과 **비애**로 가득했다.

1326 ★☆☆

wre  kage

난파, 잔해물, 잔해

□□□ [07 수능기출]

wreckage [rékidʒ]

명 난파, 잔해물, 잔해

㉾ wreck 난파선, 잔해, shipwrecked 난파한 18수능

Two people were freed from the **wreckage**.

그 **잔해**에서 두 사람이 구출되었다.

1분 안에 넘기기 | 시간 있으면 꼼꼼히 외우기

1327 ★☆☆

allian

동맹, 연합

□□□

alliance [əláiəns]

명 동맹, 연합

They formed an **alliance**.

그들은 **동맹**을 형성했다.

1328 ★☆☆

anarhy

무정부 상태, 난장판

□□□ [14 수능기출]

anarchy [ǽnərki]

명 무정부 상태, 난장판

㉺ anarchism 무정부주의 anarchist 무정부주의자

We are in a state of **anarchy**.

우리는 **무정부 상태**에 있다.

1329 ★☆☆

armamnt

군비, 무기

□□□

armament [ɑ́:rməmənt]

명 군비, 무기

Modern **armaments** are costly.

현대 **군비**는 비용이 많이 든다.

1330 ★★☆

armr

갑옷

□□□ [14 수능기출]

armor [ɑ́:rmər]

명 갑옷

There is no **armor** against love.

사랑에는 **갑옷**이 없다.

1331 ★☆☆

autcracy

전제 정치, 독재 국가

□□□

autocracy [ɔ:tɑ́krəsi]

명 전제 정치, 독재 국가

We are against all forms of **autocracy**.

우리는 모든 유형의 **독재**에 반대한다.

1332 ★☆☆

bllot

투표

□□□

ballot [bǽlət]

명 투표

㊒ vote

I cast my **ballot** this morning.

나는 오늘 아침에 **투표**했다.

1333 ★☆☆

□□□

barbarism [bɑ́:rbərìzm]

명 야만, 만행

㉥ barbarian 야만인

I never saw such **barbarism**!
이런 **야만적 행동**을 본 적이 없다.

1334 ★★☆

□□□ [14 수능기출]

barrier [bǽriər]

명 장벽, 장애물

㊌ obstacle 장애, 장애물

It is an insurmountable **barrier**.
그것은 넘을 수 없는 **장벽**이다.

1335 ★★★

□□□ [99.08 수능기출]

colony [kɑ́ləni]

명 식민지

㉥ colonies 복수형 colonial 식민지의

The people in the **colony** were angry.
식민지의 사람들이 분노했다.

1336 ★★☆

□□□ [19 수능기출]

compromise [kɑ́mprəmàiz]

명 타협 동 타협하다(on, with)

㉩ promise 약속하다

㊍ be as good as one's word=keep one's promise : 약속을 잘 지키다 수능기출

We reached a **compromise**.
우리는 **합의**를 봤다.

1337 ★★★

□□□ [96.05.10.11.16.19 수능기출]

contemporary [kəntémpərèri]

형 동시대의, 현대의, 당대의 명 동년배[동시대인]

He is a **contemporary** of mine.
그는 나와 **동시대** 사람이다.

the **contemporary** child
현대의 아이 11수능

1338 ★☆☆

□□□

counterattack [káuntərətæ̀k]

명 역습, 반격 동 반격하다

㉩ counteract 중화시키다, 반대로 행동하다 19수능

The enemy began to **counterattack**.
적이 **반격하기** 시작했다.

1333 바~버리즘 1334 배어리얼 1335 칼러니 1336 캄프러마이즈 1337 컨템퍼레어리 1338 카운더어택

1분 안에 넘기기

시간 있으면 꼼꼼히 외우기

1339 ★★★

d  tail

세부 사항, 정보

□□□ 교육부 [95.99.03.06.07.08.10.11.12.20 수능기출]

detail [dí:teil]

명 세부 사항, 정보

숙 in detail=at length : 상세히 수능기출

the last **detail**

마지막 **세부 사항** 10수능

the new **detail**

새로운 **세부 사항** 11수능

1340 ★★☆

distorti  n

왜곡, 찌그러뜨림

□□□ [13.17 수능기출]

distortion [distɔ́:rʃən]

명 왜곡, 찌그러뜨림

파 distort 비틀다, 왜곡하다

Each person has his or her own truth, and there is **distortion** on both sides.

각 사람은 그들만의 진실을 가지고 있어서 양쪽 모두에 **왜곡**이 있다. 13수능

1341 ★☆☆

dorm  nt

휴면기의, 잠복 중인

□□□ [14 수능기출]

dormant [dɔ́:rmənt]

형 휴면기의, 잠복 중인

명 dormancy 휴면

The illness has remained **dormant**.

그 질병은 **잠복해** 있다.

1342 ★☆☆

 uel

결투, 다툼

□□□ [19 수능기출]

duel [djú:əl]

명 결투, 다툼

파 duelist 결투자 팁 dual 두 부분으로 된, 이중의

They fought a **duel**.

그들은 **결투**를 벌였다.

1343 ★☆☆

dyn  sty

왕조

□□□

dynasty [dáinəsti]

명 왕조

Which **dynasty** was that?

그건 어느 **왕조**였니?

1344 ★★☆

emper  r

황제

□□□ [19 수능기출]

emperor [émpərər]

명 황제

파 empire 제국 imperial 황제의, 제국의

He was the third best **emperor**.

그는 뛰어난 세 번째 **황제**였다.

1345 ★★☆

ra

시대, 연대

□□□ [16.17 수능기출]

era [íərə]

명 시대, 연대

He belongs to another **era**.

그는 다른 **시대**에 속한다.

1346 ★★☆

escalat

확대되다

□□□ [15 수능기출]

escalate [éskəlèit]

동 확대되다

팁 escalator 에스컬레이터

The fight began to **escalate**.

그 싸움이 **확대되기** 시작했다.

1347 ★☆☆

expl

it

착취하다, 개발하다, 이용하다 공적, 위업

□□□ 교육부

exploit [iksplɔ́it]

동 착취하다, 개발하다, 이용하다 명 공적, 위업

The factory **exploited** the workers.

공장은 노동자들을 **착취했다**.

1348 ★★☆

famin

기근

□□□ [98.14 수능기출]

famine [fǽmin]

명 기근

유 starvation 기아, 아사 팁 feminine 여성의

They suffer from the **famines**.

그들은 **기근**으로 시달린다. 98수능

1349 ★☆☆

f

at

위업, 묘기

□□□

feat [fiːt]

명 위업, 묘기

유 exploit 공적 achievement 업적

It was a tremendous **feat**.

그것은 엄청난 **위업**이었다.

1350 ★☆☆

fr

nzy

광란, 발작

□□□ [14 수능기출]

frenzy [frénzi]

명 광란, 발작

During the post-Revolution **frenzy**~

혁명 후 **광란**의 기간 동안~

1351 ★★★

garm  nt

의복, 옷

□□□

garment [gɑ́ːrmənt]

명 의복, 옷

유 clothes

The child has grown out of his **garments.**

아이가 커서 입던 **옷**이 작아졌다.

1352 ★★★

generati  n

세대, 대(代), (열)발생

□□□ [95.96.97.08.12.13.15.17 수능기출]

generation [dʒènəréiʃən]

명 세대, 대(代), (열)발생

role of a new **generation**

새로운 **세대**의 역할 95수능

1353 ★★★

h  ir

상속인, 계승자

□□□

heir [ɛ́ər]

명 상속인, 계승자

He is **heir** of the company.

그는 그 회사의 **상속인**이다.

1354 ★★★

imperi  l

제국의, 황제의

□□□

imperial [impíəriəl]

형 제국의, 황제의

She belongs to the **imperial** family.

그녀는 **황실** 가족에 속한다.

1355 ★★★

inferenc 

추론

□□□ [15 수능기출]

inference [ínfərəns]

명 추론

Inference could predict events. 15수능

추론은 사건을 예측할 수 있다.

1356 ★★★

instanc 

사례, 경우
예로 들다

□□□ [95.96.97.98.99.00.05.07.09.12.13.14.15.16.17 수능기출]

instance [ínstəns]

명 사례, 경우 동 예로 들다

팁 instantly 즉각, 즉시 for instance 예를 들어

Indeed, **instances** of it are all around us.

사실, 그 **사례**는 우리 주위에 널려 있다. 00수능

1351 가~먼트 1352 줴너레이션 1353 에얼 1354 임피리얼 1355 인퍼런스 1356 인스턴스

1357 ★☆☆

J  w

유대인, 유대교도

□□□

Jew [dʒúː]

명 유대인, 유대교도

팁 Judah 유다

How did you know he is a **Jew**?

그가 **유대인**이라는 것을 어떻게 알았니?

1358 ★★☆

kn  ght

(중세의) 기사, (체스의) 나이트
~에게 나이트 작위를 수여하다

□□□ [12 수능기출]

knight [náit]

명 (중세의) 기사, (체스의) 나이트
동 ~에게 나이트 작위를 수여하다

He was truly a stalwart **knight**.

그는 진정으로 충실한 **기사**였다.

He was even **knighted** by Pope Pius V in 1571.

심지어 그는 1571년에 교황 피오 5세로부터 **기사** 작위를 받았다. 12수능

1359 ★★☆

m  jesty

위엄, 장엄(함)

□□□ [04 수능기출]

majesty [mǽdʒəsti]

명 위엄, 장엄(함)

파 majestic 위풍당당한

All the grace and beauty had gone out of the **majestic** river.

모든 우아함과 아름다움은 **장엄한** 강으로 사라져 버렸다. 04수능

1360 ★★☆

m  bilize

동원되다, 집결시키다

□□□ [14 수능기출]

mobilize [móubəlàiz]

동 동원되다, 집결시키다

The troops were ordered to **mobilize**.

군대에 **동원령**이 내려졌다.

1361 ★☆☆

monar  hy

군주제, 군주국

□□□

monarchy [mánərki]

명 군주제, 군주국

We no longer have a **monarchy**.

군주제는 더 이상 없다.

1362 ★★☆

m  unt

벌이다, 시작하다

□□□ [14 수능기출]

mount [maunt]

동 벌이다, 시작하다

He **mounted** a huge public relations campaign.

그는 엄청난 선전 활동을 **벌였다**. 14수능

1357 쥬~ 1358 나이트 1359 매줘스티 1360 모우벌라이즈 1361 마널키 1362 마운트

○ 1분 안에 넘기기

○ 시간 있으면 꼼꼼히 외우기

1363 ★★★

multitud 

다수, 군중

□□□

multitude [mʌ́ltətjùːd]

명 다수, 군중

He began to speak to the **multitude**.

그는 **군중**에게 말하기 시작했다.

1364 ★★★

mus  **m**

이슬람교도, 회교도

□□□

muslim [mʌ́zlim]

명 이슬람교도, 회교도

팁 Confucianism 유교 Buddhism 불교 Christianity 기독교 Catholicism 천주교 Islam 이슬람 Hinduism 힌두교

He said he is a **Muslim**.

그는 **무슬림**이라고 말했다.

1365 ★★★

norm  **ly**

보통은, 정상적으로

□□□ [02.16.17 수능기출]

normally [nɔ́ːrməli]

부 보통은, 정상적으로

파 normal 보통의, 정상적인

A class **normally** class ends at 5p.m.

보통 수업은 5시에 끝난다.

1366 ★★★

occ 

sion

때, 행사

□□□ [94.98.99.00.02.05.07.17 수능기출]

occasion [əkéiʒən]

명 때, 행사

파 occasionally 가끔 occasional 가끔의 13수능

Delight hangs in the air tonight for what is a very special **occasion**.

그것은 매우 특별한 **행사**인 탓에 오늘 밤의 대기엔 기쁨이 감돌고 있다. 02수능

1367 ★★★

ov  **rthrow**

타도, 전복
전복시키다, 뒤엎다

□□□

overthrow [òuvərθróu]

명 타도, 전복 동 전복시키다, 뒤엎다

They were plotting to **overthrow** the government.

그들은 정부 **전복**을 모의하고 있었다.

1368 ★★★

perse  **ution**

박해, 학대

□□□

persecution [pə̀ːrsikjúːʃən]

명 박해, 학대

The **persecution** began 100 years ago.

종교 **박해**는 100년 전에 시작됐다.

1369 ★☆☆

ph ntom

유령, 환영

□□□

phantom [fǽntəm]

명 유령, 환영

유 ghost, specter

She thought she saw a **phantom**.

그녀는 **유령**을 봤다고 생각했다.

1370 ★★★

phen menon

현상, 비범한 사람

□□□ 교육부 [11.13.16.19.20 수능기출]

phenomenon [finάmənὰn]

명 현상, 비범한 사람

파 phenomena (복수형) phenomenal 경이적인

The body has been viewed as a 'natural' **phenomenon**.

신체는 '자연' **현상**으로 여겨져 왔다. 11수능

1371 ★★★

pione r

개척하다, 개척자

□□□ [13.14.16 수능기출]

pioneer [pàiəníər]

동 개척하다 명 개척자

Men of his kind **pioneered** this form of writing.

그와 같은 사람들이 이런 형태의 글쓰기를 **개척했다**. 13수능

1372 ★★☆

pl t

구성, 플롯, 음모

□□□ [12.13.14 수능기출]

plot [plάt]

명 구성, 플롯, 음모

I discovered the **plot** today.

오늘 그 **음모**를 발견했다.

1373 ★☆☆

p stwar

전후의, 2차 세계대전 후의

□□□

postwar [póustwɔ́:r]

형 전후의, 2차 세계대전 후의

The **postwar** situation is not good.

전후의 상황이 좋지 않다.

1374 ★★★

radi al

근본적인,
급진적인

□□□ [94.14 수능기출]

radical [rǽdikəl]

형 근본적인, 급진적인

That place needs **radical** change.

그곳은 **급진적인** 변화가 필요하다.

We have to contend with **radical** differences.

우리는 **근본적인** 차이점에 대해 논쟁해야만 한다. 94수능

1369 팬텀 1370 퍼나~미넌 1371 파이어니얼 1372 플라트 1373 포스트워~ 1374 레디클

1분 안에 넘기기 | 시간 있으면 꼼꼼히 외우기

1375 ★★☆

re  lm

왕국, 영역, 범위

□□□ [08.17 수능기출]

realm [rélm]

명 왕국, 영역, 범위

This place is the **realm** of fantasy.
이곳은 환상의 **왕국**이다.

different **realms**
다양한 **영역** 08수능

1376 ★★☆

r  ign

통치 기간, 치세
다스리다

□□□

reign [réin]

명 통치 기간, 치세 동 다스리다

팁 regime 정권, 제도

The country was at peace during his **reign**.
그의 **통치 기간** 동안은 나라가 태평했다.

1377 ★★★

repeat  d

반복되는

□□□ [94.01.10.11.13 수능기출]

repeated [ripí:tid]

형 반복되는

파 repeatedly 되풀이하여 16수능 repetitive 반복적인 repeat 반복하다 숙 over and over=repeatedly : 반복해서 수능기출

He **repeatedly** attempted to speak.
그는 말하기를 **반복적으로** 시도했다. 10수능

1378 ★★☆

ri  t

폭동, 다채로움
폭동을 일으키다

□□□

riot [ráiət]

명 폭동, 다채로움 동 폭동을 일으키다

The **riot** continued all night.
폭동은 밤새 계속됐다.

1379 ★☆☆

slaught  r

도살, 대량 학살
도살하다, 학살하다

□□□

slaughter [slɔ́:tər]

명 도살, 대량 학살 동 도살하다, 학살하다

유 massacre 대학살

The farmer had to **slaughter** the chickens.
농부는 닭들을 **도축**해야만 했다.

1380 ★★☆

strif 

갈등, 분쟁

□□□

strife [stráif]

명 갈등, 분쟁

Cases of racial **strife** are increasing.
인종 **분쟁**의 사례가 증가하고 있다.

1381 ★★

surrend r

항복하다, 투항하다

□□□
surrender [səréndər]
동 항복하다, 투항하다
유 yield 굴복하다 반 resist 저항하다
The soldier **surrendered**.
그 군인은 **항복했다**.

1382 ★★

thr ne

왕좌, 왕위

□□□ [95 수능기출]
throne [θróun]
명 왕좌, 왕위
반 dethrone 폐위시키다
Finally a queen came to sit on the **throne**.
마침내 여왕은 **왕좌**에 앉았다.

1383 ★★★

through ut

도처에, 처음부터 끝까지

□□□ 교육부 [96.03.06.08.10.11.12.17 수능기출]
throughout [θru:áut]
전 도처에, 처음부터 끝까지
He travels **throughout** the world.
그는 세계 **곳곳을** 여행한다. 11수능

1384 ★

tortur

고문
고문하다

□□□
torture [tɔ́:rtʃər]
명 고문 동 고문하다
The prisoner was **tortured**.
그 죄수는 **고문**을 당했다.

1385 ★

trait r

배반자, 반역자

□□□
traitor [tréitər]
명 배반자, 반역자
He is remembered as a **traitor**.
그는 **반역자**로 기억되고 있다.

1386 ★★

tr op

병력, 군대

□□□ 교육부
troop [trú:p]
명 병력, 군대
Many **troops** descended by parachute.
많은 **병력**이 낙하산으로 내렸다.

1387 ★★★

undoubt  dly

의심할 여지없이, 확실히

□□□ [99.07.13 수능기출]

undoubtedly [ʌ̀ndáutidli]

뷰 의심할 여지없이, 확실히

유 certainly 틀림없이

It is **undoubtedly** that dog's pup.
그 개의 새끼임이 **틀림없다**.

Footwear **undoubtedly** provides protection.
신발은 보호를 제공하는 것임에 **틀림없다**. 07수능

1388 ★★

un  ty

통합, 통일

□□□

unity [jú:nəti]

명 통합, 통일

파 unite 연합하다 united 통합된 unify 통합하다
reunite 재결합하다 수능19

What is the drive for the European **unity**?
유럽 **통합**의 추진력은 무엇인가?

1389 ★

unparallel  d

비할 데 없는

□□□ [13 수능기출]

unparalleled [ʌnpǽrəleld]

형 비할 데 없는

His influence was **unparalleled**.
그의 영향력은 **비할 데가 없었다**. 13수능

1390 ★

unprecedente 

전례 없는, 전에 없던

□□□

unprecedented [ʌ̀nprésədèntid]

형 전례 없는, 전에 없던

파 precedent 선례, 판례 precede 선행하다

반 precedented 전례가 있는

The situation is **unprecedented**.
그 상황은 **전례가 없는** 일이다.

1391 ★★★

v  ssel

선박, 그릇, 혈관

□□□ 교육부 [17 수능기출]

vessel [vésəl]

명 선박, 그릇, 혈관

He looked for a **vessel** to hold the water.
그는 물을 담을 **그릇**을 찾았다.

1392 ★

warfar 

전투, 전쟁

□□□

warfare [wɔ́:rfὲər]

명 전투, 전쟁

팁 welfare 복지 farewell 작별, 안녕

The **warfare** was continued.
전쟁은 계속됐다.

1387 언**다**우디들리 1388 **유**~너티 1389 언**패**럴럴드 1390 언**프**레스**덴**일 1391 **베**슬 1392 **월**~페어

1393 ★★★

ab 

de

머물다, 남다, 지키다

□□□

abide [əbáid]

동 머물다, 남다, 지키다

숙 abide by=keep ~을 지키다 수능기출

You'll have to **abide by** the rules of the club.
당신은 클럽의 규칙을 **따라야** 할 것이다.

1394 ★★★

bove

~보다 위에[위로]

□□□ [13.14.15.16.17 수능기출]

above [əbʌv]

전 ~보다 위에[위로]

숙 above all=most of all=first of all=more than anything else 무엇보다도, 특히 수능기출 be above + ~ing : 결코 ~않다 수능기출

A family lives on the floor above.
위층에 한 가구가 살고 있다.

1395 ★★★

afflu  nt

부유한, 풍족한

□□□

affluent [ǽfluənt]

형 부유한, 풍족한

파 affluently 부유하게 affluence 부유

유 plentiful, abundant, rich, ample

We live an **affluent** life.
우리는 **풍요로운** 삶을 살고 있다.

1396 ★★★

aust  rity

금욕적인 생활

□□□

austerity [ɔːstérəti]

명 금욕적인 생활

He lived on an **austerity** diet.
그는 **금욕적인** 생활을 했다.

1397 ★★★

barl  y

보리

□□□ [13 수능기출]

barley [bάːrli]

명 보리

팁 barely 간신히, 가까스로

I like **barley** tea.
나는 **보리**차를 좋아한다.

1398 ★★★

besieg 

둘러싸다, 포위하다

□□□ [08.13 수능기출]

besiege [bisíːdʒ]

동 둘러싸다, 포위하다

유 surround

You are **besieged** by information.
여러분은 정보에 **둘러싸여** 있다. 13수능

The army **besieged** the town.
군대는 그 마을을 **포위했다**.

1393 어바이드 1394 어봅 1395 애플루언트 1396 아스테어러디 1397 바~알리 1398 비씨~쥐

1분 안에 넘기기

시간 있으면 꼼꼼히 외우기

1399 ★★☆

brid 

신부

□□□ [08 수능기출]

bride [bráid]

명 신부

She had a **bride's** flowers in her hair.

그녀의 머리에는 **신부**의 꽃이 있었다. 08수능

1400 ★★☆

bridegr  om

신랑

□□□ [16 수능기출]

bridegroom [bráidgrù(:)m]

명 신랑

유 groom

The **bridegroom** is late.

신랑이 늦는다.

1401 ★★☆

c  lebrity

유명 인사,
명성, 인기도

□□□ [97.07.16 수능기출]

celebrity [səlébrəti]

명 유명 인사, 명성, 인기도

파 celebrate 축하하다 19수능 celebrated 유명한

He is one of the most famous yet mysterious **celebrities** of recent times.

그는 최근에 가장 유명하지만 신비에 싸인 **명사** 중 한 사람이다. 97수능

1402 ★★☆

 omply

따르다, 준수하다

□□□

comply [kəmplái]

동 따르다, 준수하다

I will **comply** with the law.

저는 법률을 **준수합니다**.

1403 ★★☆

congr  ss

국회, 의회

□□□ 교육부

congress [kɑ́ŋgris]

명 국회, 의회

The **congress** enacted a new law.

국회는 새로운 법을 시행했다.

1404 ★★☆

c  ntrive

고안하다, 궁리하다, 꾀하다

□□□ [17 수능기출]

contrive [kəntráiv]

동 고안하다, 궁리하다, 꾀하다

She **contrived** a way to get there.

그녀는 거기 가는 방법을 **궁리했다**.

1405 ★★★

conventi  nal

관습적인, 전통적인

□□□ [06.07.10.12.20 수능기출]

conventional [kənvénʃənl]

형 관습적인, 전통적인

ⓟ convention 관습, 관행 20수능 ⓣ convent 수도회

conventional wisdom

일반 통념 07.20수능

1406 ★★☆

cr  dle

요람, 아기 침대, 발상지

□□□ [94 수능기출]

cradle [kréidl]

명 요람, 아기 침대, 발상지

ⓤ crib 유아용 침대, 구유

from **cradle** to grave

요람에서 무덤까지 94수능

1407 ★★☆

criti 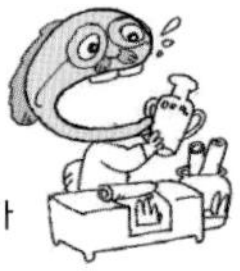

비평가, 평론가

□□□ [07.09.11.12 수능기출]

critic [krítik]

명 비평가, 평론가

ⓟ critical 비판적인 criticism 비판, 비평 criticize 비판하다

the **criticism** of others

다른 사람들의 **비판** 07수능

a literary **critic**

문학 **평론가** 11수능

1408 ★☆☆

curat  r

큐레이터
(박물관, 미술관
등의 전시 책임자)

□□□

curator [kjuəréitər]

명 큐레이터(박물관, 미술관 등의 전시 책임자)

He is the **curator** of the museum.

그는 박물관의 **큐레이터**이다.

1409 ★★★

d  posit

보증금, 예금
두다, 예금하다, 쌓다

□□□ [09.15.16.17 수능기출]

deposit [dipázit]

명 보증금, 예금 동 두다, 예금하다, 쌓다

I **deposited** the money in the bank.

나는 은행에 돈을 예금했다.

They **deposited** soil on its banks.

그들은 강둑에 흙을 **쌓았다**. 09수능

1410 ★★☆

depriv  tion

궁핍, 박탈, 부족

□□□

deprivation [dèprəvéiʃən]

명 궁핍, 박탈, 부족

They experienced hunger and **deprivation**.

그들은 굶주리고 **궁핍**했다.

1분 안에 넘기기 | 시간 있으면 꼼꼼히 외우기

1411 ★☆☆

det  rgent

세제

□□□ [06 수능기출]

detergent [ditə́:rdʒənt]

명 세제

They use **detergent** to clean the fruit.

그들은 과일을 씻기 위해 **세제**를 사용한다. 06수능

1412 ★★☆

d  vour

휩쓸다, 걸신들린 듯 먹다, 집어삼키다

□□□ [14, 16 수능기출]

devour [diváuər]

동 휩쓸다, 걸신들린 듯 먹다, 집어삼키다

More farmland was **devoured** to build strip malls.

더 많은 농경지가 쇼핑센터를 건립하느라 **소실됐다.** 14수능

1413 ★★☆

divor 

이혼
이혼하다

□□□

divorce [divɔ́:rs]

명 이혼 동 이혼하다

팁 engagement 약혼

They **divorced.**

그들은 **이혼했다.**

1414 ★★☆

domesti 

국내의, 가정의

□□□ 교육부 [95, 20 수능기출]

domestic [dəméstik]

형 국내의, 가정의

유 internal 내부의

the **domestic** oil and steel industry

자국의 석유와 철강 산업 95수능

1415 ★☆☆

d  ugh

밀가루 반죽, 돈

□□□

dough [dóu]

명 밀가루 반죽, 돈

팁 flour 밀가루 wheat 밀 mill 방앗간

You use **dough** to make bread.

너는 빵을 만들기 위해 **밀가루 반죽**을 사용한다.

1416 ★★☆

d  wnturn

(경기) 침체

□□□

downturn [daʊntɜ:rn]

명 (경기) 침체

There is a general **downturn** in the economy.

일반적인 경제적 **경기 침체**가 있다.

1417 ★★☆

drasti

과감한, 극단적인, 철저한

□□□ [95.13 수능기출]

drastic [drǽstik]

형 과감한, 극단적인, 철저한

㉶ drastically 과감하게, 철저하게

They **drastically** cut their leisure expenses.
그들은 여가 활동비를 **철저하게** 줄인다. 95수능

1418 ★★☆

dw ll

살다, 거주하다

□□□ [16 수능기출]

dwell [dwél]

동 살다, 거주하다

㉶ dweller 거주자 ㊌ reside

㊍ dwell on : 곰곰이 생각하다 수능기출

We will **dwell** happily.
우리는 **행복하게** 살 거야. 16수능기출

1419 ★★☆

arthly

세속적인, 현세의

□□□

earthly [ə́ːrθli]

형 세속적인, 현세의

They hoped that poetic greatness would grant them an **earthly** immortality.
그들은 시의 위대함이 자신들에게 **세속적** 불멸을 부여해주기를 바랐다. 16수능

1420 ★★★

east r

부활절

□□□

easter [íːstər]

명 부활절

㉶ eastern 동쪽에 위치한

In the Spring, we celebrate **Easter**.
봄에 우리는 **부활절**을 경축한다.

1421 ★☆☆

eccentr

괴짜인, 별난

□□□

eccentric [ikséntrik]

형 괴짜인, 별난

He is a quite the **eccentric** individual.
그는 아주 **별난** 사람이다.

1422 ★★☆

eld r

손윗사람, 어른, 손위의, 나이가 더 많은

□□□ 교육부 [11.12.19 수능기출]

elder [éldər]

명 손윗사람, 어른 형 손위의, 나이가 더 많은

㉺ younger 연하 older 연상의 grown-up 성인이 된
the elderly 노인들 19수능

The contemporary child must understand the world view of his **elders**.
요즘 아이는 **어른**의 세계관을 이해해야만 한다. 11수능

1분 안에 넘기기 | 시간 있으면 꼼꼼히 외우기

1423 ★★★

nrich
질을 높이다, 풍요롭게 하다

□□□ [99.12 수능기출]

enrich [inrítʃ]

통 질을 높이다, 풍요롭게 하다

Art **enriches** our spirit.
예술은 우리의 영혼을 **풍요롭게 해 준다**. 99수능

1424 ★★★

equ  lity
평등, 균등

□□□ [95.09.13.17 수능기출]

equality [ikwɑ́ləti]

명 평등, 균등

㊇ equivalent 동등한, 맞먹는 19수능 equilibrium 평형 상태, 평정

fair housing, gender **equality**, and environmental justice
평등한 집안일, 성 **평등** 그리고 환경 정의 09수능

1425 ★★★

xclusive
독점적인, 배타적인

□□□ [07.13.17 수능기출]

exclusive [iksklúːsiv]

형 독점적인, 배타적인

㊇ exclusion 제외, 배제 exclusively 독점적으로 20수능

exclusive representation **배타적** 대표권

The **exclusion** of new technology generally leads to social change.
새로운 기술의 **배척**은 사회적인 변화를 이끈다. 07수능

1426 ★★★

f  d
(일시적인) 유행

□□□ [12 수능기출]

fad [fǽd]

명 (일시적인) 유행

㊒ craze 대유행 fashion 패션 vogue 인기

Clothes of this style are the **fad** these days.
요즘엔 이런 스타일의 옷이 **유행**이에요.

1427 ★★★

fatal  ty
사망자(수), 참사

□□□

fatality [feitǽləti]

명 사망자(수), 참사

road accident **fatalities**
도로상의 사고로 인한 **사망자 수** 13수능

1428 ★★★

footwe  r
신발, 신발류

□□□ [07 수능기출]

footwear [fʊ́twὲər]

명 신발, 신발류

Footwear has a history which goes back thousands of years.
신발의 역사는 수천 년을 거슬러 올라간다. 07수능

1423 인리취 1424 이콸러디 1425 익스클루시브 1426 패드 1427 퍼탤러리 1428 풋웨얼

1429 ★★★

fram 

틀, 액자, 뼈대

□□□ 교육부 [01.06.19 수능기출]

frame [fréim]

명 틀, 액자, 뼈대

팁 reframe 재구성하다 20수능

There is a picture **frame** on our dining room wall.
우리 집 식당 벽에는 그림 **액자**가 걸려 있다. 10수능

1430 ★

frug 

l

절약하는,
검소한

□□□

frugal [frú:gəl]

형 절약하는, 검소한

파 frugality 절약, 검소

유 economical 경제적인, 알뜰한 thrifty 검약하는

They live a **frugal** life.
그들은 **절약하는** 삶을 살고 있다.

1431 ★★

g  p

틈, 차이,
공백

□□□ [03.17 수능기출]

gap [gǽp]

명 틈, 차이, 공백

There is a **gap** between the labor supply and demand.
인력의 수요와 공급 간에 **차이**가 있다. 03수능

1432 ★★

hing 

경첩
경첩을 달다

□□□

hinge [hindʒ]

명 경첩 동 경첩을 달다

The **hinges** on doors allow them to open and close.
문에는 **경첩**이 있어서 그들이 문을 여닫을 수 있다.

1433 ★★★

househ  ld

가정, 가족, 가정의

□□□ 교육부 [96.06 수능기출]

household [háushòuld]

명 가정, 가족 형 가정의

Our **household** has many members.
우리 **가족**은 식구 수가 많다.

household money
생활비 96수능

1434 ★

immigr  nt

이민자

□□□ [06 수능기출]

immigrant [ímigrənt]

명 이민자

반 emigrant (다른 나라로 간) 이민자

Immigrants are importing their mother tongues at record rates.
이민자들이 기록적인 속도로 그들의 모국어를 들여오고 있다. 06수능

1435 ★★★

infl  w

유입, 유입량

□□□ [13.15 수능기출]

inflow [ínfloʊ]

명 유입, 유입량

inflow of fresh water

담수의 **유입** 13수능

1436 ★★★

inh  rit

상속받다, 물려받다

□□□

inherit [inhérit]

동 상속받다, 물려받다

파 inheritance 유산, 상속 유 heritage (국가나 사회의) 유산

They **inherited** their father's looks.

그들은 그들 아버지의 외모를 **물려받았다.**

1437 ★★★

 ntegral

절대적으로 필요한, 완전한

□□□ [10.14 수능기출]

integral [íntigrəl]

형 절대적으로 필요한, 완전한

Living simply was **integral** to his life philosophy.

그는 소박하게 사는 것이 삶의 철학에서 **절대적으로** 중요했다. 14수능

1438 ★★★

int  rior

내부, 내륙 내부의

□□□ 교육부

interior [intíəriər]

명 내부, 내륙 형 내부의

유 internal, inside 반 exterior 외부 external 외부의

I am satisfied with the comfortable **interior**.

나는 편안한 **내부**에 만족합니다.

1439 ★★★

interse  tion

교차(로), 횡단

□□□ [14 수능기출]

intersection [ìntərsékʃən]

명 교차(로), 횡단

파 intersect 교차하다

Keep walking down the street until you get to a major **intersection.**

큰 **사거리**가 나올 때까지 이 길을 계속 걸어가시오

1440 ★★★

interventi  n

개입

□□□ [13 수능기출]

intervention [ìntərvénʃən]

명 개입

In such cases his **intervention** may be required.

그런 경우는 그의 **개입**이 필요하겠군요.

1441 ★★★

□□□ 교육부 [95.98.11.12.13.19 수능기출]

justify [dʒʌ́stəfài]

동 옳다고 하다, 정당화시키다

ⓟ justice 공평성, 정당성 justification 정당화 19수능

They use their cleverness to **justify** and excuse themselves.

그들은 자기의 좋은 머리를 **정당화하거나** 변명하는 데 쓴다. 12수능

1442 ★

□□□

lad [lǽd]

명 사내애, 청년

I like that **lad**.

나는 그 **젊은이**가 좋다.

1443 ★★

□□□ [14.19 수능기출]

laundry [lɔ́:ndri]

명 세탁물, 세탁소

ⓣ Laundromat 빨래방 laundry room (일반 가정의) 세탁실 19수능

I am looking for a **laundry**.

나는 **세탁소**를 찾고 있다.

1444 ★★

□□□

lawn [lɔ́:n]

명 잔디밭

ⓣ lawn mower 잔디 깎는 기계, loan 대출

He likes to sit on the **lawn**.

그는 **잔디** 위에 앉기를 좋아한다.

1445 ★★

□□□ [13.15 수능기출]

legislation [lèdʒisléiʃən]

명 법률 제정, 입법

The **legislation** was passed today.

입법안이 오늘 통과됐다.

1446 ★★

□□□

lottery [lɑ́təri]

명 복권, 추첨

ⓟ lotto 숫자카드 맞추기 놀이

an instant **lottery** winner

즉석 **복권** 당첨자

1447 ★★☆

mandat 

명령하다, 위임하다
권한, 명령

□□□ [13.22 수능기출]

mandate [mǽndeit]

동 명령하다, 위임하다 명 권한, 명령

Our country has **mandated** seat belts.
우리나라는 안전벨트를 **의무화**했다. 13수능

1448 ★★☆

m  **bility**

기동력, 유동성, 이동성

□□□ [13 수능기출]

mobility [moubíləti]

명 기동력, 유동성, 이동성

The unit has excellent **mobility**.
그 부대는 **기동력**이 뛰어나다. 13수능

1449 ★☆☆

mol 

두더지

□□□

mole [móul]

명 두더지

팁 molecule 분자, 미립자

Is a **mole** like a rat?
두더지는 쥐와 비슷하지?

1450 ★★★

ne  **t**

정돈된, 깔끔한

□□□ [95.04.08.12.16 수능기출]

neat [ní:t]

형 정돈된, 깔끔한

파 neatly 깔끔하게

She could not believe how **neat** it was.
그녀는 방이 너무 **말끔한** 것이 믿기지 않았다. 95수능

1451 ★☆☆

obligat  **ry**

의무적인

□□□ [14 수능기출]

obligatory [əblígətɔ́:ri]

형 의무적인

Military service is **obligatory** for all men over 18.
만 18세 이상 남성은 군 복무가 **의무**다.

1452 ★★☆

 **ffender**

범죄자,
남의 감정을 해치는 사람

□□□ [13.16 수능기출]

offender [əféndər]

명 범죄자, 남의 감정을 해치는 사람

The '**offender**' and the 'victim'
'**잘못한 사람**'과 '당한 사람' 13수능

He is an **offender**.
그는 **범죄자**이다.

1453 ★★★

□□□ [16 수능기출]

orphan [ɔ́:rfən]

명 고아

㊔ orphanage 보육원, orphaned 어미 잃은, 고아가 된 19수능

The **orphan** has no home.
그 **고아**는 집이 없다.

1454 ★★★

□□□

outage [áutidʒ]

명 정전, 단수

The power **outage** didn't last too long.
정전이 오래가진 않았다.

1455 ★★★

□□□ [95.96.98.01.02.05.06.08.09.10.11.12 수능기출]

particular [pərtíkjulər]

형 특정한, 특별한

㊔ particularly 특히 ㊌ distinct 뚜렷한 specific 명확한

particular attention
특별한 관심 02수능

Betty was hurt but wasn't **particularly** surprised.
베티는 마음에 상처를 입었지만 **특별히** 놀라지는 않았다. 12수능

1456 ★★★

□□□

perfume [pə́:rfju:m]

명 향수, 향기

Perfume is very expensive.
향수는 매우 비싸다.

1457 ★★★

□□□ [13.15 수능기출]

pious [páiəs]

형 경건한, 독실한

㊌ devout 독실한

She's very enthusiastic about her **pious** life.
그녀는 **신앙**생활에 열심이다.

1458 ★★★

□□□ [99.00.09.10.12 수능기출]

population [pɑ̀pjuléiʃən]

명 인구, 주민

the world's **population**
세계 **인구** 10수능

1453 올~펀 1454 아웃이쥐 1455 퍼티큘러 1456 펄퓸~ 1457 파이어스 1458 파퓰레이션

1459 ★★★

post  rity

후세, 후손

□□□ [14 수능기출]

posterity [pastérəti]

명 후세, 후손

㊒ descendant 자손, 후손 ㊥ ancestry 조상, 선조

Humans are our **posterity**.

인간은 우리의 **후손**이다.

1460 ★★★

prea  h

설교하다,
전도하다,
잔소리하다

□□□ 교육부

preach [príːtʃ]

동 설교하다, 전도하다, 잔소리하다

She **preached** me a sermon.

그녀는 나에게 **설교했다**.

1461 ★★★

prop  r

적당한, 적절한,
올바른

□□□ [94.95.03.07.08.09.10.12.19 수능기출]

proper [prápər]

형 적당한, 적절한, 올바른

㊕ properly 적당히 ㊥ improper 부당한 19수능 ㊋ property 재산

I eat **properly**.

나는 음식을 **적당히** 먹는다.

We need a **proper** understanding of politics.

우리는 정치의 **올바른** 이해가 필요합니다. 03수능

1462 ★★★

prot  ction

보호(물)

□□□ [94.95.96.98.00.01.07.08.09.12.14 수능기출]

protection [prətékʃən]

명 보호(물)

㊕ protect 보호하다 protective 보호하는

It is necessary to provide some **protection** for children.

아이들은 어느 정도 **보호**해 줄 필요가 있다. 07수능

1463 ★★★

ra  ist

인종차별적인

□□□ [14 수능기출]

racist [réisist]

형 인종차별적인

Someone told a **racist** joke.

누군가가 **인종차별적인** 농담을 했다.

1464 ★★★

re  ipe

조리법, 요리법, 방법

□□□ [19 수능기출]

recipe [résəpi]

명 조리법, 요리법, 방법

What is the **recipe** for this tasty dish?

이 맛있는 요리를 위한 **조리법**은 무엇입니까?

1465 ★★★

regim 

정권, 제도

□□□ 교육부 [15.16.17 수능기출]

regime [reiʒíːm]

명 정권, 제도

Even if **regime** change is realized, it is not likely that the economy will recover.
만일 **정권**교체가 이루어진다 해도 경제가 회복될 것 같지는 않다.

1466 ★☆☆

r  **indeer**

순록

□□□ [19 수능기출]

reindeer [réindìər]

명 순록

Reindeer live in cold climates.
순록은 추운 기후에서 살고 있다.

1467 ★★★

r  **ly**

의지하다, 믿다

□□□ 교육부 [07.11.13 수능기출]

rely [rilái]

동 의지하다, 믿다

유 rely on[upon] : ~에 의지하다

I can **rely** on my mother for help.
나는 내 어머니 도움에 **의지할** 수 있다.

Most people **rely** heavily on tools and skills.
대부분의 사람은 도구와 기술에 크게 **의존한다**. 11수능

1468 ★★☆

resembl 

닮다, 비슷하다

□□□ [09.14 수능기출]

resemble [rizémbl]

동 닮다, 비슷하다

유 look like : ~할 것 같다 be similar to : ~와 비슷하다

The son **resembles** his father.
그 아들은 아버지를 **닮았다**.

Our heads do not **resemble** steam kettles.
우리의 뇌는 증기솥 **같지** 않습니다. 09수능

1469 ★☆☆

resid  **ntial**

주거의, 주택의

□□□ [98.05.13.14 수능기출]

residential [rèzədénʃəl]

형 주거의, 주택의

This is a quiet **residential** area.
이곳은 조용한 **주거** 지역이다.

residential heating
주거용 난방 05수능

1470 ★☆☆

reval  **date**

갱신하다,
재허가하다, 재확인하다

□□□ [13 수능기출]

revalidate [riːvǽlideit]

동 갱신하다, 재허가하다, 재확인하다

This is a **revalidated** ticket.
이것은 **갱신된** 표이다. 14수능

1분 안에 넘기기

시간 있으면 꼼꼼히 외우기

1471 ★★☆

r d
막대, 회초리

□□□ 교육부 [13 수능기출]

rod [rάd]

명 막대, 회초리

유 stick, bar 팁 lightning rod 피뢰침

He uses a **rod** to catch fish.
그는 물고기를 잡으려고 낚싯**대**를 사용한다.

1472 ★★★

roy l
국왕의, 여왕의

□□□ [01 수능기출]

royal [rɔ́iəl]

형 국왕의, 여왕의

파 royalty 왕족 팁 loyal 충실한, 충성스러운

The **royal** palace is now empty.
궁실은 지금 비어 있다.

It was known as 'the **royal** game'.
이는 '**왕**의 경기'라고 알려졌다. 01수능

1473 ★★☆

s sh
장식띠, 허리띠

□□□ [07,13 수능기출]

sash [sǽʃ]

명 장식띠, 허리띠

She wore a yellow **sash** in the parade.
그녀는 퍼레이드에 노란색 **띠**를 매었다.

Silk **sashes**
비단**띠** 07수능

1474 ★☆☆

seas ning
양념, 조미료

□□□

seasoning [síːzəniŋ]

명 양념, 조미료

The cook put some **seasoning** in the soup.
그 요리사는 약간의 **조미료**를 수프에 넣었다.

1475 ★☆☆

s gregation
분리, 인종 차별

□□□

segregation [sègrigéiʃən]

명 분리, 인종 차별

유 discrimination 차별 파 segregate 분리하다, 차별하다

segregation by age and sex
연령과 성별을 이유로 한 **차별**

1476 ★★☆

serm n
설교

□□□

sermon [sə́ːrmən]

명 설교

유 preachment 설교

Today's **sermon** was very interesting.
오늘의 **설교**는 매우 흥미로웠다.

1477 ★★★

sh  lter

주거지, 피신처

□□□ [16 수능기출]

shelter [ʃéltər]

명 주거지, 피신처

He chose the cave as a **shelter**.
그는 **피신처**로 동굴을 택했다.

a **shelter** for their spirits
영혼의 **쉼터** 05수능

1478 ★

sh  rts

짧은 바지

□□□ [13 수능기출]

shorts [ʃɔːrts]

명 짧은 바지

I was wearing **shorts**.
나는 **반바지**를 입고 있었다. 13수능

1479 ★

sidebo  rd

찬장, 식기대

□□□ [15 수능기출]

sideboard [sáidbɔ̀ːrd]

명 찬장, 식기대

On the **sideboard** behind her, two tall glasses, soda water, champagne.
그녀의 뒤편에 있는 **식기 찬장**에는 두 개의 큰 유리잔과, 소다수와, 샴페인이 있었다. 06수능

1480 ★★

skyl  rk

종달새

□□□

skylark [skáilɑ̀ːrk]

명 종달새

This morning I heard a **skylark** sing.
오늘 아침 **종달새** 노래를 들었다.

1481 ★★

sophisticat  d

세련된, 정교한

□□□ [14.15 수능기출]

sophisticated [səfístəkèitid]

형 세련된, 정교한

㉶ sophisticate 세련된 사람
sophistication 교양, 정교한 지식 19수능

He is a smart and **sophisticated** young man.
그는 똑똑하고 **세련된** 젊은이이다.

1482 ★★

spect  tor

관객, 구경꾼

□□□ [09.16 수능기출]

spectator [spékteitər]

명 관객, 구경꾼

Your **spectator** experience will have been a fun one.
당신의 **구경꾼**으로서의 경험은 정말 재미있는 일이었을 것이다. 09수능

1483 ★★☆

spic 

양념, 향신료

□□□

spice [spáis]

명 양념, 향신료

ⓟ spicy 양념을 넣은, 매운

The cook went to buy **spices**.
그 요리사는 **향신료**를 사러 갔다.

1484 ★☆☆

spous 

배우자

□□□

spouse [spáus]

명 배우자

He is lucky to have such a good **spouse**.
그가 좋은 **배우자**를 만난 건 행운이다.

1485 ★☆☆

sta  k

더미, 많음

□□□

stack [stǽk]

명 더미, 많음

ⓤ pile (쌓아 올린) 더미

We must move the **stacks** of straw.
우리는 볏짚 **더미**를 옮겨야 한다.

1486 ★★☆

st  tic

고정적인, 정지상태의
정지상태

□□□ [13 수능기출]

static [stǽtik]

형 고정적인, 정지상태의 명 정지상태

a **static** population level
고정적인 인구 수준 13수능

1487 ★★★

sti  k

막대기, 나뭇가지
찌르다

□□□ 교육부 [95.07.11.13.16 수능기출]

stick [stík]

명 막대기, 나뭇가지 동 찌르다

ⓟ sticker 스티커 ⓢ stick to (~을 붙이다)=adhere to=cling to : ~을 고수하다 수능기출

The intact mummy was found **sticking** out of the ice.
얼음 위로 **삐쭉** 올라온 손상되지 않은 미라가 발견됐다. 07수능

1488 ★★☆

str  w

짚, 빨대(스트로)

□□□ 교육부 [13 수능기출]

straw [strɔ́:]

명 짚, 빨대(스트로)

The dog likes to sleep on **straw**.
그 개는 **밀짚** 위에서 자는 걸 좋아한다.

1489 ★★☆

su 

tor

소송인, 구혼자,
기업인수자

□□□

suitor [sú:tər]

명 소송인, 구혼자, 기업인수자

㉺ suit 한 벌,소송

The **suitors** decided not to compromise with them.

소송인들은 그들과 타협하지 않기로 결정했다.

1490 ★★☆

sw  ep

청소하다, 쓸다

□□□ [01 수능기출]

sweep [swí:p]

동 청소하다, 쓸다

㉺ sweeping 전면적인, 광범위한

We need to **sweep** the path every day.

우리는 그 길을 날마다 **청소해야 한다**.

1491 ★★☆

thre  d

실
실을 꿰다

□□□ 교육부 [14 수능기출]

thread [θréd]

명 실 동 실을 꿰다

㉣ threat 협박, 위협 textile 직물 dyeing 염색

I need **thread** to mend the shirt.

나는 셔츠를 수선할 **실**이 필요하다.

1492 ★☆☆

tickl 

간지럼을 태우다,
간질이다

□□□ [08 수능기출]

tickle [tíkl]

동 간지럼을 태우다, 간질이다

If you are relaxed when someone **tickles** you, there will be no problem.

다른 사람이 **간질이는데** 아무렇지도 않다면, 전혀 문제가 없을 텐데. 08수능

1493 ★☆☆

tr  y

쟁반

□□□ 교육부 [16 수능기출]

tray [trei]

명 쟁반

㉣ ashtray 재떨이

She came in with a **tray** of drinks.

그녀가 마실 것들을 담은 **쟁반**을 들고 들어왔다.

1494 ★★☆

un 

dited

편집되지 않은

□□□ [13 수능기출]

unedited [ʌnéditid]

형 편집되지 않은

The Internet is a conveyer of **unedited** information.

인터넷은 **편집되지 않은** 정보를 전달하는 매체이다. 13수능

This broadcast is **unedited**.

이 방송은 **편집되지** 않았다.

1분 안에 넘기기

시간 있으면 꼼꼼히 외우기

1495 ★★☆

ut  nsil

가정용품, 기구

□□□

utensil [ju:ténsəl]

명 가정용품, 기구

팁 tool 도구 gourmet 미식가

기출 toolmaker 도구[공구] 제작자 18수능

The **utensil** is on the table.

식기가 식탁 위에 있어요.

1496 ★☆☆

vanguar 

선봉, 선두

□□□ [14 수능기출]

vanguard [vǽngὰ:rd]

명 선봉, 선두

The **vanguard** must have been small in number.

선발대는 숫자가 매우 적었음에 틀림이 없다. 14수능

1497 ★★☆

v  ntilation

통풍, 환기 장치

□□□

ventilation [vèntəléiʃən]

명 통풍, 환기 장치

파 ventilator 환풍기, 산소 호흡기

There is a proper **ventilation** in this room.

이 방에는 적당한 **환기 장치**가 있다.

1498 ★☆☆

vogu 

유행, 인기

□□□

vogue [vóug]

명 유행, 인기

숙 out of date=out of fashion=old-fashioned=out of vogue=behind the times : 구식의, 시대에 뒤떨어진 수능기출

Wearing hats is in **vogue** again.

모자를 쓰는 것이 다시 **유행이다**.

1499 ★★☆

whol  some

건강에 좋은,
유익한

□□□ [13.16 수능기출]

wholesome [hóulsəm]

형 건강에 좋은, 유익한

That was a **wholesome** meal.

그것은 **건강에 좋은** 식사였다.

1500 ★★☆

wid  w

미망인, 과부
남편을 잃다

□□□ 교육부 [13 수능기출]

widow [wídou]

명 미망인, 과부 동 남편을 잃다

반 widower 홀아비

She became a **widow** five years ago.

그녀는 5년 전에 **과부**가 되었다.

1495 유~**텐**슬 1496 **벤**가알드 1497 벤털**레**이션 1498 **보**그 1499 **호**울썸 1500 **위**도우

1501 ★★★

ac  rd

일치, 조화
일치하다, 조화시키다

□□□ 교육부 [00.01.06 수능기출]

accord [əkɔ́:rd]

명 일치, 조화 동 일치하다, 조화시키다

㉺ according 따라서 accordingly 부응해서, 그에 맞춰

㊍ of one's own accord=voluntarily= willingly : 자발적으로
according to+구=according as+절 : ~에 따르면 수능기출

1502 ★★

ccustom

익숙해지다

□□□ 교육부 [99 수능기출]

accustom [əkʌ́stəm]

동 익숙해지다

㉺ accustomed 익숙한, 평소의

㊍ be(get) used to + 명사=be accustomed to + 명사
=accustom oneself to + 명사 : ~에 익숙하다 수능기출

We are now **accustomed** to your thoughtfulness.

우리는 지금 당신의 사려 깊음에 **익숙해 있다**.99수능

1503 ★★

acknowl  dge

인정하다

□□□ 교육부 [12.19 수능기출]

acknowledge [æknɑ́lidʒ]

동 인정하다

㊍ fund of knowledge 지식의 축적 19수능

㊒ knowledgeable 박식한, 지식이 있는 19 수능

He **acknowledged** that he was wrong.

그는 자기의 잘못을 **인정했다**.

1504 ★★★

a  quire

습득하다, 획득하다

□□□ 교육부 [11.14.16 수능기출]

acquire [əkwáiər]

동 습득하다, 획득하다

㉺ acquisition 획득, 습득, 취득 19.22수능

The child **acquires** the heritage of his culture.

아이는 문화유산을 **습득한다**.11수능

1505 ★★

 dhere

들러붙다, 고수하다

□□□

adhere [ædhíər]

동 들러붙다, 고수하다

㊍ adhere to : ~에게 충실하다

㉺ adherence 고수 adherent (정당이나 사상의) 지지자

Car drivers must **adhere** to the rules of driving.

자동차 운전자들은 운전 규칙을 **준수해야** 합니다.

1506 ★★

adj  urn

휴회하다,
연기하다, 중단하다

□□□

adjourn [ədʒə́:rn]

동 휴회하다, 연기하다, 중단하다

㉺ adjournment (회의) 연기

㊒ postpone, delay, put off ㉥ reconvene 다시 모이다

I move that we **adjourn** until tomorrow.

내일까지 **휴회할 것을** 제안합니다.

○ 1분 안에 넘기기

○ 시간 있으면 꼼꼼히 외우기

1507 ★☆☆

ad  rnment

꾸미기, 장식, 장식품

□□□

adornment [ədɔ́:rnmənt]

명 꾸미기, 장식, 장식품

㊕ adorn 꾸미다, 장식하다 ㊒ decoration 장식품

Too much **adornment** is ugly.

너무 많이 **꾸미면** 추하다.

1508 ★☆☆

dvent

도래, 출현

□□□ [11.19 수능기출]

advent [ǽdvent]

명 도래, 출현

㊖ adventure 모험 adventitious 우발적인

The **advent** of the railroad was an important event in history

철도의 **출현**은 역사상 중요한 사건이었습니다. 11수능

1509 ★★☆

alleg 

주장하다,
단언하다

□□□ [15.16.17 수능기출]

allege [əlédʒ]

동 주장하다, 단언하다

㊕ allegation 혐의 allegedly 주장한 바에 의하면

The police **allege** he drove too fast.

경찰은 그가 난폭 운전을 하고 있었다고 **주장한다**.

1510 ★☆☆

a  teration

변화, 개조

□□□

alteration [ɔ́:ltəréiʃən]

명 변화, 개조

The house needed an extensive **alteration**.

그 집은 대대적인 **개조**가 필요했다.

1511 ★☆☆

amn  sty

사면,
자진 신고 기간

□□□

amnesty [ǽmnəsti]

명 사면, 자진 신고 기간

He waited seven years for an **amnesty**.

그는 7년간 **사면**을 기다렸다.

1512 ★☆☆

annihilat 

전멸시키다, 완패시키다

□□□ [16 수능기출]

annihilate [ənáiəlèit]

동 전멸시키다, 완패시키다

㊕ annihilation 전멸 annihilable 전멸시킬 수 있는

The enemies were all but **annihilated**.

적군은 거의 **전멸됐다**.

1513 ★☆☆

antedat 

선행하다, 앞당기다

□□□
antedate [ǽntidèit]
동 선행하다, 앞당기다
You should not **antedate** a document.
문서 날짜를 **앞당기면** 안됩니다.

1514 ★☆☆

ant  rior

앞의, 앞쪽의

□□□
anterior [æntíəriər]
형 앞의, 앞쪽의
He looked for an **anterior** place.
그는 **앞쪽에** 자리를 발견했다.

1515 ★☆☆

rray

집합체, 배열

□□□
array [əréi]
명 집합체, 배열
There was an impressive **array** of guests.
그곳에는 기라성 같은 내빈**들**이 있었다.

1516 ★☆☆

ascrib 

(~의) 탓으로 돌리다

□□□
ascribe [əskráib]
동 (~의) 탓으로 돌리다
㉶ ascription 탓으로 함 ascribable ~에 돌릴 수 있는
Do not **ascribe** that story to me!
그 얘기를 내 **탓으로 돌리지** 마!

1517 ★★☆

 lculate

계산하다

□□□ [12.13 수능기출]
calculate [kǽlkjulèit]
동 계산하다
㉶ calculation 산정, 계산 19.20수능 calculator 계산기
Can you **calculate** the price?
가격을 **계산해** 주시겠어요?

1518 ★☆☆

 ausality

인과 관계

□□□ [16 수능기출]
causality [kɔ:zǽləti]
명 인과 관계
They failed to understand the fundamental nature of **causality**.
그들은 **인과 관계**의 근본적인 성질을 이해하지 못했다. 16수능

1분 안에 넘기기 | 시간 있으면 꼼꼼히 외우기

1519 ★★☆

cognitiv 

인식의, 인지력 있는

□□□ [13.17 수능기출]

cognitive [kάgnətiv]

형 인식의, 인지력 있는

㉫ cognition 인지, 인식

This robot has **cognitive** ability. 이 로봇은 **인지** 능력을 갖추고 있다.

Even purchases that seem simple can quickly turn into a **cognitive** quagmire.
단순해 보이는 구매조차도 금새 **인지적** 수렁으로 변할 수 있다. 13수능

1520 ★★☆

coher 

nt

일관성 있는, 논리적인

□□□ 교육부 [05 수능기출]

coherent [kouhíərənt]

형 일관성 있는, 논리적인

㉫ coherence 일관성 cohere 일관성이 있다

팁 cohesion 화합, 응집력

Our goal is to make it a visually **coherent** work of art.
우리 목표는 그것을 시각적으로 **일관성 있는** 예술 작품으로 만드는 것이다. 05수능

1521 ★☆☆

commo  **ity**

상품, 물품, 원자재

□□□ 교육부 [19.20 수능기출]

commodity [kəmάdəti]

명 상품, 물품, 원자재

I have many **commodities**.
나는 많은 **상품**을 가지고 있어요.

1522 ★★☆

 **onfer**

의논하다, 수여하다

□□□

confer [kənfə́:r]

동 의논하다, 수여하다

㉫ conference 회의 16수능

He wanted to **confer** with his staff.
그는 직원들과 **의논하고** 싶었다.

1523 ★☆☆

onnotation

함축, 함축된 의미

□□□

connotation [kὰnətéiʃən]

명 함축, 함축된 의미

㉫ connote 내포하다 ㉤ denotation (단어를 통한) 지시

It has a bad **connotation**.
그것은 나쁜 **의미**를 갖고 있다.

1524 ★☆☆

constr  **int**

제약, 제한

□□□ [19 수능기출]

constraint [kənstréint]

명 제약, 제한

㉫ constrain ~하게 만들다, 제한하다 ㉲ restriction

He acted under **constraint**.
그는 **제약**을 받고 행동했다.

1525 ★☆☆

□□□ [13.17 수능기출]

convey [kənvéi]

동 전달하다, 나르다

Please **convey** my greetings to her.
그녀에게 내 안부를 **전해 줘**.

1526 ★☆☆

□□□

counteract [kàuntərǽkt]

동 대응하다, 거스르다

파 counteraction 중화작용, 반작용

What can you do to **counteract** that problem?
너는 그 문제에 **대응하기** 위해 무엇을 할 수 있는가?

1527 ★☆☆

□□□

counterpart [káuntərpɑ̀ːrt]

명 상대, 대응 관계에 있는 사람

The Korean team beat its French **counterpart**.
한국 팀이 **상대** 프랑스 대표 팀을 물리쳤다.

1528 ★☆☆

□□□

decipher [disáifər]

동 해독하다, 판독하다

유 decode 반 cipher 암호

It is difficult to **decipher**.
그것은 **해독하기**가 어렵다.

1529 ★☆☆

□□□

delicate [délikət]

형 연약한, 허약한, 섬세한

파 delicacy 여림, 연약함

Her health is **delicate**.
그녀는 **병약하다**.

1530 ★★☆

□□□

designate [dézignèit]

동 지정하다, 지명하다

I will **designate** a time to meet.
난 약속 시간을 **정할** 것이다.

1525 컨베이 1526 카운덜액트 1527 카운터파~트 1528 디사이퍼 1529 델리컷 1530 데지그네잍

1분 안에 넘기기 | 시간 있으면 꼼꼼히 외우기

1531 ★★☆

devis 

궁리하다, 고안하다
생각해 내다

□□□ [08.17.20 수능기출]

devise [diváiz]

동 궁리하다, 고안하다, 생각해 내다

㊉ device 장치

I will **devise** another way.
나는 다른 방법을 **궁리한다**.

They **devised** a number of ball games.
그들은 공으로 하는 많은 경기를 **고안했다**. 08수능

1532 ★★☆

diffus 

널리 퍼진, 분산된
확산[발산]시키다

□□□ [07 수능기출]

diffuse [difjú:z]

형 널리 퍼진, 분산된 동 확산[발산]시키다

㊉ diffusion 확산, 전파

Social contact plays a crucial role in the process of **diffusion**.
사회적인 접촉은 **확산의** 과정에 중요한 역할을 한다. 07수능

1533 ★★★

din 

식사를 하다,
만찬을 들다

□□□

dine [dáin]

동 식사를 하다, 만찬을 들다

㊈ dine in 집에서 식사하다 dine out 외식하다

We will **dine out** tonight.
우리는 오늘 저녁에 **외식할 것이다**.

1534 ★★☆

dis  ard

버리다, 폐기하다

□□□ [98.19 수능기출]

discard [diskɑ́:rd]

동 버리다, 폐기하다

㊐ get rid of : ~을 처리하다, 없애다

These were used once and **discarded**.
이것들은 한때 사용되었고 **폐기되었다**. 98수능

1535 ★★☆

dis  rn

분간하다,
식별하다

□□□ [15 수능기출]

discern [disə́:rn]

동 분간하다, 식별하다

㊉ discernment 안목 ㊐ discrimination 차별, 안목

It is hard to **discern** the truth.
진실을 **분별하기** 어렵다.

1536 ★☆☆

disc  urse

담론, 담화, 강연

□□□

discourse [dískɔ:rs]

명 담론, 담화, 강연

㊇ course 진행, 진로

I cannot understand his **discourse**.
나는 그의 **말**을 이해할 수가 없다.

1531 디바이즈 1532 디퓨~스 1533 다인 1534 디스칼~드 1535 디썬~ 1536 디스콜~스

1537 ★☆☆

discret

별개의, 분리된

□□□ 교육부

discrete [diskríːt]

형 별개의, 분리된

팁 discreet 신중한, 조심스러운

The organisms can be divided into **discrete** categories.
그 유기체들은 **별개의** 범주들로 나눌 수 있다.

1538 ★☆☆

emulat

모방하다, 경쟁하다

□□□

emulate [émjulèit]

동 모방하다, 경쟁하다

파 emulation 경쟁, 겨룸

He tried to **emulate** his brother.
그는 동생을 **따라 하려고** 애썼다.

1539 ★★☆

ndow

(기관) 기부하다,
(재능) 부여하다

□□□ [14 수능기출]

endow [indáu]

동 (기관) 기부하다, (재능) 부여하다

Nature has **endowed** her with wit and intelligence.
하늘은 그녀에게 기지와 지성을 **주었다.**

1540 ★★☆

ensu

잇달아 일어나다
(어떤 일이나
결과가) 뒤따르다

□□□ [13 수능기출]

ensue [insúː]

동 잇달아 일어나다. (어떤 일이나 결과가) 뒤따르다

파 ensuing 뒤이은, 다음의

After apologies, reconciliation **ensues**.
사과 후에 화해로 **이어진다.** 13수능

When they are discovered, a terrible tragedy **ensues**.
그들이 발견되면 무시무시한 재앙이 **뒤따른다**.

1541 ★☆☆

xigency

긴박, 위기

□□□

exigency [éksədʒənsi]

명 긴박, 위기

유 urgency 긴급, 위급 emergency 비상

What is the solution for the economic **exigency**?
경제 **위기**에 대한 해결 방안은 무엇인가?

1542 ★☆☆

falla

y

틀린 생각,
오류

□□□

fallacy [fǽləsi]

명 틀린 생각, 오류

He discovered it was a **fallacy**.
그는 그것이 **잘못된 추론**임을 알게 되었다.

1543 ★★★

figurativly

비유적으로, 상징적으로

□□□ [14 수능기출]

figuratively [fígjurətivli]

부 비유적으로, 상징적으로

The blasphemer is **figuratively** burned at the stake.

욕설하는 사람은 **비유적으로** 스테이크를 태우는 것이다.

1544 ★★★

forar

참다,
삼가다

□□□

forbear [fɔːrbέər]

동 참다, 삼가다

유 put up with (짜증, 불쾌 등을) 참다

I **forbear** to take revenge.

나는 복수하려는 것을 **참는다**.

1545 ★★★

furthermor

게다가, 더욱이

□□□ [11,13,15 수능기출]

furthermore [fə́ːrðərmɔ̀ːr]

부 게다가, 더욱이

유 moreover 게다가 besides 뿐만 아니라

팁 further 조성[증진]하다

Furthermore, I want your money too!

더군다나, 난 너의 돈도 원해!

1546 ★★★

her

by

이에 의하여,
이로써

□□□

hereby [híərbái]

부 이에 의하여, 이로써

팁 hereinafter 아래에, 이하

I **hereby** certify that the information above is all true.

이로써 저는 위의 정보가 모두 사실임을 증명합니다.

1547 ★★★

irrelvant

관련이 없는,
부적절한

□□□ [10 수능기출]

irrelevant [iréləvənt]

형 관련이 없는, 부적절한

반 relevant 적절한 appropriate 적당한 related 관련된

They often collect data that are **irrelevant**.

그들은 종종 **부적절한** 자료들을 수집하기도 한다. 10수능

1548 ★★★

lst

~하지 않도록,
~할까 봐

□□□

lest [lést]

접 ~하지 않도록, ~할까 봐

He sat down **lest** he get tired.

그는 피곤**하지 않도록** 앉았다.

1543 피규티블리 1544 폴베어 1545 펄더모~얼 1546 히얼바이 1547 일레러번트 1548 레스트

1549 ★★★

likewis

마찬가지로

□□□ 교육부 [14.15 수능기출]

likewise [láikwàiz]

부 마찬가지로

The second attempt was **likewise** a failure.
두 번째 시도도 **역시** 실패로 돌아갔다.

1550 ★★★

n

vertheless

그럼에도 불구하고

□□□ 교육부 [00.01.04.08.11.12.15.20 수능기출]

nevertheless [nèvərðəlés]

부 그럼에도 불구하고

유 regardless 개의치 않고 nonetheless 그렇더라도

숙 none the less=nevertheless : 그럼에도 불구하고, 여전히 수능기출

It is raining. **Nevertheless**, I will go.
비가 온다. **그럼에도 불구하고** 나는 갈 것이다.

1551 ★★☆

nominat

(후보자로) 지명하다, 임명하다

□□□ [14 수능기출]

nominate [nάmənèit]

동 (후보자로) 지명하다, 임명하다

파 nomination 지명, 임명

He was **nominated** as the best actor.
그는 최우수 남자 배우 상에 **지명되었다**.

1552 ★★★

non

theless

그렇기는 하지만,
그렇더라도

□□□ 교육부 [94.06.07.10.16 수능기출]

nonetheless [nʌ̀nðəlés]

부 그렇기는 하지만, 그렇더라도

유 nevertheless 그럼에도 불구하고

Nonetheless, they usually throw those away.
그렇더라도, 그들은 그것들을 대개 버린다. 06수능

1553 ★★☆

n

tably

특히, 현저히

□□□ [16 수능기출]

notably [nóutəbli]

부 특히, 현저히

Most **notably**, the percentage of parents was higher in all activity types.
아주 **현저하게도** 부모의 비율은 모든 활동 유형에서 더 높았다. 16수능

1554 ★★☆

p

tition

청원(서), 진정(서)

□□□

petition [pitíʃən]

명 청원(서), 진정(서)

We're collecting signatures for a **petition**.
우리는 **청원서**를 제출하기 위해 서명을 받고 있다.

1555 ★★☆

plur  l

복수의, 복수형의

□□□

plural [plúərəl]

형 복수의, 복수형의

반 singular 단수의

Two or more is **plural**.

둘 이상은 **복수**이다.

1556 ★☆☆

prede  essor

전임자

□□□

predecessor [prédəsèsər]

명 전임자

유 antecedent 선행자, 선조 반 successor 후임자

I do not know my **predecessor**.

나는 내 **전임자**를 모르겠어.

1557 ★★☆

predi 

ate

술부, 단정하다

□□□ [13.15 수능기출]

predicate [prédikət]

명 술부 동 단정하다

파 predication 단언, 단정

What is the **predicate** in this sentence?

이 문장에서 **술어**가 무엇인가?

1558 ★★☆

provisi  n

공급, 준비

□□□ [19 수능기출]

provision [prəvíʒən]

명 공급, 준비

파 provide 제공하다, 주다 19수능

The mother made **provision** for the guest's meal.

어머니는 손님맞이 식사를 **준비**하셨다.

기출 catering 음식 공급22수능

1559 ★★★

refut 

논박하다, 부인하다

□□□ [14 수능기출]

refute [rifjúːt]

동 논박하다, 부인하다

팁 refuse 거절하다

It is hard to **refute** what he says.

그가 하는 말에 **논박하는** 것은 어렵다.

1560 ★☆☆

rend  r

(~상태가) 되게 하다, 주다

□□□ [22 수능기출]

render [réndər]

동 (어떤 상태가 되게) 만들다[하다], 주다

Please **render** an account of where you got it.

그것을 어디서 구했는지 나에게 설명해 **줘**.

1561 ★☆☆

sc  nt

거의 없는, 부족한

□□□
scant [skǽnt]
형 거의 없는, 부족한
팁 scent 향기, 냄새
I paid a **scant** attention to what they were saying.
나는 그들이 하는 말에 **거의 신경을 쓰지 않았다.**

1562 ★★☆

s 

rutiny

정밀 조사, 철저한 검토

□□□ [12.14 수능기출]
scrutiny [skrú:təni]
명 정밀 조사, 철저한 검토
유 probe 캐묻다 scrutinize 세밀히 조사하다
I made a careful **scrutiny.**
나는 철저한 **검토**를 했다.

1563 ★☆☆

segreg  te

분리[차별]하다, 구분하다

□□□
segregate [ségrigèit]
동 분리[차별]하다, 구분하다
She **segregated** the hens and the ducks.
그녀는 암탉과 오리를 **구분했다.**

1564 ★★★

sp  cific

구체적인, 특정한

□□□ 교육부 [95.09.10.12.15.16.17.20.22 수능기출]
specific [spisífik]
형 구체적인, 특정한
파 specification 설명서, 사양 16수능 specifically 특별히
species 종(류) 반 vague 모호한
Can you give me any **specific** instances?
당신은 내게 어떤 **구체적인** 예를 주실 수 있습니까? 95수능

1565 ★☆☆

subsequ  nt

그다음의, 그 후의

□□□ 교육부
subsequent [sʌ́bsikwənt]
형 그다음의, 그 후의
파 subsequence 다음, 후 subsequently 그 뒤에, 나중에 17수능
팁 sequent 다음에 오는
Subsequent events proved the woman to be right.
그 이후의 사건들이 그 여자가 옳다는 것을 입증해 주었다.

1566 ★★☆

successiv 

연속적인, 연이은

□□□ [13 수능기출]
successive [səksésiv]
형 연속적인, 연이은
팁 successful 성공한 유 consecutive
The machines work after **successive** attempts.
기계는 **연속적인** 시도 후에 사용할 수 있다.

1분 안에 넘기기 | 시간 있으면 꼼꼼히 외우기

1567 ★★★

supposely

아마도

□□□ [14 수능기출]

supposedly [səpóuzidli]

부 아마도

숙 be supposed to ~하기로 되어 있다 19수능

The power of social constructions is **supposedly** diminished.

사회적 구성의 힘은 **아마도** 감소할 것이다. 14수능

1568 ★★★

ustain

떠받치다, 유지하다, 지탱하다

□□□ 교육부 [97.08.13.14 수능기출]

sustain [səstéin]

동 떠받치다, 유지하다, 지탱하다

팁 unsustainable 지속 불가능한17.20수능 Sustainability 지속 가능성08수능

Props **sustain** the ancient tree.

지지대가 노송을 **지탱시킨다**.

Sustainability is the second factor in choosing a job.

지속 가능성은 직업 선택의 두 번째 요소이다. 08수능

1569 ★★★

thu

따라서, 이렇게

□□□ 교육부 [97.03.04.07.09.11.12.13.14.15.16.17 수능기출]

thus [ðʌ́s]

부 따라서, 이렇게

팁 thereafter 그 후에 therefore 그러므로 hence 이런 이유로 consequently 그 결과

Thus he spoke after the meal.

식사 후에 그는 **이렇게** 말했다.

1570 ★★★

ven

판매하다, 매각하다

□□□ [13 수능기출]

vend [vénd]

동 판매하다, 매각하다

파 vendor 행상인

He's buying something from a **vending machine**.

그는 **자판기**에서 무언가를 사고 있다.

1571 ★★★

wan

약해지다, 줄어들다

□□□

wane [wéin]

동 약해지다, 줄어들다

His popularity was beginning to **wane**.

그의 인기는 **줄어들기** 시작했다.

1572 ★★★

wheras

~에 반하여, 반면에

□□□ 교육부 [04.05.07.10.13 수능기출]

whereas [hwɛ̀əræ̀z]

접 ~에 반하여, 반면에

One is small **whereas** the other is bigger.

하나는 작은데 **비해** 다른 하나는 더 크다.

Chapter 5
Review Test

A. 수능에 출제되는 단어 또는 단어의 뜻을 쓰시오.

01. 임박한, 절박한 ________
02. 동시대의, 현대의, 당대의 ________
03. 왜곡, 찌그러뜨림 ________
04. 둘러싸다, 포위하다 ________
05. 궁핍, 박탈, 부족 ________
06. 독점적인, 배타적인 ________
07. 주장하다, 단언하다 ________
08. 널리 퍼진, 분산된 ________
09. 식별하다, 알아보다 ________
10. 구체적인, 특정한 ________
11. desperate ________
12. immoral ________
13. anarchy ________
14. escalate ________
15. conventional ________
16. legislation ________
17. revalidate ________
18. cognitive ________
19. irrelevant ________
20. refute ________

B. 수능에 출제되는 문장의 문맥에 맞는 단어를 고르시오.

01. It is not easy to show courage in the face of ________.
02. A literary critic taking exception to a ______ method of interpretation.
03. He is one of the most famous yet mysterious ________ of recent times.

ⓐ unfair	ⓑ celebrities	ⓒ prevailing	ⓓ anonymous	ⓔ opposition

04. More farmland was ________ to build strip malls.
05. They use their cleverness to ________ and excuse themselves.
06. Our goal is to make it a visually ________ work of art.

ⓐ devoured	ⓑ justify	ⓒ radical	ⓓ repeated	ⓔ coherent

정답 01.ⓔ 02.ⓒ 03.ⓑ 04.ⓐ 05.ⓑ 06.ⓔ

01. (반대에) 직면하여 용기를 보여 주는 것은 쉽지 않다. 11수능
02. 문학 평론가는 (지배적인) 해석 방법에 대해 이의를 제기한다. 11수능
03. 그는 최근에 가장 유명하지만 신비에 싸인 (명사) 중 한 사람이다. 97수능
04. 더 많은 농경지가 쇼핑센터를 건립하느라 (소실됐다). 14수능
05. 그들은 자기의 좋은 머리를 (정당화하거나) 변명하는 데 쓴다. 12수능
06. 우리 목표는 그것을 시각적으로 (일관성 있는) 예술 작품으로 만드는 것이다. 05수능

수능완성단어

영포자 1등급 만들기 해결사 혼동어휘

☐	**aboard** : 배로, 승선하여 **abroad** : 해외로, 외국에서	**accident** : 사고 **incident** : 사건
☐	**active** : 활동적인 **actual** : 실제의	**adapt** : 적합[적응]시키다 **adopt** : 양자로 삼다, 채용[채택]하다
☐	**affect** : 영향을 주다 **effect** : 결과, 효과, 영향	**alive** : 살아있는(서술적 용법) **live** : 생생한(한정적 용법)
☐	**altar** : 제단 **alter** : 변경하다, 개조하다	**altitude** : 고도, 해발 **aptitude** : 적성, 소질, 재능 **attitude** : 태도, 자세
☐	**analysis** : 분석 **analyze** : 분석하다	**angel** : 천사 **angle** : 각도
☐	**anything but** : 결코 ~ 아닌(=**never**) **nothing but** : ~에 지나지 않는(=**only**)	**anticipate** : 기대하다(=**expect**), 예상하다 **participate** : 참여하다(=**take part in**)
☐	**appreciate** : 감사하다, 평가하다 **depreciate** : 가치를 저하하다, 감소시키다	**arrow** : 화살 **allow** : 허용하다, 용납하다
☐	**artistic** : 예술적인 **artificial** : 인조의, 인공적인	**ascribe** : ~의 탓으로 돌리다 **subscribe** : 서명하다, 기부하다
☐	**attention** : 주의, 배려 **intention** : 의도, 의지, 목적	**award** : 수여하다(=**grant**); 상, 상품 **reward** : 보상하다, 보답하다
☐	**bald** : 대머리의, 단조로운 **bold** : 대담한, 용감한	**banish** : 추방하다, 방출하다 **vanish** : 사라지다, 없어지다
☐	**bare** : 헐벗은 **bear** : 곰, 참다, 견디다	**berry** : 딸기 **bury** : 묻다, 파묻다, 매장하다
☐	**beneficial** : 유익한, 이로운 **beneficent** : 자선심이 많은, 인정 많은	**beside** : ~옆에 **besides** : ~이외에도, 게다가
☐	**blend** : 섞다(=**mix**), 혼합하다, 조화시키다 **bland** : 부드러운, 온화한(=**mild**)	**bleed** : 피를 흘리다 **breed** : 기르다
☐	**blush** : (얼굴을) 붉히다 **brush** : 솔, 붓	**bow** : [bou] 활 [bau] 절; 절하다 **bough** : 큰 가지
☐	**brake** : 브레이크, 제동을 걸다 **break** : 부수다	**brow** : 이마 **blow** : (바람 등이) 불다
☐	**broom** : 비 **bloom** : 개화	**carton** : 종이 판지 **cartoon** : 만화
☐	**carve** : 조각하다 **curve** : 곡선 **curb** : 재갈, 구속 : 도로의 경계석	**banish**추방하다, 내쫓다 **vanish**(갑자기)사라지다
☐	**ceiling** : 천정 **sealing** : 물개 잡이	**cereal** : 곡식, 곡류 **serial** : 연속물, 연속적인
☐	**cite** : 인용하다 **site** : 대지, 부지, 현장, 장소	**cloth** : 천 **clothe** : 옷을 입히다 **clothes** : 옷, 의복 **clothing** : 옷, 의복(집합적)
☐	**collar** : 깃 **color, colour**(영) : 색	**command** : 명령하다, 획득하다 **commend** : 추천하다, 칭찬하다

Chapter 06

Health / 건강

ⓐ Ailments (질병)

ⓑ Treatment (치료)

ⓒ Condition (상태)

ⓓ Anatomy and Body Related (해부와 신체 관련)

ⓔ Associated Words (연관 단어)

1분 안에 넘기기 | 시간 있으면 꼼꼼히 외우기

1573 ★☆☆

acne
여드름

□□□ [13 수능기출]

acne [ǽkni]

명 여드름

유 pimple 뾰루지

Her biggest concern is **acne**.
그녀의 가장 큰 우려는 **여드름**이다.

1574 ★☆☆

ailment
질병

□□□

ailment [éilmənt]

명 질병

유 illness 병, 아픔

What is your **ailment**?
귀하의 **질환**은 무엇입니까?

1575 ★☆☆

asthma
천식

□□□ [11 수능기출]

asthma [ǽzmə]

명 천식

팁 leukemia 백혈병 hypertension 고혈압 appendicitis 맹장염 anemia 빈혈 enteritis 장염

The percentage of male children with **asthma** was high.
천식이 있는 남자아이들의 비율이 높았다. 11수능

1576 ★★☆

breakdown
고장, 파손, 붕괴, 실패

□□□ [97.07 수능기출]

breakdown [bréikdàun]

명 고장, 파손, 붕괴, 실패

The car had a **breakdown** on the road.
도로에서 자동차가 **고장 났다**.

a **breakdown** in the metal-working industry
금속 세공업의 **붕괴** 07수능

1577 ★★★

breathe
호흡하다, 숨을 쉬다

□□□ [99.00.08.11.14 수능기출]

breathe [brí:ð]

동 호흡하다, 숨을 쉬다

파 breath 입김, 숨 breathless 숨이 가쁜 breathtaking 숨이 막히는

The lady **breathed** calmly.
그녀는 침착하게 **숨을 쉬었다**. 08수능

1578 ★★☆

bruise
멍, 타박상

□□□ [13 수능기출]

bruise [brú:z]

명 멍, 타박상

He had slipped and badly **bruised** on his face.
그는 미끄러져 얼굴에 심한 **멍이 들었다**.

혓바닥 e 입벌린 c 머리볶은 a 동글이 o 록펠러진 i

1573 애크니 1574 에일먼트 1575 애즈마 1576 브레익다운 1577 브리~드 1578 브루~즈

1579 ★☆☆

burn  **ut**

극도의 피로,
연료 소진

□□□
burnout [bə́:rnàut]
명 극도의 피로, 연료 소진
He suffered from **burnout**.
그는 **신경쇠약**으로 고통받았다

1580 ★★☆

canc  **r**

암

□□□ 교육부 [05 수능기출]
cancer [kǽnsər]
명 암
The doctor carries out special tests for **cancer**.
의사는 **암**을 위해서 특별한 검사를 한다. 05수능

1581 ★★☆

 **hoke**

숨이 막히다,
질식시키다

□□□
choke [tʃóuk]
동 숨이 막히다, 질식시키다
팁 chalk 분필 chokecherry 산벚나무의 일종
He nearly **choked** on his food.
그는 자기 음식에 **숨 막힐** 뻔했다.

1582 ★★☆

chr  **nic**

만성병 환자
만성적인

□□□ [13.17 수능기출]
chronic [kránik]
명 만성병 환자 형 만성적인
파 chronically 만성적으로 17수능 반 acute 급성의
팁 acuity 예민함 20수능
He has a **chronic** illness.
그는 **만성 질환**이 있다.

1583 ★★☆

crippl 

장애인, 불구자
불구로 만들다

□□□
cripple [krípl]
명 장애인, 불구자 동 불구로 만들다
유 disability 장애, 무능
He was a **cripple** from birth.
그는 태어날 때부터 **장애인**이었다.

1584 ★☆☆

def  **rm**

변형되다,
기형으로 만들다

□□□
deform [difɔ́:rm]
동 변형되다, 기형으로 만들다
유 disfigure 흉하게 만들다
His face became **deformed**.
그의 얼굴이 **변형**되었다.

1585 ★☆☆

d  ntal

이의, 치과의

□□□

dental [déntl]

형 이의, 치과의

㉤ dentist 치과의사

He has a **dental** problem.

그는 **치아**에 문제가 있다.

1586 ★★☆

diabet  s

당뇨병

□□□ [05.07.12 수능기출]

diabetes [dàiəbí:tis]

명 당뇨병

Dietary fiber helps reduce the risk of **diabetes**.

식이 섬유는 **당뇨병**의 위험성을 줄이는데 도움이 된다. 07수능

1587 ★★★

dis  ase

질병

□□□ 교육부 [96.98.01.04.05.07.09.10.12.15.17 수능기출]

disease [dizí:z]

명 질병

deadly **disease**

치명적인 **질병** 04수능

heart **disease**

심장병 06수능

1588 ★☆☆

epidemi 

유행병, 전염병

□□□

epidemic [èpədémik]

명 유행병, 전염병

The **epidemic** spread quickly.

전염병이 빠르게 확산됐다.

1589 ★★☆

ey  sight

시력

□□□ [03 수능기출]

eyesight [áisàit]

명 시력

㉦ foresight 선견지명 near-sighted 근시의 sight 시야

It is important to take poor **eyesight** into consideration.

나쁜 **시력**을 고려하는 것은 중요하다. 03수능

1590 ★★★

f  int

희미한, 어렴풋한
기절하다

□□□ [00.02 수능기출]

faint [féint]

형 희미한, 어렴풋한 동 기절하다

She nearly **fainted** with joy

그녀는 기뻐서 거의 **기절할** 뻔했다. 00수능

1591 ★★☆

□□□ [11.13 수능기출]

fatal [féitl]

형 치명적인

㉺ fatality 사망자, 치사율

The result is a **fatal** loss.

그 결과는 **치명적인** 손실이다. 11수능

1592 ★★☆

□□□ 교육부 [수능기출]

fever [fí:vər]

명 열, 열병

The **fever** lasts a long time

열이 오래 지속된다.

1593 ★★☆

□□□ [10.13.14 수능기출]

genetics [dʒənétiks]

명 유전학, 유전적 특징

gender, age, or **genetics**

성, 나이, 또는 **유전적 특질** 10수능

1594 ★☆☆

□□□

germ [dʒə́:rm]

명 세균, 기원

The **germ** began to spread.

세균이 번지기 시작했다.

1595 ★☆☆

□□□

heatstroke [hi:tstroʊk]

명 열사병

He died from **heatstroke**.

그는 **열사병**으로 사망했다

1596 ★★★

□□□ [94.95.96.98.07.12.14 수능기출]

illness [ílnis]

명 병, 아픔

I suffered from a serious **illness** when I was thirty-five.

내가 35살 때 **중병**을 앓고 있었다. 12수능

1591 페이들 1592 피~벌 1593 제네틱스 1594 줘~엄 1595 히~츠스로우크 1596 이일니스

1597 ★☆☆

indig  stion

소화불량

□□□ [19 수능기출]

indigestion [ìndidʒéstʃən]

명 소화불량

반 digestion 소화 19수능

He suffers from **indigestion**.

그는 **소화불량**을 앓고 있다.

1598 ★★★

inf  ction

감염, 전염병

□□□ [14.15 수능기출]

infection [infékʃən]

명 감염, 전염병

파 infect 감염시키다 infectious 전염되는

Where did you get the **infection**?

너는 어디서 **감염**됐니?

1599 ★★☆

influenz 

인플루엔자, 유행성 감기

□□□

influenza [ìnfluénzə]

명 인플루엔자, 유행성 감기

유 flu 독감

The **influenza** spread around the world.

유행성 감기는 전 세계로 퍼졌다

1600 ★☆☆

 njure

다치다,
해치다[손상시키다]

□□□ 교육부 [96.97.02.06.07.10 수능기출]

injure [índʒər]

동 다치다, 해치다[손상시키다]

파 injury 상처, 부상 유 hurt 다치게 하다

Hundreds of thousands are **injured** each day in accidents.

사고로 매일 수십 만 명의 사람들이 **다친다**. 02수능

1601 ★☆☆

ins  mnia

불면증

□□□

insomnia [insάmniə]

명 불면증

She suffers from **insomnia**.

그녀는 **불면증**에 시달리고 있다.

1602 ★★☆

inv  lid

병약한,
효력 없는, 무효한

□□□

invalid [ínvəlid]

형 병약한, 효력 없는, 무효한

반 valid 유효한, 정당한

He took good care of his **invalid** wife.

그는 자신의 **병약한** 아내를 잘 돌보았다.

1597 인디**줴**스쳔 1598 인**펙**션 1599 인플루**엔**자 1600 **인**쥬얼 1601 인**삼**니어 1602 **인**발리드

1603 ★☆☆

ith

가렵다

□□□ [10 수능기출]

itch [ítʃ]

명 가려움 동 가렵다

㉺ itchy 가려운

If it **itches**, stop scratching and take the medicine.

만약 **가려우면**, 긁는 것을 멈추고 약을 복용하라. 10수능

1604 ★☆☆

lepr

나환자

□□□

leper [lépər]

명 나환자

People avoided the **leper**.

사람들은 **나병 환자**를 피했다.

1605 ★★★

medial

의학의, 의료의

□□□ 교육부 [94.96.99.00.07.08.10.12.13.17 수능기출]

medical [médikəl]

형 의학의, 의료의

㉺ medically 의학상으로 94수능

I think Tom needs some **medical** help.

나는 탐이 일부 **의료** 도움이 필요하다고 생각합니다. 12수능

1606 ★☆☆

obsity

비만, 비대

□□□

obesity [oubí:səti]

명 비만, 비대

㉺ obese 비만의

Obesity is a problem in that country.

비만은 그 나라의 문제이다.

1607 ★☆☆

od

냄새, 악취

□□□

odor [óudər]

명 냄새, 악취

There is a bad **odor** here.

여기서 나쁜 **냄새**가 난다.

1608 ★☆☆

optis

광학

□□□

optics [ɑ́ptiks]

명 광학

㉺ optic 눈의, 시력의 optical 광학의, 시각의

The **optics** of a camera are important.

카메라의 **광학**이 중요하다.

1603 잇취 1604 래펄 1605 메디컬 1606 오비~시티 1607 어~덜 1608 압틱스

1609 ★☆☆

ral

구두의, 구강의

□□□ [94 수능기출]

oral [ɔ́:rəl]

형 구두의, 구강의

㉣ orally 구두로 ㉤ verbal 말로 된, 구두의

㉥ written 글로 표현된

He gave an **oral** presentation.

그는 **구술** 시험을 치렀다.

1610 ★☆☆

ost  **oporosis**

골다공증

□□□ [95 수능기출]

osteoporosis [àstiəpəróusis]

명 골다공증

Exercise can help prevent **osteoporosis.**

운동은 **골다공증**을 예방할 수 있다. 95수능

1611 ★☆☆

p  **ralysis**

마비

□□□

paralysis [pərǽləsis]

명 마비

㉣ paralyze 마비시키다

She stopped because of **paralysis.**

그녀는 **마비**가 되어 멈추었다.

1612 ★★☆

plagu 

전염병

□□□ [15 수능기출]

plague [pléig]

명 전염병

㉦ mad cow disease 광우병 cholera 콜레라 pest 페스트(흑사병)
foot-and-mouth disease 구제역

There is a **plague** in the city

도시에 **역병**이 돌고 있다.

1613 ★☆☆

pneumoni 

폐렴

□□□

pneumonia [njumóunjə]

명 폐렴

The child died from **pneumonia.**

그 아이는 **폐렴**으로 죽었다.

1614 ★☆☆

pregn  **nt**

임신한

□□□

pregnant [prégnənt]

형 임신한

㉤ expectant 기대하는, 출산을 앞둔 엄마

She is six months **pregnant.**

그녀는 **임신** 6개월이다.

1609 오~럴 1610 아스티오퍼로시스 1611 퍼랠러시스 1612 플레이그 1613 뉴모니아 1614 프레그넌트

1615 ★☆☆

psychiatri

정신 의학의

□□□

psychiatric [sàikiǽtrik(əl)]

형 정신 의학의

ⓟ psychopath 사이코패스, 정신병자

The child has **psychiatric** problems.

그 아이는 **정신병적인** 문제가 있다.

1616 ★★★

psycholgy

심리(학)

□□□ 교육부 [97.98.06.09.10.11.15 수능기출]

psychology [saikɑ́lədʒi]

명 심리(학)

ⓟ psychologist 심리학자 06. 09. 10. 11수능 psychological 정신의, 심리적인 97수능

Many years ago, **psychologists** performed an experiment.

여러 해 전, **심리학자들이** 한 가지 실험을 하였다. 10수능

1617 ★☆☆

sizure

몰수, 장악, 발작

□□□

seizure [síːʒər]

명 몰수, 장악, 발작

He died from a **seizure** of the heart.

그는 심장 **발작**으로 죽었다.

1618 ★☆☆

smallpx

천연두

□□□

smallpox [smɔ́ːlpɑ̀ks]

명 천연두

ⓤ chickenpox 수두

Smallpox was common fifty years ago.

천연두는 50년 전에는 일반적이었다

1619 ★☆☆

sneez

재채기하다

□□□

sneeze [sníːz]

동 재채기하다

ⓟ sneezy 재채기가 나는 ⓤ cough 기침

When she came into the room she **sneezed**.

그녀가 방에 들어왔을 때 **재채기를 했다**.

1620 ★★☆

sor

아픈, 따가운

□□□ 교육부 [10 수능기출]

sore [sɔ́ːr]

형 아픈, 따가운

It became **sore** and infected.

그곳은 **아프고** 감염이 되었다. 10수능

1621 ★★★

sp  cialist

전문가,
전공자

□□□ [94.99.06.08.11 수능기출]

specialist [spéʃəlist]

명 전문가, 전공자

㉺ specialized 전문화된 ㊒ expert 전문가

This patient needs to see a **specialist**
이 환자는 **전문가**를 만날 필요가 있다.

Now is the time for **specialized** study.
지금은 **전문적인** 학습을 위한 시간이다. 06수능

1622 ★

spr  in

(손목 · 발목 등을)
삐다

□□□

sprain [spréin]

동 (손목·발목 등을) 삐다

㉼ fracture 골절

I fell and **sprained** my ankle.
나는 넘어져서 발목을 **삐었다**.

1623 ★★

st  in

얼룩 얼룩지다, 더럽히다

□□□ 교육부 [20 수능기출]

stain [stéin]

명 얼룩 동 얼룩지다, 더럽히다

㉹ stainless 얼룩이 없는, 흠 없는

The coffee left a **stain** on her clothes.
그녀의 옷에 커피 **얼룩**이 있다.

green-**stained**
녹색 **얼룩**이 진 20수능

1624 ★★

stin 

쏘다, 찌르다

□□□ 교육부

sting [stíŋ]

동 쏘다, 찌르다

㉺ stingy 인색한, 쏘는

He did not feel the **sting** of the bee.
그는 벌이 **쏘는** 것을 느끼지 못했다.

1625 ★★

suicid 

자살, 자해

□□□ [15 수능기출]

suicide [súːəsàid]

명 자살, 자해

There is no proof he committed **suicide**.
그가 **자살**했다는 증거는 없다.

1626 ★★★

t  nsion

긴장, 긴박

□□□ 교육부 [98.02.08.09.10.15 수능기출]

tension [ténʃən]

명 긴장, 긴박

Taking a break is good for calming **tension**.
잠시 쉬는 것은 **긴장**을 가라앉히는 데 좋다. 98수능

an enormous **tension**
엄청난 **긴장감** 02수능

1627 ★★☆

tr m

다듬다, 손질하다

□□□ [97.11 수능기출]

trim [trím]

통 다듬다, 손질하다

㉫ trimly 정돈하여, 손질하여

This garden is very **trim**.

이 정원은 아주 **손질**이 잘 되어 있다.

1628 ★★★

vis on

시력, 시각,
통찰력, 환상

□□□ 교육부 [00.02.05.08.11.13.15.16 수능기출]

vision [víʒən]

명 시력, 시각, 통찰력, 환상

I saw **visions**.

나는 **환영**을 보았다. 02수능

vision and hearing problems

시력과 청력 문제 05수능

1629 ★★★

visu l

시각의, 보는

□□□ 교육부 [05.09.10.11.13 수능기출]

visual [víʒuəl]

형 시각의, 보는

㉫ visualization 시각화 visually 시각적으로 visible 눈에 보이는
visualize 머릿속에 그리다, 상상하다 20수능

The **visual** impression of the building was good.

그 건물의 **시각적** 인상은 좋았다.

visual perception **시각적** 지각 11수능

1630 ★★☆

v mit

토하다

□□□ [11 수능기출]

vomit [vάmit]

통 토하다

㉲ throw up 토하다, 게우다

Vampire bats frequently **vomit** blood.

흡혈박쥐들은 자주 피를 **토해 낸다**. 11수능

1631 ★★☆

w und

상처, 부상
상처를 입히다

□□□ 교육부 [96.13 수능기출]

wound [wú:nd]

명 상처, 부상 통 상처를 입히다

Injured animals need sleep while their **wounds** heal.

다친 동물들은 **상처**가 치유되는 동안 수면이 필요하다. 96수능

1632 ★★☆

wrinkl

주름
주름을 잡다, 주름지다

□□□

wrinkle [ríŋkl]

명 주름 통 주름을 잡다, 주름지다

She found some **wrinkles** on her face.

그녀는 얼굴에서 **주름**을 발견했다.

1분 안에 넘기기

시간 있으면 꼼꼼히 외우기

1633 ★★★

□□□

abort [əbɔ́:rt]

동 유산하다, 중단하다

㉫ abortion 낙태 abortive 무산된

She aborted the child.
그 여자는 아이를 **유산시켰다**.

Setup has been aborted.
설치가 **중단**되었습니다

1634 ★★★

□□□

abstain [əbstéin]

동 기권하다, 자제하다

㉫ abstention 기권 abstinence 금욕, 자제

㉰ abstain from=refrain from 그만두다, ~을 삼가다. 수능기출
abstain from voting 기권하다.

He **abstained** from voting. 그는 투표를 **기권했다**.

1635 ★★★

□□□

antibiotic [æ̀ntibaiɑ́tik]

명 항생제, 항생 물질

㉫ antibody 항체 antidote 해독제

Antibiotics save many lives.
항생제는 수많은 생명을 구한다.

1636 ★★★

□□□

apparatus [æ̀pərǽtəs]

명 기구, 장치

㊤ device 장치

That is a strange **apparatus**.
그것은 이상한 **기구**이다.

1637 ★★★

□□□ [10.15.19 수능기출]

beverage [bévəridʒ]

명 (물 외의) 음료

㊤ drink 음료, 마실 것

That **beverage** company has a favorable public image.
음료 회사는 호의적인 공익 이미지를 가지고 있다. 10수능

1638 ★★★

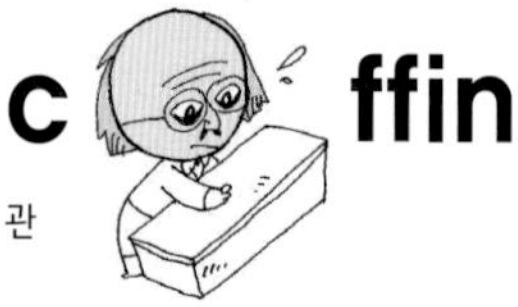

□□□

coffin [kɔ́:fin]

명 관

㊤ casket 장식함, 관

Get a **coffin** ready.
관을 준비해라.

1639 ★★★

continu l

계속적인, 빈번한

□□□ [95 수능기출]

continual [kəntínjuəl]

형 계속적인, 빈번한

파 continuous 계속되는, 지속적인 20수능 continue 계속되다

My husband has many **continual** illnesses.

내 남편은 **계속되는** 많은 질병을 안고 있다. 95수능

1640 ★★★

cosm tic

화장품
화장의, 성형의

□□□

cosmetic [kazmétik]

명 화장품 형 화장의, 성형의

She had **cosmetic** surgery.

그녀는 **성형** 수술을 받았다.

1641 ★★★

cur

치료, 치료법
치유하다

□□□ [94.98.01.08.15 수능기출]

cure [kjúər]

명 치료, 치료법 동 치유하다

the ideal **cure**

이상적인 **치료법** 01수능

good **cure**

좋은 **치료법** 08수능

1642 ★★★

d iry

낙농장

□□□

dairy [déəri]

명 낙농장

팁 dairy products 유제품 agriculture 농업
stock farming 목축업 fishery 어업 forestry 임업 mining 광업

Milk comes from a **dairy**.

우유는 **낙농장**에서 온다.

1643 ★★★

diagnos

진단하다

□□□ [11 수능기출]

diagnose [dáiəgnòus]

동 진단하다

파 diagnosis 진단 prognosis 예측, 예상

The male children **diagnose** all had fevers.

진단한 남자 아이들은 모두 열병이 있었다 11수능

1644 ★★★

dispens

나누어 주다, 조제하다

□□□

dispense [dispéns]

동 나누어 주다, 조제하다

파 dispenser 기계(용기) 숙 do without=go without=manage without=dispense with : ~없이 지내다 수능기출

The machine **dispenses** a range of drinks.

그 기계에서는 다양한 음료가 **나온다**.

They **dispensed with** the formalities. 그들은 격식을 **생략했다**.

1639 컨티뉴얼 1640 카즈메딕 1641 큐얼 1642 데어리 1643 다이그노우스 1644 디스펜스

○ 1분 안에 넘기기 | ○ 시간 있으면 꼼꼼히 외우기

1645 ★☆☆

□□□ [11 수능기출]

donor [dóunər]

명 기증자, 기부자

㉶ donate 기부하다 ㊥ recipient 받는 사람, 수납자

팁 transplant 이식하다

Donor will itself need help.

기증자 자신도 도움이 필요하게 될 것이다. 11수능

1646 ★☆☆

□□□ [15 수능기출]

dose [dóus]

명 복용량 동 투여하다

㊌ drug 약, 마약

He took a **dose** of medicine.

그는 약을 **복용**했다.

1647 ★☆☆

□□□

edible [édəbl]

형 먹을 수 있는, 먹어도 되는, 식용의

㊥ inedible 먹을 수 없는

Is this food **edible**?

이 음식은 **먹어도 되는** 거니?

기출 broth 수프 20수능

1648 ★★★

□□□ [96.97.02.04.06.11.13 수능기출]

gradually [grǽdʒuəli]

부 서서히, 점차로

㉶ gradual 점진적인 팁 grade 등급, 학년 graduation 졸업

She is **gradually** recovering her health.

그는 **점차** 건강이 회복되고 있다.

1649 ★★★

□□□ 교육부 [08.12 수능기출]

heal [híːl]

동 고치다, 치유되다

㉶ healer 치유자

There is **healing** power in flowers and in trees.

꽃 그리고 나무에는 **치유력**이 있다. 08수능

1650 ★☆☆

□□□

inhale [inhéil]

동 들이마시다

㉶ inhaler 흡입기 ㊌ breathe ㊥ exhale 숨을 내쉬다

She died from **inhaling** poisonous gas.

그녀는 유독 가스를 **흡입해서** 숨졌다.

1645 도우너 1646 도우스 1647 에디블 1648 그래쥬얼리 1649 히~을 1650 인헤일

1651 ★

inj  ct

주사하다, 주입하다

□□□

inject [indʒékt]

동 주사하다, 주입하다

파 injection 주사

Nurses know how to **inject** medicines.

간호사들은 약물을 **주사하는** 방법을 알고 있다.

1652 ★★

intensiv 

집중적인, 집약적인

□□□ [07.17 수능기출]

intensive [inténsiv]

형 집중적인, 집약적인

파 intense 격렬한, 극심한 12수능 intensify 강화하다 09수능, 증강하다 16수능

This is an **intensive** language course.

이것은 **집중** 어학 코스입니다.

1653 ★★★

lifetim 

일생, 평생

□□□ [95.96.02.07.17 수능기출]

lifetime [láiftàim]

명 일생, 평생

His **lifetime** came to the end.

그의 **일생**은 끝났다.

1654 ★★★

medicin 

약, 의학

□□□ 교육부 [99.01.00.02.07.10.12 수능기출]

medicine [médəsin]

명 약, 의학

파 medic 의사, 의대생

Take the **medicine**.

약을 복용하라. 10수능

1655 ★★

n  urish

영양분을 주다, 키우다

□□□ [06.13 수능기출]

nourish [nə́:riʃ]

동 영양분을 주다, 키우다

파 nourishment 영양분 13수능 유 nurture 기르다 feed 먹이다

The children's **nourishment** is sufficient.

아이들 **영양 공급**은 충분하다.

nourishing pudding

영양가 있는 푸딩 06수능

1656 ★★★

nurtur 

양육하다

□□□ [95.97.15 수능기출]

nurture [nə́:rtʃər]

동 양육하다

Parents **nurture** and sustain their families.

부모는 그들의 가족들을 **양육하고** 부양한다. 97수능

1657 ★

nutriti n

영양, 영양물

□□□ [07 수능기출]

nutrition [njuːtríʃən]

명 영양, 영양물

파 nutritionist 영양학자, 영양사 nutritional 영양상의96수능
malnutrition 영양실조99수능 nutritious 영양가 높은07수능

There is **nutrition** in fruit peel.
과일 껍질에는 **영양**이 있다.07수능

1658 ★★★

operat on

수술, 작전, 운영

□□□ [96.98.07.17 수능기출]

operation [ɑ̀pəréiʃən]

명 수술, 작전, 운영

파 operate 작동하다, 수술하다

숙 come into operation : 작동하기 시작하다

Operation Tiger 호랑이 **작전**96수능
warehouse **operation** 창고 **운영**98수능

1659 ★

painkill r

진통제

□□□

painkiller [péinkìlər]

명 진통제

He takes **painkillers** every day.
그는 **진통제**를 매일 먹는다.

1660 ★★

p sticide

살충제, 농약

□□□ [07 수능기출]

pesticide [péstəsàid]

명 살충제, 농약

유 insecticide 팁 fertilizer 비료 herbicide 제초제

the use of **pesticide**
살충제의 사용07수능

1661 ★

pharm cy

약국, 조제실

□□□

pharmacy [fɑ́ːrməsi]

명 약국, 조제실

파 pharmacist 약사 유 drugstore 약국

A **pharmacy** sells medicine.
약국에서 약을 판다.

1662 ★★

pre aution

예방책,
조심, 경계

□□□

precaution [prikɔ́ːʃən]

명 예방책, 조심, 경계

파 precautious 주의 깊은, 신중한

We must take the most obvious **precaution**.
우리는 가장 확실한 **예방책**을 강구해야 한다.

1663 ★★★

pres  **ribe**

처방하다, 규정하다

□□□ [19 수능기출]

prescribe [priskráib]

동 처방하다, 규정하다

㉺ prescription 처방전 19수능

The doctor decided to **prescribe** some medicine.
의사는 약을 **처방하기로** 결정했다

1664 ★★★

prot  **in**

단백질

□□□ [14 수능기출]

protein [próuti:n]

명 단백질

㉳ fat 지방 carbohydrate 탄수화물 grape sugar 포도당 mineral 무기질

How much **protein** is in the food?
그 음식에 **단백질**이 얼마나 들어 있습니까?

1665 ★★★

re  **over**

회복하다, 되찾다

□□□ 교육부 [99.10.12.14.15 수능기출]

recover [rikʌ́vər]

동 회복하다, 되찾다

㉺ recovery 회복 13수능

I'm delighted you're **recovered** from your illness.
당신이 질병에서 **회복되어** 기쁩니다. 12수능

1666 ★★★

r  **habilitate**

회복시키다, 재활 치료를 하다

□□□ [11 수능기출]

rehabilitate [rì:həbílətèit]

동 회복시키다, 재활 치료를 하다

㉮ rehab 중독 치료

Take exercise to **rehabilitate** the body
신체를 **회복시키기** 위해 운동이 필요합니다. 11수능

1667 ★★★

reliev 

덜어 주다, 완화하다, 안도하게 하다

□□□ 교육부 [96.06.07.08.09.10.13.16.17 수능기출]

relieve [rilí:v]

동 덜어 주다, 완화하다, 안도하게 하다

㉺ relief 안도, 고통의 경감, relieved 안심한 19수능

This medicine will **relieve** you of your pain.
이 약을 먹으면 통증이 **가라앉을 거야**.

He was **relieved**.
그는 **안도했다**. 09수능

1668 ★★★

rem  **dy**

해결책, 치료 고치다

□□□ 교육부 [15 수능기출]

remedy [rémədi]

명 해결책, 치료 동 고치다

㉮ cure 치유하다 heal 낫다

The doctor suggested a **remedy** for her flu.
그 의사는 독감에 대한 **해결책**을 제안했다.

1663 프리스크라이브 1664 프로~틴 1665 리커버 1666 리헤빌리테잍 1667 릴리~브 1668 레머디

1669 ★★★

repr  **duce**

복사하다, 재생하다, 번식하다

□□□ 교육부 [02.05.09.11.17.19 수능기출]

reproduce [rì:prədjú:s]

동 복사하다, 재생하다, 번식하다

파 reproduction 생식, 복제 11수능 reproductive 번식의, 재생산의 19수능

기출 replicate 복제를 하다, 모사하다 18수능

Viruses can **reproduce**.
바이러스는 **번식할** 수 있다. 02수능

1670 ★★

reviv 

되살리다, 소생시키다, 부활시키다

□□□

revive [riváiv]

동 되살리다, 소생시키다, 부활시키다

파 revival 재생, 부활

유 survive 살아남다 vital 생명의

Their efforts to **revive** him were futile.
그를 **소생시키려는** 그들의 노력은 소용이 없었다.

1671 ★

sme  **r**

얼룩
마구 바르다, 더럽히다

□□□

smear [smíər]

명 얼룩 동 마구 바르다, 더럽히다

유 smudge 자국, 얼룩

She **smeared** paint all over her face.
그녀는 얼굴 전체에 그림물감을 **발랐다**.

1672 ★★

sooth 

달래다, 누그러뜨리다

□□□ [14 수능기출]

soothe [sú:ð]

동 달래다, 누그러뜨리다

파 soother 고무젖꼭지

The mother tried to **soothe** the crying child.
엄마가 우는 아이를 **달래기** 위해 노력한다.

1673 ★★

sprinkl 

뿌리다, 끼얹다

□□□

sprinkle [spríŋkl]

동 뿌리다, 끼얹다

유 scatter 흩뿌리다 반 spread 펼치다

There was a **sprinkle** of rain.
그곳에 **부슬**비가 내렸다.

1674 ★★

stimulat 

자극하다, 흥분시키다

□□□ [98.06.10.17 수능기출]

stimulate [stímjulèit]

동 자극하다, 흥분시키다

파 Stimulus 자극(제) stimulation 자극

He **stimulates** the crowds. 그는 군중들을 **자극한다**.

A person is **stimulated** by thoughts and experiences.
사람들은 생각과 경험때문에 **자극받는다**. 06수능

1675 ★★☆

stith

바늘땀
꿰매다

□□□

stitch [stítʃ]

명 바늘땀 동 꿰매다

She needs to **stitch** the pieces together.
그녀는 그 조각들을 한데 **꿰매야** 한다.

1676 ★★☆

supplment

보충, 추가, 보충하다

□□□ 교육부 [99 수능기출]

supplement [sʌ́pləmənt]

명 보충, 추가 동 보충하다

㉺ supplementary 보충의, 추가의

She eats nutritional **supplements**.
그녀는 영양 **보충**제를 먹는다.

1677 ★★☆

surgen

외과 의사,
외과 전문의

□□□ [07 수능기출]

surgeon [sə́ːrdʒən]

명 외과 의사, 외과 전문의

㉺ surgery 외과 수술 ㉥ physician 내과 의사

The operation was performed by the head **surgeon**.
수술은 수석 **외과 의사**에 의해 진행되었다.

military **surgeon**
군**의관** 07수능

1678 ★★★

swllow

제비, 삼키다

□□□ 교육부 [07,08,16 수능기출]

swallow [swɑ́lou]

명 제비 동 삼키다

I have difficulty **swallowing** medicine.
나는 약을 **삼키는 데** 어려움이 있다.

The crocodile prepares to **swallow** the prey.
악어가 먹이를 **삼키려고** 한다. 07수능

1679 ★★☆

symptm

증상, 징후

□□□ [10 수능기출]

symptom [símptəm]

명 증상, 징후

A running nose can be the **symptom** of a cold beginning.
콧물을 흘리는 것은 감기의 초기 **증상**일 수 있다.

1680 ★★☆

tblet

알약, 평평한 판,
평판(平板)

□□□ [94,20 수능기출]

tablet [tǽblit]

명 알약, 평평한 판, 평판(平板)

㉾ pill 알약

The doctor gave him a **tablet**.
그 의사는 그에게 **알약**을 처방했다.

tablet form
알약의 형태 94수능

1675 스티취 1676 써플먼트 1677 썰~젼 1678 스왈로우 1679 심텀 1680 테블릿

1681 ★★★

ther  **py**

치료, 요법

□□□ [02.10.12.13 수능기출]

therapy [θérəpi]

명 치료, 요법

㉺ therapist 치료사 12수능

She is still receiving **therapy**.

그녀는 아직도 **치료**를 받고 있다.

1682 ★★☆

therm  **meter**

온도계, 체온계

□□□

thermometer [θərmάmətər]

명 온도계, 체온계

㉣ speedometer 속도계 barometer 기압계

The **thermometer** says 36 degrees centigrade.

온도계가 섭씨 36°를 가리킨다.

1683 ★☆☆

transpl  **nt**

이식하다, 옮겨 심다

□□□

transplant [trænsplǽnt]

동 이식하다, 옮겨 심다

㉣ transport 운송하다 transform 변형시키다

The patient needs an organ **transplant** or blood transfusion.

그 환자는 장기 **이식**이나 수혈이 필요하다.

1684 ★★★

tr  **atment**

치료, 처치, 대우

□□□ [96.00.02.07.10.12.17 수능기출]

treatment [tríːtmənt]

명 치료, 처치, 대우

first-aid **treatment**

응급 **처치** 07수능

1685 ★☆☆

ultr  **violet**

자외선의

□□□ [96 수능기출]

ultraviolet [ʌ̀ltrəváiəlit]

형 자외선의

The **ultraviolet** rays of the sun can be harmful to health.

태양 **자외선의** 광선은 건강에 해로울 수 있다. 96수능

1686 ★★☆

und  **rgo**

겪다, 받다

□□□ 교육부 [06 수능기출]

undergo [ʌ̀ndərgóu]

동 겪다, 받다

㉷ experience 경험하다 underwent(undergone의 과거형)

The man **undergoes** minor surgery.

그 남자는 작은 수술을 **받는다**.

He tried to count the experiences an adult can **undergo**.

그는 성인이 **겪**을 수 있는 경험을 세어 보았다. 06수능

1681 떼러피 1682 떨마미럴 1683 트랜스플랜트 1684 트~릳먼트 1685 얼츄라바이얼렛 1686 언덜고우

1687 ★★★

abus

남용
남용하다, 학대하다

□□□ [08 수능기출]

abuse [əbjúːs]

명 남용 동 남용하다, 학대하다

We need to avoid abusing technology

우리는 기술을 **남용하지** 않도록 해야 한다. 08수능

1688 ★★★

ctive

활동적인, 적극적인

□□□ 교육부 [94.96.97.00.05.06.07.10.12.13.15.16.17 수능기출]

active [ǽktiv]

형 활동적인, 적극적인

㉖ activity 활동 10수능 inactive 활동하지 않는 08수능 high-activity 고활동성의 20수능 activation 활성화 98수능 reactive 반응을 보이는 99수능

After-school programs require **active** student participation.

방과 후 프로그램은 학생들의 **적극적인** 참여를 요구한다. 06수능

1689 ★★★

addi

t

중독자

□□□ [08 수능기출]

addict [ədíkt]

명 중독자

㉖ addiction 중독 addictive 중독성의

Modern technology is **addictive**.

현대 기술은 **중독성**이 있다. 08수능

1690 ★★★

appar

nt

분명한, 명백한

□□□ [94.97.05.11.12.13.16.17.19 수능기출]

apparent [əpǽrənt]

형 분명한, 명백한

㉖ apparently 듣자 하니 ㊌ obvious 분명한, 확실한

apparent difference

명백한 차이점 16수능

Apparent differences in the focusing power of a lens

렌즈의 초점력에 있어서의 **분명한** 차이 17수능

1691 ★★★

awak

깨어 있는
깨어나다

□□□ [02.06.13 수능기출]

awake [əwéik]

형 깨어 있는 동 깨어나다

㉥ asleep 잠들어 있는, 잠이 든

I am **awake**.

나는 **깨어있다**.

It **awakens** my imagination.

그것은 상상을 **불러일으킨다**. 02수능

1692 ★★★

b

rren

불모의, 황량한

□□□ [08.12.15 수능기출]

barren [bǽrən]

형 불모의, 황량한

㊌ desolate 적막한

Wind blew across the **barren** landscapes.

바람이 **황량한** 풍경을 가로질러 불었다.

1분 안에 넘기기 | 시간 있으면 꼼꼼히 외우기

1693 ★★★

carefre

근심 걱정 없는,
무관심한

□□□ [05 수능기출]

carefree [kέərfrìː]

형 근심 걱정 없는, 무관심한

I wish to live a **carefree** life.
나는 **걱정 없는** 삶을 살고 싶다.

1694 ★★★

asualty

사상자, 피해자

□□□

casualty [kǽʒuəlti]

명 사상자, 피해자

He was the first **casualty**.
그가 첫 번째 **사상자**였다.

기출 casual 그때그때의, 일시적인 19수능

1695 ★★★

c 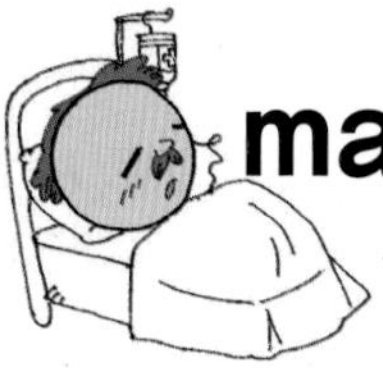 **ma**

혼수상태, 코마

□□□

coma [kóumə]

명 혼수상태, 코마

He is still in a **coma**.
그는 아직 **혼수상태**이다.

1696 ★★★

c  **mplex**

복잡한, 복합의
복합 건물, (건물) 단지

□□□ [97.99.04.05.01.08.09.12.13.15.16.20 수능기출]

complex [kəmpléks]

형 복잡한, 복합의 명 복합 건물, (건물) 단지

파 complexity 복잡성 16.19.20수능

유 complicated 복잡한 20수능 반 simple 단순한

Reading involves a **complex** form of mental activity.
독서는 **복잡한** 정신 활동을 포함한다. 97수능

1697 ★★★

c  **nception**

개념, 구상

□□□ [10.11.13.19 수능기출]

conception [kənsépʃən]

명 개념, 구상

파 concept 개념 misconception 오해 preconception 선입견 19수능

conception of human
인간에 대한 **개념** 10수능

conception of reality
현실에 대한 **개념** 11수능

1698 ★★★

contag  **us**

전염성의, 전파하는

□□□ [16 수능기출]

contagious [kəntéidʒəs]

형 전염성의, 전파하는

유 transmissible 전염하는 infectious 전염되는

The cold is very **contagious**.
감기는 잘 **전염된다**.

1699 ★☆☆

contamin te

오염시키다

□□□ [06 수능기출]

contaminate [kəntǽmənèit]

동 오염시키다

㉺ contamination 오염 18수능 ㊒ pollute 오염시키다, 더럽히다

The food was **contaminated**.

그 음식은 **오염되었다**.

1700 ★★☆

daz

멍한 상태
멍하게 하다

□□□

daze [déiz]

명 멍한 상태 동 멍하게 하다

(팁) dazzle 눈부시게 하다, 현혹시키다

He is in a **daze**.

그는 **멍해** 있다.

1701 ★★★

di est

요약, 소화하다,
간추리다

□□□ [94.00.07.15 수능기출]

digest [didʒést]

명 요약 동 소화하다, 간추리다

㉺ digestion 소화 13수능 digestive 소화의

The peel can be harder to chew and to **digest**.

껍질은 씹고 **소화**하기 더 어려울 수 있다. 07수능

1702 ★★☆

dil mma

딜레마, 진퇴양난

□□□ [12.13 수능기출]

dilemma [dilémə]

명 딜레마, 진퇴양난

I catch a **dilemma**.

나는 **딜레마**에 빠졌다.

1703 ★☆☆

disabl d

장애를 가진,
불구가 된

□□□ 교육부 [17 수능기출]

disabled [diséibld]

형 장애를 가진, 불구가 된

㉺ the disabled 장애인들 disability 장애

There are many **disabled** soldiers.

장애를 가진 병사들이 많다.

1704 ★★★

disc mfort

불편

□□□ [95.01.10 수능기출]

discomfort [diskʌ́mfərt]

명 불편

People are not used to living with **discomfort**.

사람들은 **불편**하게 사는 것에 익숙하지 않다. 10수능

1699 컨테미네이트 1700 데이즈 1701 다이제스트 1702 딜레마 1703 디스에이블드 1704 디스컴펄트

○ 1분 안에 넘기기 | ○ 시간 있으면 꼼꼼히 외우기

1705 ★★☆

dw rf

난쟁이

□□□

dwarf [dwɔ́:rf]

명 난쟁이

㊒ pygmy 피그미 족의 사람들 gnome 땅속 요정

Did you hear the story about the **dwarf**?

난쟁이에 대한 이야기를 들었니?

1706 ★★★

fem le

여성의

□□□ 교육부 [94.98.08.11.13 수능기출]

female [fí:meil]

형 여성의

㊕ feminine 여성스러운 ㊖ male 남성의

The percentages of **female** children in this city is high.

이 도시에 **여자** 아이들의 비율이 높다. 11수능

1707 ★★★

f tile

비옥한, 기름진

□□□ [06.12.16 수능기출]

fertile [fə́:rtl]

형 비옥한, 기름진

㊕ fertility 비옥함 fertilize 비옥하게 하다 fertilizer 비료 16수능

Even if it is not **fertile** soil it should be well drained.

반드시 **비옥한** 땅은 아니더라도 배수 시설이 잘 돼야 한다.

1708 ★★☆

fr st

서리, 서리가 끼다

□□□ [02 수능기출]

frost [frɔ́:st]

명 서리 동 서리가 끼다

I used to think that the North Pole was the seat of **frost** and snow

나는 북극이 **얼음**과 눈의 땅이라고 생각했었다. 02수능

1709 ★★★

gr ve

무덤, 묘
심각한, 중대한

□□□ [94.99.17 수능기출]

grave [gréiv]

명 무덤, 묘 형 심각한, 중대한

That was a **grave** mistake.

그것은 **중대한** 실수였다.

I stand at the **grave** of the greatest man who taught me.

나를 가르쳤던 가장 위대한 분의 **묘소**에 내가 서 있다. 99수능

1710 ★☆☆

heartbe t

심장 박동

□□□ [13 수능기출]

heartbeat [ha:rtbì:t]

명 심장 박동

㊒ pulse 맥박, 맥

I could feel my **heartbeat**.

내 **심장 박동**을 느낄 수 있었다.

1711 ★★☆

helpl  **ss**

무력한,
속수무책인

□□□ [08.17 수능기출]

helpless [hélplis]

형 무력한, 속수무책인

팁 helpful 도움이 되는 20수능

We feel more **helpless** and insecure.

우리는 더 **무력하고** 불안전하게 느낀다.

1712 ★☆☆

h  **redity**

유전, 유전적 특징

□□□ [17 수능기출]

heredity [hərédəti]

명 유전, 유전적 특징

The effects of **heredity** are important for mankind.

유전의 영향은 인류에게 중요하다.

1713 ★☆☆

hygien 

위생, 위생학

□□□

hygiene [háidʒiːn]

명 위생, 위생학

His specialty was **hygiene**.

그는 **위생학**을 전공했다.

1714 ★☆☆

immun 

면역성이 있는

□□□

immune [imjúːn]

형 면역성이 있는

파 immunity 면역력

I am **immune** to that virus.

나는 그 바이러스에 **면역성이 있다**.

1715 ★☆☆

inb  **rn**

타고난,
선천적인

□□□ [13 수능기출]

inborn [ínbɔ́ːrn]

형 타고난, 선천적인

유 innate 타고난 inherent 본래부터의

반 acquired 후천적인

She has an **inborn** talent for singing.

그녀는 노래 부르는데 **타고난** 재능이 있다.

1716 ★★☆

incur  **ble**

치유할 수 없는, 불치의

□□□

incurable [inkjúərəbl]

형 치유할 수 없는, 불치의

반 curable 치유 가능한 cure 낫게 하다

The disease is **incurable**.

그 질병은 **불치**병이다.

1711 **헬**플러스 1712 허**레**더티 1713 **하**이쥐~인 1714 이**뮤**~운 1715 인보~온 1716 인**큐**러블

1717 ★★★

infan  **y**

유년기, 초기

□□□ [94.97.10 수능기출]

infancy [ínfənsi]

명 유년기, 초기

㉺ infant 유아, 유치원생

In the past many children died at **infancy**.

과거에는 많은 어린이가 **유년기**에 죽었다.

1718 ★★★

inher  **nt**

내재하는,
고유의, 타고난

□□□ 교육부 [13.15.17 수능기출]

inherent [inhíərənt]

형 내재하는, 고유의, 타고난

㉺ inherently 본질적으로 15수능

He has **inherent** qualities.

그는 **선천적인** 자질을 가지고 있다.

1719 ★★★

innerm  **st**

가장 깊숙한, 안쪽의

□□□

innermost [ínərmòust]

형 가장 깊숙한, 안쪽의

㉴ inmost 가장 깊은 속의

She knew in her **innermost** heart.

그녀는 **내면의** 마음을 알았다.

1720 ★★★

malnutriti  **n**

영양실조

□□□ [98 수능기출]

malnutrition [mæ̀lnju:tríʃən]

명 영양실조

㉴ undernourishment 영양 부족

He died of serious **malnutrition**.

그는 심각한 **영양실조**로 죽었다. 98수능

1721 ★★★

m  **ture**

성숙한, 숙성된

□□□ 교육부 [05.09.13.17 수능기출]

mature [mətjúər]

형 성숙한, 숙성된

㉺ premature 조숙한 ㉴ ripe (과일·곡물이) 익은, 여문 20수능

㉯ immature 미숙한

Be more **mature**. 좀 더 **성숙해져라**.

I am a **mature** person too.

나도 **성인**이다. 05수능

1722 ★★★

m  **dium**

중간의
수단, 도구

□□□ 교육부 [98.09.11.15.17 수능기출]

medium [mí:diəm]

형 중간의 명 수단, 도구

I wanted my steak **medium**, but I got it well done.

미디움을 원했는데, 웰던이 나왔습니다.

medium-length line

중간 길이의 선 11수능

1723 ★★☆

min**r**

미성년자,
부전공,
작은, 중요치 않은

□□□ 교육부 [95.09.12.16 수능기출]

minor [máinər]

명 미성년자, 부전공 형 작은, 중요치 않은

㉫ minority 소수 (집단) 19수능

㉯ major 주요한 majority 다수 (집단) 19수능

A **minor** problem occurred.
사소한 문제가 생겼다.

1724 ★★☆

m**rtal**

죽어야 할 운명의, 치명적인
죽게 마련인 것, 인간

□□□ [13 수능기출]

mortal [mɔ́:rtl]

형 죽어야 할 운명의, 치명적인 명 죽게 마련인 것, 인간

㉲ fatal ㉯ immortal 죽지 않는 immortality 불멸 16수능

㉱ moral 도덕의

We are just **mortals**.
우리는 단지 **죽을 수밖에 없는 운명**이다.

1725 ★☆☆

mut

말 없는,
벙어리의

□□□

mute [mjú:t]

형 말 없는, 벙어리의

He remained **mute** for a year.
그는 1년 동안 **침묵** 속에 있었다.

1726 ★☆☆

num

감각이 없는,
멍한

□□□

numb [nʌ́m]

형 감각이 없는, 멍한

My hands are **numb** with the cold.
내 손은 추워서 **감각이 없다**.

1727 ★☆☆

outbre**k**

(전쟁, 질병의) 발생

□□□ [15 수능기출]

outbreak [áutbrèik]

명 (전쟁, 질병의) 발생

㉲ eruption 폭발, 발생

There was an **outbreak** of flu.
독감이 **발생**했다.

1728 ★☆☆

outliv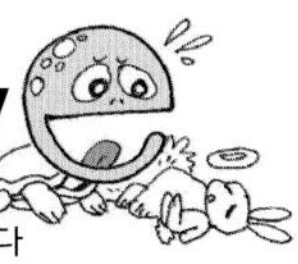

~보다 더 오래 살다

□□□

outlive [àutlív]

동 ~보다 더 오래 살다

Tortoises **outlive** rabbits.
거북이는 토끼보다 **오래 산다**.

1분 안에 넘기기 | 시간 있으면 꼼꼼히 외우기

1729 ★★

panful

아픈, 괴로운, 고통스러운

□□□ [12 수능기출]

painful [péinfəl]

형 아픈, 괴로운, 고통스러운

It was **painful** to see her die.
그녀가 죽는 것을 지켜보는 것은 **고통스러웠다**.

I have **painful** memories of that time.
나는 그 당시의 **아픈** 기억을 가지고 있다. 12수능

1730 ★★

pani

공포, 공황

□□□ [06.07.12 수능기출]

panic [pǽnik]

명 공포, 공황

㊒ fear 무서움, 두려움 phobia 공포증 20수능

There was a certain **panic** in his voice.
그의 목소리에는 확실한 **공포**가 있었다. 12수능

1731 ★★★

patint

환자

□□□ [94.96.98.05.10.08.14.17 수능기출]

patient [péiʃənt]

명 환자

㊔ patiently 끈기 있게 patience 인내심 impatient 짜증난

The **patient**'s overall physical condition is bad.
환자의 전반적인 신체 상황이 나쁘다. 05수능

1732 ★★

perpetul

끊임없는, 영원한

□□□

perpetual [pərpétʃuəl]

형 끊임없는, 영원한

㊔ perpetuate 영속시키다 perpetuity 영원, 불멸

㊥ temporary 일시적인 ㊕ for good=forever=for good and all =eternally=perpetually=everlastingly : 영원히 수능기출

Wisdom is of **perpetual** value.
지혜는 **영원한** 가치이다.

1733 ★

prematur

이른, 시기상조의, 조산의

□□□

premature [prìːmətjúər]

형 이른, 시기상조의, 조산의

㊒ early 이른 hasty 서두른

It is **premature** to carry out the plan.
그 계획을 실행하기에는 아직 **시기가 이르다**.

1734 ★★

puls

맥박, 맥

□□□ [08 수능기출]

pulse [pʌls]

명 맥박, 맥

㊔ pulsation 맥박 impulse 충동

The doctor examined the patient's **pulse**.
의사는 환자의 **맥박**을 검사했다.

tiny **pulses** of light
작은 **파동**의 빛 08수능

1729 페인플 1730 패닉 1731 페이션트 1732 펄페츄얼 1733 프리매츄얼 1734 펄스

1735 ★★

□□□
rash [ræʃ]
명 발진, 뾰루지 형 성급한
The children's feet are covered with a **rash**.
아이의 발이 **발진** 투성이에요.

1736 ★★★

□□□ [99.12.13 수능기출]
recovery [rikʌ́vəri]
명 회복, 되찾음
㉻ recover (건강이) 회복되다
His quick **recovery** was not expected.
그의 빠른 **회복**을 예상하지 못했다.
Now is the time of his **recovery**.
지금 그는 **회복** 시기이다. 99수능

1737 ★

□□□
retarded [ritɑ́:rdid]
형 지능 발달이 늦은, 지적 장애의
㉻ retard 지적장애인
He is in **retard** for his age.
그는 나이에 비해 **성장이 늦어져 있다**.

1738 ★

□□□ [96 수능기출]
sanitation [sæ̀nətéiʃən]
명 위생시설
㉻ sanitary 위생적인 ㉸ unsanitary 비위생적인
sanitation inspection
위생 검사
worsening **sanitation** and unemployment
위생시설 및 실업의 악화 96수능

1739 ★★★

□□□ 교육부 [94.96.97.99.03.02.07.12.16 수능기출]
serious [síəriəs]
형 심각한, 진지한
㉻ seriously 심각하게, 진지하게
It's time for us to consider this **serious** problem.
지금은 우리가 이 **심각한** 문제를 고려해야 할 때다. 07수능

1740 ★★★

□□□ 교육부 [94.96.04.13.15.17 수능기출]
severe [səvíər]
형 극심한, 심각한, 가혹한
㉻ severity 엄격, 혹독
This year the weather is more **severe** than last year.
올해 날씨는 작년보다 더 **극심하다**.
He died of a **severe** disease.
그는 **심각한** 질병으로 죽었다. 04수능

1735 래쉬 1736 리커버리 1737 리탈~디드 1738 새니테이션 1739 씨리어스 1740 씨비얼

1분 안에 넘기기 | 시간 있으면 꼼꼼히 외우기

1741 ★★☆

shiv r

떨림, 전율
(몸을) 떨다

□□□ [16 수능기출]

shiver [ʃívər]

명 떨림, 전율 동 (몸을) 떨다

㊀ shudder 몸을 떨다

The weather was so cold he began to **shiver**.

날씨가 너무 추워서 그는 바들바들 **떨기** 시작했다.

1742 ★★★

spir t

정신, 영혼, 마음

□□□ 교육부 [96.97.99.05.10.17 수능기출]

spirit [spírit]

명 정신, 영혼, 마음

Society needs a **spirit** of reconciliation.

사회는 화해의 **정신**이 필요하다. 10수능

1743 ★★☆

stabl

마구간, 안정된

□□□ 교육부 [09.12 수능기출]

stable [stéibl]

명 마구간 형 안정된

반 unstable 불안정한 14수능 instability 불안정 16수능

We tend to keep things in a **stable** condition.

우리는 **안정된** 상태로 유지하는 경향이 있다. 12수능

1744 ★☆☆

stamin

체력, 스태미나

□□□

stamina [stǽmənə]

명 체력, 스태미나

The athlete built up his **stamina**.

그 운동 선수는 **체력** 단련을 했다.

1745 ★☆☆

st tionary

움직이지 않는,
정지한, 고정된

□□□ [13 수능기출]

stationary [stéiʃənèri]

형 움직이지 않는, 정지한, 고정된

Get into the car when it is **stationary**.

차가 **정지**하면 타라!

1746 ★☆☆

st nk

(고약한) 냄새가 나다,
악취가 풍기다

□□□

stink [stíŋk]

동 (고약한) 냄새가 나다, 악취가 풍기다

The garbage caused a **stink** in the area.

그 쓰레기 통은 그 지역에서 **악취를 풍기고** 있었다.

1747 ★☆☆

st ut

통통한, 튼튼한

□□□

stout [stáut]

형 통통한, 튼튼한

유 fat 뚱뚱한 반 slim 날씬한

She became **stout** as she grew older.
그녀는 나이가 들면서 **뚱뚱해졌다**.

1748 ★★★

surviv

살아남다, 생존하다

□□□ 교육부 [96.09.11.14.15.16.17.20 수능기출]

survive [sərváiv]

동 살아남다, 생존하다

파 survival 생존, 유물 survivability 존속 가능성 20수능

Will he be able to **survive**?
그가 **살아남을** 수 있을까?

They **survived** a storm without losing a branch.
저것들은 폭풍 속에서도 가지 하나 부러지지 않고 **살아남았어**. 09수능

1749 ★☆☆

syndr me

증후군

□□□

syndrome [síndroum]

명 증후군

He suffers from chronic fatigue **syndrome**.
그는 만성피로 **증후군**으로 고통 받고 있다.

1750 ★★★

tend ncy

성향, 경향, 추세

□□□ 교육부 [01.09.10.12.13.15 수능기출]

tendency [téndənsi]

명 성향, 경향, 추세

유 trend 동향 팁 tender 상냥한, 연약한

He noted the people's **tendency** to argue.
그는 논쟁하려는 사람들의 **성향**을 언급했다. 11수능

She has a **tendency** to go around late at night.
그녀는 밤늦게 다니는 **경향**이 있다.

1751 ★☆☆

toxi

유독성의

□□□ [16 수능기출]

toxic [tάksik]

형 유독성의

기출 toxin 독소 18수능

Be careful of the **toxic** waste!
유독 폐기물을 조심하십시오!

1752 ★★☆

verg

가장자리, 길가,
~에 가까워지다

□□□

verge [vəːrdʒ]

명 가장자리, 길가 동 ~에 가까워지다

숙 be on the point of=be on the verge of=be on the brink of=be on the edge of=be about to + 동사원형 : 막 ~하려고 하다 수능기출

She was **on the verge of** getting angry.
그녀는 화나기 **직전**이었다.

1분 안에 넘기기 | 시간 있으면 꼼꼼히 외우기

1753 ★★★

□□□ 교육부 [97.98.99.07.13 수능기출]

victim [víktim]

명 피해자, 희생물

팁 virtuous 도덕적인 vice 악, 악행

He was the innocent **victim**.

그는 무고한 **희생자**였다.

1754 ★★

□□□ [12 수능기출]

vigor [vígər]

명 정력, 활기, 원기

If you exercise regularly you can lead a more **vigorous** life.

당신이 규칙적으로 운동하면 더 **활기찬** 삶을 살 수 있다. 12수능

1755 ★★★

□□□ [00.03.09.12 수능기출]

weakness [wíːknis]

명 약함, 약점

Feeling stress is a natural part of recognizing a **weakness**.

스트레스를 느끼는 것은 **약함**을 인정하는 자연스러운 부분이다. 00수능

1756 ★★★

□□□ 교육부 [94.04.11.12 수능기출]

welfare [wélfὲər]

명 안녕, 복지

팁 warfare 전쟁 farewell 작별 (인사)

Here Anita became interested in social **welfare**.

이곳에서 아니타는 사회 **복지**에 관심을 가지게 되었다. 04수능

1757 ★★★

□□□ [94.96.98.99.08 수능기출]

worsen [wə́ːrsn]

동 악화되다, 악화시키다

파 worse 더 나쁜, 더 아픈

The **worsening** of sanitation and unemployment is a worry

위생 **악화**와 실업이 걱정이다. 96수능

1758 ★

□□□

yawn [jɔ́ːn]

동 하품하다

In the afternoon the baby began to **yawn**.

오후에 아기가 **하품**을 하기 시작했다.

1759 ★★★

□□□ 교육부 [05.07.09.12.13.15.16 수능기출]

adopt [ədάpt]

동 입양하다, 채택하다

팁 adapt 맞추다, 적응하다

They want to **adopt** a baby.
그들은 아기를 **입양하기** 원한다.

A society **adopted** a new food.
사회는 새로운 음식을 **채택했다**. 09수능

1760 ★★★

□□□ 교육부 [00.03.06.10.14 수능기출]

alive [əláiv]

형 살아있는, 넘치는

He appreciated the joy of being **alive**.
그는 **살아 있는** 것의 기쁨에 감사했다. 06수능

1761 ★☆☆

□□□

artery [ά:rtəri]

명 동맥, 주요 도로

Blood flows in an **artery**.
혈액은 **동맥** 속에서 흐른다.

1762 ★★☆

□□□ [09 수능기출]

audible [ɔ́:dəbl]

형 잘 들리는

반 inaudible 들리지 않는

His voice was barely **audible**.
그의 목소리는 간신히 **들렸다**.

The picture was visible but the sound was **inaudible**.
그 화면은 볼 수 있었지만 소리는 **들리지 않았다**. 09수능

1763 ★★☆

□□□ [14 수능기출]

auditory [ɔ́:ditɔ̀:ri]

형 청각의

Listening to music can cause **auditory** difficulties.
음악을 듣는 것은 **청각** 장애를 일으킬 수 있다. 14수능

1764 ★★☆

□□□ [00 수능기출]

beard [bíərd]

명 수염, 턱수염

팁 mustache 콧수염 sideburns 구레나룻

A car pulled up, and a large man with a **beard** jumped out.
차가 멈추었고, **턱수염**을 기른 덩치 큰 남자가 뛰어내렸다. 00수능

1759 어답트 1760 얼라이브 1761 알~터리 1762 어~더블 1763 어디토리 1764 비얼드

1765 ★☆☆

배, 복부

□□□ [13 수능기출]

belly [béli]

명 배, 복부

파 Belly dancing 밸리댄스 팁 bally 지독한 valley 계곡

He has a beer **belly.**

그는 **똥배**가 나왔다.

1766 ★★☆

가슴, 흉부

□□□

bosom [búzəm]

명 가슴, 흉부

유 breast 젖가슴 chest 가슴

She put the broach on her **bosom.**

그녀는 **가슴**에 브로치를 달았다.

1767 ★★☆

품종, 새끼를 낳다, 사육하다

□□□ 교육부 [16 수능기출]

breed [brí:d]

명 품종 동 새끼를 낳다, 사육하다

파 breed out 이종 번식을 하다 breeding 사육, 번식

Rabbits **breed** quickly.

토끼들은 빨리 **번식한다.**

1768 ★★☆

눈썹, 이마, 얼굴

□□□ [97.08 수능기출]

brow [bráu]

명 눈썹, 이마, 얼굴

팁 blow 불다

There was sweat on his **brow.**

그의 이마에 땀이 맺혔다.

In a second, his **brow** relaxes and his eyes brighten.

잠시 후, 그의 **얼굴**에서 긴장이 풀리고 그의 눈이 밝아진다. 97수능

1769 ★★☆

씹다, 물어뜯다

□□□ [07.09.11 수능기출]

chew [tʃú:]

동 씹다, 물어뜯다

Chew your food slowly.

음식을 천천히 **씹어라.**

He has something to **chew** on.

그는 무언가를 **씹고 있다.** 11수능

1770 ★★☆

상상하다, 임신하다, 이해하다

□□□ 교육부 [13 수능기출]

conceive [kənsí:v]

동 상상하다, 임신하다, 이해하다

기출 inconceivable 생각할 수 없는 19수능

팁 conceivably 아마도, 생각건대 20수능

숙 conceive of ~을 생각해 내다, 상상하다 19수능

I cannot **conceive** what he is talking about.

나는 그가 말하는 것을 **이해할** 수 없다.

1771 ★★☆

c nsume

소비하다, 먹다, 마시다

□□□ 교육부 [96.06.09.14 수능기출]

consume [kənsúːm]

동 소비하다, 먹다, 마시다

파 consumption 소비 consumer 소비자 14수능

Ordinary **consumers** can own a copy of famous brands.

일반적으로 **소비자들**은 유명한 브랜드의 모사품을 소유할 수 있습니다. 09수능

1772 ★☆☆

c rpse

시체, 송장

□□□

corpse [kɔ́ːrps]

명 시체, 송장

They found a **corpse** in the field.

그들은 현장에서 **시체**를 발견했습니다.

1773 ★☆☆

cr nge

비굴한 태도
움츠리다, 굽실거리다

□□□

cringe [kríndʒ]

명 비굴한 태도 동 움츠리다, 굽실거리다

유 cower 몸을 숙이다

I didn't like his **cringe**.

나는 그의 **비굴한 태도**가 싫었다.

1774 ★★★

desir

욕망, 욕구
바라다

□□□ 교육부 [98.00.04.07.09.11.12.14.15.16.17 수능기출]

desire [dizáiər]

명 욕망, 욕구 동 바라다

반 undesirable 원하지 않는, 바람직하지 않은 14.19수능

We have a strong **desire** to own a lot of money.

우리는 많은 돈을 소유하려는 강한 **욕망**이 있다. 04수능

1775 ★☆☆

igit

숫자(0-9), 손(발)가락

□□□

digit [dídʒit]

명 숫자(0-9), 손(발)가락

파 digital 디지털 (방식)을 쓰는 15수능 digitize 디지털화하다 13수능

What is the last **digit**?

마지막 **숫자**가 뭐야?

1776 ★★☆

disc

rn

분간하다,
식별하다

□□□ [15 수능기출]

discern [disə́ːrn]

동 분간하다, 식별하다

We can **discern** different colors. 15수능

우리는 서로 다른 색깔들을 **분간할** 수 있다.

1777 ★☆☆

embra

껴안다, 포옹하다

□□□ [11 수능기출]

embrace [imbréis]

통 껴안다, 포옹하다

유 hug 팁 embarrass 당황스럽게 만들다

The water seemed to welcome and **embrace** her.

물이 그녀를 반갑게 맞아주고 **포옹해** 주는 것 같았다. 11수능

1778 ★☆☆

exertin

노력, 분발

□□□

exertion [igzə́:rʃən]

명 노력, 분발

The **exertion** made her tired.

그 **노력**이 그녀를 기진맥진하게 했다.

1779 ★★★

fce

얼굴, 표면, 향하다, 직면하다

□□□ [96.97.00.03.02.06.08.10.11.14.15.16.17 수능기출]

face [féis]

명 얼굴, 표면 통 향하다, 직면하다

face the serious problem

심각한 문제에 **직면하다** 10수능

Face-to-face conversations are best.

직접 대면하는 대화가 최고이다. 11수능

1780 ★☆☆

flsh

살, 고기, 피부

□□□ [14 수능기출]

flesh [fléʃ]

명 살, 고기, 피부

팁 fresh 신선한 flash 번쩍임, 섬광, 깜박하다 19수능

He has a **flesh** wound.

그는 **살**에 상처가 있다.

1781 ★★☆

fluh

(얼굴이) 붉어지다, 물이 쏟아지다

□□□ [94.14 수능기출]

flush [flʌ́ʃ]

통 (얼굴이) 붉어지다, 물이 쏟아지다

Flush the water in the toilet.

화장실에 **물을 내려라**.

The professor **flushed** and faltered.

교수는 얼굴이 **빨개지고** 말을 더듬었다. 94수능

1782 ★☆☆

forarm

팔뚝

□□□ [06 수능기출]

forearm [fɔ:rá:rm]

명 팔뚝

팁 wrist 손목

Next, make bigger circles with your **forearms**.

그 다음 당신의 **팔뚝**으로 더 큰 원을 그리세요. 06수능

1783 ★☆☆

for  finger

집게손가락, 검지

□□□

forefinger [fɔ́:rfìŋgər]

명 집게손가락, 검지

유 index finger

He used his **forefinger** to point.

그는 가리키기 위해서 **집게손가락**을 사용했다.

1784 ★★☆

f  rehead

이마

□□□ [07 수능기출]

forehead [fɔ́:rid]

명 이마

팁 eyebrow 눈썹 eyelid 눈꺼풀 eyelash 속눈썹 cheek 뺨 jaw 턱

The hat protects the head and **forehead**.

모자는 머리와 **이마**를 보호해 준다. 07수능

1785 ★★★

gl  re

환한 빛
노려보다, 쏘아보다

□□□ [96.14.15 수능기출]

glare [glέər]

명 환한 빛 동 노려보다, 쏘아보다

Why did she **glare** at me?

그녀는 왜 날 **노려봤나요**?

1786 ★☆☆

gr  n

활짝 웃다

□□□

grin [grín]

동 활짝 웃다

유 laugh 싱긋이 웃다

All he could do was **grin**.

그가 할 수 있는 건 **웃는 것**밖에 없었다

1787 ★☆☆

haird 

머리 모양

□□□ [16 수능기출]

hairdo [hέərdù:]

명 머리 모양

He returned home with a new **hairdo**.

그는 **머리 모양**을 새로 하고 집에 돌아왔다.

1788 ★★★

impa 

t

영향, 충격
영향을 주다

□□□ 교육부 [98.06.07.09.13.14.15.17 수능기출]

impact [ímpækt]

명 영향, 충격 동 영향을 주다

숙 have an impact on : ~에 영향을 주다

We are to make a major **impact** on the problem.

우리는 그 문제에 대해서 중요한 **영향을 미친다**. 09수능

1789 ★★★

indiate

지적하다,
나타내다,
표시하다

□□□ [98.06.07.08.12.16.19 수능기출]

indicate [índikèit]

동 지적하다, 나타내다, 표시하다

㉶ indication 지시, 징후 ㉷ predictor 예측 변수 dictator 독재자 indicator 지표 수능19

He **indicated** this place. 그는 이곳을 **지적했다**.

Status symbols can **indicate** the cultural values of a society.
지위를 상징하는 것들은 사회의 문화적 가치를 **나타낼** 수 있습니다. 08수능

1790 ★★☆

lmp

절뚝거리다

□□□ [14 수능기출]

limp [límp]

동 절뚝거리다

㉸ hobble 다리를 절다 stagger 비틀거리다 ㉷ limb 팔다리

He had to **limp** home.
그는 **절뚝거리며** 집으로 가야 했다.

1791 ★★☆

livr

(인체, 짐승 등의) 간

□□□

liver [lívər]

명 (인체, 짐승 등의) 간

㉷ river 강

Her **liver** is weak.
그녀의 **간**은 약하다.

1792 ★★☆

man

신음, 신음하다

□□□

moan [móun]

명 신음 동 신음하다

㉶ moaner 비탄하는 사람 mourn 애도하다

㉸ groan 신음소리 내다

I heard a **moan**.
나는 **신음소리**를 들었다.

1793 ★★★

muscl

근육, 힘

□□□ 교육부 [01.07.10.12.13 수능기출]

muscle [mʌ́sl]

명 근육, 힘

㉶ muscular 근육의 ㉸ strength 힘, 기운

It's never too late to start building up your **muscle** strength.
근육의 힘을 기르기 시작하기에 너무 늦었다는 건 없다. 12수능

1794 ★☆☆

nrcissism

나르시시즘, 자아 도취증

□□□

narcissism [nάːrsəsìzm]

명 나르시시즘, 자아 도취증

㉶ narcissist 자아 도취자

Narcissism is a waste of time
자아도취는 시간 낭비이다.

1795 ★★☆

nerv

신경, 긴장

□□□ 교육부 [09.11 수능기출]

nerve [nə́:rv]

명 신경, 긴장

㉺ nervous 불안해하는

Her **nerves** were hurting her.

그녀의 **신경**은 그녀를 아프게 하고 있었다. 09수능

1796 ★★☆

ffend

기분 상하게 하다,
불쾌하게 하다

□□□ 교육부 [06.09.16 수능기출]

offend [əfénd]

동 기분 상하게 하다, 불쾌하게 하다

㉺ offender 범죄자 13수능 offense 공격, 위반

I didn't mean to **offend** him.

그 남자를 **기분 상하게** 하려는 마음은 없었어요.

1797 ★★★

rganism

유기체, 생물(체)

□□□ [05.12.16.19 수능기출]

organism [ɔ́:rgənìzm]

명 유기체, 생물(체)

㉺ organ(생물의) 기관 organizational 조직(상)의, 유기적 구조의 18수능

There is a general tendency for **organisms** to keep their equilibrium.

평형을 유지하기 위한 **유기체**의 일반적인 경향이 있다. 12수능

1798 ★☆☆

utgrow

너무 커져 맞지 않게 되다

□□□

outgrow [àutgróu]

동 너무 커져 맞지 않게 되다

Children soon **outgrow** their clothes.

아이들은 옷이 **맞지 않을** 정도로 컸다.

1799 ★★☆

p

w

(동물의 발톱 달린) 발

□□□ [13 수능기출]

paw [pɔ́:]

명 (동물의 발톱 달린) 발

The dog had hurt its **paw**.

그 개는 **발**을 다친 상태였다.

1800 ★☆☆

posteri

r

엉덩이,
뒤의, 뒤쪽에 있는

□□□

posterior [pɑstíəriər]

명 엉덩이 형 뒤의, 뒤쪽에 있는

㉤ anterior 앞쪽인, 앞의

Do not strike his **posterior**.

그의 **엉덩이**를 때리지 마라.

1801 ★☆☆

poture

자세

□□□ [17 수능기출]

posture [pάstʃər]

명 자세

유 pose, stance

Her **posture** is good.

그녀의 **자세**가 좋다.

1802 ★★☆

prject

투영하다, 투시하다

□□□ [13,14,17 수능기출]

project [prάdʒekt]

동 투영하다, 투시하다

Images are **projected** onto the retina of the eye.

영상들이 눈의 망막에 **비친다**[투영된다].

1803 ★★☆

prlong

연장하다,
길어지게 하다

□□□ [13 수능기출]

prolong [prəlɔ́:ŋ]

동 연장하다, 길어지게 하다

파 prolonged 오래 계속되는

유 lengthen 늘어나다 extend 연장하다 반 shorten 줄이다

There was a **prolonged** drought

가뭄이 길게 **지속되었다**.

1804 ★★★

rejet

거부하다

□□□ [11,12,14,16 수능기출]

reject [ridʒékt]

동 거부하다

유 refuse 거절하다 반 allow 허용하다

숙 turn down=reject=decline=refuse : 거절하다수능기출

It is a question of **rejecting** his request or approving it.

그것은 그의 요청을 **거부하거나** 승인하는 문제입니다.11수능

1805 ★★★

reist

저항하다, 참다

□□□ 교육부 [05,10,11,13,14,16 수능기출]

resist [rizíst]

동 저항하다, 참다

파 resistant 저항력 있는13수능 resistance 저항14수능
irresistible 억누를 수 없는20수능 water-resistant 방수가 되는 19수능

These can be hard to **resist**.

이것들은 **참기가** 어려울 수 있다.10수능

1806 ★☆☆

respir

호흡하다

□□□ [94 수능기출]

respire [rispáiər]

동 호흡하다

파 respiration 호흡 팁 perspire 땀을 흘리다 aspire 열망하다

She slowly **respired** after the accident.

그녀는 사고 후에 천천히 **호흡했다**.

1807 ★★★

restr in

□□□ [11.13 수능기출]

restrain [ristréin]

동 저지하다, 억누르다

㉺ restraint 규제 13수능 ㉷ hold back : 저지하다, 저해하다

㉸ encourage 장려하다

He was unable to **restrain** himself.

그는 **참을** 수 없었다. 11수능

1808 ★★★

ret na

□□□ [13.14 수능기출]

retina [rétənə]

명 망막

㉺ retinal 망막의 14수능

The image falls on the **retina**.

상은 **망막**에 맺힌다.

1809 ★★★

sc r

□□□ [11.13 수능기출]

scar [skɑ́ːr]

명 흉터, 상처 자국, 마음의 상처

㉻ scary 무서운 scarf 스카프

What caused the **scar** on your arm?

너의 팔에 **상처 자국**이 어쩌다 생겼니?

1810 ★★★

s nsory

□□□ [16.20 수능기출]

sensory [sénsəri]

동 감각의, 감각적인

A complex **sensory** analysis includes smell.

복합적인 **감각** 분석은 냄새를 포함한다. 16수능

1811 ★★★

shuffl

□□□

shuffle [ʃʌ́fl]

동 발을 끌며 걷다

The old man dragging his leg, **shuffled** off.

그 노인은 천천히 다리를 **질질 끌면서** 걸어갔다.

1812 ★★★

skelet n

□□□

skeleton [skélətn]

명 뼈대, 골격, 해골

㉺ skeletal 골격의, 뼈대만 있는

The **skeleton** was 200 years old.

그 **해골**은 200년이 되었다.

1807 리스트레인 1808 레t나 1809 스칼~ 1810 센써리 1811 셔플 1812 스켈르튼

1813 ★☆☆

두개골

□□□

skull [skʌ́l]

명 두개골

팁 pelvis 골반 backbone 등뼈 rib 갈비뼈 bone marrow 골수

He has an injury on his **skull.**

그는 **두개골**에 부상을 입었다.

1814 ★☆☆

척추, 등뼈

□□□

spine [spáin]

명 척추, 등뼈

Injuries of the **spine** are very serious.

척추 부상이 심각하다.

1815 ★★☆

넓적다리, 허벅지

□□□ [97 수능기출]

thigh [θái]

명 넓적다리, 허벅지

팁 sigh 한숨 쉬다

Both men and women are concerned about their **thighs.**

남성과 여성 모두 자신의 **허벅지**에 관해 우려하고 있습니다. 97수능

1816 ★★☆

목구멍, 목

□□□ [98 수능기출]

throat [θróut]

명 목구멍, 목

Something is caught in the patient's **throat.**

환자의 **목** 안에서 뭔가가 잡힌다. 98수능

1817 ★☆☆

욱신거리다, 지끈거리다

□□□

throb [θrɑ́b]

동 욱신거리다, 지끈거리다

His head continued to **throb** all evening.

그의 머리는 밤새 내내 **욱신욱신 쑤셨다.**

1818 ★★☆

참다, 묵인하다, 용인하다

□□□ [94.13 수능기출]

tolerate [tɑ́lərèit]

동 참다, 묵인하다, 용인하다

파 tolerant 관대한 유 endure, bear, stand, tolerance

반 intolerable 견딜 수 없는 95수능

Must I continue to **tolerate** it?

계속 내가 **참아야 하는가?**

1819 ★★★

tngue
혀, 언어

□□□ 교육부 [95.06 수능기출]
tongue [tʌ́ŋ]
명 혀, 언어
Stick out your **tongue**.
혀를 입 밖으로 내밀어 보세요. 95수능
mother **tongues**
모국**어** 06수능

1820 ★★

undrneath
밑에
~의 아래에

□□□
underneath [ʌ̀ndərníːθ]
부 밑에 전 ~의 아래에
유 under, beneath
The key is **underneath** the book.
열쇠가 책 **아래에** 있었구나.

1821 ★★

vin
정맥, 혈관

□□□
vein [véin]
명 정맥, 혈관
팁 artery 동맥 vain 헛된 vane 바람개비
The **veins** in her arm are very thin.
그녀의 팔뚝 **혈관**은 매우 얇다.

1822 ★

wg
(머리 • 꼬리를) 흔들다

□□□
wag [wǽg]
동 (머리 • 꼬리를) 흔들다
팁 rag 해진 천
The dog began to **wag** his tail.
그 개는 꼬리를 **흔들기** 시작했다.

1823 ★★

wep
울다, 눈물을 흘리다

□□□
weep [hwíːp]
동 울다, 눈물을 흘리다
팁 sweep (빗자루로) 쓸다
He **weeps**.
그는 **눈물을 흘린다**.

1824 ★

w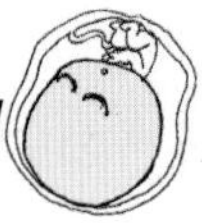mb
자궁

□□□
womb [wúːm]
명 자궁
팁 enwomb 태내에 배다 embryo 태아
There is an embryo in her **womb**.
그녀의 **자궁** 안에 한 명의 태아가 있다.

1분 안에 넘기기 | 시간 있으면 꼼꼼히 외우기

1825 ★★☆

abnorm

비정상적인

□□□

abnormal [æbnɔ́ːrməl]

형 비정상적인

㊫ abnormality 기형 abnormally 비정상으로 ㊥ normal

His height is **abnormal**.

그의 키는 **비정상이다**.

1826 ★★☆

afflit

괴롭히다,
시달리게 하다

□□□

afflict [əflíkt]

동 괴롭히다, 시달리게 하다

㊫ affliction 고통 afflictive 고통을 주는

He is **afflicted** with cancer.

그는 암에 **시달리고 있다**.

1827 ★★☆

alination

멀리함, 소외

□□□ [10.11 수능기출]

alienation [èiljənéiʃən]

명 멀리함, 소외

㊫ alien 외국의, 외계인 alienate 소원하게 하다

There is a further reason for this **alienation**.

거기에는 이러한 **소외**에 대한 더 큰 이유가 있다. 11수능

1828 ★☆☆

aromtic

향이 좋은

□□□ [98 수능기출]

aromatic [æ̀rəmǽtik]

형 향이 좋은

I love **aromatic** herbs.

난 **향기로운** 허브를 사랑한다.

1829 ★★☆

wful

끔찍한,
지독한, 엄청난

□□□ 교육부 [98 수능기출]

awful [ɔ́ːfəl]

형 끔찍한, 지독한, 엄청난

㊟ awe 경외감 awesome 멋진 20수능

It's been **awfully** wet lately.

요즘 비가 **엄청** 내려서요. 98수능

1830 ★★☆

bad

대머리의, 머리가 벗어진

□□□ [10.11 수능기출]

bald [bɔ́ːld]

형 대머리의, 머리가 벗어진

㊒ hairless 털이 없는 ㊟ bold 용감한, 볼드체의

He is beginning to go **bald**.

그는 **대머리**가 되기 시작했다.

1831 ★★☆

매장,
장례식

□□□

burial [bériəl]

명 매장, 장례식

유 funeral 장례식

팁 coffin=casket 관

He was late for the **burial**.
그는 **장례식**에 늦었다.

1832 ★★☆

공동묘지

□□□

cemetery [sémətèri]

명 공동묘지

His parents are buried in a **cemetery**.
그의 부모님은 **공동묘지**에 묻히셨다.

1833 ★★☆

증서, 증명서, 자격증

□□□ 교육부 [09.19 수능기출]

certificate [sərtífikət]

명 증서, 증명서, 자격증

파 certify 증명하다 certifiable 보증할 수 있는, 미친
gift certificate 상품권 19수능

graduation **certificates**
졸업**장** 09수능

1834 ★★☆

순환하다

□□□ [09.19수능기출]

circulate [sə́ːrkjulèit]

동 순환하다

숙 blood circulation 혈액 순환 19수능

In the chemical process, a solvent **circulates** through the beans.
화학적 과정에서, 용매는 콩 주위를 **돈다**. 09수능

1835 ★★☆

명백히 하다,
명확하게 하다

□□□ 교육부 [11.19 수능기출]

clarify [klǽrəfài]

동 명백히 하다, 명확하게 하다

We must **clarify** the situation.
우리는 이 상황을 **명백하게 해야** 합니다.

1836 ★★★

감추다, 숨기다

□□□ [96.11.12.15 수능기출]

conceal [kənsíːl]

동 감추다, 숨기다

파 concealment 숨김, 은폐

유 hide (찾지 못하게) 감추다

It was his practice to **conceal** himself at previews.
자신의 시사회에서 **숨어 있는** 것이 다반사였다. 11수능

1분 안에 넘기기 | 시간 있으면 꼼꼼히 외우기

1837 ★

cruci

l

중대한,
결정적인

□□□ 교육부 [97.06.07.12.14.17.19 수능기출]

crucial [krúːʃəl]

형 중대한, 결정적인

㊫ crucially 결정적으로 17수능

He plays a **crucial** role in our team.

그는 우리 팀의 **중요한** 역할을 담당하고 있다. 07수능

1838 ★★★

d**adly**

치명적인, 극도의

□□□ [02.04.09.12.16 수능기출]

deadly [dédli]

형 치명적인, 극도의

㊤ fatal 치사의

He is suffering from a **deadly** disease.

그는 **치명적인** 질병을 앓고 있다. 04수능

1839 ★★

de**ay**

부패, 부식, 부패하다

□□□ 교육부 [11 수능기출]

decay [dikéi]

명 부패, 부식 동 부패하다

㊤ rot 썩다 ㊌ decoy 미끼, 바람잡이

It dies early and soon **decays**.

그것은 일찍 죽어서 바로 **썩는다.** 11수능

1840 ★★

d**ficient**

부족한, 결함이 있는

□□□ [09 수능기출]

deficient [difíʃənt]

형 부족한, 결함이 있는

㊫ deficiency 부족, 결핍. 18수능 ㊥ sufficient 충분한

We are **deficient** in soldiers.

우리는 군사가 **부족하다.**

Each plant is **deficient** in an essential amino acid.

각각의 식물은 필수 아미노산이 **부족하다.** 09수능

1841 ★★

d**generate**

타락한
악화되다

□□□ [14 수능기출]

degenerate [didʒénərèit]

형 타락한 동 악화되다

㊫ degeneration 타락, 퇴보 degenerative 퇴행성의 14수능

He lives a **degenerate** life.

그는 **타락한** 삶을 살고 있다.

1842 ★

diap**r**

기저귀

□□□

diaper [dáiəpər]

명 기저귀

The baby needs a **diaper**.

그 아기는 **기저귀**가 필요하다

1843 ★★★

environm  nt

환경

□□□ [97.99.00.06.07.08.09.10.12.13.14.15.16.17 수능기출]

environment [inváiərənmənt]

명 환경

파 environmental 환경의 14수능

We must overcome the **environmental** adversities.

우리는 **환경적** 역경을 극복해야 한다. 11수능

1844 ★★★

 xpose

드러내다, 폭로하다, 노출시키다

□□□ 교육부 [95.96.06.07.12.15 수능기출]

expose [ikspóuz]

동 드러내다, 폭로하다, 노출시키다

파 exposure 노출, 폭로

They **expose** the fraudulence of their activities.

그들은 그들의 사기 행각을 **드러낸다**.

You had better **expose** your new ideas.

새로운 생각을 **노출시키는** 편이 낫다. 00수능

1845 ★

exterminat 

몰살[전멸]시키다

□□□

exterminate [ikstə́:rmənèit]

동 몰살[전멸]시키다

숙 root out=exterminate : 근절하다 수능기출

The rats were quickly **exterminated**.

그 쥐들은 빠르게 **전멸했다**.

1846 ★

F  hrenheit

화씨의

□□□

Fahrenheit [fǽrənhàit]

형 화씨의 명 화씨

팁 Celsius 섭씨

The temperature is in **Fahrenheit**.

그 온도는 **화씨** 온도이다.

1847 ★★

fee  le

허약한, 힘없는, 희미한

□□□

feeble [fí:bl]

형 허약한, 힘없는, 희미한

유 weak 약한, 힘이 없는

Hunger made him **feeble**.

배고픔이 그를 **힘없게** 했다.

기출 hunger 기아, 기근 19수능

1848 ★★

fragil 

깨지기 쉬운, 허약한

□□□ [94 수능기출]

fragile [frǽdʒəl]

형 깨지기 쉬운, 허약한

파 fragility 취약함 15수능 유 frail 노쇠한

반 durable 내구성 있는, 영속적인

The teacup is **fragile**.

이 찻잔은 **잘 깨져요**.

1843 인**봐**이런먼트 1844 익스**포**즈 1845 익스**터**~미네이트 1846 **패**런하일 1847 피~블 1848 **프**레쥘

1분 안에 넘기기 | 시간 있으면 꼼꼼히 외우기

1849 ★☆☆

hazard us

위험한

□□□

hazardous [hǽzərdəs]

형 위험한

㉺ hazard 위험 20수능 ㊒ dangerous, risky ㉸ safe 안전한

They began a **hazardous** journey.

그들은 **위험한** 여행을 시작했다.

1850 ★☆☆

hib rnate

동면하다

□□□

hibernate [háibərnèit]

동 동면하다

Bears **hibernate** during the winter.

곰은 겨울에 **겨울잠을 잔다**.

1851 ★★☆

imp ir

손상시키다

□□□ [11 수능기출]

impair [impɛ́ər]

동 손상시키다

㉺ impairment 장애

㊒ worsen 악화되다 damage 손상

Silence can **impair** the performance of groups.

침묵은 단체의 성과에 **피해를 줄** 수 있다. 11수능

1852 ★★★

improv

개선하다, 향상시키다

나아지고
있어

□□□ 교육부 [95.96.98.00.01.02.03.04.05.06.07.08.11.12.13.14.16.17 수능기출]

improve [imprúːv]

동 개선하다, 향상시키다

㉺ improvement 향상, 개선 16수능

팁 improvise 즉석에서 하다 17수능 improviser 즉흥 연주자 19수능

It will **improve** your chances of succeeding next time.

다음번에는 여러분이 성공할 기회를 **높일 수 있다**. 02수능

1853 ★★☆

ins rt

삽입하다

□□□ 교육부

insert [insə́ːrt]

동 삽입하다

㉺ insertion 삽입, 끼워 넣기

To buy a ticket you must **insert** money in the opening.

티켓을 사려면 투입구에 돈을 **넣고** 누르시오.

1854 ★★☆

insuran e

보험

□□□ [07 수능기출]

insurance [inʃúərəns]

명 보험

travel **insurance**

여행 **보험** 07수능

insurance policy

보험 증권 07수능

1855 ★

□□□

listless [lístlis]

형 힘이 없는, 무기력한

These days I am **listless** and depressed.

나는 요즘 **무기력하고** 우울하다.

1856 ★

□□□

mustache [mʌ́stæʃ]

명 코밑수염

㊒ moustache 콧수염 ㊉ whisker 구레나룻 beard 턱수염

He grew a **mustache**.

그는 **콧수염**이 자랐다.

1857 ★★

□□□ 교육부

nasty [nǽsti]

형 끔찍한, 고약한, 더러운

㊉ naughty 장난이 심한, 개구쟁이인 20수능

She is a **nasty** character

그녀는 **고약한** 인물이다.

1858 ★★★

□□□ 교육부 [95.01.08.11.14 수능기출]

neglect [niglékt]

동 방치하다, 무시하다

The child **neglected** the aged who had experience and wisdom.

그 아이는 경험과 지혜가 있는 노인을 **무시했다**. 95수능

1859 ★★★

□□□ 교육부 [94.96.01.02.04.05.07.09.11.16 수능기출]

nervous [nə́ːrvəs]

형 신경이 과민한, 불안한

㊕ nervousness 신경 과민

It was a nervous time.

그것은 **똥줄 타는** 시간이다.

animals with **nervous** systems similar to a worm's

벌레와 유사한 신경계를 가진 동물들 05수능

1860 ★★

□□□ 교육부 [01.06 수능기출]

nursery [nə́ːrsəri]

명 탁아소, 양성소

These are the most popular **nursery rhymes** for two-year-olds.

이것들은 2세를 위한 가장 인기 있는 **자장가**이다. 06수능

○ 1분 안에 넘기기

○ 시간 있으면 꼼꼼히 외우기

1861 ★★★

bscure

무명의, 희미한, 애매한

□□□ [13 수능기출]

obscure [əbskjúər]

형 무명의, 희미한, 애매한

유 unclear 분명하지 않은

At present she is an **obscure** singer.

현재 그녀는 **무명** 가수이다.

1862 ★★★

scr  tch

긁힌 자국

긁다

□□□ 교육부 [01.06.10 수능기출]

scratch [skrætʃ]

명 긁힌 자국 동 긁다

Stop **scratching** and take the medicine.

긁는 것을 멈추고 약을 복용하라. 10수능

1863 ★★★

sk  nny

깡마른,

몸에 붙게 디자인 된

□□□

skinny [skíni]

형 깡마른, 몸에 붙게 디자인 된

유 thin 마른 lean 호리호리한

반 fat 살찐 stout 통통한

That young man is too **skinny**.

그 젊은이는 너무 **말랐다**.

1864 ★★★

sub  nscious

잠재의식의

□□□ [96.08 수능기출]

subconscious [sʌbkάnʃəs]

형 잠재의식의

파 subconsciously 잠재의식적으로 20수능

The **subconscious** contains deep memories.

무의식은 깊은 기억들을 포함한다. 08수능

1865 ★★★

th  rn

가시

□□□ 교육부 [19 수능기출]

thorn [θɔ́:rn]

명 가시

팁 throne 왕좌

A **thorn** has stuck into my finger.

손에 **가시**가 박혔다.

1866 ★★★

vit  l

필수적인,

활력 넘치는

□□□ [95.11 수능기출]

vital [váitl]

형 필수적인, 활력 넘치는

Money is a **vital** factor.

돈은 **필수적인** 요소이다.

An industry that produces goods **vital** has moved to our city.

필수적인 상품을 생산하는 산업이 우리의 도시로 옮겨 왔다. 95수능

1861 업스큐얼 1862 스크래치 1863 스키니 1864 서브칸셔스 1865 쏘~언 1866 바이들

Chapter 6
Review Test

A. 수능에 출제되는 단어 또는 단어의 뜻을 쓰시오.

01. 만성병 환자	________	11. genetics	________
02. 시력, 시각	________	12. infection	________
03. 집중적인, 집약적인	________	13. beverage	________
04. 복사하다, 재생하다	________	14. lifetime	________
05. 치료, 처치, 대우	________	15. nurture	________
06. 비옥한, 기름진	________	16. stimulate	________
07. 경향, 추세	________	17. contagious	________
08. 분간하다, 식별하다	________	18. patient	________
09. 연장하다	________	19. auditory	________
10. 중대한, 결정적인	________	20. improve	________

B. 수능에 출제되는 문장의 문맥에 맞는 단어를 고르시오.

01. Hundreds of thousands are ________ each day in accidents.
02. Now is the time for ________ study.
03. Take exercise to ________ the body.

ⓐ specialized ⓑ injured ⓒ paralysis ⓓ rehabilitate ⓔ offend

04. There is a general tendency for ________ to keep their equilibrium.
05. Each plant is ________ in an essential amino acid.
06. Silence can ________ the performance of groups.

ⓐ afflict ⓑ deficient ⓒ organisms ⓓ outgrow ⓔ impair

정답 01.ⓑ 02.ⓐ 03.ⓓ 04.ⓒ 05.ⓑ 06.ⓔ

01. 사고로 매일 수십 만 명의 사람들이 (다친다). 02수능
02. 지금은 (전문적인) 학습을 위한 시간이다. 06수능
03. 신체를 (회복시키기) 위해 운동이 필요합니다. 11수능
04. 평형을 유지하기 위한 (유기체)의 일반적인 경향이 있다. 12수능
05. 각각의 식물은 필수 아미노산이 (부족하다). 09수능
06. 침묵은 단체의 성과에 (피해를 줄) 수 있다. 11수능

수능완성단어

영포자 1등급 만들기 해결사 혼동어휘

□	comparable : 비교될 만한 comparative : 비교의	complement : 보충(물), 보충하다 compliment : 칭찬, 찬사
□	completion : 완성, 완료, 만기 competition : 경쟁, 시합 competence : 능력, 역량	conform : 따르다, 순응하다 confirm : 확인하다, 확증하다
□	conscious : 의식[자각]하고 있는 consciousness : 자각, 의식	considerable : 상당한 considerate : 사려 깊은, 분별력 있는
□	contact : 접촉, 교제 contract : 계약	content : 만족, 내용 contend : 다투다, 논하다
□	correct : 정정하다 collect : 수집하다	cost : 비용, 대가 coast : 연안, 해안
□	counsel : 상담, 조언, 충고하다 council : 협의회; 회의, 협의	countless : 셀 수 없는, 무수한 countable : 셀 수 있는
□	crash : 충돌하다 crush : 눌러 부수다	credible : 믿을 만한 creditable : 명예로운 credulous : 잘 믿는
□	curb : (인도와 차도 사이의) 연석, 재갈, 고삐, 구속 curve: 곡선, 굴곡	daily : 매일의 dairy : 낙농업, 목축업, 낙농장 diary: 일기
□	decease : 사망 decrease : 감소하다 disease : 질병	dependent : 의지하고 있는 ↔ independent dependant : 의지하고 있는 사람, 부양가족
□	desert : 사막, 황무지의 ; 버리다, 도망가다 dessert : 식후 과일이나 과자	disciple : 제자 discipline : 훈련, 규율
□	economic : 경제의, 경제학의 economical : 경제적인, 절약하는	emigrant : (나가는) 이민의 immigrant : (들어오는) 이민의
□	erect : 세우다 elect : 선거하다	ethics : 윤리, 도덕 ethnic : 인종의(=racial), (소수) 민족의
□	evolution : 진화, 전개 revolution : 혁명	fashion : 유행, 양식 passion : 열정, 정열
□	favorable : 호의적인, 유리한 favorite : 가장 좋아하는	fatal : 치명적인, 운명의 vital : 중요한, 필요한
□	file : 서류철, 철하여 정리 보관하다 pile : 쌓아 올린 더미, 대량	fall - fell - fallen : 떨어지다, 무너지다 fell - felled - felled : (나무를) 잘라 쓰러뜨리다
□	find - found - found : 발견하다 found - founded - founded : 세우다, 설립하다	flash : 섬광 flesh : 살 fresh : 신선한
□	flatter : 아첨하다 flutter : 날개 치다	flight : 비행 fright : 공포
□	folk : 사람들, 민속 fork : 포크	forth : 앞으로, 전방으로, 이후 fourth : adj. 제4의, 네(번)째의
□	gem : 보석(=jewel, treasure) germ : 세균, 병균, 싹, 발아	general : 일반적인 generous : 관대한
□	generosity : 관대, 관용 generalization: 일반화, 보편화	

70점
넘기기

Chapter 07

Emotions / 감정

ⓐ Feelings – Positive (긍정적인 감정)

ⓑ Feelings - Negative (부정적인 감정)

ⓒ Reactions (반응)

ⓓ Communicating (의사소통)

ⓔ Associated Words (연관 단어)

1분 안에 넘기기 | 시간 있으면 꼼꼼히 외우기

1867 ★★★

□□□ [06.11 수능기출]

accentuate [ækséntʃuèit]

동 강조하다, 두드러지게 하다

㉺ accent 말씨, 강조

㈜ emphasize 강조하다, 역설하다

He **accentuated** the important parts.

그는 중요한 부분을 **강조했다**.

1868 ★★★

□□□ 교육부 [94.96.98.03.06.07.08.09.10.11.12.13.14.15.16.17 수능기출]

accept [æksépt]

동 받아들이다, 수락하다

㉺ acceptable 허용할 수 있는08수능 acceptance 수용12수능

We've heard you **accepted** a job offer at B.M Books.

우리는 네가 B.M Books의 취업 제의를 **수락했다고** 들었어.03수능

1869 ★★★

□□□ 교육부 [96.02.05.08.11.12.14.19.20 수능기출]

admit [ædmít]

동 인정하다, 자백하다

㉺ admission 입학 admittance 입장, 들어감
admission ticket 입장권 19수능

They **admit** it is extremely difficult.

그들은 그것이 매우 어렵다는 것을 **인정한다**.02수능

1870 ★★★

□□□

adore [ədɔ́:r]

동 흠모하다, 아주 좋아하다

㉯ hate 몹시 싫어하다, 미워하다

I **adore** chocolate icecream.

나는 초콜릿 아이스크림을 **무척 좋아한다**.

1871 ★★★

□□□

affable [ǽfəbl]

형 상냥한, 사근사근한

㈜ sociable 사교적인, 붙임성 있는

She seems to be a loveable and **affable** person.

그녀는 귀엽고 **상냥한** 사람인 것 같다.

1872 ★★★

□□□ [94.96.04.07.08.09.10.11.12.13.014.15.16.17.19 수능기출]

affect [əfékt]

동 영향을 미치다, 발생하다

㉺ affection 애정17수능 affective 정서적인 ㉯ unaffected 영향을 받지 않는 22수능

The landscape of a place all **affect** the lives of the people who live there.

풍경은 모두 그곳에 사는 사람들의 인생에 **영향을 끼칩니다**.09수능

1873 ★★★

anticipat

기대하다, 예상하다

□□□ 교육부 [96.06.07.11.13.14.17 수능기출]

anticipate [æntísəpèit]

동 기대하다, 예상하다

(파) unanticipated 기대하지 않은 anticipation 예상 (유) expect

The excellent Christmas season we've **anticipated** has begun.

우리가 **기대하던** 멋진 크리스마스 시즌이 시작됐습니다.96수능

1874 ★★★

apologiz

사과하다

□□□ 교육부 [94.97.14 수능기출]

apologize [əpάlədʒàiz]

동 사과하다

(파) apology 사과 apologetic 미안해하는

(숙) apologize to A for B : A에게 B를 사과하다 수능기출

People will **apologize** if they touch a person at all.

사람들은 조금이라도 사람을 건드린다면 **사과할** 것입니다.97수능

1875 ★

appe**se**

달래다,
요구를 들어주다

□□□

appease [əpíːz]

동 달래다, 요구를 들어주다

It was a desperate attempt to **appease** the U.S.

그것은 미국을 **달래기** 위한 절박한 시도였다.

1876 ★★★

appreciat

감사하다, 감상하다

□□□ 교육부 [94.97.98.99.03.04.05.08.13.16 수능기출]

appreciate [əpríːʃièit]

동 감사하다, 감상하다,

(파) appreciative 감사의 appreciation 감사
appreciatively 바른 안목으로

The act of sitting down to write helps to fill your life with **appreciation**.

글쓰기 위해 앉는 일은 당신의 삶을 **감사로** 채우는 데 도움이 된다.03수능

1877 ★★★

approv

승인하다,
찬성[인정]하다

□□□ 교육부 [94.95.96.01.11.15 수능기출]

approve [əprúːv]

동 승인하다, 찬성[인정]하다

(파) approval 승인, 찬성16수능 (반) disapprove 반박하다15수능

(숙) disapprove of ~을 못마땅해하다20수능

A child will often ask for **approval** openly.

아이는 종종 공개적으로 자신을 **인정해 주는 말**을 요구하는 경향이 있다.01수능

1878 ★★

ass**rt**

주장하다

□□□ [13 수능기출]

assert [əsə́ːrt]

동 주장하다

(파) assertiveness 자기주장, 단호함16수능 assertive 확신에 찬, 적극적인 16수능

(유) declare 선언하다 state 진술하다 insist 우기다 claim 요구하다

I want to **assert** my rights.

내 권리를 **주장하고** 싶어요.

1873 엔**티**시페잍 1874 어**팔**러좌이즈 1875 어**피**~즈 1876 어**프**리쉬에잍 1877 어**프**루~브 1878 어**썰**~트

1분 안에 넘기기 | 시간 있으면 꼼꼼히 외우기

1879 ★★★

assum

추정하다, 맡다

□□□ 교육부 [03.05.07.14.15.16.19 수능기출]

assume [əsúːm]

동 추정하다, 맡다

㉺ assumption 가정, 추정 94.07.12.19수능

㊍ make believe=pretend=assume ~인 체하다 수능기출

It may not be valid to **assume** that the future will be very different.

미래가 많이 달라질 것이라고 **추정하는** 것은 타당하지 않을 수도 있다. 05수능

1880 ★★★

ssure

장담하다, 보장하다

□□□ 교육부 [97.02.10.11 수능기출]

assure [əʃúər]

동 장담하다, 보장하다

㉺ assuredly 틀림없이 assurance 확신, 장담

㉻ assure 장담하다 ensure 보장하다 insure 보험에 들다

We can **assure** you that the bus will arrive.

우리는 버스가 올 거라고 **분명히 말씀드릴** 수 있습니다. 10수능

1881 ★★★

ttract

끌다, 끌어당기다, 매혹하다

□□□ 교육부 [94.96.00.01.03.04.06.07.09.10.14.16.17 수능기출]

attract [ətrǽkt]

동 끌다, 끌어당기다, 매혹하다

㉺ attractive 매력적인 17수능 unattractive 매력적이지 못한 13수능 attractiveness 끌어 당기는 힘 14수능 attraction 끌림

The third group is **attracted** by the resort with its colorful night life.

세 번째 그룹은 화려한 야간 생활이 있는 휴양지에 **매료되어** 있다.

1882 ★

aut nomy

자치(권), 자율

□□□

autonomy [ɔːtάnəmi]

명 자치(권), 자율

㉺ autonomous 자치의 autonomist 자치주의자

They are fighting for **autonomy**.

그들은 **자치권**을 위해 싸우고 있다.

1883 ★★

belov d

(대단히) 사랑하는

□□□ [08 수능기출]

beloved [bilʌ́vid]

형 (대단히) 사랑하는

㉤ dear, loved

He has photos of his **beloved** wife and his two sons.

그는 **사랑하는** 아내와 두 아들의 사진이 있다. 08수능

1884 ★★★

bl ss

은혜를 베풀다, 축복하다

□□□ 교육부 [03.20 수능기출]

bless [blés]

동 은혜를 베풀다, 축복하다

명 blessing 축복 20수능

㉥ curse 저주하다, 욕을 하다

I am truly **blessed**.

나는 진정 **축복받았다**. 03수능

1879 어숨 1880 어슈얼 1881 어트랙트 1882 오:타너미 1883 빌러브드 1884 블레스

1885 ★★☆

□□□ [96 수능기출]

bliss [blís]

명 더없는 행복, 기쁨

Married life is **bliss**.
결혼 생활은 **행복**하다.

Ignorance is **bliss**.
모르는 게 **약**이다. 96수능

1886 ★★★

□□□ [07.09.11.12.20 수능기출]

bond [bɑ́nd]

명 유대(감), 채권, 굴레 동 접착시키다, 결합하다

파 bondage 노예 신분

the **bonds** of caffeine
카페인과의 **결합** 09수능

Social **bonds** are important today.
오늘날 사회적 **유대감**이 중요하다. 11수능

1887 ★★★

□□□ [95.96.97.00.03.04.05.08.10.15 수능기출]

bright [brait]

형 밝은, 빛나는, 영리한

파 brightness 빛남, 현명 13수능

the **brightest** people
가장 **현명한** 사람 03수능

the only **brightness** in the room
방 안에서 유일하게 **반짝인 것** 08수능

1888 ★★★

□□□ [05.07.09.17 수능기출]

charity [tʃǽrəti]

명 자선, 자선 단체

파 charitable 자선의

She talked about her **charity** work.
그녀는 자기 **자선** 사업에 관해 이야기했다. 07수능

1889 ★★☆

□□□ [08.12.14 수능기출]

cherish [tʃériʃ]

동 소중히 여기다, 아끼다

A society that **cherishes** honor or bravery will succeed.
명예와 용기를 **소중히 여기는** 사회는 성공할 것이다. 08수능

1890 ★★★

□□□ 교육부 [95.96.97.00.01.02.03.05.08.09.10.12.15.16 수능기출]

comfort [kʌ́mfərt]

명 편안, 위안 동 위로하다

파 comfortable 편안한 00.01.05.19수능 comfortably 편안하게 96수능
discomfort 불편 95.10수능 uncomfortable 불편한 01.08.10.12수능

This souvenir may be some small **comfort** to you.
이 기념품이 너에게 다소 **위안**이 될지 모르겠다. 02수능

1891 ★★☆

mmit

(죄를) 저지르다, 약속하다

□□□ [96.15.20 수능기출]

commit [kəmít]

동 (죄를) 저지르다, 약속하다

파 commitment 약속, 헌신 14수능 팁 Committee 위원회

숙 kill oneself=commit suicide : 자살하다
commit oneself to ~에 전념하다 20수능

I made a serious **commitment.** 나는 진지한 **약속**을 했다. 96수능

1892 ★☆☆

c  mpassion

연민, 동정

□□□ [14 수능기출]

compassion [kəmpǽʃən]

명 연민, 동정

She has a sense of **compassion.**
그녀는 **동정**심이 있다.

1893 ★☆☆

concern  d

걱정하는, 관심 있는

□□□ [94.97.06.07.08.09.11.12.17 수능기출]

concerned [kənsə́ːrnd]

형 걱정하는, 관심 있는

숙 as far as I am concerned=as for me=for my part : 나에 관한한, 나로서는 수능기출

The world is **concerned** about saving fuel.
세계가 연료 절약을 **걱정한다.** 97수능

1894 ★☆☆

c  ndolence

애도, 조의

□□□

condolence [kəndóuləns]

명 애도, 조의

a letter of **condolence**
애도의 편지

You have my **condolences.**
내 **애도**를 표한다.

1895 ★★☆

confid  nt

자신감 있는, 확신하는

□□□ 교육부 [99.01.02.03.08.09.12.15.16 수능기출]

confident [kɑ́nfədənt]

형 자신감 있는, 확신하는

파 confidential 비밀의 confidence 신뢰, 자신감 12수능
overconfident 지나치게 자신만만한 02.12수능

숙 between you and me=between ourselves=in confidence : 우리끼리 이야기인데 In private=in secret=in confidence=privately=secretly : 비밀리, 몰래 수능기출

1896 ★★★

curi  us

궁금한,
호기심 많은

□□□ [97.01.07.11.20 수능기출]

curious [kjúəriəs]

형 궁금한, 호기심 많은

The shepherds was **curious** about its softness.
그 목동들은 그것의 부드러움에 대하여 **호기심이 생겼다.** 01수능

1891 커밋 1892 컴패션 1893 컨써언드 1894 커돌러스 1895 카~피던트 1896 큐리어스

1897 ★★★

definit  **ly**

분명히, 확실히

□□□ [94.05.09.10.11.19 수능기출]

definitely [défənitli]

부 분명히, 확실히

㉶ definition 정의 definite 확실한

It is most **definitely** false.

이것은 **분명히** 잘못된 것이다. 11수능

1898 ★★★

deli  **ht**

기쁨,
많은 기쁨을 주다

□□□ 교육부 [02.04.05.09.11.12.17 수능기출]

delight [diláit]

명 기쁨 동 많은 기쁨을 주다

㉶ delightful 정말 기분 좋은

I'm **delighted** you're fully recovered from your illness.

나는 당신이 완전히 병에서 회복되어 **기쁩니다**. 12수능

1899 ★☆☆

demur 

얌전한, 조용한

□□□

demure [dimjúər]

형 얌전한, 조용한

The **demure** youth stood and continued to wait.

그 **조용한** 청년은 서서 계속 기다렸다.

1900 ★★☆

dign  **ty**

위엄, 품위,
존엄성

□□□ [13.15 수능기출]

dignity [dígnəti]

명 위엄, 품위, 존엄성

㉶ dignify 위엄 있게 하다

He died with **dignity**.

그는 **위엄** 있게 죽었다.

1901 ★★☆

 **rnest**

성실한, 진지한

□□□ 교육부 [11.14 수능기출]

earnest [ə́:rnist]

형 성실한, 진지한

㉶ earnestly 진지하게, 진정으로

Are you in **earnest**?

진심이니?

He devoted himself **earnestly** to photography.

그는 사진을 찍는 데 **진지하게** 몰두했다. 11수능

1902 ★★★

emoti  **n**

감정, 정서

□□□ 교육부 [94.96.97.98.02.05.08.09.11.12.13.14.15.16.17 수능기출]

emotion [imóuʃən]

명 감정, 정서

㉶ emotional 감정적인 12.17수능 emotionally 감정적으로 09수능

Putting an **emotion** into words and saying it out loud often helps.

단어에 **감정**을 담아서 크게 말하는 것은 종종 도움이 됩니다. 98수능

1분 안에 넘기기 | 시간 있으면 꼼꼼히 외우기

1903 ★★★

존경, 존경하다

□□□ [15 수능기출]

esteem [istí:m]

명 존경 동 존경하다

㉺ self – esteem 자부심

I hold her in **esteem**.
난 그녀를 **존경**한다.

1904 ★★★

충실한, 충직한

□□□ [00.07 수능기출]

faithful [féiθfəl]

형 충실한, 충직한

㉺ faith 믿음, 신뢰

㉾ be true to=be faithful to=be royal to : ~에 충실하다 수능기출

He is a **faithful** friend. 그는 **충실한** 친구이다.

Some of us have **faith**. 우리 중 일부는 **믿음**을 가지고 있다. 07수능

1905 ★★★

충실함, 신의

□□□

fidelity [fidéləti]

명 충실함, 신의

㉸ loyalty 충실, 충성

㉯ infidelity (배우자에 대한) 부정

Fidelity is important in marriage.
결혼에서 **충실함**은 중요하다.

1906 ★★★

질 높은, 좋은, 건강한

□□□ [94.95.00.01.02.03.05.06.08.09.14.17 수능기출]

fine [fáin]

형 질 높은, 좋은, 건강한

I feel **fine** today.
오늘은 **괜찮아요**.

the **fine art** object
예술품 09수능

1907 ★★★

용서하다

□□□ 교육부 [98.99.10.17 수능기출]

forgive [fərgív]

동 용서하다

㉺ forgiveness 용서

I would like you to **forgive** my unintended offenses.
저의 의도하지 않은 무례에 대해 **용서하시기** 바랍니다. 10수능

1908 ★★★

솔직한

□□□ 교육부 [98.99 수능기출]

frank [fræŋk]

형 솔직한

㉺ frankly 솔직히, 노골적으로

Let's be **frank** with each other.
우리 서로 **솔직해**지자고.

1909 ★★☆

□□□ [99 수능기출]

goodwill [gúdwíl]

명 호의, 선의, 친선

㊒ friendliness 우정, 친선, 친목

We share in the **goodwill**.

우린 **호의**를 나눴다.

1910 ★★☆

□□□ [03 수능기출]

gratitude [grǽtətjù:d]

명 고마움, 감사

The purpose of the letter is to express love and **gratitude**.

편지의 목적은 사랑과 **고마움**을 표현하는 것이다.03수능

1911 ★☆☆

□□□

heartbreaking [ha:rtbrèikiŋ]

형 가슴 아프게 하는

That is **heartbreaking** news.

그것은 **가슴 아픈** 소식이다.

1912 ★☆☆

□□□ [03 수능기출]

heartfelt [hɑ́:rtfèlt]

형 진심 어린

㊒ sincere 진심인, 진정한20수능

Once a week, write a **heartfelt** letter.

매주에 한 번씩, **진심에서 우러나온** 편지를 써라.03수능

1913 ★★☆

□□□ 교육부 [97,06 수능기출]

humble [hʌ́mbl]

형 겸손한, 미천한

㊒ modest 보통의, 수수한, 겸손한

Learning to ski is a **humbling** experience.

스키를 배우는 것은 **자존심 상하는** 경험이다.06수능

1914 ★★★

□□□ [07,09,10,12,15 수능기출]

intensity [inténsəti]

명 강렬함, 강도

㊖ intense 극심한 intensive 집중적인 intensify 강화하다

㊒ extreme 극도의 fierce 격렬한 ㊉ mild 부드러운

The **intensity** of the light is strong.

빛의 **강도**가 세다.10수능

1915 ★★☆

날카로운, 예민한

□□□ [14.15.16.17 수능기출]

keen [kíːn]

형 날카로운, 예민한

유 sharp 예리한

팁 sharply 재빨리 20수능

He had a **keen.**

그는 **예리하다.**

1916 ★★★

웃음, 웃음소리

□□□ [95.98.03.16 수능기출]

laughter [lǽftər]

명 웃음, 웃음소리

파 laugh 소리 내어 웃다

Laughter is the most powerful and constructive force for calming tension.

웃음은 긴장을 풀기 위한 가장 강력하고 건설적인 요소이다. 98수능

1917 ★★☆

명상하다, 계획하다

□□□ [11 수능기출]

meditate [médətèit]

동 명상하다, 계획하다

파 meditation 명상, 묵상

You can enrich your life through **meditation.**

당신은 **명상**을 통해 삶을 풍요롭게 할 수 있습니다. 11수능

1918 ★★☆

자비, 용서

□□□ 교육부 [05 수능기출]

mercy [mə́ːrsi]

명 자비, 용서

파 merciful 자비로운 mercifully 다행히도, 친절하게

반 mercilessly 인정사정없이, 무자비하게 19수능

숙 be at the mercy of=be wholly in the power of : ~에 좌우되다 수능기출

1919 ★★☆

염두에 두는, 주의하는

□□□ [06.08 수능기출]

mindful [máindfəl]

형 염두에 두는, 주의하는

팁 remindful 생각나게 하는

It is important to be **mindful** about every single aspect of purchasing food.

식품을 구입하는 데 있어서 하나하나 모든 면에 **주의를 기울이는** 것이 중요하다. 08수능

1920 ★★☆

욕정[열정]을 느끼는, 격정적인

□□□ [18 수능기출]

passionate [pǽʃənət]

형 욕정[열정]을 느끼는, 격정적인

기출 enthusiastically 열성적으로 20수능

Everyone praised his **passionate** performance.

모든 사람은 그의 **열정적인** 연주를 칭찬했다. 98수능

1921 ★☆☆

placat

달래다, 진정시키다

□□□
placate [pləkéit]
동 달래다, 진정시키다
유 pacify 진정시키다
She is trying to **placate** the child.
그녀는 아기를 **달래기** 위해 노력하고 있다.

1922 ★★☆

prud nt

살까 말까..
시계
신중한

□□□ [11 수능기출]
prudent [prú:dnt]
형 신중한
파 prudential 세심한 prudence 신중 반 imprudent 경솔한
He is **prudent** in spending money.
그는 돈을 쓰는 것에 대해 **신중한** 사람이다

1923 ★☆☆

reciproc l

상호 간의

□□□
reciprocal [risíprəkəl]
형 상호 간의
The love between them is **reciprocal**.
그들 사이에 사랑이란 **상호 작용이다**.

1924 ★☆☆

rever

존경하다, 숭배하다

□□□ [14 수능기출]
revere [rivíər]
동 존경하다, 숭배하다
팁 reverse (정반대로) 뒤바꾸다, 반대, 역(逆) 20수능
숙 look up to=respect=revere : 존경하다 수능기출
We **revere** our old teacher.
우리는 우리의 옛 선생님을 **존경한다**.

1925 ★★★

sensitiv

세심한, 예민한

□□□ [94.06.09.10.13 수능기출]
sensitive [sénsətiv]
형 세심한, 예민한
파 sensible 분별 있는 sensitivity 세심함 sensibility 감각
He is so **sensitive**.
그는 매우 **민감하다**.
Rarely is a computer more **sensitive** than a human.
컴퓨터가 인간보다 더 **민감한** 경우는 드물다. 10수능

1926 ★★☆

symp thy

동정, 연민

□□□ 교육부 [08.11 수능기출]
sympathy [símpəθi]
명 동정, 연민
파 sympathetic 동정적인 13수능 sympathize 동정하다
숙 feel for=sympathize with : ~을 동정하다 수능기출
She has much **sympathy**.
그녀는 **동정심**이 많다.

1927 ★★☆

사려 깊은,
생각에 잠긴

□□□ [99.01 수능기출]

thoughtful [θɔ́:tfəl]

형 사려 깊은, 생각에 잠긴

파 thought 생각 thoughtfulness 사려 깊음

Your **thoughtfulness** is deep.
당신은 **사려 깊다.** 99수능

1928 ★★★

믿는, 신뢰하는

□□□ [94.98.01.04.07.08.09.10.12 수능기출]

trusting [trʌ́stiŋ]

형 믿는, 신뢰하는

파 trust 신뢰, 신뢰하다

Trusting people and empowering them is very important.
사람들을 **신뢰하고** 그들에게 권한을 부여하는 것은 매우 중요하다. 12수능

1929 ★★☆

변하지 않는, 불변의

□□□ [96.04.06 수능기출]

unchangeable [ʌ̀ntʃéindʒəbl]

형 변하지 않는, 불변의

파 unchanged 변함없는

The law of gravity is **unchangeable.**
중력의 법칙은 **불변할** 것이다.

Human laws had been considered **unchangeable** in primitive times.
인문법은 원시 시대에는 **변하지 않는** 것으로 여겨졌었다. 96수능

1930 ★☆☆

불멸의, 영원한

□□□

undying [ʌndáiiŋ]

형 불멸의, 영원한

유 immortal 죽지 않는 timeless 끝이 없는

He showed **undying** love.
그는 **영원한** 사랑을 보여 주셨다.

1931 ★☆☆

용맹한, 단호한

□□□

valiant [vǽljənt]

형 용맹한, 단호한

The soldier fought **valiantly.**
그 군인은 **용감하게** 싸웠다.

1932 ★☆☆

마음이 따뜻한

□□□

warmhearted [wɔ́:rmhɑ́:rtid]

형 마음이 따뜻한

반 cold-hearted 냉담한, 인정 없는

Her mother is a **warm-hearted** person.
그녀의 어머니는 **마음이 따뜻한** 분이다.

1933 ★★★

□□□ [98.15 수능기출]

absurd [æbsə́:rd]

형 불합리한, 모순된

파 absurdity 불합리 absurdly 불합리하게

You can point out what is humorous or **absurd** about a situation.
당신은 어떤 상황에 대해 무엇이 웃기거나 **모순되는지** 찾아낼 수 있다. 98수능

1934 ★★★

□□□ [96 수능기출]

accuse [əkjú:z]

동 고발하다, 비난하다

파 accusation 비난, 고발 20수능

Someone is **accused** of the crime.
어떤 사람이 범죄로 **고발되었다**. 96수능

1935 ★★★

□□□ [09.22 수능기출]

aggressive [əgrésiv]

형 공격적인, 진취적인, 적극적인

파 aggression 침략 aggressively 공격적으로

They are very **aggressive**.
그들은 매우 **공격적이었다**.

I'm the youngest child and thus less **aggressive**.
난 막내인데 그래서 덜 **진취적이에요**. 09수능

1936 ★★★

□□□

agony [ǽgəni]

명 심한 고통, 괴로움

파 agonize 고민하다

I can understand his **agony**.
난 그의 **고통**을 이해할 수 있다.

1937 ★★★

□□□ [95.01.05.07.13 수능기출]

alarm [əlɑ́:rm]

명 자명종, 불안, 경보

Alarms are more than just an annoyance.
경보기는 단순한 성가심을 넘어선다. 07수능

1938 ★★★

□□□

anguish [ǽŋgwiʃ]

명 괴로움, 고뇌, 비통

팁 anxious 걱정하는

His reply caused her much **anguish**.
그의 대답은 그녀가 많은 **고뇌**를 하게 만들었다.

1933 업써~드 1934 어큐~즈 1935 어그레시브 1936 애거니 1937 얼람~ 1938 앵귀시

1분 안에 넘기기 | 시간 있으면 꼼꼼히 외우기

1939 ★★☆

ann y

짜증나게 하다, 귀찮게 하다

□□□ 교육부 [96.97.06.07.17 수능기출]

annoy [ənɔ́i]

동 짜증나게 하다, 귀찮게 하다

㉣ annoyance 성가심
㉤ bother 성가시게 하다 20수능 bothersome 성가신 20수능 harass 괴롭히다 disturb 방해하다 irritate 거슬리다

We become **annoyed** and angry
우리는 **짜증을 내고** 화가 나게 된다. 06수능

1940 ★☆☆

antag nist

적대자, 적수

□□□

antagonist [æntǽgənist]

명 적대자, 적수

㉣ antagonize 적대하다 antagonistic 적의를 가진 antagonism 적대감 ㉥ protagonist 주인공 18수능

Who will be our **antagonist**?
누가 우리의 **적**이 될 것인가?

1941 ★☆☆

내 생각은 그 반대야!

ntipathy

(강한) 반감

□□□

antipathy [æntípəθi]

명 (강한) 반감

㉣ antipathetic 반감을 가진 ㉤ dislike 싫음 aversion 혐오감

Among scholars there is a growing **antipathy** towards the idea
학자들 사이에서는 그 생각에 대해 **반감**이 커지고 있다.

1942 ★★★

anxi ty

불안, 염려, 걱정거리

□□□ 교육부 [96.06.11.13 수능기출]

anxiety [æŋzáiəti]

명 불안, 염려, 걱정거리

㉣ anxious 걱정하는, 불안한 ㉥ be anxious for : ~하기를 열망하다 be anxious about : ~에 대해 걱정하다

She felt an intense **anxiety**.
그녀는 극심한 **불안**을 느꼈다.

the social **anxiety** 사회적 **불안** 11수능

1943 ★☆☆

arr gant

어험

오만한

□□□ [11 수능기출]

arrogant [ǽrəgənt]

형 오만한

㉣ arrogance 거만 ㉤ overbearing 건방진 conceited 자만하는
㉦ humble 겸손한

That is the **arrogance** of the individual.
그것은 사람의 **거만**이다. 11수능

1944 ★★★

asham d

부끄러운

□□□ 교육부 [02.03.04.12.13 수능기출]

ashamed [əʃéimd]

형 부끄러운

㉥ shame 수치심 shameless 창피한 줄 모르는

I am **ashamed** to face my parents.
부모님 뵙기가 **부끄럽다**.

I felt **ashamed** for not having visited him for the last five years.
지난 5년 동안 그를 방문하지 않은 것이 **부끄럽다**. 02수능

1945 ★☆☆

aveng

복수하다

□□□

avenge [əvénd3]

동 복수하다

㉶ avenger 복수하는 사람 14수능 ㈾ revenge 복수, 보복

He wants to **avenge** his father's death.

그는 아버지의 죽음을 **복수하고** 싶어 한다.

1946 ★★☆

tray

배신하다, 저버리다

□□□ [13 수능기출]

betray [bitréi]

동 배신하다, 저버리다

He **betrayed** her.

그는 그녀를 **배신했다**.

1947 ★★★

bi s

편견, 성향

□□□ 교육부 [07.08.10.13.14.16.20 수능기출]

bias [báiəs]

명 편견, 성향

㉶ biased 선입견이 있는, 편향된 ㈾ prejudiced 편견을 지닌

We cannot use a **biased** survey

우리는 **편향된** 조사를 사용할 수 없다. 10수능

1948 ★★★

blam

탓하다,
책임으로 보다

□□□ 교육부 [97.15.17 수능기출]

blame [bléim]

동 탓하다, 책임으로 보다

㉯ speak ill of=blame=criticize : 비난하다, 헐뜯다 수능기출

The driver argued that the careless pedestrian was to **blame** for the accident.

운전사는 그 부주의한 보행자가 사고의 **책임을 져야** 한다고 주장했다. 97수능

1949 ★★☆

rutal

잔인한, 야만적인

□□□

brutal [brú:tl]

형 잔인한, 야만적인

㉶ brutally 잔인하게 13수능 brutality 잔인성 brute 짐승

㈾ cruel 잔인한 inhuman 몰인정한

He acted in a **brutal** manner.

그는 **잔혹한** 방법으로 행동했다.

1950 ★☆☆

apricious

변덕스러운, 잘 변하는

□□□

capricious [kəpríʃəs]

형 변덕스러운, 잘 변하는

He is **capricious** at times.

그는 때때로 **변덕스럽다**.

1945 어벤쥐 1946 비트뤠이 1947 바이어스 1948 블레임 1949 브루~들 1950 커프리셔스

1분 안에 넘기기 | 시간 있으면 꼼꼼히 외우기

1951 ★★☆

쌀쌀한, 추운, 냉랭한

□□□ [12.13 수능기출]

chilly [tʃíli]

형 쌀쌀한, 추운, 냉랭한

㉺ chill 냉기, 한기

I felt a sudden **chill** in the air.

나는 공기 중의 갑작스러운 **한기**를 느꼈다. 12수능

1952 ★★★

불평하다

□□□ 교육부 [97.03.04.09.15.17 수능기출]

complain [kəmpléin]

동 불평하다

반 uncomplaining 불평을 하지 않는 14수능

They **complain** about their hard lives.

그들은 고된 삶에 대해 **불만을 말한다**. 03수능

1953 ★★☆

보수적인

□□□ [13 수능기출]

conservative [kənsə́:rvətiv]

형 보수적인

㉺ conserve 아끼다 conservation 보호, 보존

He has **conservative** views.

그는 **보수적인** 전망을 하고 있다.

1954 ★★☆

경멸, 멸시, 무시

□□□ [11.14 수능기출]

contempt [kəntémpt]

명 경멸, 멸시, 무시

Hostility or **contempt** will not be tolerated.

적대감 또는 **경멸**은 용납되지 않습니다. 11수능

1955 ★★☆

겁쟁이, 비겁자

□□□

coward [káuərd]

명 겁쟁이, 비겁자

㉺ cowardly 겁많은, 비겁한 15수능

He is not a **coward**.

그는 **겁쟁이**가 아니야

1956 ★★☆

원유
대충의,
미가공의

□□□ [09 수능기출]

crude [krú:d]

명 원유 형 대충의, 미가공의

팁 crude oil 원유

Crude oil are refined and used.

원유는 정제되어 사용된다. 09수능

1957 ★★☆

잔혹한, 잔인한

□□□ 교육부

cruel [krú:əl]

형 잔혹한, 잔인한

㉺ cruelty 잔학함

㉾ hurtful 고통을 주는 harsh 가혹한, 냉혹한 20수능

The enemy is very **cruel**.

적군이 매우 **잔인하다**.

1958 ★★☆

억제하다

□□□ [13 수능기출]

curb [kə:rb]

동 억제하다

We need to **curb** anger.

우리는 분노를 **억제할** 필요가 있다. 13수능

1959 ★☆☆

냉소적인, 비꼬는

□□□

cynical [sínikəl]

형 냉소적인, 비꼬는

㉭ trusting 사람을 믿는

It is not nice to be **cynical**.

냉소적인 것은 좋지 않다.

1960 ★★☆

습기
축축한, 습기찬

□□□

damp [dǽmp]

명 습기 형 축축한, 습기찬

㉾ moist 촉촉한 wet 젖은

The day is **damp**.

그날은 **습기 찼다**.

1961 ★☆☆

속임, 사기

□□□

deception [disépʃən]

명 속임, 사기

㉺ deceive 속이다 deceptive 기만적인 ㉾ deceit 사기, 속임수

He knew it was a **deception**.

그는 그것이 **속임수**임을 알았다.

1962 ★☆☆

반항

□□□

defiance [difáiəns]

명 반항

㉺ defy 반항하다 ㉩ define 정의하다 definite 명확한

A note of **defiance** entered his voice.

그의 목소리에 **반항**하는 기색이 담겼다.

1963 ★★★

숙제
싫어

d test

몹시 싫어하다,
혐오하다

□□□ [04.06 수능기출]

detest [ditést]

동 몹시 싫어하다, 혐오하다

파 detestation 혐오, 증오 detestable 혐오할 만한

I **detest** homework.

나는 숙제를 **매우 싫어한다**.

1964 ★★★

NO!

devo

전혀 없는, 결여된

□□□

devoid [divɔ́id]

형 전혀 없는, 결여된

숙 devoid of : ~이 없는

팁 avoid 피하다

He is **devoid** of true love.

그에게 진정한 사랑**이란 없다**.

1965 ★★★

disadvantag

불리한 점, 약점

□□□ [13 수능기출]

disadvantage [dìsədvǽntidʒ]

명 불리한 점, 약점

They will be greatly **disadvantaged** in their dealings with Asia and Asians.

그들은 아시아와 아시아인들과 거래에서 그들에게 매우 **불리**하게 될 것이다. 03수능

1966 ★★★

isgust

혐오감, 역겹게 하다

□□□ 교육부 [03.15 수능기출]

disgust [disgʌ́st]

명 혐오감 동 역겹게 하다

유 loathing 증오심, 혐오감

She gave up in **disgust**.

그녀는 **역겨워서** 그만두었다.

1967 ★★★

disinterest

d

사심 없는, 무관심한

□□□

disinterested [disíntərèstid]

형 사심 없는, 무관심한

파 disinterest 무관심

He seemed quite **disinterested**.

그는 꽤 **무관심해** 보였다.

1968 ★★★

ismal

음울한, 음산한

□□□

dismal [dízməl]

형 음울한, 음산한

It is a **dismal** day.

오늘은 **음산한** 날이다.

1969 ★☆☆

d  smay

경악하게 만들다, 크게 실망시키다

□□□ [96 수능기출]

dismay [disméi]

동 경악하게 만들다, 크게 실망시키다

To my **dismay**, the other team scored three runs.

실망스럽게도, 상대팀은 3점을 얻었다. 96수능

1970 ★☆☆

disple  sure

불쾌감, 불만

□□□ [96 수능기출]

displeasure [displéʒər]

명 불쾌감, 불만

반 pleasure 기쁨 숙 be fond of=care for=have a liking for=take pleasure in : ~을 좋아하다 수능기출

She showed her **displeasure**.

그녀는 자신의 **불쾌감**을 드러냈다.

1971 ★☆☆

disrespe  tful

무례한, 실례되는

□□□

disrespectful [dìsrispéktfəl]

형 무례한, 실례되는

파 disrespect 무례, 결례

He is a very **disrespectful** child.

그는 매우 **무례한** 아이다.

1972 ★★☆

dist  rt

왜곡하다, 비틀다

□□□ 교육부 [09.13 수능기출]

distort [distɔ́ːrt]

동 왜곡하다, 비틀다

파 distortion 왜곡 17수능 distorted 왜곡된

Sometimes newspapers **distort** the truth.

때때로 신문은 진실을 **왜곡한다**. 09수능

1973 ★★☆

distr  ss

고통, 괴로움

□□□ [09.13.14 수능기출]

distress [distrés]

명 고통, 괴로움

유 stress, suffering

Your word caused her a lot of **distress**.

너의 말이 그녀에게 많은 **고통**을 주었어.

1974 ★★☆

d  wnplay

경시하다, 대단치 않게 생각하다

□□□ [13 수능기출]

downplay [daʊnpleɪ]

동 경시하다, 대단치 않게 생각하다

They tend to **downplay** the consequences.

그들은 그 결과를 **대단치 않게 생각하는** 경향이 있다. 13수능

1975 ★★☆

두려움, 몹시 무서워하다

□□□ [15 수능기출]

dread [dréd]

명 두려움 동 몹시 무서워하다

유 fear 공포, 무서움

I have a feeling of **dread**.
두려움이 느껴진다

1976 ★★☆

무딘, 둔한, 따분한, 지루한

□□□ [94 수능기출]

dull [dʌ́l]

형 무딘, 둔한, 따분한, 지루한

Forget **dull** lessons and the traditional methods of learning.
지루한 강의와 전통적인 학습 방법을 잊으십시오. 94수능

1977 ★★☆

부러워하는, 선망하는

□□□ [94.04.07 수능기출]

envious [énviəs]

형 부러워하는, 선망하는

파 envy 부러움 enviable 부러운

Their house is the **envy** of the neighborhood.
그들의 집은 이웃에서 **선망**의 대상이다. 04수능

surprised and **envious**
놀라고 **부러워하는** 07수능

1978 ★★★

사악한, 악랄한

□□□ [05.07.08 수능기출]

evil [íːvəl]

형 사악한, 악랄한

That **evil** man puts a curse on his neighbor.
저 **사악한** 사람이 이웃에게 저주를 퍼부었다.

1979 ★☆☆

치우친 사랑, 편애

□□□ [13 수능기출]

favoritism [féivəritìzm]

명 치우친 사랑, 편애

There is an evidence of **favoritism** toward handsome politicians.
잘생긴 정치인들을 향한 **치우친 애전**에 대한 증거가 있다. 13수능

1980 ★★☆

사나운, 맹렬한

□□□ 교육부 [14 수능기출]

fierce [fíərs]

형 사나운, 맹렬한

유 ferocious 흉포한, 격렬한 팁 pierce 뚫다

Beware of the **fierce** dog.
사나운 개를 조심해라.

the **fierce** competition of the current free world market
세계 자유 시장의 **격심한** 경쟁 96수능

1981 ★★☆

□□□ [96 수능기출]

fiery [fáiəri]

형 불의, 불같은, 화염의

㉺ fire 불, 화재

She has a **fiery** personality.
그녀는 **불같은** 성격이 있다.

1982 ★☆☆

□□□

frantic [frǽntik]

형 미친듯이 서두는, 제정신이 아닌

㈷ insane 미친 듯한 crazy 정상이 아닌

The mother was **frantic**.
엄마는 **혈안이 되었다**.

1983 ★☆☆

□□□

frigid [frídʒid]

형 매우 추운, 냉담한

㈷ frosty 서리가 내리는, 몹시 추운

It is **frigid** outside.
밖은 **몹시 추워**.

1984 ★☆☆

□□□

frown [fráun]

명 찡그림 동 눈살을 찌푸리다

㉾ frown upon ~에 눈살을 찌푸리다

Why do you **frown**?
왜 **눈살을 찌푸립**니까?

1985 ★★☆

□□□

fume [fjúːm]

명 연기, 김 동 씩씩대다, 연기를 내뿜다

㉩ perfume 향수, 향기

There were **fumes** from the fire.
화재로 인한 **연기**가 있었다.

1986 ★★☆

□□□ [16 수능기출]

fury [fjúəri]

명 분노, 격분

㉺ furious 몹시 화가 난 ㉩ furry 털로 덮인

She showed remarkable **fury**.
그녀는 놀라운 **분노**를 보였다.

1분 안에 넘기기 | 시간 있으면 꼼꼼히 외우기

1987 ★★☆

gl  omy

음울한, 우울한

□□□ [94 수능기출]

gloomy [glúːmi]

형 음울한, 우울한

파 gloom 우울, 침울, 어둠

He looked **gloomy**.

그는 **우울해** 보였다. 94수능

1988 ★★★

gr  ef

비탄,
큰 슬픔

□□□ [94,95,96,98,01,04,07,09,17 수능기출]

grief [gríːf]

명 비탄, 큰 슬픔

파 grieve 비통해하다 grievous 통탄한, 비통한

He did not show his **grief**.

그는 자신의 **슬픔**을 보이지 않았다

1989 ★☆☆

grudg 

원한, 유감

□□□ [14 수능기출]

grudge [grʌ́dʒ]

명 원한, 유감

유 resentment 분함, 억울함 malice 악의, 적의

팁 grump 불평하다 grumble 투덜거리다

He kept the **grudge** till he died.

그는 죽을 때까지 **원한**을 가졌다.

1990 ★★☆

gu  lty

죄책감이 드는, 유죄의

□□□ 교육부 [15 수능기출]

guilty [gílti]

형 죄책감이 드는, 유죄의

The court judged that the person was **guilty**.

법정은 그 사람이 **유죄라고** 판결했다. 96수능

He felt **guilty** for his negligence.

그는 그의 부주의에 대해 **죄책감**을 느꼈다. 11수능

1991 ★★★

horr  r

공포, 전율

□□□ 교육부 [96,05,11 수능기출]

horror [hɔ́ːrər]

명 공포, 전율

파 horrible 끔찍한, 소름 끼치는

It was a **horror** movie.

그것은 **공포** 영화였다.

1992 ★★☆

host  ity

적대감, 적의,
적개심

□□□

hostility [hastíləti]

명 적대감, 적의, 적개심

파 hostile 적대적인

He tried not to show **hostility**.

그는 **적대감**을 표시하지 않으려고 노력했다.

1987 글루:미 1988 그맆 1989 그러쥐 1990 길티 1991 호:러 1992 하스틸러티

1993 ★☆☆

hypo  **risy**

위선

□□□

hypocrisy [hipάkrəsi]

명 위선

㉺ hypocrite 위선자

Hypocrisy is not popular.
위선은 인기가 없다.

1994 ★★★

in  **fferent**

무관심한

□□□ [02.07.08.09.10.15.16 수능기출]

indifferent [indífərənt]

형 무관심한

㉺ indifference 무관심, 무심

cold and **indifferent**
차갑고 **무관심한** 09수능

indifference or opposition
무관심이나 반대 11수능

1995 ★☆☆

indign  **nt**

분개한, 성난

□□□

indignant [indígnənt]

형 분개한, 성난

㉺ indignation 분개 ㊌ furious 몹시 화가 난

She was **indignant** when she was refused.
그녀는 그녀가 거절당했을 때 **분개했다**.

1996 ★☆☆

inex  **usable**

용서할 수 없는

□□□ [13 수능기출]

inexcusable [ìnikskjú:zəbl]

형 용서할 수 없는

Hurting another is **inexcusable**.
남에게 상처를 입히면 **용서할 수 없다**. 13수능

1997 ★★☆

infl  **me**

격앙시키다, 악화시키다

□□□ [13 수능기출]

inflame [infléim]

동 격앙시키다, 악화시키다

These tendencies can **inflame** anger.
이러한 경향은 노여움을 **악화시킬** 수 있다. 13수능

1998 ★☆☆

inflexibl 

융통성 없는, 완강한

□□□

inflexible [infléksəbl]

형 융통성 없는, 완강한

㊌ rigid 엄격한, 융통성 없는 stubborn 완고한

He is too **inflexible**.
그는 너무 **완고하다**.

1999 ★☆☆

자신이 없는, 불안정한

□□□ [14 수능기출]

insecure [ìnsikjúər]

형 자신이 없는, 불안정한

㉥ secure 안전한, 안심하는

Only an **insecure** person would do that.
오직 **불안정한** 사람이 그렇게 할 것이다.

2000 ★★☆

대수롭지 않은, 하찮은

□□□

insignificant [ìnsignífikənt]

형 대수롭지 않은, 하찮은

㉥ significant 중요한, 의미 있는

㉦ of no importance=unimportant=of no significance=insignificant=trivial=trifling : 중요하지 않은, 하찮은 수능기출

2001 ★☆☆

짜증을 잘 내는, 화가 난

□□□ [08 수능기출]

irritable [írətəbl]

형 짜증을 잘 내는, 화가 난

㉤ irritate 짜증 나게 하다 irritation 짜증 나게 함

㉧ annoy 짜증 나게 하다

Is it any wonder that we're tired, overweight, **irritable**, and low?
우리가 피로하고 과체중에 **화를 잘 내며** 약한 것이 놀라울 게 뭐가 있나? 08수능

2002 ★★★

질투하는, 시기하는

□□□ 교육부 [08.10.13.15.17 수능기출]

jealous [dʒéləs]

형 질투하는, 시기하는

㉤ jealousy 질투, 시샘

Why should I be **jealous**?
왜 내가 **질투해야** 하는가?

2003 ★★☆

애도, 애통하다

□□□ [10 수능기출]

lament [ləmént]

명 애도 동 애통하다

㉧ sorrow (큰) 슬픔, 비애 wail 울부짖다, 통곡하다

She **lamented** the death of her son.
그녀는 아들의 죽음을 **슬퍼했다**.

2004 ★☆☆

우울한, 슬픈

□□□

melancholy [mélənkὰli]

형 우울한, 슬픈

㉤ melancholia 우울증 melancholiac 우울증 환자

㉧ sadness 슬픔 depression 우울함 ㉥ happiness 행복

I am in a **melancholy** mood.
나는 **우울**하다.

2005 ★☆☆

mis  **rably**

비참하게,
불쌍하게

□□□ [11 수능기출]

miserably [mízərəbli]

부 비참하게, 불쌍하게

파 misery 고통, 빈곤 miserable 비참한

It often fails, and fails **miserably**.

때때로 실패하고 **비참하게** 실패하기도 한다. 11수능

2006 ★☆☆

m  **urn**

애도하다, 슬퍼하다

□□□

mourn [mɔ́:rn]

동 애도하다, 슬퍼하다

유 grieve 비통해하다 bemoan 한탄하다

She **mourned** the death of her husband.

그녀는 남편의 죽음을 **슬퍼했다**.

2007 ★★★

n  **gative**

부정적인, 반대의

□□□ 교육부 [94.95.96.06.09.10.11.12.13.14.15.16.17 수능기출]

negative [négətiv]

형 부정적인, 반대의

반 positive 긍정적인

The real power of scientific testability is **negative**, not positive.

과학적 검증 가능성의 진정한 위력은 긍정적인 것이 아니라, **부정적인** 것이다. 12수능

2008 ★☆☆

obse 

사로잡다,
집착하게 하다

□□□ [20 수능기출]

obsess [əbsés]

동 사로잡다, 집착하게 하다

파 obsession 집착, 강박 관념 20수능

He is **obsessed** by movies.

그는 영화에 **집착하고 있다**.

2009 ★★☆

outrag 

격분, 격노, 격분시키다

□□□ [15 수능기출]

outrage [áutrèidʒ]

명 격분, 격노 동 격분시키다

The tiger was **outraged**.

호랑이가 **격분했다**.

2010 ★☆☆

p  **ng**

고통, 격통,
(에이는 듯한) 아픔

□□□

pang [pǽŋ]

명 고통, 격통, (에이는 듯한) 아픔

유 pain 아픔, 고통

She had a **pang** of regret.

그녀는 **뼈아픈** 후회를 했다.

2011 ★★☆

p  thetic
불쌍한, 애처로운

□□□

pathetic [pəθétik]

형 불쌍한, 애처로운

Her effort was **pathetic**.
그녀의 노력은 **애처로웠어**.

2012 ★☆☆

 itiful
측은한, 가엾은, 불쌍한

□□□ [99.07 수능기출]

pitiful [pítifəl]

형 측은한, 가엾은, 불쌍한

㉺ pity 연민, 동정(심)

It really is a **pity** that they did not.
그들이 하지 않았다는 것은 정말 **애석한 일**이다. 99수능

gloomy and **pitiful**
우울하고 **처량한** 07수능

2013 ★★☆

prejudic 
편견, 편견을 갖게 하다

□□□ 교육부 [99.07.15 수능기출]

prejudice [prédʒudis]

명 편견 동 편견을 갖게 하다

㊒ bias 편견, 편향

Remove your **prejudice**.
편견을 없애라. 07수능

pride and **prejudice**
오만과 **편견**

2014 ★☆☆

rag 
분노, 격노

□□□

rage [réidʒ]

명 분노, 격노

She left the room in a **rage**.
그녀는 **격노**하여 방을 떠났다.

2015 ★☆☆

sar  astic
풍자적인, 빈정대는, 비꼬는

□□□

sarcastic [sɑːrkǽstik(əl)]

형 풍자적인, 빈정대는, 비꼬는

㉺ sarcasm 빈정댐, 풍자

The mask dance is famous for its **sarcastic** comment.
탈춤은 **풍자적인** 비평으로 유명하다.

2016 ★☆☆

s  rn
경멸, 경멸하다

□□□

scorn [skɔ́ːrn]

명 경멸 동 경멸하다

㉺ scornful 경멸하는

He became the **scorn** of his neighbors.
그는 이웃의 **웃음거리**가 되었다.

2017 ★☆☆

shr  d

갈기갈기 찢다, 째다

□□□
shred [ʃred]
동 갈기갈기 찢다, 째다
shred a document
문서를 **파기하다**
shred a cucumber
오이를 **채 치다**

2018 ★☆☆

shudd  r

몸을 떨다, 전율하다

□□□
shudder [ʃʌ́dər]
동 몸을 떨다, 전율하다
㊐ shiver 떨다 tremble 벌벌 떨다 vibrate 가늘게 떨다
The strange sound made her **shudder**.
이상한 소리가 그녀를 **공포에 떨게** 했다.

2019 ★☆☆

sl 

교활한, 음흉한

□□□
sly [slái]
형 교활한, 음흉한
㊐ cunning 간사한, 교활한
The fox is said to be a **sly** animal.
여우는 **교활한** 동물로 전해지고 있다.

2020 ★☆☆

sne  r

비웃다, 조롱하다

□□□
sneer [sníər]
동 비웃다, 조롱하다
When you **sneer** like that you look silly.
네가 그렇게 **비웃을** 때 넌 어리석어 보인다.

2021 ★★★

sorr  w

슬픔, 비애

□□□ [94.95.06.08.09.11 수능기출]
sorrow [sάrou]
명 슬픔, 비애
㊅ sorrowful (아주) 슬픈
It becomes harder to share pain and **sorrow**.
고통과 **슬픔**을 함께하는 것은 더 힘들어진다. 08수능

2022 ★☆☆

trivi  l

사소한, 하찮은

□□□
trivial [tríviəl]
형 사소한, 하찮은
㊐ trifling 사소한
The fight started with a **trivial** misunderstanding.
싸움은 **사소한** 오해에서 비롯되었다.

1분 안에 넘기기 | 시간 있으면 꼼꼼히 외우기

2023 ★☆☆

ubiquit  us

(동시에) 어디에나 있는

□□□ [15 수능기출]

ubiquitous [ju:bíkwətəs]

형 (동시에) 어디에나 있는

Troubles are **ubiquitous.**

걱정거리는 **어디에나 있다.** 15수능

2024 ★☆☆

un  se

불안, 우려, 불안감

□□□ [08.20 수능기출]

unease [ʌ̀ní:z]

명 불안, 우려, 불안감

㉰ uneasy 불안한, 꺼림칙한 uneasiness 불쾌감 20수능

㊌ worried, concerned, nervous, anxious 걱정하는

I can't help having feelings of **unease.**

나는 강한 **불안감**을 가지고 있다. 08수능

2025 ★★☆

ups  t

속상하게 만들다, 망쳐 놓다, 뒤엎다

□□□ [96.99.07 수능기출]

upset [ʌ̀psét]

동 속상하게 만들다, 망쳐 놓다, 뒤엎다

Women are said to easily get angry and **upset.**

여자들은 쉽게 화를 내고 **속상해한다고** 한다. 99수능

2026 ★☆☆

w  il

울부짖다, 통곡하다

□□□

wail [wéil]

동 울부짖다, 통곡하다

The hungry children began to **wail.**

배고픈 아이들은 **소리 내어 울기** 시작했다.

2027 ★☆☆

w  ird

기이한, 기묘한

□□□

weird [wíərd]

형 기이한, 기묘한

The appearance of this reptile is **weird.**

이 파충류는 생김새가 **이상하다.**

2028 ★☆☆

wr  th

분노, 노여움

□□□

wrath [rǽθ]

명 분노, 노여움

㉰ wrathful 격분한 ㊌ anger 화, 분노 rage 격노하다

She is not slow to show her **wrath.**

그녀는 쉽게 **분노**한다.

2029 ★★☆

aff  rm

단언하다, 확언하다, 주장하다

□□□ [12 수능기출]

affirm [əfə́:rm]

동 단언하다, 확언하다, 주장하다

㉫ affirmation 확언 ㊒ declare 언명하다 confirm 확인해 주다

I can **affirm** that I will be elected.
내가 당선될 것이라는 걸 **확언할** 수 있다.

Evidence is used only to **affirm** a particular theory.
증거는 특정 이론을 **증명하기** 위해서만 사용된다. 12수능

2030 ★★☆

al  rt

경계, 경보
기민한, 정신이 초롱초롱한

□□□ [20 수능기출]

alert [ələ́:rt]

명 경계, 경보 형 기민한, 정신이 초롱초롱한

㊌ keep alert 경계를 게을리하지 않다 20수능

Stay **alert** during class.
수업 중에 **정신 바짝** 차려라.

2031 ★★☆

am  iguous

애매모호한, 애매한

□□□ [08.12 수능기출]

ambiguous [æmbígjuəs]

형 애매모호한, 애매한

㉫ ambiguously 애매모호하게 ambiguity 애매모호함

㉥ unambiguous 분명한 17수능

The meaning of the picture is **ambiguous**.
그 그림의 의미가 **애매하다**.

2032 ★★☆

 stonish

깜짝 놀라게 하다

□□□ 교육부 [03 수능기출]

astonish [əstɑ́niʃ]

동 깜짝 놀라게 하다

㊒ surprise 놀라게 하다 amaze (대단히) 놀라게 하다
startle 깜짝 놀래키다 eye-opening 놀랄만한 20수능

I handed the **astonished** children a beautifully wrapped gift.
나는 **놀란** 아이들에게 아름답게 포장된 선물을 건네주었다. 03수능

2033 ★★★

attitud 

태도

□□□ 교육부 [94.95.96.98.99.04.07.10.12.15 수능기출]

attitude [ǽtitjù:d]

명 태도

Life is 90% **attitude** and 10% ability
인생은 90%의 **태도**와 10%의 능력이다. 96수능

2034 ★★★

 havior

행동, 행실, 습성

□□□ [96.04.05.08.11.13.14.15.16 수능기출]

behavior [bihéivjər]

명 행동, 행실, 습성

㉫ behave 행동하다 20수능 behavioral 행동의 19수능

the focus of the study of **behavior**
행동 연구의 초점 05수능

behavior found in native cultures
원주민 문화에서 발견된 **습성** 08수능

2035 ★★

bewar

조심하다, 주의하다

□□□

beware [biwέər]

동 조심하다, 주의하다

숙 be[become] aware of ~을 알아차리다, ~을 알다 수능기출

Those are enemies to **beware** of.

그들은 **조심해야** 할 적들이다.

2036 ★

witch

마법을 걸다, 홀리다

□□□

bewitch [biwítʃ]

동 마법을 걸다, 홀리다

파 bewitched 마법에 걸린, 매혹된 bewitchery 매혹

유 charm 매력 fascinate 마음을 사로잡다

She **bewitched** him.

그녀는 그에게 **마법을 걸었다**.

2037 ★★

lush

얼굴을 붉히다, 빨개지다

□□□

blush [blʌ́ʃ]

동 얼굴을 붉히다, 빨개지다

유 flush 얼굴이 붉어지다, 상기되다

A **blush** came over her face.

그녀의 얼굴이 온통 **빨개졌다**.

2038 ★★

c

ution

조심, 경고, 주의

□□□ 교육부 [04.11 수능기출]

caution [kɔ́:ʃən]

명 조심, 경고, 주의

유 care 조심, 주의 precaution 예방, 예방책

He lacks a send of **caution**.

그는 **조심**성이 부족하다.

the pointed **caution**

날카로운 **경고** 11수능

2039 ★★

commenc

시작되다

□□□ 교육부

commence [kəméns]

동 시작되다

유 begin 시작하다 반 cease 중단하다

The new semester **commences** today.

새 학기가 오늘 **시작된다**.

2040 ★

compl

cent

만족해하는
현실에 안주하는

□□□

complacent [kəmpléisnt]

형 만족해하는, 현실에 안주하는

파 complacency 현 상태에 만족함, 안주

Do not be too **complacent**.

너무 **만족해하지** 마십시오.

2041 ★★★

conscious
의식하는, 자각하는

□□□ 교육부 [96.04.05.17 수능기출]

conscious [kάnʃəs]

형 의식하는, 자각하는

㉶ consciously 의식적으로 17수능 consciousness 의식 16수능

㉸ unconscious 의식을 잃은 13수능 unconsciously 무의식적으로 15수능

팁 subconscious 잠재 의식적인 self-conscious 남 시선을 의식하는

2042 ★☆☆

constrict
수축되다, 조이다

□□□

constrict [kənstríkt]

동 수축되다, 조이다

㉶ constriction 수축

Cold air causes the arteries around the heart to **constrict**.
차가운 공기는 심장 주위의 동맥을 **수축시킨다**.

2043 ★☆☆

deem
여기다, ~라고 생각하다

□□□ [14 수능기출]

deem [di:m]

동 여기다, ~라고 생각하다

We **deem** that he is honest.
우리는 그가 정직하다고 **생각한다**.

2044 ★☆☆

delude
속이다,
착각하게 하다

□□□

delude [dilú:d]

동 속이다, 착각하게 하다

유 deceive 속이다, 기만하다

She is **deluding** herself.
그녀는 **착각하고 있다**.

2045 ★★★

depress
우울하게 만들다

□□□ 교육부 [99.04.06.09.12.13.17 수능기출]

depress [diprés]

동 우울하게 만들다

㉶ depressing 우울한 depression 우울증 depressive 우울증의

Frankly, I've been a little **depressed** lately
솔직히, 요즘 전 약간 **우울했어요**. 99수능

2046 ★★☆

disagreement
의견 충돌

□□□ [15 수능기출]

disagreement [dìsəgrí:mənt]

명 의견 충돌

㉸ agreement 협정, 합의

숙 agree to + 사물=agree with + 사람 : ~에 동의하다 in line with=in agreement with : ~와 일치하여 수능기출

Disagreements can occur among them.
그들 사이에는 **의견 충돌**이 일어날 수 있다.

2041 컨셔스 2042 컨스트릭트 2043 디임 2044 딜루~드 2045 디프레스 2046 디써그리믄트

2047 ★☆☆

izzy

어지러운, 아찔한

☐☐☐

dizzy [dízi]

형 어지러운, 아찔한

파 dizziness 현기증

I am beginning to feel **dizzy**.

어지러워지기 시작하고 있어.

2048 ★☆☆

dr  wsy

졸리는,
나른하게 만드는

☐☐☐

drowsy [dráuzi]

형 졸리는, 나른하게 만드는

파 drowsiness 졸음 유 sleepy 졸음이 오는

She began to feel **drowsy**.

그녀는 **졸려오기** 시작했다.

2049 ★☆☆

eg 

자아, 자만,
자존심

☐☐☐

ego [í:gou]

명 자아, 자만, 자존심

His **ego** is too big.

그는 **자아**가 너무 강하다.

2050 ★★☆

empatheti 

공감할 수 있는, 감정 이입의

☐☐☐ [13.17 수능기출]

empathetic [èmpəθétik]

형 공감할 수 있는, 감정 이입의

파 empathy 공감, 감정이입

He is **empathetic** with suffering.

그는 고통을 **공감한다**. 13수능

2051 ★★☆

ent  il

수반하다

☐☐☐ [13.19 수능기출]

entail [intéil]

동 수반하다

It **entails** serious mental harm.

그것은 심각한 정신적 피해를 **수반한다**. 13수능

2052 ★☆☆

ev  ke

일깨우다, 불러내다

☐☐☐ [12 수능기출]

evoke [ivóuk]

동 일깨우다, 불러내다

파 evocation 불러냄 arouse 불러일으키다 suppress 억압하다

Clothes can **evoke** both cherished and painful memories.

옷은 소중한 추억과 가슴 아픈 기억을 모두 **생각나게** 할 수 있다. 12수능

2053 ★★☆

excla m

소리치다, 외치다

□□□ [94.17 수능기출]

exclaim [ikskléim]

동 소리치다, 외치다

His startled teacher **exclaimed**.

그의 놀란 선생님은 **소리쳤다**. 94수능

2054 ★★☆

exh ust

배기가스
기진맥진하게 하다,
소진시키다

□□□ [07.12.16.19 수능기출]

exhaust [igzɔ́:st]

명 배기가스 동 기진맥진하게 하다, 소진시키다

파 exhaustive 철저한 exhaustion 탈진, 고갈 숙 tired out=worn out=exhausted=fatigued with : 녹초가 된, 지친 19수능

They all reached the beach two hours later, **exhausted** but safe.

그들은 두 시간 후 모두 **기진맥진했지만**, 안전하게 해안에 도착했다. 07수능

2055 ★☆☆

falt r

말을 더듬다,
흔들리다

□□□ [94 수능기출]

falter [fɔ́:ltər]

동 말을 더듬다, 흔들리다

The student flushed and **faltered**.

그 학생은 얼굴이 빨개지고 **말을 더듬거렸다**. 94수능

2056 ★★☆

fatigu

피로

□□□ [13.17 수능기출]

fatigue [fətí:g]

명 피로

유 tiredness 피로, 권태

We stopped because of the **fatigue**.

우리는 **피로** 때문에 중단했다

2057 ★☆☆

fixat

정착(고정)시키다,
집착하다

□□□

fixate [fíkseit]

동 정착(고정)시키다, 집착하다

파 fix 해결하다, 풀다, 정착시키다 fixation 고정관념 20수능

숙 be fixated on : ~에 집착하게 되다 수능기출

Don't **fixate** on the past

과거에 **집착하**지 마

2058 ★★☆

flatt ry

아첨

□□□ [10 수능기출]

flattery [flǽtəri]

명 아첨

파 flattering 아첨하는 flatter 아첨하다

Everyone loves **flattery**.

누구나 **감언이설**을 좋아한다.

They might be mere **flattery**.

그들은 단순한 **아첨** 일 수 있다. 10수능

2053 익스클레임 2054 이그저~스트 2055 풜~털 2056 퍼티~그 2057 픽세이트 2058 플래러리

1분 안에 넘기기 | 시간 있으면 꼼꼼히 외우기

2059 ★☆☆

fr  ewheeling

자유분방한

□□□ [15 수능기출]

freewheeling [fríːwíːliŋ]

형 자유분방한

original thought and **freewheeling** incentive 15수능

독창적인 생각과 **자유분방한** 동기

2060 ★★★

fri  hten

겁먹게 하다

□□□ 교육부 [95.99.00.03.04.06.08.12.13 수능기출]

frighten [fráitn]

동 겁먹게 하다

㉺ fright 공포, 경악 frightening 무서운

㊌ scare 겁주다 alarm 놀람 intimidate 협박하다

We are **frightened** by the horrors of air crash or air war.

우리는 비행기의 추락이나 공중전의 두려움에 **놀라고 만다.** 99수능

2061 ★☆☆

heyd  y

전성기, 한창때

□□□

heyday [héidèi]

명 전성기, 한창때

She was famous in her **heyday**.

그녀는 **전성기** 때 유명했다.

기출 famously 멋지게, 훌륭하게 21수능

2062 ★☆☆

homag 

경의, 존경의 표시

□□□

homage [hámidʒ]

명 경의, 존경의 표시

They paid **homage** to the king.

그들은 왕에게 **경의**를 표했다.

2063 ★★☆

h  tly

맹렬히, 뜨겁게

□□□ [14 수능기출]

hotly [hátli]

부 맹렬히, 뜨겁게

An angry lady **hotly** told the clerk.

한 성난 여자가 **맹렬하게** 직원에게 말했다. 14수능

2064 ★☆☆

impulsiv 

충동적인

□□□ [02 수능기출]

impulsive [impʌ́lsiv]

형 충동적인

㉺ impulse 충동, 자극 20수능

Later you may regret **impulsive** decisions.

충동적인 결정을 내리면 당신은 언젠가 후회할지도 모른다. 02수능

2059 프리윌링 2060 프라이든 2061 헤이데이 2062 하미쥐 2063 핫리 2064 임펄시브

2065 ★★★

inclin

경사, 기울다,
~하는 경향이 있다

□□□ 교육부 [13.16 수능기출]

incline [inkláin]

명 경사 동 기울다, ~하는 경향이 있다

파 inclination 경향, 의향16수능 숙 feel like ~ing=feel inclined to : ~하고 싶다수능기출

She is **inclined** to forget.
그녀는 잊어버리는 **경향**이 있다.

2066 ★★★

inonvenience

불편, 애로

□□□ [98 수능기출]

inconvenience [ìnkənví:njəns]

명 불편, 애로

파 inconvenient 불편한 반 convenience 편의, 편리

Sorry about the **inconvenience**.
불편을 끼쳐 드려 죄송합니다.98수능

2067 ★★★

induc

유도하다, 유발하다,
설득하다

□□□ 교육부 [11.14.16 수능기출]

induce [indjú:s]

동 유도하다, 유발하다, 설득하다

This medicine **induces** sleep.
그 약은 졸음을 **유도한다**.

Your resolve **induce** you to spend weary days.
당신의 결심은 당신으로 하여금 피곤한 날들을 보내도록 **유도한다**. 11수능

2068 ★★★

indulg

빠지다, 탐닉하다

□□□ [15 수능기출]

indulge [indʌ́ldʒ]

동 빠지다, 탐닉하다

파 indulgence 마음대로 하게 함, 탐닉

숙 devote oneself to=apply oneself to=give oneself up to=be absorbed in=be indulged in=be engrossed in=be preoccupied in : 전념하다, 몰두하다 수능기출

2069 ★★★

inhiit

억제하다

□□□ 교육부 [14.17 수능기출]

inhibit [inhíbit]

동 억제하다

A lack of oxygen may **inhibit** brain development.
산소 부족은 두뇌 발달을 **억제할** 수도 있다.

2070 ★★★

intolerabl

견딜 수 없는

□□□ [95 수능기출]

intolerable [intάlərəbl]

형 견딜 수 없는

반 tolerable 참을 수 있는 tolerate 용인하다, 참다

This is an **intolerable** state of discomfort.
이는 **견딜 수 없이** 불편한 상태이다.95수능

1분 안에 넘기기 | 시간 있으면 꼼꼼히 외우기

2071 ★★☆

아주 흥미로운

□□□ [13 수능기출]

intriguing [intrí:giŋ]

형 아주 흥미로운

This is **intriguing** stuff.

이것은 **매우 흥미로운** 물건이다. 13수능

2072 ★★☆

아이러니,
풍자, 반어법

□□□ [13 수능기출]

irony [áiərəni]

명 아이러니, 풍자, 반어법

The two enemies met as **irony** would have it.

두 적은 **공교롭게도** 만났다.

2073 ★★★

기분,
분위기

□□□ 교육부 [96.97.00.05.08 수능기출]

mood [mú:d]

명 기분, 분위기

팁 a man of moods 변덕쟁이 in a mood 기분이 좋지 않은

Scenery helps to create or enhance **mood** and unlock deep memories.

풍경은 **분위기**를 창조하거나 높이고 깊은 기억을 드러낸다. 08수능

2074 ★★☆

수동태
수동적인

□□□ 교육부 [09.11 수능기출]

passive [pǽsiv]

명 수동태 형 수동적인

유 inactive 소극적인 submissive 고분고분한

반 active 능동적인

You will have avoided being merely a **passive** observer.

당신은 단지 **수동적인** 관람객이 되는 걸 피했을 것이다. 09수능

2075 ★☆☆

당혹하게 하다

□□□

perplex [pərpléks]

동 당혹하게 하다

The dog **perplexed** the cat.

개가 고양이를 보고 난감해 했다.

2076 ★☆☆

경건, 신앙심, 효심

□□□

piety [páiəti]

명 경건, 신앙심, 효심

파 pious 경건한

The son showed filial **piety**.

아들은 자식으로서 **효심**을 보였다.

2071 인트리깅 2072 아이러니 2073 무~드 2074 패시브 2075 펄플렉스 2076 파이어티

2077 ★☆☆

preo cupy

(뇌리를) 사로잡다, 몰두하게 하다

□□□ [11.19 수능기출]

preoccupy [pri:ákjupài]

동 (뇌리를) 사로잡다, 몰두하게 하다

㉺ preoccupation 집착, 열중 19수능

He was **preoccupied** with calming his nerves.
그는 자신의 긴장을 가라앉히는 데 **몰두해 있었다**. 11수능

2078 ★★★

refle t

반사하다, 반영하다

□□□ 교육부 [96.04.08.10.11.12.14.15.16.17.19.20 수능기출]

reflect [riflékt]

동 반사하다, 반영하다, 심사숙고하다

㉺ reflection 반영, 반사, 숙고 17수능

The sun **reflected** off the glass.
햇빛은 유리에 **반사되었다**.

Coins **reflect** a country's history.
동전은 한 나라의 역사를 **반영한다**. 08수능

2079 ★★☆

reluct nt

꺼리는, 주저하는

□□□ [09.11 수능기출]

reluctant [rilʌ́ktənt]

형 꺼리는, 주저하는

㈜ be reluctant to + 동사원형=be unwilling to + 동사원형 : 마지못해 ~하다 수능기출

The child is **reluctant** to go to school.
그 아이는 학교에 가는 것을 **꺼리고** 있다.

2080 ★★☆

r straint

자제, 규제, 통제

□□□ [13 수능기출]

restraint [ristréint]

명 자제, 규제, 통제

denial and **restraint**.
부인과 **자제** 13수능

The police appealed to the crowd for **restraint**.
경찰이 군중에게 **자제**를 호소했다.

2081 ★★☆

s nsation

느낌, 감각

□□□ [16 수능기출]

sensation [senséiʃən]

명 느낌, 감각

㉺ sensory 감각의 sensationalism 선정주의

I have an itchy **sensation** in my body
몸에 가려움**증**이 있습니다.

2082 ★★☆

sensati nal

선풍적인

□□□ [16 수능기출]

sensational [senséiʃənl]

형 선풍적인

She sang and danced in a **sensational** performance.
선풍적인 공연의 목적으로 그녀는 노래를 부르고 춤을 추었다.

내신·수능 핵심빈출단어 01 02 03 04 05 06 07 08 09 10 7-c. Reactions

2083 ★★☆

정서, 감정

□□□ [17 수능기출]

sentiment [séntəmənt]

명 정서, 감정

파 sentimental 감상적인 sentimentalism 감상주의 유 feeling 느낌

That incident has worsened public **sentiment** toward the US.

그 사건으로 국민들의 대미 **감정**이 악화되었다.

2084 ★☆☆

의심 많은,
회의적인

□□□ [09 수능기출]

skeptical [sképtikəl]

형 의심 많은, 회의적인

Elites in particular were **skeptical** of television.

특정 엘리트들은 텔레비전을 **회의적으로** 바라보았다. 09수능

2085 ★☆☆

흐느껴 울다

□□□

sob [sɑ́b]

동 흐느껴 울다

He hit her and made her **sob**.

그가 그녀를 때려서 **흐느껴 울게** 만들었다.

2086 ★★☆

엄격한,
근엄한

□□□

stern [stə́ːrn]

형 엄격한, 근엄한

The students think the teacher is very **stern**.

학생들은 그 선생님이 매우 **엄격**하다고 생각한다.

2087 ★☆☆

굳어지다

□□□ [14 수능기출]

stiffen [stífən]

동 굳어지다

Her legs started to shake and she felt her body **stiffen.**

그녀의 다리가 떨리기 시작했고, 그녀는 몸이 **굳어지는 걸** 느꼈다. 11수능

2088 ★☆☆

주관적인, 주격의

□□□ [19 수능기출]

subjective [səbdʒéktiv]

형 주관적인, 주격의

파 subject 주제, 학과 subjectivity 주관성 17수능

반 objective 객관적인

숙 be subject to : ~하기 쉽다, ~에 복종하다 수능기출

His judgement is too **subjective**.

그의 판단은 너무 **주관적**이야.

2089 ★★★

sup  rficial

표면상의, 피상적인

□□□ [14 수능기출]

superficial [sù:pərfíʃəl]

형 표면상의, 피상적인

㉺ superficies 표면, 외면

First impressions can be **superficial**.

첫인상은 **표면적**일 수 있다.

2090 ★★★

ta  t

요령, 눈치, 재치

□□□

tact [tækt]

명 요령, 눈치, 재치

A comedian has humor and **tact**.

개그맨은 유머와 **재치**가 있다.

2091 ★★★

temperam 

nt

기질, 신경질적임, 괴팍함

□□□ [09 수능기출]

temperament [témpərəmənt]

명 기질, 신경질적임, 괴팍함

Aggressive behavior or a passive **temperament** is a cause of worry.

공격적인 행동이나 수동적인 **기질**은 근심의 원인이다. 09수능

2092 ★★★

thum 

(탁) 치다, 쿵 하고 떨어지다

□□□ [96 수능기출]

thump [θʌ́mp]

동 (탁) 치다, 쿵 하고 떨어지다

The car hit the tree with a **thump**.

차가 **쿵 소리를 내며** 나무를 박았다.

2093 ★★★

trepid  tion

두려움

□□□

trepidation [trèpədéiʃən]

명 두려움

I wait with **trepidation**.

나는 **두려움**을 느끼면서 기다린다.

2094 ★★★

un  ware

알지 못하는, 눈치 못 챈

□□□ [14 수능기출]

unaware [ʌ̀nəwɛ́ər]

형 알지 못하는, 눈치 못 챈

The child is **unaware** of the danger.

아이는 위험을 **알지 못하고** 있다.

2095 ★★☆

□□□ [12 수능기출]

uncertain [ʌ̀nsə́:rtn]

형 확신이 없는, 불확실한

It is **uncertain** where the calf which broke the halter fled.
고삐 풀린 송아지는 어디로 튈지 **불확실하다**.

We live in difficult and **uncertain** times.
우리는 어렵고 **불확실한** 시대에 살고 있다. 12수능

2096 ★★★

□□□ 교육부

vain [véin]

형 헛된, 자만심이 강한

숙 in vain=vainly : 헛되이 수능기출

All the efforts were in **vain**.
모든 노력은 **헛된** 일이었다.

2097 ★★☆

□□□ [16 수능기출]

vibrant [váibrənt]

형 강렬한, 활기찬

They would see in his poems a **vibrant** cultural performance.
그들은 그의 시에서 **고동치는** 문화적 공연을 보게 될 것이었다.

2098 ★☆☆

□□□ [13 수능기출]

vice versa [váisə və́:rsə]

부 거꾸로, 반대로

I dislike him, and **vice versa**.
나는 그가 싫고, **그 또한** 나를 싫어한다.

2099 ★★☆

□□□ [11 수능기출]

weary [wíəri]

형 지친, 피곤한

숙 be sick of=be tired of=be weary of=tire of : ~에 싫증이 나다 수능기출

You spend **weary** days in tilling the ground and tending livestock.
당신은 땅을 갈고 가축을 돌보면서 **피곤한** 날들을 보낸다. 11수능

2100 ★☆☆

□□□

whim [hwím]

명 기분, 변덕

숙 on a whim : 즉흥적으로, 충동적으로

She acted on a **whim**.
그녀는 **기분** 내키는 대로 행동했다.

2101 ★★★

advocat

옹호자, 지지자
지지하다

□□□ 교육부 [12.13.16.19 수능기출]

advocate [ǽdvəkèit]

명 옹호자, 지지자 동 옹호하다, 지지하다

㉺ advocacy 지지, 변호

Gandhi was an **advocate** of nonviolence.
간디는 비폭력의 **주창자**였다.

2102 ★★★

allud

암시하다, 언급하다

□□□

allude [əlúːd]

동 암시하다, 언급하다

㉺ allusion 암시 allusive 암시적인 ㉷ mention, refer to 언급하다

Please do not **allude** to that again.
제발 두 번 다시 **언급하지** 마세요.

2103 ★★★

app

뭉치면 살고..
al

항소, 매력, 호소
항소하다, 호소하다

□□□ 교육부 [96.97.06.08.11.13.16 수능기출]

appeal [əpíːl]

명 항소, 매력, 호소 동 항소하다, 호소하다

㉹ appeal to ~에게 매력 적이다, ~에게 관심을 끌다 19수능

Use language which **appeals** to the emotions.
감정에 **호소하는** 언어를 사용해라.96수능

2104 ★★★

argu

언쟁을 하다,
논증하다

□□□ 교육부 [94.99.03.11.12.15.16.19 수능기출]

argue [ɑ́ːrgjuː]

동 언쟁을 하다, 논증하다

㉺ argument 논의, 논쟁
arguable 주장할 여지가 있는, 논쟁해 볼 만한 19수능

Sciences intensify the **argument** between conflicting theories.
과학은 상충되는 이론 사이의 **논쟁**을 심화시킨다.12수능

2105 ★★★

attribut

부지런 하고 알뜰하고..

속성, 특성
결과로 보다

□□□ 교육부 [15.16.17.19.20.22 수능기출]

attribute [ətríbjuːt]

명 속성, 특성 동 결과로 보다

㉺ attribution 귀속, 귀인20수능 attributive 한정적인

㉻ contribute 공헌하다 distribute 분배하다

㉹ attribute A to B=ascribe A to B : A를 B의 탓으로 돌리다수능기출
contribute to ~에 이바지하다

2106 ★★★

bri

f

짧은 보고
간단한
간단히 알리다

□□□ [98.99.02.07.13.20 수능기출]

brief [bríːf]

명 짧은 보고 형 간단한 동 간단히 알리다

㉺ briefing 브리핑, 정보 ㉹ in short=in brief=to make a long story short : 간단히 말하자면수능기출 ㉻ briefcase 서류 가방20수능

a **brief** introduction 간단한 소개07수능

2107 ★★☆

□□□ [02.06 수능기출]

chant [tʃǽnt]

명 노래, 성가, 구호 동 부르다, 찬송하다

유 song 노래, 가곡 sing 노래하다

singing, **chanting** and cheering
노랫소리와 **찬가** 그리고 응원하는 소리 02수능

2108 ★★☆

□□□ [04.11 수능기출]

chat [tʃǽt]

명 잡담, 수다 동 잡담하다

파 chatty 수다스러운, 재잘거리는

They were **chatting** happily in their apartment.
그들은 아파트에서 즐겁게 **이야기를 나누고** 있었다. 11수능

2109 ★★☆

□□□ 교육부 [08.11.12 수능기출]

colleague [kάliːg]

명 동료

She told her friend and **colleagues.**
그녀는 자기의 친구이자 **동료**에게 말했다. 12수능

2110 ★★★

□□□ 교육부 [97.06 수능기출]

command [kəmǽnd]

명 명령, 지휘, 통솔 동 명령하다

파 commander 지휘관 20수능 팁 commend 칭찬하다

"Come on, men, we can beat them." Someone in **command** shouts.
"자, 여러분, 우리가 물리칠 수 있다." 라고 **지휘** 중인 누군가가 소리 쳤다. 97수능

2111 ★★★

□□□ 교육부 [97.02.06.12 수능기출]

comment [kάment]

명 논평, 언급, 지적 동 논평하다

파 commentary 실황 방송 팁 no comment 드릴 말씀 없습니다

She made a useful **comment.** 그녀는 유용한 **논평**을 했다.

He combined biographical anecdotes with critical **comment.**
그는 전기적인 일화들을 비판적인 **언급**과 결합시켰다. 12수능

2112 ★★☆

□□□ [10 수능기출]

compliment [kάmpləmənt]

명 칭찬, 찬사 동 칭찬하다

파 complimentary 무료의, 칭찬하는 팁 complement 보완하다

I am shameless enough to take all **compliments** at their face value.
저는 모든 **칭찬**들을 액면 그대로 받아들일 정도로 뻔뻔합니다. 10수능

2107 췐트 2108 췔 2109 칼리·그 2110 커맨드 2111 카멘트 2112 컴플리멘트

2113 ★★☆

□□□

condemn [kəndém]

동 비난하다, 선고하다

They were right to **condemn** you.

너는 **비난받아** 마땅하다.

2114 ★★☆

□□□ 교육부 [00.11.16 수능기출]

conference [kάnfərəns]

명 회의, 회담, 협의

the Second International Tourism **Conference**

제2차 국제 관광 사업 **회의**00수능

2115 ★★☆

□□□ 교육부

confess [kənfés]

동 자백하다, 고백하다

He **confessed** to his faults.

그는 잘못을 **자백했다**.

2116 ★★☆

□□□ 교육부

consent [kənsént]

명 동의, 합의 동 동의하다

유 agree 동의하다 assent 찬성 반 refuse 거절하다

Many people have to give their **consent**.

많은 사람이 그들의 **동의**를 얻어야 한다.

2117 ★★★

□□□ 교육부 [94.96.98.00.01.03.07.08.09.15.16.17 수능기출]

contact [kάntækt]

명 연락, 접촉

숙 come in contact with=get in touch with : ~와 접촉하다 수능기출

Please **contact** us at any time.

언제든 **연락** 주십시오.

2118 ★☆☆

□□□ 교육부 [19 수능기출]

contradict [kὰntrədíkt]

동 부정하다, 반박하다

파 contradiction 부정, 모순 14수능

Don't **contradict** me!

반박하지 마!

2119 ★

ontroversy

논란, 논쟁

□□□

controversy [kάntrəvə̀:rsi]

명 논란, 논쟁

㉺ controversial 쟁점이 되는, 논란이 많은

I helped solve the **controversy**.

나는 **논쟁**을 해결하도록 도왔다.

2120 ★★★

convin

확신시키다, 설득하다

□□□ 교육부 [98.04.06.08.10.14.15 수능기출]

convince [kənvíns]

동 확신시키다, 설득하다

㉺ conviction 유죄 선고 ㊄ assure 장담하다, 확언하다

Nothing can **convince** her.

그녀를 **설득하는** 것은 불가능하다. 04수능

2121 ★★★

coun

il

의회, 회의, 위원회

□□□ [11.14.16.20 수능기출]

council [káunsəl]

명 의회, 회의, 위원회

We will hold a **council** meeting.

우리는 **위원회**를 개최합니다.

student **council** room

학생회실 20수능

2122 ★★

unsel

상담, 조언

상담하다, 충고하다

□□□ [97.98 수능기출]

counsel [káunsəl]

명 상담, 조언 동 상담하다, 충고하다

㉺ counseling 카운슬링, 상담 counselor 상담역 16수능

good **counsel**

훌륭한 **상담** 97수능

adult **counseling**

성인 **상담** 98수능

2123 ★★★

criti

ize

비판하다,

비평하다

□□□ 교육부 [98.04.11.16 수능기출]

criticize [krítəsàiz]

동 비판하다, 비평하다

㉺ critic 비평가 criticism 비판 critical 비판적인

㊄ blame 탓하다 condemn 비난하다

A bootmaker **criticized** the shoes in a painting.

한 구두장이는 그림에 있는 신발을 **비판하였다.** 11수능

2124 ★★★

decl

ne

줄어들다,

감소하다

□□□ 교육부 [98.10.12.13.15.17 수능기출]

decline [dikláin]

동 줄어들다, 감소하다

㊍ in decline 기울어, 쇠퇴하여 ㊄ decrease 감소하다, 줄다

The growth rate of total output **declined**.

총생산 증가율은 **감소했다.** 10수능

2125 ★★★

□□□ 교육부 [00.01.03.05.09.11.12.13.16 수능기출]

demand [dimǽnd]

명 수요, 요구

반 supply 공급하다

More **demand** was met by more supply.
더 많은 **수요**는 더 많은 공급으로 충족되었다. 00수능

2126 ★★★

□□□ 교육부 [97.11.13 수능기출]

deny [dinái]

동 부인하다, 부정하다

파 denial 부정, 부인 반 admit 인정하다, 받아들이다

There is a tendency to **deny** all previous values in favor of their opposites.
그들에겐 정반대의 것을 지지하여 이전의 모든 가치를 **거부하는** 성향이 있다. 11수능

2127 ★★★

□□□ 교육부 [96.02.06.08.09.11.12.13.14.15.16.19 수능기출]

describe [diskráib]

동 말하다, 묘사하다

파 description 서술 descriptive 서술하는 유 depict 그리다

Homeostasis is the word we use to **describe** the ability of an organism
항상성은 생명체의 능력을 **묘사하기** 위해서 우리가 사용하는 단어이다. 12수능

2128 ★★☆

□□□ [09.15 수능기출]

dispute [dispjúːt]

명 분쟁, 논쟁 동 반박하다

유 argument 논쟁 discuss 토의하다

The judge mediated labor **disputes**.
그 판사는 노동 **분쟁**을 중재했다. 09수능

2129 ★★★

□□□ 교육부 [03.06.07.09.11.12 수능기출]

express [iksprés]

동 표현하다

파 expression 표현, 표정 15수능 expressive 표현적인

Many people believe that they will be free of their anger if they **express** it.
많은 사람이 화를 **표출한다면**, 화로부터 자유로워질 수 있다고 믿는다. 09수능

2130 ★☆☆

□□□ [14 수능기출]

fluency [flúːənsi]

명 유창함, 능숙도

파 fluent 유창한 influence 영향

Fluency is important in a language.
유창함은 언어에서 중요하다.

기출 intonation 억양 21수능

2131 ★★★

mply

암시하다, 의미하다

□□□ 교육부 [94.95.10.12 수능기출]

imply [implái]

동 암시하다, 의미하다

I was shocked to find out that it could **imply** something negative

나는 그것이 부정적인 것을 **암시할** 수도 있다는 것을 알게 되어 깜짝 놀랐다. 10수능

2132 ★★★

inf  **rm**

알리다, 알려주다

□□□ 교육부 [09.13.14.15.17.19 수능기출]

inform [infɔ́:rm]

동 알리다, 알려주다

㉫ informed 박식한 information 정보 17.수능
informative 유익한 19수능

㉩ notify (공식적으로) 알리다

It is my great pleasure to **inform** you.

귀하에게 **알려 드리게** 되어 정말로 기쁘게 생각합니다. 09수능

2133 ★★★

inquir 

묻다, 알아보다

□□□ 교육부 [97.08 수능기출]

inquire [inkwáiər]

동 묻다, 알아보다

㉫ inquiry 질문 17수능 ㉮ ask 물어보다 question 질문하다

㉲ inquire into=investigate=examine=look over : 조사하다
inquire after : 안부를 묻다 inquire of=ask : 질문하다 수능기출

He **inquired.** 그는 **물었다.** 08수능

2134 ★★★

interrogat 

심문하다, 질문하다

□□□

interrogate [intérəgèit]

동 심문하다, 질문하다

The police **interrogated** him.

그 경찰은 그를 **심문했다.**

2135 ★★★

int  **rrupt**

방해하다, 중단시키다

□□□ 교육부 [98.03 수능기출]

interrupt [ìntərʌ́pt]

동 방해하다, 중단시키다

㉮ disturb 방해하다 interfere 간섭하다. 방해하다 22수능
Intervene 끼어들다 ㉯ uninterrupted 연속된

Please don't **interrupt** me.

끝까지 제 얘기를 들어보세요. 98수능

2136 ★★★

lingu 

혀, 언어

□□□ [06.08.13.14.15.16 수능기출]

lingua [líŋgwə]

명 혀, 언어

㉫ linguistic 언어(학)의 20수능 lingual 혀의, 언어의

monolingual
한 개 국어를 사용하는 06수능

bilingual
두 개 언어를 할 줄 아는 06수능

2131 임플라이 2132 인포~옴 2133 인콰이얼 2134 인테러게잍 2135 인터럽트 2136 링구워

2137 ★★★

menti**n**

언급하다, 말하다

□□□ 교육부 [95.98.00.07.11.15 수능기출]

mention [ménʃən]

동 언급하다, 말하다

숙 let alone=to say nothing of=not to speak of=not to mention : ~은 말할 것도 없이 수능기출

Suppose you **mention** the name of your new neighbor to a friend.

당신이 이웃 사람의 이름을 어떤 친구에게 **언급했다고** 가정해 보자. 07수능

2138 ★

murmu

속삭이다,
중얼거리다
속삭임, 중얼거림

□□□

murmur [mə́:rmər]

동 속삭이다, 중얼거리다 명 속삭임, 중얼거림

An angry **murmur** ran through the crowd.

성난 **중얼거림**이 군중들 사이로 퍼져 나갔다.

2139 ★★

narrati**n**

이야기하기, 서술,
내레이션

□□□ [10 수능기출]

narration [næréiʃən]

명 이야기하기, 서술, 내레이션

파 narrate 서술하다, 들려주다 narrative 이야기 22수능 tell 말하다

유 recount 자세히 이야기하다 20수능
describe 말하다[서술하다]
relate 에 대하여 이야기하다[들려주다]

2140 ★

notat

기록하다, 적어 두다

□□□ [94 수능기출]

notate [nóuteit]

동 기록하다, 적어 두다

파 notation (수학, 과학, 음악 등의) 표기법

Beneath the stamped imprint was a **notation** from the bank in ink.

그 인장 밑에는 은행에서부터 잉크로 쓴 **메모**가 적혀 있었다. 94수능

2141 ★★★

ffer

제안하다, 권하다

□□□ 교육부 [94.96.97.98.99.03.05.07.08.09.10.11.13.14.15.17 수능기출]

offer [ɔ́:fər]

동 제안하다, 권하다

파 offering 제공된 것, 공물

One of them is ordinarily making an **offer** and another accepting.

보통 한쪽이 **제안**을 하고 다른 한 사람이 이를 수락한다. 10수능

2142 ★★★

paus

잠시 멈추다,
정지시키다

□□□ 교육부 [99.10.15 수능기출]

pause [pɔ́:z]

동 잠시 멈추다, 정지시키다

반 continue 계속하다

pause button

정지 단추 99수능

There was a long **pause** in the conversation.

대화가 장시간 **끊겼다.** 10수능

2143 ★★★

□□□ 교육부 [96.06.12.13.14.15.16 수능기출]

predict [pridíkt]

동 예측하다, 예보하다

㉣ predictor 예측 변수 13수능 predictable 예측 가능한 16수능

㉥ unpredictable 예측할 수 없는

They can **predict** the outcome with credible information.
믿을 수 있는 정보로 그들은 결과를 **예측할 수 있다**. 12수능

2144 ★

□□□

proclaim [proukléim]

동 선언하다, 선포하다

㉣ proclamation 선언 profess 공언하다

㉤ announce 알리다 declare 선언하다

The general **proclaimed** a victory.
장군은 승리를 **선포하였다**.

2145 ★★

□□□ 교육부 [94.01 수능기출]

protest [prətést]

명 항의, 시위 동 항의하다

The students held a **protest**.
학생들이 **항의**를 했다.

She called me up to **protest**.
그녀는 나에게 **항의**하려고 전화했지. 01수능

2146 ★★★

□□□ 교육부 [94.97.09.11.14.16 수능기출]

recall [rikɔ́:l]

동 기억해 내다, 상기하다

They weren't able to **recall** the names of students.
그들은 학생들의 이름을 **기억하지** 못했다. 11수능

2147 ★★

□□□ [98.05 수능기출]

recite [risáit]

동 암송하다, 읊다

㉣ recital 연주회, 낭송

I can **recite** the names of nearly every baseball player on the team.
나는 그 팀에 소속된 거의 모든 선수의 이름을 **줄줄 외울** 수 있다. 05수능

2148 ★★★

□□□ 교육부 [98.01.02.06.07.10.11.13.15.16.17 수능기출]

record [rékərd]

명 기록, 음반, 레코드

숙 track record : (개인.기관의 모든) 실적, 업적
off the record : 비공개의, 비공식의 수능기출

a business **record** 사업 **기록** 98수능

record rates **기록**된 비율 07수능

2149 ★★★

□□□ 교육부 [01.09.11.16.17.20 수능기출]

refer [rifə́:r]

동 참조하다, 문의하다

파 cross reference 전후 참조 reference 참조, 언급16수능

팁 referee 경기 심판 숙 refer to20수능=make reference to=mention=speak of : 언급하다수능기출

When you are not sure, **refer** to this memo.
확실하지 않을 때 이 메모를 **참조해라**.

2150 ★★★

□□□ 교육부 [01.02.06.13.17 수능기출]

relate [riléit]

동 관련시키다, 이야기하다

파 relation 관계11.12수능 relatively 상대적으로05.09.11수능 interrelated 서로 관계가 있는07수능 숙 be related to=be connected with=be associated with20수능=be involved in : ~와 관련되다수능기출

2151 ★★★

□□□ 교육부 [01.02.03.13.14.15.16 수능기출]

remark [rimά:rk]

명 발언(말), 주목, 언급

파 remarkable 놀랄 만한15수능 팁 mark 특징짓다, 나타내다 수능기출

The world has changed considerably since that **remark** was made.
이런 **언급**이 있고 나서 세상이 많이 변했다.02수능

2152 ★★★

□□□ 교육부 [99.02.03.06.08.11 수능기출]

remind [rimáind]

동 상기시키다

파 reminder 상기시키는 것17수능 기출 nostalgically 향수에 젖어20수능

숙 remind A of B: A에게 B가 생각나게 하다

He had no other reason than to **remind** himself.
그는 자신에게 **상기시키는** 것 이외에는 다른 어떠한 이유도 없었다.08수능

2153 ★★★

□□□ 교육부 [94.97.98.99.07.08.14 수능기출]

reply [riplái]

동 대답하다, 대응하다

유 answer 화답하다, 책임을 지다

"Oh, I know him." your friend replies.
"오, 난 그를 알아."라고 당신의 친구가 **대답한다**.07수능

2154 ★☆☆

□□□

reprove [riprú:v]

동 꾸짖다, 책망하다

The teacher **reproved** the student for being late.
그 선생님은 학생이 지각한 것을 **꾸짖었다**.

1분 안에 넘기기 | 시간 있으면 꼼꼼히 외우기

2155 ★★★

r 

quest

요청하다, 요구하다

□□□ 교육부 [02.05.11.14.17 수능기출]

request [rikwést]

동 요청하다, 요구하다

㉳ requisite 필요한 requisition 요청

㈲ ask for 청하다 require 요구하다

the Certificate **Request** Wizard

인증서 **요청** 마법사

2156 ★★★

resp 

nse

응답, 반응

□□□ [94.98.05.10.11.12.13.14.15.16.17 수능기출]

response [rispάns]

명 응답, 반응

㉳ respond 대답하다 12수능 responsive 즉각 반응하는 06.15수능
respondent 응답자 11수능 responsiveness 민감성 06수능

What would be the best **response**?

어떻게 하는 것이 최고의 **반응**이겠는가? 10수능

2157 ★★★

sugg 

st

제안하다, 암시하다

□□□ 교육부 [95.97.99.00.04.06.10.11.12.13.14.15.16.17 수능기출]

suggest [səgdʒést]

동 제안하다, 암시하다

㉳ suggestion 제안 suggestive 연상시키는

This **suggests** that much of the value of art for a child consists in making it.

이는 어린이에게 예술 가치의 상당 부분은 그것을 만드는 데 있음을 **암시한다**. 10수능

2158 ★

t 

stify

증언하다, 증명하다

□□□

testify [téstəfài]

동 증언하다, 증명하다

He went to the courts to **testify**.

그는 법원에 **증언하기** 위해 갔다.

2159 ★

utt 

r

완전한
말을 하다

□□□

utter [ʌ́tər]

형 완전한 동 말을 하다

For two days she did not **utter** a word.

이틀 동안 그녀는 한 마디 **말도 하지** 않았다.

2160 ★★★

w 
rn

경고하다, 주의를 주다

□□□ 교육부 [94.95.99.01.04.05.13.14 수능기출]

warn [wɔːrn]

동 경고하다, 주의를 주다

letters of **warning**

경고장 95수능

We had given a **warning**.

우리는 **주의보**를 발했다. 01수능

2155 리퀘스트 2156 리스펀스 2157 써제스트 2158 테스티파이 2159 어털 2160 원~

2161 ★

□□□
compulsive [kəmpʌ́lsiv]

형 강박적인, 강제적인, 상습적인

He is a **compulsive** liar.
그는 **상습적인** 거짓말쟁이입니다.

2162 ★★

□□□
console [kənsóul]

동 위로하다, 위안을 주다

유 comfort 위안하다 consolation 위안, 위로

She tried to **console** him.
그녀는 그를 **위로했다**.

2163 ★★★

□□□ 교육부 [94.95.97.98.99.01.02.04.05.07.10.11.13.14.15.16.17 수능기출]
depend [dipénd]

동 의존하다, 의지하다

파 dependent 의존하는 interdependent 상호의존적인

반 independent 독립된 숙 depend on=rely on=count on=rest on=fall back on=be independent on=turn to : 믿다, 의존하다, 기대하다 수능기출

2164 ★★★

□□□ 교육부 [96.97.99.01.05.07.11.12.14.15.16.17 수능기출]
determine [ditə́ːrmin]

동 알아내다, 결정하다

파 determination 투지, 결정 predetermine 미리 결정하다 17수능

It is hard to **determine** what should be retouched.
무엇을 손대야 할지 **결정하는** 것은 어렵다. 05수능

2165 ★

□□□
dispel [dispél]

동 떨쳐 버리다, 쫓아 버리다

팁 disperse 흩어지다, 해산시키다

You must **dispel** your doubts.
너는 의심을 **떨쳐 버려야** 한다.

2166 ★★★

□□□ [01.06.11.14 수능기출]
distract [distrǽkt]

동 (주의를) 딴 데로 돌리다

He was **distracted** for a moment.
그는 잠시 **딴 데 정신이 팔렸어요**.

That **distracts** from what you are trying to say.
그것은 당신이 무엇인가 말하고자 하는 것으로부터 **방해한다**. 01수능

1분 안에 넘기기 | 시간 있으면 꼼꼼히 외우기

2167 ★

downriht

완전한, 노골적인

□□□

downright [dáunràit]

형 완전한, 노골적인

The man was **downright** rude to me.

그 남자는 나에게 **노골적으로** 무례하게 굴었다.

They are making it **downright** confusing.

그들은 그것을 **완전히** 혼동하고 있다.

2168 ★★

enchnt

황홀하게 하다, 마술을 걸다

□□□

enchant [intʃǽnt]

동 황홀하게 하다, 마술을 걸다

㉺ enchantment 황홀감 enchanter 마법사 enchanting 매혹적인

㊒ fascinate 매혹하다 delight 기쁨을 주다 bewitch 홀리다

She **enchanted** him.

그녀는 그를 **매료시켰다**.

2169 ★★★

encourag

격려하다, 용기를 북돋우다

□□□ 교육부 [94.95.96.98.99.04.06.07.09.10.11.14.17 수능기출]

encourage [inkə́:ridʒ]

동 격려하다, 용기를 북돋우다

㉺ encouragement 격려 courage 용기

㉤ discourage 막다, 좌절시키다 discouraged 낙담한 19수능

She gave him some **encouragement**.

그녀는 그에게 **용기**를 북돋아 주었다. 94수능

2170 ★★★

endur

견디다, 인내하다

□□□ [06.14 수능기출]

endure [indjúər]

동 견디다, 인내하다

㊒ absorb 흡수하다

㊍ put up with=endure=bear=tolerate=stand : 참다 수능기출

They **endure** day after day.

그들은 하루하루를 **견뎌 낸다**. 06수능

2171 ★

engrss

몰두하게 하다, 집중시키다

□□□

engross [ingróus]

동 몰두하게 하다, 집중시키다

She is **engrossed** in her work.

그녀는 자기 작업에 **몰두했다**.

2172 ★★★★

ntertainment

오락, 연예, 접대, 환대

□□□ [00.04.08.10.13 수능기출]

entertainment [èntərtéinmənt]

명 오락, 연예, 접대, 환대

㉺ entertain 접대하다 entertaining 재미있는 entertainer 연예인

Our **entertainment** is multi-media.

우리의 **오락**은 다중 매체다. 08수능

2173 ★★★

especi lly

특히, 특별히

□□□ [94.96.98.00.02.04.08.09.10.11.13.17 수능기출]

especially [ispéʃəli]

부 특히, 특별히

especially in the 1930s and 1940s

특히 1930년에서 40년대에 09수능

2174 ★★

exaggerat

과장하다

□□□ [06.11 수능기출]

exaggerate [igzǽdʒərèit]

동 과장하다

㉫ exaggeration 과장 ㉤ overstate 과장하여 말하다

The differences are **exaggerated**.

그 차이점들은 **과장되었다.** 06수능

2175 ★

exasp rate

몹시 화나게 하다

□□□

exasperate [igzǽspərèit]

동 몹시 화나게 하다

㉫ exasperation 격분 exasperating 정말 짜증스러운

She **exasperates** me.

그녀는 나를 **화나게 한다.**

2176 ★

fas nate

마음을 사로잡다, 매혹하다

□□□ [19 수능기출]

fascinate [fǽsənèit]

동 마음을 사로잡다, 매혹하다

㉫ fascinating 굉장히 아름다운, 매력적인 19수능 fascination 매력 20수능

㊕ be fascinate with[by] : ~에게 매혹되다

America **fascinates** him.

미국은 그를 **매료시킨다.**

2177 ★

grumbl

투덜 투덜

두덜거리다, 불평하다

□□□

grumble [grʌ́mbl]

동 투덜거리다, 불평하다

㉤ grump 불평하다, 툴툴거리다 growl 으르렁거리다

You have no reason to **grumble**.

너는 **투덜거릴** 이유가 없어.

2178 ★★

h rsh

나가!

가혹한, 거친, 엄한

□□□ [99.11.12.15 수능기출]

harsh [hɑ́:rʃ]

형 가혹한, 거친, 엄한

㉫ harshness 엄격함, 거침 ㉤ cruel 잔혹한

I tried not to let their **harsh** words break me.

나는 그들의 **거친** 말 때문에 상처받지 않으려고 애썼다. 99수능

2173 이스페셜리 2174 이그재줘뤠잍 2175 이그재스퍼레잍 2176 패시네잍 2177 그럼블 2178 할~쉬

○ 1분 안에 넘기기 ○ 시간 있으면 꼼꼼히 외우기

2179 ★★★

ins  tent

고집하는,
우기는

□□□ [97.00.04.07 수능기출]

insistent [insístənt]

형 고집하는, 우기는

㉺ insistence 고집, 주장 insist 고집하다

She **insisted** on doing things slowly and quietly.
그녀는 느리고 조용히 가는 것을 **고집했다.** 07수능

2180 ★★★

inspir 

고무하다, 불어넣다,
영감을 주다

□□□ [07.08.10.11.13.14.16.17 수능기출]

inspire [inspáiər]

동 고무하다, 불어넣다, 영감을 주다

㉺ inspiration 영감, 영감을 주는 사람

Their determination lives on to **inspire** the rest of us.
그들의 결심은 남은 우리에게 **영감을 주기 위해** 살아 있다. 07수능

2181 ★★★

inter  st

관심, 흥미

□□□ 교육부 [94.95.96.97.98.00.01.02.03.04.07.08.09.11.12.14.16.17 수능기출]

interest [íntərəst]

명 관심, 흥미

㉺ interestingly 재미있게, 흥미있게 16수능

㉷ uninterested 흥미 없는

I buy Special-**interest** magazines.
나는 특별한 **관심사**에 대한 잡지를 산다. 01수능

2182 ★★★

interfer 

간섭하다, 방해하다

□□□ 교육부 [94.11.15 수능기출]

interfere [ìntərfíər]

동 간섭하다, 방해하다

㉺ interference 간섭, 방해 ㉴ intervene 방해하다 interrupt 중단시키다

㉻ interfere in : 간섭하다 interfere with : 방해하다 수능기출

2183 ★★★

irritat 

짜증나게 하다
화나게 하다

□□□ [02.05.07.08.09 수능기출]

irritate [írətèit]

동 짜증나게 하다, 화나게 하다

㉺ irritation 짜증

For a long time, this **irritated** me a lot.
오랫동안, 이것은 나를 상당히 **화나게 했다.** 05수능

2184 ★★

j 

st

농담, 조롱
농담하다

□□□

jest [dʒést]

명 농담, 조롱 동 농담하다

㉺ jestbook 만담집 jester 어릿광대

㉴ joke 우스개, 농담

He said that in **jest**.
그의 말은 **농담**이다.

2179 인씨스튼트 2180 인스파이얼 2181 인트레스트 2182 인터피언 2183 이리테잍 2184 제스트

2185 ★☆☆

mistrut
신뢰하지 않다, 불신하다

□□□
mistrust [mistrʌ́st]
동 신뢰하지 않다, 불신하다
Snakes **mistrust** humans.
뱀은 인간을 **불신한다**.

2186 ★★★

misundrstand
오해하다

□□□ [06.11.14.15.16 수능기출]
misunderstand [mìsʌndərstǽnd]
동 오해하다
Don't **misunderstand** me, I'm not a wolf.
나를 **오해** 하지 마. 난 늑대가 아니야.
many everyday **misunderstandings**
많은 일상적인 **오해들** 06수능
기출 intelligible (쉽게) 이해 할 수 있는 21수능

2187 ★☆☆

oblate
(의무를) 지우다, 강요하다

□□□ [06 수능기출]
obligate [ɑ́bləgèit]
동 (의무를) 지우다, 강요하다
㉶ oblige 의무적으로 ~하게 하다
We must realize that no one is **obligated** to change.
우리는 누구도 변화할 **의무**가 없다는 것을 반드시 깨달아야 한다. 06수능

2188 ★★☆

opprss
탄압하다, 억압하다

□□□
oppress [əprés]
동 탄압하다, 억압하다
㉶ oppression 억압
That dog likes to **oppress** cats.
그 개는 고양이들을 **억압하는** 것을 좋아한다.

2189 ★★★

persuad
설득하다, 납득시키다

□□□ 교육부 [04.05.11.17 수능기출]
persuade [pərswéid]
동 설득하다, 납득시키다
㉶ persuasive 설득력 있는 persuasion 설득
㉯ dissuade 단념시키다, 만류하다
His argument is not **persuasive**.
그의 논지는 그리 **설득력 있지** 않다. 04수능

2190 ★☆☆

pond

r
숙고하다, 곰곰이 생각하다

□□□
ponder [pɑ́ndər]
동 숙고하다, 곰곰이 생각하다
㉶ think about ~에 관해 생각하다 ㉠ consider 고려하다 contemplate 심사숙고하다 ㉦ think over=ponder : 숙고하다 수능기출
She **ponders** over which university she should go to.
그녀는 어느 대학에 갈 것인가 **심사숙고한다**.

2191 ★★☆

□□□ [10.13 수능기출]

reconciliation [rèkənsìliéiʃən]

명 화해, 조화

㉺ reconcile 조화시키다, 화해시키다

We must work to resolve conflicts in a spirit of **reconciliation**.

우리는 **화해**의 정신으로 분쟁을 해결하기 위해 일해야 한다. 10수능

2192 ★★★

□□□ 교육부 [08.11.12.15.16 수능기출]

regard [rigɑ́ːrd]

명 관련, 고려 동 여기다, 평가하다

㉺ regardless 개의치 않고 disregard 무시하다 14수능

㊍ give regards to=remember me to=say hello to : ~에게 안부 전하다 regard A as B=think of A as B=look on A as B : A를 B로 간주하다. 수능기출

2193 ★★★

□□□ 교육부 [94.97.99.00.02.03.07.10.17 수능기출]

regret [rigrét]

동 후회하다, 유감스럽게 생각하다

㉺ regretful 유감스러워하는, 후회하는

Perhaps some day you'll **regret** your decision.

아마 언젠가는 네 결정을 **후회할 거야**. 02수능

2194 ★★☆

□□□ 교육부 [16 수능기출]

rejoice [ridʒɔ́is]

동 크게 기뻐하다

She **rejoiced** after adopting dogs.

그녀는 강아지를 분양받고 **매우 기뻐했다**.

The people **rejoiced** in the poet and his work.

사람들은 그 시인과 그의 작품에서 **기뻐했다**. 16수능

2195 ★★☆

□□□

repent [ripént]

동 뉘우치다, 후회하다

If you did wrong you should **repent**.

만일 당신이 틀렸다면 **후회할 것이다**.

2196 ★★☆

□□□

reproach [ripróutʃ]

명 비난, 책망 동 비난하다

㉺ reproachful 비난하는 self – reproach 자기 비난, 자책

It is right to **reproach** the thief.

도둑은 **비난받아** 마땅하다.

2197 ★☆☆

res  nt

분개하다,
화를 내다

□□□ [11 수능기출]

resent [rizént]

동 분개하다, 화를 내다

㉣ resentment 분개, 분노 17수능

㉡ fury 분노 anger 화 rage 격노 wrath 노여움

Big words are **resented** by persons who don't understand them.

거창한 말은 그 말을 이해하지 못하는 사람들을 **화나게 한다**. 11수능

2198 ★★★

res  lve

결심하다,
해결하다

□□□ 교육부 [10.11.13 수능기출]

resolve [rizάlv]

동 결심하다, 해결하다

㉣ resolution 결심 ㉤ decide 결정하다 determine 결심시키다

I must **resolve** this question.

나는 이 문제를 **해결해**야만 한다.

We must work to **resolve** conflicts.

우리는 분쟁을 **해결하기** 위해 일해야 한다. 10수능

2199 ★★★

s  tisfy

만족시키다, 충족시키다,
채우다

□□□ 교육부 [01.05.06.08.09.10.11.12.13.14.15.16.17.19 수능기출]

satisfy [sǽtisfài]

동 만족시키다, 충족시키다, 채우다

㉣ satisfaction 만족 10.15수능 satiety 포만(감) 18수능

㉥ unsatisfactory 만족스럽지 못한, 적절하지 않은 10.19수능 dissatisfy 불만을 품게 하다 13수능 dissatisfied 불만스러워 하는 05수능 ㉦ be satisfied with + 사물=be satisfactory to + 사람 : ~에 만족하다 수능기출

2200 ★☆☆

shru 

(어깨를)
으쓱하다

□□□ [05 수능기출]

shrug [ʃrʌ́g]

동 (어깨를) 으쓱하다

He just **shrugged** and said.

그는 그저 어깨를 **으쓱하며** 말했다. 05수능

2201 ★★★

 igh

한숨, 한숨 쉬다

□□□ [98 수능기출]

sigh [sái]

명 한숨 동 한숨 쉬다

The mother gave a **sigh** when she saw her son leave.

그 어머니는 아들이 떠나는 것을 보고 **한숨**을 쉬었다.

She gave a **sigh** of relief.

그녀는 안도의 **한숨**을 내쉬었다. 98수능

2202 ★☆☆

smoth  r

질식시키다,
숨 막히게 하다

□□□

smother [smʌ́ðər]

동 질식시키다, 숨 막히게 하다

The roof fell and **smothered** the child.

지붕이 내려앉아 아이를 **질식시켰다**.

1분 안에 넘기기

시간 있으면 꼼꼼히 외우기

2203 ★★☆

stifl 

억누르다, 억압하다,
숨이 막히다, 꾹 참다

□□□ [14.15.16 수능기출]

stifle [stáifl]

동 억누르다, 억압하다, 숨이 막히다, 꾹 참다

She managed to **stifle** a yawn.
그녀는 간신히 하품을 **참았다**.

2204 ★★★

supp  rt

지지하다, 지원하다,
후원하다

□□□ 교육부 [94.98.99.01.03.04.05.06.08.11.12.13.15.16.17 수능기출]

support [səpɔ́:rt]

동 지지하다, 지원하다, 후원하다

㉫ supportable 지탱[지지]할 수 있는 13수능

We try to **support** the present with the future.
우리는 미래를 위해 현재를 **지탱하려고** 한다. 11수능

2205 ★★☆

suppr  ss

진압하다, 참다,
금하다

□□□ [13.15 수능기출]

suppress [səprés]

동 진압하다, 참다, 금하다

㉫ suppression 억압, 억제 13수능 ㉲ subdue 억누르다

He had to **suppress** her own desires.
그는 바라는 바를 **참아야** 했다.

2206 ★★★

suspe  t

혐의자, 용의자
의심하다

□□□ 교육부 [95.07.17 수능기출]

suspect [səspékt]

명 혐의자, 용의자 동 의심하다

㉫ suspicious 의심하는 suspicion 혐의
unsuspecting 의심하지 않는

She **suspected** her little brother, Bob.
그녀는 어린 동생인 밥을 **의심했다**. 95수능

2207 ★★☆

teas 

놀리다,
못살게 굴다

□□□ 교육부 [05.13 수능기출]

tease [tí:z]

동 놀리다, 못살게 굴다

The dog often **teases** the cat.
그 개는 종종 고양이를 **괴롭힌다**.

He **teased** me.
그는 나를 **놀렸다**. 05수능

2208 ★★★

t  mpt

유혹하다, 꾀다, 충동하다

□□□ 교육부 [02.05.10.13.14.16.17 수능기출]

tempt [témpt]

동 유혹하다, 꾀다, 충동하다

㉫ temptation 유혹 17수능

She **tempted** the cat with fish.
그녀는 생선으로 고양이를 **유혹했다**.

She was **tempted** to rub her eyes.
그녀는 눈을 비비고 싶은 **충동이 생겼다**. 10수능

2209 ★☆☆

unanimus

만장일치의,
모두 뜻이 같은

□□□ [11 수능기출]

unanimous [juːnǽnəməs]

형 만장일치의, 모두 뜻이 같은

㉮ unanimously 만장일치로 agreed 동의하에 ㊒ united 통합된

The low performers usually voted **unanimously**, with little open debate.

낮은 성취를 보여 주는 사람들은 보통 거의 공개 토론 없이 **만장일치**로 투표했다. 11수능

2210 ★★☆

uphld

지지하다,
받치다,
유지하다

□□□ [12 수능기출]

uphold [ʌ̀phóuld]

동 지지하다, 받치다, 유지하다

She searches for positive instances that **uphold** her ideas.

그녀는 자기 이론을 **뒷받침하는** 긍정적인 사례들을 찾는다. 12수능

We have a duty to **uphold** the law.

우리는 그 법을 **유지**시킬 의무가 있다.

2211 ★★★

urg

(강한) 욕구, 충동
충고하다, 재촉하다

□□□ 교육부 [08 수능기출]

urge [ə́ːrdʒ]

명 (강한) 욕구, 충동 동 충고하다, 재촉하다

㉮ urgent 긴급한, 절박한 13수능 urgency 긴급, 급박

In the restaurant he **urged** them to serve him quickly.

그는 레스토랑에서 음식을 빨리 달라고 **재촉했다**.

He had an irresistible **urge**.

그는 억누를 수 없는 **충동**을 느꼈다. 08수능

2212 ★☆☆

wry

경계하는, 조심하는

□□□

wary [wέəri]

형 경계하는, 조심하는

You should be **wary** of strangers.

너는 낯선 사람을 **경계해야** 한다.

2213 ★★★

wondr

놀라움,
불가사의, 경이
놀라다

□□□ 교육부 [00.02.04.05.06.08.09.10.13.15.17 수능기출]

wonder [wʌ́ndər]

명 놀라움, 불가사의, 경이 동 놀라다

㉮ wonderful 아주 멋진, 훌륭한 13수능

It is small **wonder**.

그것은 **놀랄 만한** 일이 아니다. 00수능

a land of beauty and **wonder**

아름답고 **신비로운 땅** 02수능

2214 ★★☆

yern

갈망하다,
그리워하다

□□□ [13.15 수능기출]

yearn [jə́ːrn]

동 갈망하다, 그리워하다

㊒ crave 갈망하다 ㊍ long for=yearn : 열망하다 수능기출

The girl continues to **yearn** for her dead mother.

그녀는 돌아가신 어머니를 늘 **그리워한다**.

Chapter 7
Review Test

A. 수능에 출제되는 단어 또는 단어의 뜻을 쓰시오.

01. 장담하다, 보장하다 ______
02. 불합리한, 모순된 ______
03. 경멸, 멸시, 무시 ______
04. 혐오감, 역겹게 하다 ______
05. 분개한, 성난 ______
06. 의식하는, 자각하는 ______
07. 유도하다, 유발하다 ______
08. 자제, 규제, 통제 ______
09. 표면상의, 피상적인 ______
10. 논평, 언급 ______
11. anticipate ______
12. appreciate ______
13. confident ______
14. definitely ______
15. delight ______
16. anxiety ______
17. indifferent ______
18. prejudice ______
19. depress ______
20. inhibit ______

B. 수능에 출제되는 문장의 문맥에 맞는 단어를 고르시오.

01. These tendencies can ______ anger.
02. French government was ______ to shoulder the financial burden.
03. "Come on, men, we can beat them." Someone in ______ shouts.

ⓐ command	ⓑ reluctant	ⓒ placate	ⓓ inflame	ⓔ annoy

04. Homeostasis is the word we use to ______ the ability of an organism
05. We must work to resolve conflicts in a spirit of ______.
06. Big words are ______ by persons who don't understand them.

ⓐ downplay	ⓑ reconciliation	ⓒ hostility	ⓓ resented	ⓔ describe

정답 01.ⓓ 02.ⓑ 03.ⓐ 04.ⓔ 05.ⓑ 06.ⓓ

01. 이러한 경향은 노여움을 (악화시킬) 수 있다. 13수능
02. 프랑스 정부는 재정적 부담을 떠맡길 (꺼려했다). 09수능
03. "자, 여러분, 우리가 물리칠 수 있다." 라고 (지휘) 중인 누군가가 소리 쳤다. 97수능
04. 항상성은 생명체의 능력을 (묘사하기) 위해서 우리가 사용하는 단어이다. 12수능
05. 우리는 (화해)의 정신으로 분쟁을 해결하기 위해 일해야 한다. 10수능
06. 거창한 말은 그 말을 이해하지 못하는 사람들을 (화나게 한다). 11수능

80점 넘기기

Chapter 08

Dealing With Others / 사람과 일 다루기

ⓐ Actions: Dealing with People (사람을 대하는)

ⓑ Dealing with Things (일을 다루는 단어)

ⓒ Dealing with Things 2 (일을 다루는 단어2)

ⓓ Dealing with Things 3 (일을 다루는 단어3)

ⓔ Negative Activities (부정적인 활동)

1분 안에 넘기기 | 시간 있으면 꼼꼼히 외우기

2215 ★★★

ac  mpany

동반하다,
동행하다

□□□ [99.07.19 수능기출]

accompany [əkʌ́mpəni]

동 동반하다, 동행하다

숙 be accompanied by : ~에 동반하다 수능기출

In that case, you'll have to **accompany** me.

그렇다면, 저와 **동행**하시지요. 99수능

2216 ★★★

advis 

조언하다, 충고하다

□□□ 교육부 [95.97.98.01.02.03.05.09.10.11.12.13 수능기출]

advise [ædváiz]

동 조언하다, 충고하다

파 advice 조언, 충고 adviser 조언자 15수능

We all know how invaluable your **advice** and help will be.

저희 모두는 당신의 **조언**과 도움이 얼마나 유익할지 알고 있습니다. 05수능

2217 ★☆☆

 lign

일렬로 하다, 정렬시키다,
조정하다

□□□

align [əláin]

동 일렬로 하다, 정렬시키다, 조정하다

유 aline

How can we **align** the chickens?

우리가 어떻게 닭을 **정렬** 시킬 수 있겠어?

2218 ★☆☆

 loof

냉담한, 무관심한
떨어져서, 멀리서

□□□

aloof [əlúːf]

형 냉담한, 무관심한 부 떨어져서, 멀리서

The lady stood **aloof** from the rest of the group.

그녀는 그룹의 나머지 사람들에게서 **떨어져** 서 있었다.

2219 ★★☆

app 

int

임명하다, 정하다

□□□ 교육부 [15 수능기출]

appoint [əpɔ́int]

동 임명하다, 정하다

파 appointment 약속, 임명 disappoint 실망시키다 17수능

I will **appoint** a new leader.

나는 새로운 지도자를 **임명할** 것이다.

2220 ★☆☆

assassinat 

암살하다

□□□

assassinate [əsǽsənèit]

동 암살하다

파 assassination 암살 assassin 암살자

The king was **assassinated**.

그 왕은 **암살당했다**.

혓바닥 **e** 입벌린 **c** 머리묶은 **a** 동글이 **o** 목떨어진 **i**

2215 어**컴**퍼니 2216 애드**바**이즈 2217 얼**라**인 2218 얼**루**~프 2219 어**포**인트 2220 어**쌔**씨네잍

2221 ★★★

ssist

돕다, 도움이 되다

□□□ [98.04.05.09.15 수능기출]

assist [əsíst]

동 돕다, 도움이 되다

파 assistant 조수, 보조원 17수능 assistance 도움, 원조, 지원

He can **assist** you in solving the problem.

그는 그 문제를 해결하는 데 **도움을 줄** 것이다. 09수능

2222 ★★★

awar

알고 있는,
인지하는

□□□ 교육부 [94.96.98.04.09.11.13.14.15.19 수능기출]

aware [əwέər]

형 알고 있는, 인지하는

숙 be aware of : ~을 알다 public awareness 대중 인지도 19수능

파 awareness 의식 반 unaware 알지 못하는 14.19수능

They **are aware of** the importance of art in their daily lives.

그들은 일상생활에서 예술의 존재를 **깨닫는다.** 98수능

2223 ★★☆

ban

h

추방하다,
제거하다

□□□

banish [bǽniʃ]

동 추방하다, 제거하다

유 expel 내쫓다

I was **banished** out of the classroom.

나는 교실에서 **쫓겨났다.**

2224 ★☆☆

beh

lden

신세를 진,
은혜를 입은

□□□

beholden [bihóuldən]

형 신세를 진, 은혜를 입은

I am **beholden** to you.

당신에게 **신세를 졌습니다.**

2225 ★★☆

bewild

r

어리둥절하게 만들다

□□□

bewilder [biwíldər]

동 어리둥절하게 만들다

I am **bewildered** now

나는 지금 **어리둥절하다.**

2226 ★★☆

lunt

무딘, 통명스러운

□□□ [12.22 수능기출]

blunt [blʌ́nt]

형 무딘, 퉁명스러운

유 dull (칼날 등이) 무딘

This knife is too **blunt.**

이 칼은 너무 **무디다.**

1분 안에 넘기기 | 시간 있으면 꼼꼼히 외우기

2227 ★★★

□□□ [96.98.99.00 수능기출]

bother [báðər]

동 신경 쓰다, 괴롭히다

Some of us are **bothered** by his bad behavior.
우리들 중 몇몇은 그의 이런 좋지 않은 행동으로 **괴롭힘을 당하고 있다**. 99수능

2228 ★★

□□□ 교육부

cheat [tʃiːt]

동 속이다, 사기 치다

팁 chat 대화하다, 채팅하다

We discovered that he had **cheated**.
우리는 그가 **사기 친** 것을 알았다.

2229 ★

□□□

coerce [kouə́ːrs]

동 강요하다, 강제하다

He was **coerced** into cooperating.
그는 협조하게끔 **강요받았다**.

2230 ★

□□□

commend [kəménd]

동 칭찬하다, 추천하다

팁 comment 논평, 언급 command 명령

유 glorify 미화하다, 기리다 20수능 compliment 칭찬하다
laud 칭찬·칭송하다 applaud 박수치다, 칭찬하다

I **commend** his bravery. 나는 그의 용감함을 **칭찬한다**.

2231 ★★★

□□□ [98.09.19 수능기출]

comprehend [kὰmprihénd]

동 이해하다

파 comprehensive 포괄적인, 광범위한 98수능
comprehension 이해력 09.19수능

We **comprehend** them by adding knowledge to the experience.
우리는 경험에 지식을 더하여 그것들을 **이해합니다**. 09수능

2232 ★★

□□□

conceited [kənsíːtid]

형 자만심이 강한, 자부심이 강한

파 conceit 자만심

He is a very **conceited** person.
그는 매우 **교만한** 사람이다.

2233 ★★★

□□□ 교육부 [03.09.12 수능기출]

congratulate [kəngrǽtʃulèit]

동 축하하다, 기뻐하다

㉺ congratulation 축하 16수능

We **congratulate** you on your remarkable achievements in college.

우리는 대학에서 당신의 놀라운 업적을 **축하합니다.** 03수능

2234 ★

□□□

congregate [kάŋgrigèit]

동 모이다, 모으다

㊎ convene 소집하다 gather 모으다, 끌어모으다

The students **congregated** in one place.

학생들은 한곳에 **모였다.**

2235 ★★

□□□

contemplate [kάntəmplèit]

동 고려하다, 생각하다, 심사숙고하다

㉺ contemplation 사색, 명상

He **contemplated** his future.

그는 미래를 **심사숙고했다.**

2236 ★★

□□□ 교육부

deceive [disíːv]

동 속이다, 기만하다

㊎ cheat 속이다 trick 속임수 deceit 사기, 기만

㊍ take advantage of+사람=cheat=deceive : 속이다 수능기출

In the end, he **deceived** her.

그는 결국 그녀를 **속였다.**

2237 ★★

□□□ 교육부 [95.03 수능기출]

deserve [dizə́ːrv]

동 받을 만하다, 해야 마땅하다

㉸ undeserved 부당한 13수능

They **deserve** your attention and care.

그들은 여러분의 관심과 염려를 **받을 자격이 있습니다.** 02수능

2238 ★★★

□□□ [94.95.97.01.03.04.09.10.11.12.15.17 수능기출]

disappoint [dìsəpɔ́int]

동 실망시키다, 좌절시키다

㉺ disappointment 실망, 낙심

I **disappointed** him.

나는 그를 **실망시켰다.** 03수능

2233 컨그래출레이트 2234 캉그리게이트 2235 컨템플레이트 2236 디씨~브 2237 디절~브 2238 디서포인트

○ 1분 안에 넘기기

○ 시간 있으면 꼼꼼히 외우기

2239 ★★☆

□□□ [15.17 수능기출]

discredit [diskrédit]

명 불명예 동 존경심을 잃다, 신용을 떨어뜨리다

㉫ discreditable 신용할 수 없는 credit 신용 거래, 융자

His theories were **discredited** long ago.

그의 학설은 오래 전에 **설득력을 잃었다**.

2240 ★★☆

□□□

disguise [disgáiz]

명 변장 동 변장하다, 위장하다

㉫ disgust 혐오, 역겨움 ㊀ disrupt 방해하다

I can **disguise** myself completely.

나는 완전히 나 자신을 **변장할** 수 있습니다.

2241 ★★☆

□□□

dishonor [disάnər]

명 불명예, 치욕

㊒ shame 수치심 humiliation 굴욕 disgrace 불명예, 망신

She was **dishonorably** discharged from the palace.

그녀는 **불명예스럽게** 궁에서 쫓겨났다.

2242 ★★☆

□□□

displease [dìsplíːz]

동 불쾌하게 만들다

㊒ offend 성나게 하다

She is **displeased** with me.

그녀는 나에게 **화가 나 있다**.

2243 ★☆☆

□□□

embody [imbάdi]

동 상징하다, 구현하다, 구체화하다

㉫ embodiment 구체화, 화신 ㊒ represent 나타내다, 의미하다

Words **embody** thoughts.

단어는 생각을 **구현한다**.

2244 ★★★

□□□ 교육부 [06.07.09.13.14.15.19 수능기출]

emerge [imə́ːrdʒ]

동 나오다, 출현하다

㉫ emergency 비상 (사태)

The monster fish **emerged** from the lake.

그 괴물 물고기는 호수에 **모습을 드러냈다**.

2245 ★☆☆

□□□

empathize [émpəθàiz]

동 공감하다

I can **empathize** with you.
나는 너에게 **공감할** 수 있어.

2246 ★★★

□□□ 교육부 [95.03.06.07 수능기출]

emphasis [émfəsis]

명 강조, 역점, 주안점

㉺ emphasize 강조하다 19수능

숙 put emphasis on=give emphasis to=emphasize=put stress on=stress : 강조하다 수능기출

2247 ★★★

□□□ 교육부 [04.07.14.15.17.19 수능기출]

encounter [inkáuntər]

동 우연히 만나다, 마주치다, 직면하다

People seek to overcome the difficulties and hardships they **encounter** every day.
사람들은 매일매일 **직면하는** 어려움과 고난을 이겨 내려고 한다. 04수능

2248 ★★★

□□□ 교육부 [98.99.07.12.15 수능기출]

ensure [inʃúər]

동 안전하게 하다, 보증하다

유 insure 보험에 들다

The book **ensured** his success.
그 책은 그의 성공을 **보장해 주었다**.

All travellers should **ensure** they get travel insurance.
모든 여행자는 여행 보험에 들었는지 **확인해야** 한다. 07수능

2249 ★☆☆

□□□

entrust [intrʌ́st]

동 (일을) 맡기다

First I will **entrust** this to you.
일단 이것을 당신에게 **맡기겠습니다**.

2250 ★★★

□□□ 교육부 [94.03.07.11.12.14.19 수능기출]

evaluate [ivǽljuèit]

동 평가하다, 감정하다

㉺ evaluation 평가 16수능

유 assess 재다, 산정하다, 평가하다 19.20수능

Perhaps this **evaluation** is groundless.
아마 이 **평가**는 근거 없는 것일 수도 있다. 07수능

○ 1분 안에 넘기기 ○ 시간 있으면 꼼꼼히 외우기

2251 ★★★

fl  tter
아첨하다

□□□ [10.12 수능기출]

flatter [flǽtər]

동 아첨하다

㉠ flattery 아첨

Why do you **flatter** me? 당신은 왜 저에게 **아첨하나요**?

I rushed to look up the word '**flattering**' in the dictionary.
저는 서둘러 사전에서 'flattering' 이라는 단어를 찾았습니다. 10수능

2252 ★★★

glimps 
흘끗 봄, 짧은 경험

□□□

glimpse [glímps]

명 흘끗 봄, 짧은 경험

㉡ glare 째려보다

㉢ catch sight of=get a glimpse of : ~을 보다
lose sight of : 시야에서 놓치다 수능기출

I caught a **glimpse** of him.
나는 그를 **언뜻** 보았다.

2253 ★★★

graci  us
상냥한, 자애로운, 품위 있는

□□□

gracious [gréiʃəs]

형 상냥한, 자애로운, 품위 있는

㉠ grace 우아, 품위

He smiled **graciously** at the students.
그는 학생들을 보고 **상냥하게** 웃었다.

2254 ★★★

gre  t
인사하다, 환영하다

□□□ 교육부 [95.98.03.14.17 수능기출]

greet [gríːt]

동 인사하다, 환영하다

㉠ greeting 인사

People often do not see the motions of someone trying to **greet** them.
사람들은 자기에게 **인사를 건네**려는 사람의 몸짓을 종종 보지 못한다. 03수능

2255 ★★★

h  lt
멈춤, 중단
멈추다, 서다

□□□

halt [hɔ́ːlt]

명 멈춤, 중단 동 멈추다, 서다

㉤ stop 멈추다, 정지하다

The car ground to a **halt**.
차가 서서히 **멈춰 섰다**.

2256 ★★★

hospit  lity
환대, 후한 대접

□□□

hospitality [hɑ̀spətǽləti]

명 환대, 후한 대접

㉠ hospitable 손님 접대를 잘하는 ㉥ hostility 적대, 적의

Thanks for the **hospitality**.
환대해 주셔서 감사합니다.

2257 ★☆☆

houswarming

집들이

□□□

housewarming [hauswɔ́:rmiŋ]

명 집들이

팁 farewell party 송별회

They held a **housewarming** party.

그들은 **집들이** 파티를 열었다.

2258 ★★★

imitat

모방하다, 본뜨다

□□□ 교육부 [07.08.09.10.11.14 수능기출]

imitate [ímətèit]

동 모방하다, 본뜨다

파 imitation 모방, 모조품 유 mimic 흉내 내다

Children acquire their culture by observing and **imitating** adults.

아이들은 어른들을 보고 **모방함**으로써 문화유산을 얻는다. 11수능

2259 ★☆☆

imped

지연시키다, 방해하다

□□□

impede [impí:d]

동 지연시키다, 방해하다

파 impediment 장애(물)

The construction was **impeded** by the severe weather.

혹독한 날씨 때문에 공사가 **지연되었다**.

2260 ★☆☆

impl

해야만 하게 하다, 재촉하다

□□□

impel [impél]

동 해야만 하게 하다, 재촉하다

His feelings **impelled** him to want to examine that place.

그는 그곳을 조사해 봐야겠다는 느낌이 **들었다**.

2261 ★★★

impse

도입하다, 부과하다, 강요하다

□□□ 교육부 [94.06 수능기출]

impose [impóuz]

동 도입하다, 부과하다, 강요하다

숙 impose A on B : A를 B에 강요하다, 부과하다

We tend to **impose** our values on others.

우리는 우리의 가치를 남에게 **강요하**려고 한다. 06수능

2262 ★★★

impressin

인상, 감명

□□□ [94.97.98.05.07.09.10.11.13.14 수능기출]

impression [impréʃən]

명 인상, 감명

파 impress 깊은 인상을 주다 impressive 인상적인

People tend to stick to their first **impressions**, even if they are wrong.

사람들은 그들의 첫**인상**이 잘못된 것일지라도 그에 집착하는 경향이 있다. 07수능

2263 ★★☆

improvis 

즉석에서 하다,
즉흥적으로 하다

□□□ [07.17 수능기출]

improvise [ímprəvàiz]

동 즉석에서 하다, 즉흥적으로 하다

ⓟ improvisation 즉석에서 하기

The performers often **improvise** their own melodies.

공연을 하는 사람들이 종종 자신들의 멜로디를 **즉석에서** 만든다. 07수능

2264 ★★★

incredibl 

믿을 수 없는, 엄청난

□□□ [02.08.09.10.11.19 수능기출]

incredible [inkrédəbl]

형 믿을 수 없는, 엄청난

ⓟ incredibly 믿기 힘들 정도로, 엄청나게

She would get **incredibly** mad about something silly.

그녀는 어리석게도 **믿을 수 없을** 만큼 분노했다. 02수능

2265 ★★☆

infli  **t**

(괴로움 등을)
가하다, 안기다

□□□

inflict [inflíkt]

동 (괴로움 등을) 가하다, 안기다

The teacher **inflicted** a penalty on the students.

선생님은 학생에게 체벌을 **가했다**.

2266 ★★★

int  **nd**

~할 작정이다,
의도하다

□□□ 교육부 [02.03.07.10.17 수능기출]

intend [inténd]

동 ~할 작정이다, 의도하다

ⓟ unintended 의도하지 않은 22수능 intention 의사, 의도

What do you **intend** to do tonight?

오늘 밤에 무엇을 **할 작정**이니?

2267 ★☆☆

kidn  **p**

유괴하다,
납치하다

□□□

kidnap [kídnæ̀p]

동 유괴하다, 납치하다

ⓤ abduct 유괴하다

ⓣ hijack (배·비행기를) 납치하다 carjacking 차량 탈취

They tried to **kidnap** the child.

그들은 이이를 **납치하려고 했다**.

2268 ★★☆

l  **able**

법적 책임이 있는,
하기 쉬운

□□□ [11 수능기출]

liable [láiəbl]

형 법적 책임이 있는, 하기 쉬운

ⓟ liability 책임, 의무 ⓢ be liable to ~하는 경향이 있다

You have to **liable** to the laws of this state.

당신은 이 주의 법률 **적용을 받는다**.

2269 ★★★

limit  tion

제한, 한계

□□□ [04.05.06.08.10.11.15 수능기출]

limitation [lìmətéiʃən]

명 제한, 한계

㊫ limit 한계(점) limitless 한이 없는, 방대한

A related **limitation** was that few people ever learned to write this early script.

관련된 제한적인 **한계**는 이 고대 문자를 작성하는 법을 배운 사람들이 거의 없었다는 것이다. 06수능

2270 ★★★

manipulat 

조종하다, 다루다

□□□ 교육부 [10.11 수능기출]

manipulate [mənípjulèit]

동 조종하다, 다루다

㊫ manipulative 조종하는 manipulation 조작

He could easily **manipulate** them.

그는 그들을 쉽게 **조종할** 수 있다.

The signal sender tries to **manipulate** the receiver.

신호를 보내는 이는 신호를 받는 이를 **조종하려고** 한다. 11수능

2271 ★★★

mediat 

중재하다, 조정하다

□□□ [09.12 수능기출]

mediate [mí:dièit]

동 중재하다, 조정하다

㊫ mediation 중재 mediator 중재인

They **mediated** labor disputes.

그들은 노동 분쟁을 **중재하였다**. 09수능

2272 ★★★

m  rely

그저, 단지

□□□ [94.98.06.09.10.12.13.16 수능기출]

merely [míərli]

부 그저, 단지

㊫ mere 단지 ~에 불과한 ㊕ nothing but=no more than=nothing more than=only=merely=but : 단지 수능기출

This is **merely** a method of communicating ideas.

이것은 **단지** 의사소통 수단일 뿐이다. 94수능

2273 ★★★

no 

끄덕이다, (고개를) 까딱하다

□□□ [16 수능기출]

nod [nɑ́d]

동 끄덕이다, (고개를) 까딱하다

He gave me a **nod**.

그는 나에게 고개를 **끄덕였다**.

2274 ★★★

offensiv 

공격적인, 불쾌한, 무례한

□□□ [95.12 수능기출]

offensive [əfénsiv]

형 공격적인, 불쾌한, 무례한

㊥ inoffensive 악의 없는

I dislike your recent **offensive** and insulting behavior.

나는 최근 당신의 **공격적이고** 모욕을 주는 행동을 싫어한다. 95수능

2269 리미테이션 2270 메니퓰레잍 2271 미디에잍 2272 미를리 2273 나드 2274 어펜시브

2275 ★★☆

overse 

감독하다

□□□ [20 수능기출]

oversee [òuvərsíː]

동 감독하다

파 overseer 감독관 유 supervise 감독하다, 지휘하다

팁 overseas 해외의

He **oversees** the construction.
그가 그 공사를 **감독한다**.

2276 ★★★

participat 

참가하다, 참여하다

□□□ 교육부 [95.97.02.05.06.09.11.19 수능기출]

participate [pɑːrtísəpèit]

동 참가하다, 참여하다

파 participation 참여, 참가 participant 참가자 20수능

숙 take part in=participate in=be presented at=present oneself at=attend : 참석하다 수능기출

2277 ★★★

p  **rceive**

지각하다, 감지하다

□□□ 교육부 [06.08.09.14.15.17 수능기출]

perceive [pərsíːv]

동 지각하다, 감지하다

파 perception 지각, 인식 19.20수능

What we **perceive** as color is not made up of color.
우리가 색깔로 **지각하는** 것은 색깔로 구성되어 있지 않다는 것이다. 08수능

2278 ★★★

p  **rmit**

허가증
허용하다, 허락하다

□□□ 교육부 [98.99.13.17 수능기출]

permit [pərmít]

명 허가증 동 허용하다, 허락하다

파 permission 허락 반 forbid 금지하다

A policeman asked, "May I see your **permit**?"
한 경찰관이 다가와 "**허가증**을 좀 볼까요?"라고 물었다.

2279 ★★☆

pledg 

약속, 맹세, 담보
서약하다,
기부를 신청하다

□□□ [95 수능기출]

pledge [plédʒ]

명 약속, 맹세, 담보 동 서약하다, 기부를 신청하다

유 promise 약속 swear 맹세하다 vow 서약

I **pledged** to love you till I die.
나는 죽을 때까지 당신을 사랑하겠다고 **맹세했다**.

Millions of people were asked by phone to **pledge** money.
수백만의 사람들이 돈을 **기부하겠다고** 전화로 알려 왔다. 95수능

2280 ★★☆

pr  **sume**

추정하다, 가정하다, 상상하다

□□□ 교육부

presume [prizúːm]

동 추정하다, 가정하다, 상상하다

파 presumably 아마, 짐작건대 20수능

I think he will return just as I **presumed**.
내가 **추측하건대** 그가 돌아올 것으로 생각한다.

2281 ★★★

prhibit

금하다,
하지 못하게 하다

□□□ 교육부 [94.95 수능기출]

prohibit [prouhíbit]

동 금하다, 하지 못하게 하다

㊁ prohibition 금지 ㊒ forbid 금지하다 ban 금지

Swimming is **prohibited** here.

여기는 수영 **금지** 구역이다.

2282 ★★★

provok

유발하다, 화나게 하다

□□□ [11.16 수능기출]

provoke [prəvóuk]

동 유발하다, 화나게 하다

㊁ provocation 도발, 자극

An impolite behavior may **provoke** disapproval.

무례한 행동은 반감을 **유발할** 수 있다. 11수능

2283 ★★★

unish

처벌하다, 벌주다

□□□ 교육부 [99.09 수능기출]

punish [pʌ́niʃ]

동 처벌하다, 벌주다

㊁ punishment 16수능

They sometimes **punish** their children.

그들은 가끔 자녀에게 **벌을 준다**. 99수능

2284 ★★★

raction

반응, 반작용

□□□ [96.97.98.99.08.09.10.12.17 수능기출]

reaction [riǽkʃən]

명 반응, 반작용

㊁ reactive 반응을 보이는

He researched the facial **reaction** of students.

그는 학생들의 얼굴 **반응**을 연구했다. 08수능

2285 ★★★

rlize

깨닫다, 실현하다

□□□ 교육부 [00.01.03.04.05.06.08.12.13.14.15.16.17 수능기출]

realize [rí:əlàiz]

동 깨닫다, 실현하다

㊁ real 진짜의, 현실적인 ㊉ unrealized 실현되지 않은

㊂ come true=realize : 실현되다 수능기출

I did not **realize** who it was.

나는 그게 누구인지 **알지** 못했다. 05수능

2286 ★★★

recgnize

알아보다, 인정하다,
인식하다

□□□ 교육부 [99.00.03.05.06.07.08.10.11.15.17 수능기출]

recognize [rékəgnàiz]

동 알아보다, 인정하다, 인식하다

㊁ recognizable 알아볼 수 있는 15수능

However most people **recognize** it as a jewel.

그러나 대부분의 사람들이 그것을 보석으로 **인식한다**. 07수능

1분 안에 넘기기 | 시간 있으면 꼼꼼히 외우기

2287 ★★★

rcollect

기억해 내다

□□□

recollect [rèkəlékt]

통 기억해 내다

유 remember 생각해 내다

He **recollected** his painful past.

그는 아픈 과거를 **기억해 냈다**.

2288 ★★★

reval

드러내다,
밝히다

□□□ 교육부 [96.04.07.08.09.12.14 수능기출]

reveal [riví:l]

통 드러내다, 밝히다

유 disclose 드러내다 반 hide 감추다 conceal 숨기다

A powerful flashlight will **reveal** marine life in all its true colors

성능 좋은 회중전등이 바닷속 모습을 진정한 색채 그대로 **보여 줄** 것이다. 04수능

2289 ★★★

reveng

복수, 보복, 복수하다

□□□ 교육부 [97 수능기출]

revenge [rivéndʒ]

명 복수, 보복 통 복수하다

파 revengeful 복수심에 불타는 유 avenge 복수하다

He burned with angry and **revengeful** thoughts.

그는 분노했고 **복수심에 불탔다**. 97수능

2290 ★★★

rvolt

반란, 봉기
반란을 일으키다

□□□

revolt [rivóult]

명 반란, 봉기 통 반란을 일으키다

숙 revolt at 혐오감을 품다 be allergic to ~을 아주 싫어하다 20수능
cannot stand 참을 수가 없다 be averse to ~을 싫어하다

The poor people staged a **revolt**.

가난한 사람들이 **반란**을 계획했다.

2291 ★★★

specializ

전공하다, 전문화하다

□□□ [99.06.07.11 수능기출]

specialize [spéʃəlàiz]

통 전공하다, 전문화하다

파 specialist 전문가 specially 특별히 specialty 전문, 전공

It has become more complex and increasingly **specialized**.

그것은 더욱 복잡해졌고 점점 더 **전문화되어** 가고 있다. 99수능

2292 ★★★

tartle

깜짝 놀라게 하다

□□□ [94 수능기출]

startle [stá:rtl]

통 깜짝 놀라게 하다

유 surprise 놀라게 하다 astonish 매우 놀라게 하다

A sound **startled** the bird.

그 소리가 새를 **깜짝 놀라게 했다**.

The **startled** teacher exclaimed.

놀란 선생님은 소리쳤다. 94수능

2287 레컬렉트 2288 리비~얼 2289 리벤지 2290 리볼트 2291 스페셜라이즈 2292 스탈~들

2293 ★★★

suppse

가정하다,
추정하다

□□□ 교육부 [95.96.00.03.07.10.11.16 수능기출]

suppose [səpóuz]

동 가정하다, 추정하다

파 supposition 가정, 추측 supposedly 아마도 14수능

기출 presuppose 상정하다, 추정하다 19수능

숙 be supposed to : ~하기로 되어 있다, ~해야 한다 수능기출

2294 ★

surmis

추측, 추측하다

□□□

surmise [sərmáiz]

명 추측 동 추측하다

This is pure **surmise** on my part.
이것은 순전히 내 입장에서 본 **추측**이다.

2295 ★★

trrify

(몹시) 무섭게 하다

□□□ [94.03.08.11.12.15.17 수능기출]

terrify [térəfài]

동 (몹시) 무섭게 하다

팁 terrific 멋진, 훌륭한 13수능

When you have to give a speech, you may be **terrified**.
연설해야 할 때, 당신은 **겁먹을**지도 모른다. 94수능

2296 ★

truthfu

정직한, 진실한

□□□

truthful [trú:θfəl]

형 정직한, 진실한

파 truth 사실, 진리 반 untruth 거짓말, 허위

He gave a **truthful** answer.
그는 **진실한** 대답을 했다.

2297 ★

vx

짜증나게 하다, 괴롭히다

□□□

vex [véks]

동 짜증나게 하다, 괴롭히다

유 bother 귀찮게 하다 irritate 초조하게 하다 tease 못살게 굴다

She is **vexed** with her son.
그녀는 아들에게 **짜증이 났다**.

2298 ★

wathful

지켜보는,
주의 깊은

□□□

watchful [wɑ:tʃfl;]

형 지켜보는, 주의 깊은

The children played under the **watchful** gaze of their mothers.
아이들은 엄마들의 **주의 깊은** 관심 아래 놀았다.

○ 1분 안에 넘기기 ○ 시간 있으면 꼼꼼히 외우기

2299 ★★★

□□□ 교육부 [96.08.10.14.16 수능기출]

abandon [əbǽndən]

동 버리다, 포기하다

숙 give up=abandon=forsake=desert : 포기하다, 그만두다 수능기출

He had to **abandon** his boat.
그는 자신의 보트를 **포기해야만 했다**.

Tribal societies did not **abandon** art.
부족 사회는 예술을 **포기하지 않았다**. 10수능

2300 ★★☆

□□□ [97 수능기출]

abrupt [əbrʌ́pt]

형 돌연한, 갑작스러운

파 abruptly 갑자기 abruption 분리

숙 all of a sudden=on a sudden=all at once=suddenly=unexpectedly=abruptly 갑자기 수능기출

The play came to an **abrupt** end.
연극은 **갑작스러운** 결말로 끝났다.

2301 ★★★

□□□ [97.05.11.12.15.16 수능기출]

accomplish [əkάmpliʃ]

동 성취하다, 해내다

파 accomplishment 업적, 수행 15수능

숙 carry out=perform=accomplish=execute : 실행하다, 수행하다 수능기출

They made an effort to **accomplish** something difficult.
그들은 어려운 어떤 것을 **성취하기** 위해 노력했다. 11수능

2302 ★★★

□□□ [95.05.07.08.09.10.11.13.15.17.20 수능기출]

accuracy [ǽkjurəsi]

명 정확, 정확도

파 accurate 정확한 05.07.09.10.11수능 inaccurately 부정확하게 05수능 inaccurate 부정확한 09수능

I wrote my story with **accuracy**.
나는 **정확하게** 나의 이야기를 썼습니다. 08수능

2303 ★☆☆

□□□

annexation [æ̀nikséiʃən]

명 합병, 부가

파 annex 합병하다

It is ten years since the two countries were **annexed**.
두 나라가 **합병된지** 10년이 되었다

2304 ★☆☆

□□□

befall [bifɔ́:l]

동 닥치다, ~에게 일어나다

유 happen 발생하다, 일어나다 기출 happenstance 우연 22수능

What disasters **befell** you this year?
올해에 무슨 재앙들이 **닥쳤느냐**?

2305 ★★☆

폭발, 강한 바람
폭파하다

□□□

blast [blæst]

명 폭발, 강한 바람 동 폭파하다

A strong **blast** of wind turned the umbrella inside-out.
강한 바람이 우산을 뒤집었다.

기출 wind up 결국 ~로 끝나다 20수능

2306 ★★★

불다, 바람에 날리다

□□□ 교육부 [98.99.06.08 수능기출]

blow [blóu]

동 불다, 바람에 날리다

The wind threatened to **blow** away everything.
바람은 모든 것을 **날려** 버리겠다고 위협했다. 98수능

2307 ★★☆

실수, 실수하다

□□□ [98.08 수능기출]

blunder [blʌ́ndər]

명 실수 동 실수하다

유 mistake 실수, 잘못 error 과실

The neighbors witnessed the **blunder** of the new driver.
이웃들은 새 운전자의 **실수**를 목격했다. 08수능

2308 ★★★

(공이) 튀다

□□□ [09.01.10.15 수능기출]

bounce [báuns]

동 (공이) 튀다

팁 rebound 다시 튀어나오다

파 boundless 한이 없는 bound 할 가능성이 큰 숙 bounce back from : ~에서 회복하다 수능기출

Light **bounces** off objects.
빛은 물체를 되**튀게** 합니다. 10수능

2309 ★★☆

포획
붙잡다, 체포하다, 캡처하다, 포착하다

□□□ [13.20 수능기출]

capture [kǽptʃər]

명 포획 동 붙잡다, 체포하다, 캡처하다, 포착하다

파 captive 포로, 사로잡힌

A photograph can **capture** this.
사진은 이것을 **캡처**할 수 있다

2310 ★☆☆

크리스마스 캐럴

□□□

carol [kǽrəl]

명 크리스마스 캐럴

I can hear Christmas **carols** in the street.
거리에서 크리스마스 **캐롤**을 들을 수 있습니다.

2311 ★★★

□□□ 교육부 [96.06.10.13.19 수능기출]

cast [kæst]

동 던지다, (빛을) 발하다, 내던지다, 투표하다, 출연하다

팁 outcast 따돌림받는 사람 casting vote 의장 의결 투표권

숙 cast doubt on ~에 의혹을 던지다 19수능

The streetlight **casts** cones of light

가로등은 원뿔 모양의 불빛을 **내던진다**. 10수능

2312 ★★

□□□ 교육부 [11 수능기출]

cease [siːs]

동 중단되다, 그치다

파 unceasing 끊임없는

The rain **ceased**.

비가 **그쳤다**.

He **ceased** to believe that value and truth existed.

그는 가치나 진실이 존재한다고 믿는 것을 **그만두었다**. 11수능

2313 ★★

□□□ [02.10 수능기출]

chop [tʃɑ́p]

동 썰다, 자르다, 패다

I will **chop** the wood.

나는 나무를 **자를** 것이다.

We **chop** food to cook it quickly.

우리는 신속하게 그것을 요리하기 위해 음식을 **썰었다**. 02수능

2314 ★★

□□□ [98 수능기출]

clap [klǽp]

명 파열음 동 박수(손뼉)를 치다

She **clapped** for a long time.

그녀는 오랫동안 **박수를 쳤다**. 98수능

2315 ★★★

□□□ [98.01.03.09.12 수능기출]

cling [klíŋ]

동 꼭 붙잡다, 매달리다

clingy 집착하는, 매달리는 14수능 팁 stick[adhere] to : ~를 고수하다

He tried to **cling** to the rope.

그는 밧줄에 **매달리**려 했다.

2316 ★★★

□□□ 교육부 [17.19 수능기출]

combine [kəmbáin]

동 결합하다, 갖추다

파 combination 조합 (행위)

We have to **combine** skills and capitals.

우리는 기술과 자본을 **결합**해야 한다.

2317 ★★☆

□□□ [96 수능기출]

commemorate [kəméməréit]

동 기념하다, 기념식을 거행하다

㉺ commemoration 기념 memorial 기념의, 기념물

㊌ in honor of=in celebration of=in commemoration of : ~을 기념하여 수능기출

2318 ★★★

□□□ 교육부 [95.96.99.02.05.07.09.10.13.14.15.16.17 수능기출]

compare [kəmpέər]

동 비교하다, 비유하다

㉺ comparatively 비교적14수능 comparison 비교 comparable 비슷한

Older children can **compare** prices and practice estimation.

더 큰 아이가 가격을 **비교하고** 예상을 할 수도 있다.09수능

2319 ★★★

□□□ [09.15 수능기출]

compel [kəmpél]

동 강요하다, 하게 만들다

㊌ be obliged to=be compelled to=be forced to : ~하지 않을 수 없다 수능기출

Their behavior **compels** others to lie to them.

그들의 행동이 다른 사람에게 거짓말을 하도록 **강요한다**.09수능

2320 ★★★

□□□ 교육부 [98.13.16.17 수능기출]

compile [kəmpáil]

동 편집하다, 수집하다

㉺ compilation 편집

We must protect citizens against the **compiling** of personal data.

우리는 개인의 사적 자료 **수집**에 반대하여 시민들을 보호해야 한다.98수능

2321 ★★★

□□□ [95.00.03.04.05.07.08.09.10.11.12.16.17 수능기출]

completely [kəmplíːtli]

부 완전히, 완벽하게

㉺ complete 완벽한, 완료하다20수능 completion 완성 incomplete 불완전한

㊌ run out of=run short of=use up completely : ~이 떨어지다, 바닥이 나다 수능기출

Design and styling are **completely** distinct fields.

디자인과 스타일링은 **완전히** 별개의 영역이다.07수능

2322 ★★★

□□□ 교육부 [95.98.05.10.14.15 수능기출]

conduct [kάndʌkt]

명 행동 동 행동하다, 이끌다

㉺ conductor 지휘자, 여행 안내원 conducive ~에 좋은

Competition implies a set of rules that govern the **conduct** of the opposed parties.

경쟁은 상대편의 **행동**을 지배하는 일련의 법칙들을 의미한다.95수능

2317 커메머레이트 2318 컴페얼 2319 컴펠 2320 컴파일 2321 컴플릿들리 2322 컨덕트

2323 ★★★

cop

긴 사제복
대처하다, 대항하다

□□□ 교육부 [94.99.04.05.07.11.13.15 수능기출]

cope [kóup]

명 긴 사제복 동 대처하다, 대항하다

숙 cope with : 대응하다 유 deal with : 대처하다 수능기출

She **copes** very well.
그녀는 매우 잘 **대처한다**.

This is a way of **coping** with nervousness.
이것이 신경질에 **대처하는** 방법이다. 11수능

2324 ★★★

decorat

장식하다, 꾸미다

□□□ 교육부 [95.11.13.14 수능기출]

decorate [dékərèit]

동 장식하다, 꾸미다

파 decoration 장식품, 장식

Will I **decorate** your room?
네 방을 **꾸며 줄까**?

The hall was brilliantly lighted, and **decorated** with flowers.
식장은 환하게 불이 켜져 있었고, 꽃으로 **장식되어** 있었다. 95수능

2325 ★★★

defat

패배시키다,
좌절시키다

□□□ 교육부 [95.99.03.07.09 수능기출]

defeat [difí:t]

동 패배시키다, 좌절시키다

숙 get the better of=defeat=beat=vanquish : 이기다 수능기출

The accident completely **defeated** the father's purpose.
그 사고는 아버지의 목적을 완전히 **좌절시키고** 말았다. 03수능

2326 ★★★

demlish

철거하다,
무너뜨리다

□□□ [98.03.12 수능기출]

demolish [dimáliʃ]

동 철거하다, 무너뜨리다

파 demolition 파괴, 타파 destroy 파괴하다 pull down : 허물다

The wall was **demolished**.
그 벽이 **무너졌다**.

2327 ★

deplte

감소시키다,
고갈시키다

□□□

deplete [diplí:t]

동 감소시키다, 고갈시키다

파 depletion 소모, 고갈

Our funds are **depleted**.
우리의 자금이 **고갈되었다**.

2328 ★★

depriv

빼앗다, 박탈하다

□□□ [98 수능기출]

deprive [dipráiv]

동 빼앗다, 박탈하다

파 deprived 궁핍한, 불우한 deprivation 궁핍, 박탈 14수능

She was **deprived** of the opportunity.
그녀는 기회를 **박탈당했다**.

It is the fault of his **deprived** background.
불우한 그의 배경이 결점이다. 98수능

2329 ★★★

□□□ [98.14 수능기출]

detach [ditǽtʃ]

[동] 떼다, 분리하다

㉺ detachment 분리, 이탈 ㉠ separate 떼어 놓다 ㉯ attach 붙이다

I **detached** the plug from the wall.
플러그를 벽으로부터 **떼어 냈다**.

2330 ★★★

□□□ 교육부 [05.11.14.16 수능기출]

detect [ditékt]

[동] 발견하다, 감지하다, 탐지하다

㉺ detector 탐지기

I can **detect** a strange smell.
나는 이상한 냄새를 **감지할** 수 있다.

The doctor **detected** a dangerous disease.
의사는 위험한 질병을 **발견했다**. 05수능

2331 ★★★

□□□ [99.05.15 수능기출]

devastate [dévəstèit]

[동] 완전히 파괴하다

㉺ devastation 황폐 ㉠ demolish 파괴하다

The country was **devastated**.
나라가 **파괴되었다**.

2332 ★★★

□□□ 교육부 [09.13.14.20 수능기출]

display [displéi]

[명] 전시, 진열 [동] 전시하다, 내보이다

Put the article **on display**.
그 물건을 **전시해** 놓아라.

the consumers who purchase and **display** them.
그것들을 구입하고 **전시하는** 소비자들 09수능

2333 ★★★

□□□ 교육부 [99.08.09.10 수능기출]

divide [diváid]

[동] 나누다, 쪼개 쓰다

Divide it into 4 parts.
그것을 4**등분해**.

Elements of culture can **be divided** into two categories.
문화적 요소들은 두 가지 범주로 **나누어질** 수 있다. 99수능

2334 ★★★

□□□ 교육부 [96.98.13.16.19.20 수능기출]

drop [drɑp]

[명] 방울, 미량 [동] 방울져 떨어지다

[숙] drop in=drop by=stop by=come by : 들르다 19수능
drop off at : (물건을 어떤 장소로) 가져다 놓다 20수능

The demand for coffee has **dropped**.
커피에 대한 수요가 **줄었다**. 96수능

2335 ★★★

쓰레기 더미
(쓰레기를) 버리다

□□□ [99.02.12 수능기출]

dump [dʌ́mp]

명 쓰레기 더미 동 (쓰레기를) 버리다

㉪ dumpster 대형 쓰레기 수납기 20수능
scrap 폐기하다 get rid of : 처리하다, 없애다 19.20수능
abolish 폐지하다

Where will I **dump** this?
이걸 어디에 **버려야** 하지?

2336 ★★★

염료
염색하다

□□□ [95.96.97.98.99.07.08.10.16 수능기출]

dye [dái]

명 염료 동 염색하다

㉺ dyed 물들인, 염색된

㉪ reddish 불그스레한 20수능

What color is the **dye**?
염료가 어떤 색깔입니까?

2337 ★★★

제거하다, 삭제하다,
탈락시키다

□□□ 교육부 [11.17.22 수능기출]

eliminate [ilímənèit]

동 제거하다, 삭제하다, 탈락시키다

㉺ elimination 제거, 경기 예선 17수능

㉭ get rid of=eliminate=remove : 제거하다 수능기출

It **eliminates** many local species.
그것은 많은 지역 생물들을 **멸종하게 한다**. 11수능

2338 ★★★

(둥글게) 둘러싸다

□□□

encircle [insə́:rkl]

동 (둥글게) 둘러싸다

㉤ surround 에워싸다

Finally we were **encircled**.
마침내 우리는 **둘러싸였다**.

2339 ★★★

두르다, 에워싸다,
동봉하다

□□□ 교육부 [06.08.12.14.16 수능기출]

enclose [inklóuz]

동 두르다, 에워싸다, 동봉하다

㉺ enclosure 둘러싸기, 포위 15수능

The yard had been **enclosed** with iron railings.
그 마당에는 철책이 **둘러쳐져** 있었다.

2340 ★★★

지우다

□□□ [06.07.08.11.15 수능기출]

erase [iréis]

동 지우다

㉺ eraser 지우개 erasure 삭제, 말소

Chalk is easier to **erase**.
분필은 **지우기**가 더 쉽다. 07수능

2341 ★★★

똑바로 선
직립시키다, 세우다

□□□
erect [irékt]
형 똑바로 선 동 직립시키다, 세우다
㊒ upright 곧추 선, 수직의
He stood **erect**.
그는 **똑바로 서** 있다.

2342 ★★★

설립하다, 수립하다
확립하다, 규명하다

□□□ 교육부 [04.13.15.17.19.20 수능기출]
establish [istǽbliʃ]
동 설립하다, 수립하다, 확립하다, 규명하다
㊒ set up : ~을 설치하다 20수능 found 설립하다 20수능
㊕ stablishment 설립
By thirty-five, she had **established** herself as a writer.
35세가 되어서 그녀는 작가로서 **입지를 굳혔다**. 04수능

2343 ★★★

전시품 전시하다,
나타내다

□□□ 교육부 [02.07.09.12.1.20 수능기출]
exhibit [igzíbit]
명 전시품 동 전시하다, 나타내다
㊕ exhibition 전시회 17수능
They do not **exhibit** most of the other characteristics of life.
그들은 거의 대부분 다른 생명체의 특징에 **나타나지** 않는다. 02수능

2344 ★★★

뻗다, 확장하다,
연장하다

□□□ 교육부 [16 수능기출]
extend [iksténd]
동 뻗다, 확장하다, 연장하다
㊕ extent 정도 extension 확대 extensive 넓은
㊒ stretch 뻗다 prolong 늘이다 expand 넓히다
We will **extend** this room. 우리는 이 방을 **확장할** 것이다.
He hopes that this might **extend** the life.
그는 생명을 **연장할** 것이라는 희망을 품고 있다. 96수능

2345 ★★★

(불을) 끄다, 진화하다

□□□ [04.09.10.11.12 수능기출]
extinguish [ikstíŋgwiʃ]
동 (불을) 끄다, 진화하다
㊒ put out : 불을 끄다 수능기출
They **extinguished** the fire.
그들은 화재를 **진압했다**.

2346 ★★★

먹이
먹이다

□□□ 교육부 [97.02.10.11.17 수능기출]
feed [fiːd]
명 먹이 동 먹이다
How can we **feed** so many?
어떻게 우리가 그렇게 많이 **먹일** 수 있을까?
A bat that fails to **feed** for two nights is likely to die.
이틀 밤 동안 **먹지** 못하는 박쥐는 죽을 가능성이 있다. 11수능

1분 안에 넘기기 | 시간 있으면 꼼꼼히 외우기

2347 ★★★

가지고 오다, 데리고 오다, (~값에) 팔리다

□□□ 교육부

fetch [fétʃ]

동 가지고 오다, 데리고 오다, (~값에) 팔리다

㊇ bring 가져오다, 데려오다 sell for 얼마에 팔리다

The dog **fetched** the stick.
개가 막대기를 **가져왔다**.

2348 ★★★

채우다, 가득 차다

□□□ 교육부 [09.14.16 수능기출]

fill [fil]

동 채우다, 가득 차다

㊈ be full of=be filled with : ~으로 가득 차 있다 수능기출

I will **fill** the cup to the top.
나는 이 컵을 가득 **채울** 것이다.

How much do you think it will cost to **fill** the tank?
탱크 다 **채우는 데** 얼마나 드나요? 09수능

2349 ★★★

건강한, 알맞은, 적합한, 적합하다

□□□ 교육부 [99.01.04.09.11.13.16.17.20 수능기출]

fit [fit]

형 건강한, 알맞은, 적합한 동 적합하다, (들어가기에) 맞다

㊉ fitness 신체 단련, 건강 personal fitness trainer 개인 피트니스 트레이너 20수능

Will the shoes **fit** me? 이 신발이 내게 **맞나요**?

They cut out parts that don't **fit** in well.
그들은 잘 **들어맞지** 않는 부분들을 삭제한다. 01수능

2350 ★★★

고정하다, 정하다, 고치다

□□□ 교육부 [11.14.15.17.19 수능기출]

fix [fiks]

동 고정하다, 정하다, 고치다

He helped me **fix** the door.
그는 내가 문을 **고치는** 것을 도와주었다.

Don't **fix** what isn't broken.
긁어 부스럼 만들지 마라. 11수능

2351 ★★★

내던지다, 퍼붓다

□□□

fling [fliŋ]

동 내던지다, 퍼붓다

㊇ throw 재빨리 내던지다

She **flung** herself onto the bed.
그녀는 침대 위로 몸을 **휙 던졌다**.

2352 ★★★

뒤집다, 톡 던지다

□□□ [09.15 수능기출]

flip [flip]

동 뒤집다, 톡 던지다

Flip over and remove from pan.
뒤집은 다음에 팬에서 꺼내세요.

She effortlessly **flipped** the ball up in the air.
그녀는 힘들이지 않고 공을 공중으로 **던졌다**. 09수능

2347 패취 2348 필 2349 피트 2350 픽스 2351 플링 2352 플립

2353 ★★★

□□□ 교육부 [95.98.02.05.07.11.13.16 수능기출]

float [flóut]

동 떠가다, 뜨다

Wood **floats** on water.
나무는 물에 **뜬다**.

He saw something white **floating** in the middle of the tree.
그는 나무의 가운데 **떠다니는** 하얀 뭔가를 보았다. 02수능

2354 ★

□□□ [12 수능기출]

foretell [fɔːrtél]

동 예언하다

I was able to **foretell** what would happen.
나는 무슨 일이 일어날 것인지 **예언할** 수 있었다.

Can dreams **foretell** the future?
꿈은 미래를 **예언할** 수 있습니까? 12수능

2355 ★★★

□□□ [09.13.15.17 수능기출]

fortify [fɔ́ːrtəfài]

동 요새화하다, 강화하다

유 reinforce 강화(보강)하다 strengthen 강하게 하다

파 fortification 방어 시설 강화

We will **fortify** the house.
우리는 그 집을 **보강**할 것이다.

2356 ★★★

□□□ [02.03.07.08.10.12.13 수능기출]

forward [fɔ́ːrwərd]

부 앞으로, 앞쪽으로, 미래로

숙 put forward ~을 제기하다, ~을 제안하다 20수능

look forward to + 명사= anticipate : 고대하다 19수능

I look forward to meeting you there.
거기서 만나 뵙기를 **바랍니다**. 08수능

2357 ★★★

□□□ [08.12.13.15.17 수능기출]

found [fáund]

동 설립하다, 세우다

팁 find (찾다) 과거형

I **found** the lost article.
나는 잃어버린 기사를 **발견했다**.

He **founded** a company.
그는 회사를 **설립했다**. 08수능

2358 ★★★

□□□ [01.13.14.16.17 수능기출]

fulfill [fulfíl]

동 수행하다, 달성하다, 완수하다

파 fulfillment 달성, 이행

He can **fulfill** multiple social roles
그는 다양한 사회적 역할들을 **수행할** 수 있다. 01수능

1분 안에 넘기기 | 시간 있으면 꼼꼼히 외우기

2359 ★★★

furn_sh

비치하다,
제공하다, 갖추다

□□□ 교육부 [95.04.05.09.11.14.15.17 수능기출]

furnish [fə́:rniʃ]

동 비치하다, 제공하다, 갖추다

팁 furniture 가구 숙 supply A with B=supply B for A=provide A with B=provide B for A=furnish A with B=furnish B to A A에게 B를 공급하다 : 수능기출

The hotel's facilities are **fully furnished**.
그 호텔은 시설이 **완비되어 있다**.

2360 ★★★

g_in

얻다, 쌓다, 늘리다

□□□ 교육부 [94.95.97.98.99.00.04.05.07.08.09.10.11.12.13.15.16 수능기출]

gain [géin]

동 얻다, 쌓다, 늘리다

기출 regain 되찾다, 되돌아오다 18수능

How much weight did you **gain**?
당신은 얼마나 체중이 **늘었습니까**?

Muscle isn't all you **gain**.
근육이 당신이 **얻게 되는** 것의 전부가 아니다. 12수능

2361 ★★★

_rip

꽉 잡음, 손잡이, 파악력
꽉 쥐다, 이해하다

□□□ [98.01.09.17 수능기출]

grip [gríp]

명 꽉 잡음, 손잡이, 파악력 동 꽉 쥐다, 이해하다

He took a tight **grip** on the fish.
그는 물고기를 꽉 **쥐었다**.

He **gripped** the armrests tightly.
그는 의자 팔걸이를 단단히 **쥐었습니다**. 09수능

2362 ★

interlo_k

서로 맞물리다

□□□ [10 수능기출]

interlock [ìntərlάk]

동 서로 맞물리다

유 link 잇다, 연결하다

The pieces **interlock** and form a toy
조각들이 **맞물려서** 장난감 형태를 이룬다.

2363 ★★★

punctur_

(타이어에 난) 펑크
펑크 나다

□□□ [04.07.12 수능기출]

puncture [pʌŋktʃər]

명 (타이어에 난) 펑크 동 펑크 나다

This bicycle has a **puncture**.
이 자전거의 타이어가 **펑크** 났다.

2364 ★

r_lish

맛, 즐거움
즐기다

□□□ [09 수능기출]

relish [réliʃ]

명 맛, 즐거움 동 즐기다

파 relishable 맛있는, 재미있는

The pup **relished** the plaything.
강아지는 그 장난감을 **한껏 즐겼다**.

2359 펄~니쉬 2360 게인 2361 그립 2362 인털락 2363 팡셔 2364 렐리쉬

2365 ★☆☆

returnabl

반환할 수 있는, 돌려보내야 하는

□□□

returnable [ritə́:rnəbl]

형 반환할 수 있는, 돌려보내야 하는

㉫ return 반품하다 20수능

Is this **returnable** at any time?
언제라도 이것을 **반환할 수** 있습니까?

2366 ★★★

ri

없애다,
제거하다

□□□ [06.08.17 수능기출]

rid [ríd]

동 없애다, 제거하다

㊍ get rid of : 면하다, 제거하다 ㉰ ridiculous 웃기는

I finally got **rid** of my cold.
나는 마침내 감기가 **나았다**.

Please get **rid** of your bad habit.
나쁜 습관을 **버려라**. 08수능

2367 ★★☆

schem

계획, 책략
책략을 꾸미다

□□□ [16 수능기출]

scheme [skí:m]

명 계획, 책략 동 책략을 꾸미다

㉮ plan 계획, 안 plot 음모, 플롯

He has a **scheme** to get money.
그는 돈을 벌 **계획**을 세웠다.

기출 schematic 도식적인 19수능 schema 도식, 스키마 19수능

2368 ★★☆

shav

면도
면도하다, 깎다

□□□

shave [ʃéiv]

명 면도 동 면도하다, 깎다

He is still too young to **shave**.
그는 아직 **면도하기**에 어리다.

2369 ★★★

tr p

덫, 올가미, 함정

□□□ [07.08.13.14 수능기출]

trap [trǽp]

명 덫, 올가미, 함정

㉰ trapezoid 부등변 사각형 14수능

The woman placed a rat **trap**.
그녀는 **쥐덫**을 놓았다.

Don't be caught in the **trap**.
덫에 걸리지 않도록 하라. 08수능

2370 ★★☆

wh rl

회전
빙그르르 돌다,
혼란스럽다

□□□

whirl [hwə́:rl]

명 회전 동 빙그르르 돌다, 혼란스럽다

The kite **whirled** through the sky.
연이 하늘을 **빙빙 돌았다**.

1분 안에 넘기기 | 시간 있으면 꼼꼼히 외우기

2371 ★★★

□□□ 교육부 [94.95.97.08.09.12.13.16.17.20 수능기출]

account [əkáunt]

명 설명, 계산, 계좌 동 간주하다, 설명하다

㉺ accountant 회계사 accountable 책임이 있는

㊌ account for=explain ~을 설명하다 수능기출
take ~ into account ~을 고려하다 20수능

Please give an **account** of your action.
당신이 한 행동을 **설명**해 주세요.

2372 ★★☆

□□□ [99.11.19 수능기출]

grasp [græsp]

동 꽉 잡다, 파악하다

㉴ grip 꽉 붙잡다, 움켜잡다

She **grasped** it tightly as a powerful fish took her line.
힘센 고기가 그녀의 낚싯줄을 끌고 갈 때 그녀는 그것을 **꽉 붙잡았다**. 99수능

2373 ★★☆

□□□ [98.15 수능기출]

halve [hæv]

동 반으로 줄다, 이등분하다

㉴ half 반, 절반

She **halved** the apple.
그녀는 사과를 **이등분했다**.

A problem shared is a problem **halved**.
문제를 나누면 **반이 된다**. 98수능

2374 ★☆☆

□□□

harass [həræ̀s]

동 괴롭히다, 공격하다

㉴ tease 못살게 굴다 annoy 귀찮게 하다

The girl **harassed** the dog.
소녀는 그 개를 **괴롭혔다**.

2375 ★★☆

□□□ [97 수능기출]

haul [hɔ́:l]

동 끌다, 운반하다

She **hauled** the baggage.
그녀는 꾸러미를 **끌었다**.

The truck is **hauling** diesel fuel.
트럭은 디젤 연료를 **운송하고** 있습니다 97수능

2376 ★★☆

□□□

heave [híːv]

동 들어 올리다, 끌어당기다

㉺ heavy 무거운 13수능 heavily 무겁게, 몹시 17수능

㉱ upheaval 격변, 대변동

They **heaved** the ship to the shore.
그들은 그 배를 해안가로 **들어 올렸다**.

2377 ★

hija  k

납치하다,
강탈하다

□□□
hijack [háidʒæ̀k]
동 납치하다, 강탈하다
The pirate **hijacked** the boat.
해적은 그 배를 **납치했다**.

2378 ★★

h  ver

공중을 맴돌다

□□□
hover [hʌ́vər]
동 공중을 맴돌다
The bee **hovered** over the flower.
벌이 꽃 위로 **맴돌았다**.

2379 ★★★

includ 

포함하다

□□□ 교육부 [95.96.98.00.03.04.05.06.07.08.11.12.13.15.16.17 수능기출]
include [inklúːd]
동 포함하다
Are all the fees **included**?
모든 수수료는 **포함되어** 있습니까?
Please **include** goals for finances.
재정에 대한 목표를 **포함시켜 주십시오**. 04수능

2380 ★

ins  ribe

쓰다,
새기다

□□□
inscribe [inskráib]
동 쓰다, 새기다
His name is **inscribed** on the list.
그의 이름은 목록에 **새겨져** 있다.

2381 ★★

insp  ct

점검하다,
검사하다

□□□ 교육부
inspect [inspékt]
동 점검하다, 검사하다
ⓟ inspection 검사, 시찰
They regularly **inspect** whether the flowers are infected.
그들은 화초들이 감염되었는지 정기적으로 **점검한다**.

2382 ★★

insur 

보험에 들다

□□□ 교육부 [07 수능기출]
insure [inʃúər]
동 보험에 들다
ⓟ insurer 보험업자 insurance 보험 ⓣ ensure 반드시 ~하게 하다
Can you **insure** my dog?
제 강아지도 **보험에 들** 수 있습니까?

2383 ★☆☆

interchang

교환, 인터체인지, 분기점

□□□ [10 수능기출]

interchange [ìntərtʃéindʒ]

명 교환, 인터체인지, 분기점

㉺ interchangeable 교체할 수 있는

There is a traffic **interchange** ahead.
앞에 **분기점**이 있다.

Faces cannot be **interchanged**.
얼굴은 **교환**할 수 없다. 10수능

2384 ★★☆

**nvade**

침입하다, 침략하다

□□□ [14 수능기출]

invade [invéid]

동 침입하다, 침략하다

㉺ invader 침략자 14수능 invasibility 침입성 19수능

The army **invaded** that year.
그 해에 군대가 **침입했다**.

2385 ★★☆

kindl

(불을) 붙이다, 태우다

□□□

kindle [kíndl]

동 (불을) 붙이다, 태우다

The boys **kindled** a fire.
그 소년들은 불을 **붙였다**.

2386 ★★★

leav

떠나다, 남기다, 그만두다

□□□ 교육부 [95.96.98.00.04.05.06.08.10.11.13.16.17 수능기출]

leave [lí:v]

동 떠나다, 남기다, 그만두다

㉾ take leave of=bid farewell to=say hello to : ~에게 작별인사를 하다 수능기출

Go out into nature and **leave** your mobile phone behind.
자연으로 가되 휴대전화를 두고 **나가라**. 08수능

2387 ★★☆

less**n**

줄다, 줄이다

□□□ [07.13 수능기출]

lessen [lésn]

동 줄다, 줄이다

That should **lessen** the need.
필요한 것을 **줄여야** 한다.

Fiber also helps to **lessen** calorie intake.
식이 섬유도 칼로리 섭취를 **줄이는데** 도움이 된다. 07수능

2388 ★★★

l**ft**

들어 올리다, 올리다

□□□ 교육부 [97.99.00.02.08.09.13.14 수능기출]

lift [líft]

동 들어 올리다, 올리다

He can **lift** a heavy object.
그는 무거운 물체를 **들어 올릴** 수 있다.

Art is a creation that **lifts** our human spirit.
예술은 우리 인간의 영혼을 **끌어올리는** 창조 행위이다. 99수능

2389 ★★☆

□□□ [12 수능기출]

linger [líŋgər]

동 남아 있다, 더 오래 머물다

The faint scent of pine **lingers** on there.
그곳에는 희미한 소나무 향이 **남아 있다.** 12수능

2390 ★★☆

□□□ [09 수능기출]

loosen [lú:sn]

동 느슨하게 하다, (묶인 것을) 풀다

Who **loosened** the knot?
누가 매듭을 **풀었니**?

Decaffeination **loosens** the bonds of the caffeine.
카페인을 뺀 것은 카페인과의 결합을 **끊은** 것이다. 09수능

2391 ★★☆

□□□ [09.01 수능기출]

magnify [mǽgnəfài]

동 확대하다, 과장하다

파 magnificent 참으로 아름다운

She uses a **magnifying** glass to read the map.
그녀는 지도를 보려고 **돋보기**를 사용한다.

Goldfish bowls **magnify** their contents.
금붕어 어항은 내용물을 **확대한다.** 09수능

2392 ★★★

□□□ 교육부 [03.04.05.06.12.13.15.16.17 수능기출]

maintain [meintéin]

동 유지하다, 지속하다

명 maintenance 유지[지속] 22수능

National galleries are **maintained** at public expense.
국립 미술관은 공공 비용으로 **유지된다.** 03수능

2393 ★☆☆

□□□

mash [mǽʃ]

명 사료, 으깬 음식 동 으깨다

숙 mash up : 으깨다, 부수다

She **mashed up** the food.
그녀는 음식을 **으깼다.**

2394 ★☆☆

□□□

misfire [misfáiər]

동 불발이 되다

The gun **misfired.**
그 총은 **불발이었다.**

1분 안에 넘기기 | 시간 있으면 꼼꼼히 외우기

2395 ★

misplac

잘못 두다, 둔 곳을 잊다

□□□ [06 수능기출]

misplace [mispléis]

동 잘못 두다, 둔 곳을 잊다

I seem to have **misplaced** them somewhere.

나는 이것들을 어딘가에 **잘못 둔** 것 같다.

2396 ★★

mult

ply

곱하다, 증가시키다

□□□ 교육부 [08.01 수능기출]

multiply [mʌ́ltəplài]

동 곱하다, 증가시키다

파 multiple 많은, 배수

Get out there and start digging, and the benefits **multiply**.

저기 밖에 나가서 땅 파기를 시작해 보라. 그러면 이익이 **배가 될 것이다.** 08수능

2397 ★★★

**btain**

얻다, 손에 넣다, 존재하다

□□□ 교육부 [95.96.98.04.12.13.20 수능기출]

obtain [əbtéin]

동 얻다, 손에 넣다, 존재하다

팁 contain 포함하다 sustain 유지하다

숙 come by=get=obtain : 얻다 수능기출

Where did you **obtain** your degree?

어디에서 학위를 **취득했**나요?

2398 ★★★

o

cupy

차지하다, 점령하다

□□□ 교육부 [01.10.11 수능기출]

occupy [ɑ́kjupài]

동 차지하다, 점령하다

파 occupation 직업,

숙 be occup ied in=be engaged in : ~에 종사하다 수능기출

You **occupy** several different positions.

당신은 여러 가지 다른 위치를 **차지하고 있다.** 01수능

2399 ★

**utrun**

~보다 빨리 달리다

□□□

outrun [àutrʌ́n]

동 ~보다 빨리 달리다

팁 surpass 능가하다 transcend 초월하다

I can **outrun** you.

난 너보다 **빨리 달릴** 수 있어.

2400 ★★

outw**igh**

~보다 무겁다, 더 크다

□□□ [13 수능기출]

outweigh [àutwéi]

동 ~보다 무겁다, 더 크다

My books **outweigh** yours.

내 책이 네 것**보다 무겁다.**

2401 ★☆☆

ov rlap
겹치다,
포개지다

□□□ 교육부 [11.19 수능기출]

overlap [òuvərlǽp]

동 겹치다, 포개지다

A fish's scales **overlap** each other.
물고기의 비늘은 서로 **겹쳐져 있다**.

The edges **overlap** in a regular arrangement like tiles on a roof.
모서리가 지붕 위의 기와처럼 규칙적인 배열로 **겹쳐져 있다**. 11수능

2402 ★★☆

overtu n
뒤집히다, 뒤집다

□□□

overturn [òuvərtə́:rn]

동 뒤집히다, 뒤집다

팁 overthrow 타도하다

The car was **overturned** in the accident.
차가 사고로 인해 **전복됐다**.

2403 ★★☆

pat h
부분, 조각, 패치
덧내다

□□□ [11.19 수능기출]

patch [pætʃ]

명 부분, 조각, 패치 동 덧대다

wear an eye **patch** 안대를 하다.

cabbage **patch** 양배추밭 19수능

It is reduced gradually until only small **patches** remain.
그것은 오직 작은 **부분**이 남을 때까지 서서히 줄어들게 된다. 11수능

2404 ★★★

pav
(길을)
포장하다

□□□ [97.07.13 수능기출]

pave [péiv]

동 (길을) 포장하다

파 pavement 포장 지역

It is those explorers who have **paved** the way for us to follow.
탐험가들은 우리가 그 뒤를 따라갈 수 있게 길을 **포장해** 놓는 사람들이다. 07수능

2405 ★★☆

p el
(껍질을) 벗기다

□□□ [07 수능기출]

peel [pí:l]

동 (껍질을) 벗기다

팁 pare (얇은 껍질을) 벗기다, 깎다

In fact, fruit **peel** contains essential vitamins and is a source of dietary fiber.
사실, 과일 **껍질**은 필수 비타민을 포함하며 식이 섬유의 공급원이다. 07수능

2406 ★☆☆

p ep
훔쳐보다, 살짝 보이다

□□□

peep [pí:p]

동 훔쳐보다, 살짝 보이다

유 peek (재빨리) 훔쳐보다

He **peeped** through the window.
그는 창문을 통해 **훔쳐보았다**.

2401 오버랩 2402 오벌턴~ 2403 패취 2404 페이브 2405 필 2406 피이프

2407 ★★★

penetrat

침투하다, 꿰뚫다, 관통하다

□□□

penetrate [pénətrèit]

동 침투하다, 꿰뚫다, 관통하다

파 penetrable 뚫고 들어갈 수 있는 penetration 관통

유 pierce 뚫다

The enemy **penetrated** our defenses.

적군은 우리의 수비를 **뚫었다**.

2408 ★★★

plish

광택제, 윤내기
닦다, 광을 내다

□□□ 교육부 [94.07.08 수능기출]

polish [páliʃ]

명 광택제, 윤내기 동 닦다, 광을 내다

She **polished** her shoes.

그녀는 구두에 **광택을 냈다**.

Creeping plants cover the **polished** silver gate.

넝쿨 식물들은 **윤이 나는** 은빛 대문을 덮고 있다. 08수능

2409 ★★★

possss

소유하다, 지니다

□□□ 교육부 [98.04.05.17 수능기출]

possess [pəzés]

동 소유하다, 지니다

파 possession 소유(물), 보유

숙 be in possession of=possess=own : ~을 소유하다 수능기출

A job is a man's most precious **possession**.

직업은 인간의 가장 귀중한 **재산**이다. 98수능

2410 ★★★

pur

붓다,
마구 쏟아지다

□□□ 교육부 [02.13.15.16.20 수능기출]

pour [pɔ́ːr]

동 붓다, 마구 쏟아지다

팁 pore (땀구멍 같은) 구멍

It never rains but it **pours**.

비가 왔다 하면 반드시 **억수로 퍼붓는다. 속담: 일단 액운이 오면 계속 이어 온다는 의미**

2411 ★★★

preserv

지키다[보호하다], 보존하다

□□□ 교육부 [05.11.20 수능기출]

preserve [prizə́ːrv]

동 지키다[보호하다], 보존하다

파 preservative 방부제

We **preserve** our traditions.

우리는 우리의 전통을 **보존한다**.

People take photos to **preserve** an experience.

사람들은 경험을 **간직하기** 위해 사진들을 찍는다. 11수능

2412 ★★★

prevnt

막다, 방지하다,
예방하다

□□□ 교육부 [94.95.14.15.19 수능기출]

prevent [privént]

동 막다, 방지하다, 예방하다

파 prevention 예방 preventive 예방을 위한

숙 prevent=keep A from B=hinder=prohibit : A가 B하는 것을 막다 수능기출

Exercise can **prevent** osteoporosis.

운동은 골다공증을 **예방할** 수 있다. 95수능

2413 ★★★

provid 

제공하다, 주다

□□□ 교육부 [95.96.97.99.00.01.05.06.07.08.09.10.11.13.14.15.16.17 수능기출]

provide [prəváid]

동 제공하다, 주다

숙 as long as=so long as=on condition that=provided that=if only : ~하는 한 수능기출

The company will **provide** lunch.
회사는 점심을 **제공할** 것이다.

2414 ★

r  **id**

습격, 급습
급습하다

□□□

raid [réid]

명 습격, 급습 동 급습하다

The mother mouse **raided** the kitchen.
어미 쥐는 부엌을 **습격했다**.

2415 ★★★

rais 

들어 올리다,
일으키다, 키우다

□□□ 교육부 [94.95.00.03.06.07.09.17.20 수능기출]

raise [réiz]

동 들어 올리다, 일으키다, 키우다

raise money 모금하다 20수능

I want a **raise** in pay. 나는 임금 **인상**을 원한다.

Every mother wants to **raise** a moral child.
모든 엄마는 도덕적인 자녀를 **키우고** 싶어 한다. 07수능

2416 ★★★

rang 

범위, 구역, 열, 산맥

□□□ 교육부 [94.01.04.06.07.08.09.10.11.13.14 수능기출]

range [réindʒ]

명 범위, 구역, 열, 산맥

기출 deranged 제정신이 아닌, 미친 18수능

What is the **range** of the gun?
총의 **사거리**는 얼마입니까?

Take a bath in a reasonable **range** of temperature.
적당한 온도 **범위**의 물에서 목욕하라. 01수능

2417 ★★

r  **ap**

거두다, 수확하다

□□□ [01 수능기출]

reap [ríːp]

동 거두다, 수확하다

유 harvest 수확(기), 수확물

The farmer sowed seeds and **reaped** what he sowed.
농부는 씨를 뿌리고 그가 뿌린 것을 **수확했다**. 01수능

2418 ★★

r 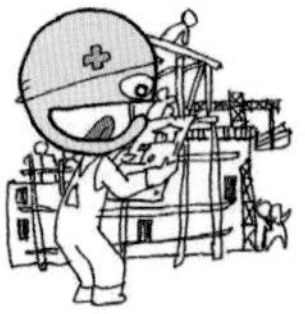 **build**

재건하다, 개축하다

□□□ [95.98 수능기출]

rebuild [rìːbíld]

동 재건하다, 개축하다

The villagers want to **rebuild** old houses destroyed in the war.
마을 사람들은 전쟁 중에 파괴된 오래된 집을 **재건축**하길 원한다. 95수능

○ 1분 안에 넘기기

○ 시간 있으면 꼼꼼히 외우기

2419 ★☆☆

app  nd

(글에) 덧붙이다, 첨부하다, 추가하다

□□□

append [əpénd]

동 (글에) 덧붙이다, 첨부하다, 추가하다

I will **append** the other document.

저는 다른 문서를 **추가**하겠습니다.

2420 ★★☆

arb  trary

임의적인, 제멋대로인

□□□ [14 수능기출]

arbitrary [ά:rbətrèri]

형 임의적인, 제멋대로인

He said the legislation is **arbitrary**.

그는 제정법이 **제멋대로라고** 말했다.

2421 ★★★

caus 

원인, 이유
원인이 되다

□□□ [94.95.96.98.99.00.02.04.06.07.08.09.10.13.14.15.16.17 수능기출]

cause [kɔ́:z]

명 원인, 이유 동 원인이 되다

숙 give rise to=bring about=cause : 일으키다, 야기하다 수능기출

What is the **cause** of the accident?

사고의 **원인**이 무엇이지?

Doing so would ultimately **cause** us to suffer.

그렇게 하면 결국 우리를 고통스럽게 **하는 것**이 될 것이다. 10수능

2422 ★★★

distribut 

나누어 주다, 분배하다

□□□ [98.09.13.15.19.20 수능기출]

distribute [distríbju:t]

동 나누어 주다, 분배하다

파 distribution 분배, 분포 22수능

팁 redistribution 재분배, 재배포 20수능

Computers store and **distribute** information.

컴퓨터는 정보를 저장하고 **분배한다**. 98수능

2423 ★☆☆

dysfuncti  nal

제대로 기능을 하지 않는

□□□ [14 수능기출]

dysfunctional [disfʌŋʃənl]

형 제대로 기능을 하지 않는

The cells become **dysfunctional** and die.

그 세포는 **제대로 기능을 하지 못하게** 되고 죽어버린다. 14수능

2424 ★★★

 ase

쉬움, 편함
진정(완화)시키다

□□□ [98.09.14.16 수능기출]

ease [í:z]

명 쉬움, 편함 동 진정(완화)시키다

반 unease 불안(감)

숙 ill at ease=uncomfortable : 불편한 수능기출

Just walking through a garden can **ease** pain.

단지 정원을 걷는 것이 고통을 **완화시켜** 줄 수 있다. 09수능

2419 어펜드 2420 알비트레어리 2421 코~즈 2422 디스트리뷰 2423 디스펑셔널 2424 이~즈

2425 ★★☆

□□□

expire [ikspáiər]

동 만기가 되다, 숨을 거두다

파 expired 만료된, 기한이 지난

The contract has **expired.**
계약이 **만료되었습니다**.

2426 ★★☆

□□□

foresee [fɔːrsíː]

동 예측하다, 예견하다

파 foreseeable 예측 가능한 15수능

Who can **foresee** the future?
누가 미래를 **예견할** 수 있는가?

2427 ★★★

□□□ 교육부 [02.08.10.11.12.13.15 수능기출]

former [fɔ́ːrmər]

형 예전의, 이전의, 전자의

숙 the one ~ the other=the former ~ the latter=that ~ this : 전자 ~ 후자 수능기출

She is our **former** teacher. 그는 우리의 **옛** 스승이다.

The **former** approximates to zero and the latter to infinity.
전자는 0에 근접하고 후자는 무한대로 근접한다. 11수능

2428 ★★★

□□□ [14.15 수능기출]

overall [oʊvərɔːl]

형 종합[전반]적인, 전체의

He is the person with **overall** responsibility.
그는 **전반적으로** 책임을 맡고 있는 사람이다.

2429 ★★☆

□□□ 교육부 [05.19 수능기출]

reform [riːfɔ́ːrm]

명 개혁 동 개혁하다

팁 renovate 수리하다 renew 갱신하다 restore 회복하다

He carried out the agricultural **reform** for the farmers.
그는 농민들을 위해 농지 **개혁**을 실시했다.

2430 ★★☆

□□□ 교육부 [99 수능기출]

refresh [rifréʃ]

동 생기를 되찾다, 상쾌하게 하다

파 refreshment 다과, 식사, 음료

Being with her **refreshes** the spirit as much as a colorful rainbow would.
그녀와 함께 있는 것은 찬란한 무지개만큼 기분을 **상쾌하게 해 준다**. 99수능

2431 ★★☆

r  gardless

개의치 않고
부주의한, 관심 없는

□□□ [94.05.06.10.12 수능기출]

regardless [rigɑ́:rdlis]

부 개의치 않고 형 부주의한, 관심 없는

숙 regardless of=irrespective of=without regard to : ~에 관계없이 수능기출

Regardless of academic results, scholarships go first to male students.
학업 성적과는 **관계없이**, 장학금은 우선적으로 남학생에게 돌아간다. 94수능

2432 ★★★

reinfor  e

강화하다, 보강하다

□□□ 교육부 [11.14.17.20 수능기출]

reinforce [rì:infɔ́:rs]

동 강화하다, 보강하다

We need to **reinforce** the army immediately.
우리는 즉시 군비를 **보강**해야 한다.

Good behavior must be **reinforced** with incentives.
좋은 행동은 장려책으로 **강화**되어야 한다. 11수능

2433 ★★★

rel  ase

풀어 주다,
석방하다, 놓아주다

□□□ 교육부 [04.08.09.10.14.20 수능기출]

release [rilí:s]

동 풀어 주다, 석방하다, 놓아주다 명 발매

숙 let go of=release : 누설하다
set free=release=liberate : 석방하다 수능기출

The police **released** the prisoner. 그 경찰이 죄수를 **석방했다**.

Tears will **release** their pain. 눈물은 고통을 **완화시켜 줄** 것이다. 08수능

2434 ★★★

r  main

계속 ~이다, 남다,
남아 있다

□□□ 교육부 [95.97.98.99.01.04.05.06.08.10.11.14.16 수능기출]

remain [riméin]

동 계속 ~이다, 남다, 남아 있다

The memory **remains** in my mind.
그 기억이 내 마음속에 **남아 있다**. 99수능

2435 ★★★

ren  w

재개하다,
갱신하다

□□□ [98.05.07.16 수능기출]

renew [rinjú:]

동 재개하다, 갱신하다

파 renewal 갱신 renewable 갱신[재생] 가능한 17수능

팁 renovate 개조하다 reproduce 재생하다

I recently **renewed** my driver's license.
나는 최근에 운전 면허증을 **갱신했다**. 05수능

2436 ★☆☆

renovat 

개조하다

□□□

renovate [rénəvèit]

동 개조하다

파 renovation 수선, 혁신

I am going to **renovate** my house.
나는 내 집을 **새롭게 고치**겠다.

2437 ★★★

replace
대신하다, 대체하다

□□□ 교육부 [05.10.11.13.15 수능기출]

replace [ripléis]

동 대신하다, 대체하다

㊌ substitute 대신하다 ㊍ take the place of=take one's place=replace : ~을 대신하다 수능기출

The habit of scratching can be **replaced** by rubbing in some lotion.
긁는 습관은 약간의 로션을 문지르는 것으로 **대체될** 수 있을 것이다. 10수능

2438 ★★★

represent
나타내다, 대표하다, 표현하다

□□□ 교육부 [96.99.05.08.14.16.19 수능기출]

represent [rèprizént]

동 나타내다, 대표하다, 표현하다

㊊ representative 대표(자) representation 표현, 묘사 15.19수능

㊍ stand for=represent : ~을 나타내다, ~을 대표하다 수능기출

The footballer is proud to **represent** his country.
그 축구 선수는 그의 나라를 **대표하는** 자랑거리이다.

2439 ★★★

require
필요하다, 요구하다

□□□ 교육부 [11.13.14.15.17 수능기출]

require [rikwáiər]

동 필요하다, 요구하다

㊊ requirement 필요, 요건, 요구 14.22수능

㊍ call for=require=demand : 요구하다 수능기출

Courage **requires** determination.
용기는 결단이 **필요합니다.** 11수능

2440 ★★★

reserve
비축, 예비
예약하다, 남겨두다

□□□ 교육부 [96.98.01.07.09.10.14.19 수능기출]

reserve [rizə́ːrv]

명 비축, 예비 동 예약하다, 남겨두다

㊊ reservation 예약 19.20수능

Did you **reserve** a seat?
당신은 좌석을 **예약하셨습니까**?

Books on **reserve** have a short loan period.
예약된 책들은 짧은 기간만 대출할 수 있다. 07수능

2441 ★★★

restore
회복시키다, 복원하다, 복구하다

□□□ 교육부 [05.09.10.13 수능기출]

restore [ristɔ́ːr]

동 회복시키다, 복원하다, 복구하다

㊊ restorer 복원 전문가 restoration 복원 ㊌ recover 회복되다

The doctor helped **restore** him to health.
의사가 그의 건강을 **되찾는 데** 도왔다.

painting **restorers**
그림을 **복원하는 사람들** 05수능

2442 ★★★

retain
유지하다, 함유하다

□□□ 교육부 [13.14.17 수능기출]

retain [ritéin]

동 유지하다, 함유하다

㊊ retention 보유, 유지

He struggled to **retain** control of the situation.
그는 상황에 대한 통제권을 **유지하기** 위해 노력했다.

⏰ ○ 1분 안에 넘기기 | ○ 시간 있으면 꼼꼼히 외우기

2443 ★★★

□□□ 교육부 [14.16 수능기출]

row [róu]

명 열, (좌석) 줄, 노젓기

숙 in a row : 연속으로

The sparrow sat on the second **row**.
참새는 두 번째 **줄**에 앉았다.

2444 ★★★

□□□ 교육부 [95.96.98.03.05.09.10.12 수능기출]

rush [rʌ́ʃ]

동 급히 움직이다, 서두르다, 돌진하다

The duck **rushed** headlong to catch the edibles.
오리는 먹이를 잡기 위해 부리나케 **돌진했다**.

Don't **rush** to buy anything.
아무것도 **급하게** 사지 마라. 09수능

2445 ★★★

□□□ 교육부 [95.96.98.10.12.13.14 수능기출]

save [séiv]

동 구하다, 모으다, 절약하다

Her neighbor may **save** to buy a second car.
그녀의 이웃은 두 번째 차를 사기 위해 돈을 **아낄**지도 모른다. 96수능

2446 ★★☆

□□□ [04 수능기출]

scrub [skrʌ́b]

동 문질러 씻다, 취소하다

유 rub 비비다, 문지르다

We had to **scrub** the pot to make it clean.
우리는 항아리를 깨끗이 하기 위해 **박박 문질러** 닦아야 했다.

2447 ★★☆

□□□ [96 수능기출]

seal [síːl]

명 바다표범, 직인, 도장 동 밀봉하다

The postman told him to **seal** the envelope.
그 배달부는 그에게 봉투를 **밀봉하라**고 말했다.

Several countries joined in the campaign to protect **seals**.
몇몇 나라들은 **바다표범들**을 보호하는 캠페인에 동참했다. 96수능

2448 ★★★

□□□ 교육부 [07 수능기출]

seize [síːz]

동 붙잡다, 장악하다

유 grab 움켜잡다 grip 꼭 잡다

He **seized** the dog's tail.
그는 개 꼬리를 **꽉 붙잡았다**.

The fish **seized** the unsuspecting prey.
그 물고기는 아무 의심을 못 하는 먹잇감을 **물었다**. 07수능

2449 ★★★

sep  rate

분리된, 별개의
분리하다

□□□ 교육부 [94.97.01.04.05.08.09.10.11.15.17 수능기출]

separate [sépərèit]

형 분리된, 별개의 동 분리하다

㉺ separately 따로따로, 별도로 ㉫ inseparable 불가분의

Experienced martial artists **separate** the essentials from the irrelevant.

노련한 무술가들은 무관한 것에서 필수적인 것을 **분리한다**. 11수능

2450 ★★

s  w

꿰매다,
바느질하다

□□□ 교육부 [08 수능기출]

sew [sóu]

동 꿰매다, 바느질하다

㉾ stitch 깁다 ㉱ saw 톱

Later he **sowed** pieces of animal skins together.

나중에 그는 동물의 가죽 조각을 **실로 꿰맸다**. 08수능

2451 ★★

shi  ld

방패, 보호물
보호하다

□□□ 교육부 [06 수능기출]

shield [ʃiːld]

명 방패, 보호물 동 보호하다

The **shield** was too small to protect the soldier.

그 **방패**는 장병들을 보호하기에 너무 작았다.

Korean kites such as the **shield** kite are good for 'kite fighting.'

방패연과 같은 한국의 연은 '연 싸움'에 능숙하다. 06수능

2452 ★★

sh  ft

변화, 교대 근무
옮기다, 이동하다

□□□ 교육부 [09.10.13.17 수능기출]

shift [ʃift]

명 변화, 교대 근무 동 옮기다, 이동하다

Today I have the night **shift**.

오늘은 야간 **근무조**입니다.

We need to recognize important **shifts**.

우리는 중요한 **변화**를 인식해야 합니다. 10수능

2453 ★★

simpl  fy

간소화하다,
간단하게 하다

□□□ [07.08.19 수능기출]

simplify [símpləfài]

동 간소화하다, 간단하게 하다

㉺ simplification 간소화, 단순화 simplicity 간단, 단순, 소박
oversimplified 지나치게 단순화된 19수능

We need to **simplify** the design.

우리는 디자인을 **단순화해야** 합니다. 07수능

2454 ★★

s  p

한 모금
조금씩 마시다

□□□

sip [síp]

명 한 모금 동 조금씩 마시다

He took one **sip** of the water.

그는 물 **한 모금**을 마셨다.

2455 ★☆☆

sl  m

쾅 닫다,
세게 놓다

□□□ [97 수능기출]

slam [slǽm]

동 쾅 닫다, 세게 놓다

Be careful not to **slam** the door.
문을 **쾅 닫지** 않게 조심해.

I **slammed** into the road head first.
나의 머리가 먼저 도로에 **쿵 부딪쳤다.** 97수능

2456 ★★☆

sli  e

조각, 부분, 몫
얇게 썰다

□□□ 교육부

slice [sláis]

명 조각, 부분, 몫 동 얇게 썰다

팁 slide 미끄러지다 slit 구멍, 틈

He had a **slice** of bread for breakfast.
그는 아침으로 빵 한 **조각**을 먹었다.

2457 ★☆☆

snat  h

잡아챔, 강탈
잡아채다, 빼앗다

□□□

snatch [snætʃ]

명 잡아챔, 강탈 동 잡아채다, 빼앗다

The thief **snatched** the lady's bag.
도둑이 아가씨의 가방을 **와락 잡아챘다.**

2458 ★★☆

so  k

담그다, 흠뻑 적시다,
빨아들이다

□□□ [09.16.17 수능기출]

soak [sóuk]

동 담그다, 흠뻑 적시다, 빨아들이다

She **soaked** the laundries in water.
그녀는 빨래를 물에 **적셨다.**

In Latin America, corn is **soaked** with limestone.
라틴 아메리카에서는 옥수수에 석회암 성분이 **스며들도록** 한다. 09수능

2459 ★★☆

s  w

(씨를) 뿌리다

□□□ 교육부 [01.14 수능기출]

sow [sóu]

동 (씨를) 뿌리다

The farmer sowed seeds and reaped what he **sowed.**
그 농부는 씨를 **뿌리고 그가 뿌린** 것을 수확했다. 01수능

2460 ★☆☆

sp  nk

엉덩이를 때리다

□□□ [99 수능기출]

spank [spæŋk]

동 엉덩이를 때리다

파 spanking 엉덩이 때리기, 대단히, 기막힌

Some parents believe that **spanking** children is the best way to punish.
어떤 부모들은 아이의 **볼기를 때리는 것**이 벌주는 가장 좋은 방법이라고 믿는다. 99수능

2455 슬램 2456 슬라이스 2457 스내취 2458 소오크 2459 쏘우 2460 스팽크

2461 ★★☆

splsh

(물 등이) 튀기다,
첨벙거리다

□□□ [96.13.19 수능기출]

splash [splǽʃ]

동 (물 등이) 튀기다, 첨벙거리다

The stone fell with a **splash** on the water.
돌이 물 위로 **철벅 떨어졌다**.

I can see skies **splashed** with cotton white clouds.
하얀 솜털 구름을 **톡톡 튀기는** 하늘을 볼 수 있다. 96수능

2462 ★★★

splt

쪼개다,
나누다, 분열하다

□□□ 교육부 [97.10.11.15.16 수능기출]

split [splít]

동 쪼개다, 나누다, 분열하다

They **split** up their shares.
그들은 그들의 몫을 **나누었다**.

It was **split** in half.
그것은 반으로 **쪼개져** 있었다. 97수능

2463 ★★☆

spil

망치다, 버려 놓다

□□□ 교육부 [16.19 수능기출]

spoil [spɔ́il]

동 망치다, 버려 놓다

The bad weather **spoiled** the picnic.
그 나쁜 날씨가 소풍을 **망쳤다**.

2464 ★★★

spred

펴다, 펼치다,
퍼지다

□□□ 교육부 [00.01.02.05.06.09.13.14.16 수능기출]

spread [spréd]

동 펴다, 펼치다, 퍼지다

The water **spread** all over the floor.
물이 바닥에 **퍼졌다**.

The night grew darker and the mist began to **spread** around him.
밤은 점차 깊어가고 그의 주위에는 안개가 **퍼지고** 있었다. 02수능

2465 ★☆☆

stlk

줄기
몰래 접근하다

□□□

stalk [stɔ́:k]

명 줄기 동 몰래 접근하다

㊐ stalker 스토커

The thief began to **stalk** his victim.
그 도둑이 희생자 **몰래 접근하기** 시작했다.

2466 ★★☆

stanc

태도, 자세

□□□ [15 수능기출]

stance [stæns]

명 태도, 자세

His **stance** towards life is positive.
그 사람의 삶에 대한 **태도**는 긍정적이다. 15수능

1분 안에 넘기기 | 시간 있으면 꼼꼼히 외우기

2467 ★★☆

ster

조종하다, 몰다, 향하다

□□□ 교육부

steer [stíər]

동 조종하다, 몰다, 향하다

He **steered** the boat to the harbor.

그는 보트를 **몰아** 항구로 들어갔다.

2468 ★★★

stm

줄기, 대
막다, 저지하다

□□□ 교육부 [04.09.16 수능기출]

stem [stém]

명 줄기, 대 동 막다, 저지하다

The ant plant has tunnels in its **stems**.

개미풀은 **줄기**에 구멍이 있다. 04수능

기출 bamboo 대나무 21수능

2469 ★☆☆

surmunt

극복하다, 오르다,
~에 얹다

□□□ [14 수능기출]

surmount [sərmáunt]

동 극복하다, 오르다, ~에 얹다

㉺ insurmountable 대처[극복]할 수 없는 15수능

㊌ overcome 이기다, 극복하다

Our athletes were able to **surmount** all the difficulties.

우리의 운동선수들은 모든 어려움을 **극복할** 수 있었다.

2470 ★★★

suround

둘러싸다,
포위하다

□□□ [94.02.04.08.09.10.11.12.13.14 수능기출]

surround [səráund]

동 둘러싸다, 포위하다

㉺ surrounding 인근의, 주위의

3800 caves **surround** the city.

3800개의 동굴이 그 도시를 **둘러싸고 있다**. 10수능

2471 ★★☆

swy

흔들림
흔들리다

□□□

sway [swéi]

명 흔들림 동 흔들리다

㊌ swing 흔들다, 획 움직이다

The boat **swayed** in the rough waves.

배는 거친 파도에 **흔들렸다**.

2472 ★☆☆

swop

급강하
급강하하다,
위에서 덮치다

□□□

swoop [swú:p]

명 급강하 동 급강하하다, 위에서 덮치다

The hawk **swooped** on the smaller bird.

매는 작은 새를 **덮쳤다**.

2473 ★

tangl

얽힘, 엉킴
엉키게 하다, 얽히다

□□□
tangle [tǽŋgl]
명 얽힘, 엉킴 동 엉키게 하다, 얽히다
㉠ tanglement 엉키게 함, 헝클어지게 함
The fisherman got his line in a **tangle**.
어부의 낚싯줄이 **엉켰다**.

2474 ★★

thor

ughly
철저하게

□□□ [15 수능기출]
thoroughly [θə́:rouli]
부 철저하게
We believe this view to be **thoroughly** misguided.
우리는 이 견해가 **완전히** 잘못 판단되었다고 믿는다. 15수능

2475 ★★★

trac

자취, 발자국,
미량, 극소량
추적하다

□□□ 교육부 [13.20 수능기출]
trace [tréis]
명 자취, 발자국, 미량, 극소량 동 추적하다
The mouse left **traces** of its feet on the chopping board.
쥐는 도마에 **발자취**를 남겼다.

2476 ★★

undertak

(떠)맡다, 착수하다

□□□ [12.14.16 수능기출]
undertake [ʌ̀ndərtéik]
동 (떠)맡다, 착수하다
Please **undertake** that work.
그 일은 당신이 **맡아서 해주세요**.

2477 ★

un

arth
파내다, 발굴하다

□□□
unearth [ʌnə́:rθ]
동 파내다, 발굴하다
The professor has **unearthed** new research material.
그 교수는 새로운 연구 자료를 **발굴해** 왔다.

2478 ★

un

fy
통합하다

□□□ 교육부
unify [jú:nəfài]
동 통합하다
㉠ unification 통일
㉡ united 연합한 unit 단위 unanimous 만장일치의
We need a **unified** party.
우리는 **통합된** 당이 필요하다.

2479 ★★★

unlo  k

(열쇠로)
열다, 풀다

□□□ [08.09.11 수능기출]

unlock [ʌ̀nlɑ́k]

동 (열쇠로) 열다, 풀다

He is **unlocking** the door.
그는 문을 **열고 있다**.

Moods can **unlock** memories.
분위기는 기억들을 **풀어낼** 수 있다. 08수능

2480 ★

v  rnish

니스, 광택제
니스를 바르다

□□□

varnish [vɑ́:rniʃ]

명 니스, 광택제 동 니스를 바르다

유 polish 윤, 닦다, 광내다 팁 vanish 사라지다

She covered the painting with **varnish**.
그녀는 그림에 **니스**를 발랐다.

2481 ★★

verdi 

t

판단, 결정,
(배심원단의) 평결

□□□ [13 수능기출]

verdict [və́:rdikt]

명 판단, 결정, (배심원단의) 평결

The emotional brain generates its **verdict** automatically.
감정적 두뇌는 무의식적으로 **결정**을 내린다. 13수능

The jury returned a **verdict** of guilty.
배심원단이 유죄 **평결**을 내렸다.

2482 ★

wi  ld

휘두르다, 쓰다

□□□

wield [wí:ld]

동 휘두르다, 쓰다

유 use 사용하다 manage 다루다 handle 처리하다

He **wielded** a large knife.
그는 커다란 칼을 **휘둘렀다**.

2483 ★

withst  nd

견디다,
저항하다

□□□

withstand [wiθstǽnd]

동 견디다, 저항하다

유 bear 참다 resist 항거하다 oppose 저지하다

She **withstood** all the difficulties.
그녀는 모든 역경을 **견뎌 냈다**.

2484 ★★★

wr  p

감싸다, 포장하다

□□□ 교육부 [00.03.06.09.13 수능기출]

wrap [rǽp]

동 감싸다, 포장하다

숙 wrap up : 그만해라 wrap it up : 잘 해내다

Wrap up the fish and put it in the freezer.
생선을 **포장**해서 냉장고에 두어라.

2485 ★

an

금지, 금지하다

□□□ 교육부

ban [bǽn]

명 금지 동 금지하다

Hunting is **banned** here.

여기는 사냥 **금지** 구역이다.

2486 ★★★

bur  t

터지다,
파열하다

□□□ 교육부 [06.10.13.14 수능기출]

burst [bə́:rst]

동 터지다, 파열하다

숙 burst into tears : 와락 울음을 터뜨리다

팁 bursting fracture : 파열골절

숙 burst into=burst out : 갑자기 ~하다 수능기출

Here is the **burst** pipe.

여기가 **터진** 파이프입니다.

2487 ★★

collaps 

붕괴되다, 무너지다

□□□ 교육부

collapse [kəlǽps]

동 붕괴되다, 무너지다

파 collapsible 접을 수 있는

The building is about to **collapse**.

건물은 **무너지기** 직전이다.

2488 ★

collid 

충돌하다,
부딪치다

□□□

collide [kəláid]

동 충돌하다, 부딪치다

파 collision 충돌, 부딪침

숙 run into=collide with : ~와 충돌하다 수능기출

The two cars **collided**.

두 차는 **충돌했다**.

2489 ★★

compl  cate

복잡하게 하다

□□□ 교육부 [09 수능기출]

complicate [kámpləkèit]

동 복잡하게 하다

파 uncomplicated 복잡하지 않은, 단순한

Our brains involve a **complicated** system.

우리의 뇌는 **복잡한** 시스템을 포함하고 있습니다. 09수능

2490 ★★

 onfine

한정하다, 제한하다, 감금하다

□□□ 교육부 [06.14 수능기출]

confine [kənfáin]

동 한정하다, 제한하다, 감금하다

유 finite 한정된 반 infinite 무한한

He was **confined** to his room.

그는 자신의 방에 **감금되었다**.

Knowledge of writing was **confined** to professionals.

문자를 쓸 수 있는 지식은 전문인에게만 **한정되었다**. 06수능

○ 1분 안에 넘기기 ○ 시간 있으면 꼼꼼히 외우기

2491 ★★

□□□ [14.15 수능기출]

confront [kənfrʌ́nt]

동 마주치다, 직면하다

파 confrontation 대립, 대치, 대결 20수능

I don't want to **confront** him.
나는 그와 **마주치고** 싶지 않다.

2492 ★

□□□

conspire [kənspáiər]

동 음모를 꾸미다, 공모하다

They **conspired** to steal.
그들은 훔치려는 **음모를 꾸몄다**.

2493 ★★

□□□ [94 수능기출]

contend [kənténd]

동 주장하다, 싸우다, 논쟁하다

파 contention 말다툼, 논쟁 팁 content 만족하다

My husband and I have to **contend with** radical differences.
남편과 나는 심한 차이점에 대해 **논쟁해야만** 한다. 94수능

2494 ★★

□□□ 교육부 [07 수능기출]

crush [krʌ́ʃ]

동 으깨다, 뭉개다, 분쇄하다

He **crushed** the flower in his hand.
그는 손으로 꽃을 **뭉갰다**.

Industrial diamonds are **crushed** and powdered.
공업용 다이아몬드는 **으깨어지고** 가루로 된다. 07수능

2495 ★★★

□□□ 교육부 [96.99.03.06.07.12.15.17 수능기출]

decrease [dikríːs]

명 감소 동 줄다, 감소하다

파 decreasing 감소하는 반 increase 증가하다

The price is beginning to **decrease**.
가격이 **내려가기** 시작했다.

These behaviors may **decrease** productivity.
이러한 행위들은 생산성을 **떨어뜨릴** 수 있다. 99수능

2496 ★★★

□□□ 교육부 [13.14.16 수능기출]

diminish [dimíniʃ]

동 줄어들다, 약해지다

파 diminution 감소 diminished 적어진, 작아진, 감소된

유 reduce 약해지다 lessen 줄이다 decline 감소하다

The world's resources are rapidly **diminishing**.
세계의 자원이 급속히 **줄어들고** 있다.

2497 ★★☆

방해하다, 지장을 주다, 붕괴시키다

□□□ [12 수능기출]

disrupt [disrʌ́pt]

통 방해하다, 지장을 주다, 붕괴시키다

㉣ disruption 붕괴 disruptive 지장을 주는

She **disrupted** the meeting.

그녀는 회의를 **방해했다**.

2498 ★★★

방해하다, 혼란시키다, 어지럽히다

□□□ 교육부 [96.00.06.11.12.19 수능기출]

disturb [distə́ːrb]

통 방해하다, 혼란시키다, 어지럽히다

㉣ disturbance 방해, 소란 17수능

You **disturb** us.

너는 우리를 **방해하고 있다**.

Crowds **disturbed** their peace of mind.

군중들이 그들 마음의 평화를 **어지럽혔다**. 00수능

2499 ★☆☆

지배하다

□□□ 교육부 [16.19 수능기출]

dominate [dάmənèit]

통 지배하다

㉣ dominant 지배적인 domination 지배, 우세 20수능

㉣ dominating 지배적인 16수능 dominance 지배력 20수능

Our team began to **dominate**.

우리 팀이 주도권을 **장악하기** 시작했다.

2500 ★★★

위험에 빠뜨리다, 위태롭게 만들다

□□□ [11.16.17 수능기출]

endanger [indéindʒər]

통 위험에 빠뜨리다, 위태롭게 만들다

Do not **endanger** others.

다른 사람을 **위태롭게** 하지 마십시오.

They preserve habitats for **endangered** species.

그들은 멸종 **위기에 처한** 종에 대한 서식지들을 보존한다. 11수능

2501 ★☆☆

피하다, 회피하다

□□□ [14 수능기출]

evade [ivéid]

통 피하다, 회피하다

㊒ sidestep 피하다 20수능 avoid, fudge, escape

She tried to **evade** answering.

그녀는 대답하는 것을 **회피하려고 했다**

2502 ★★☆

망설이다, 주저하다

□□□ 교육부 [96.09 수능기출]

hesitate [hézətèit]

통 망설이다, 주저하다

㉣ hesitatingly 머뭇거리며 without hesitation 주저 없이

She wrapped a large scarf around her and **hesitated** for a moment.

그녀는 커다란 목도리로 몸을 감쌌고 잠시 동안 **머뭇거렸다**. 09수능

2497 디스**랍**트 2498 디스**털**~브 2499 **다**미네잍 2500 인**데**인져 2501 이**베**이드 2502 **헤**지테잍

○ 1분 안에 넘기기

○ 시간 있으면 꼼꼼히 외우기

2503 ★★☆

hind  r

방해하다,
저해하다

□□□ 교육부

hinder [híndər]

동 방해하다, 저해하다

ⓟ hindrance 방해 ⓤ prevent 예방하다 obstruct 막다

Don't **hinder** us.

우리를 **방해하지** 마라.

2504 ★★☆

illeg  l

불법체류자
불법의

□□□ [10 수능기출]

illegal [ilí:gəl]

명 불법체류자 형 불법의

ⓟ illegally 불법적으로

We shouldn't download games **illegally**.

우리는 게임을 **불법으로** 내려받아선 안 됩니다. 10수능

2505 ★★☆

intrud 

끼어들다, 참견하다,
침입하다

□□□ [14 수능기출]

intrude [intrú:d]

동 끼어들다, 참견하다, 침입하다

Don't **intrude** into my private life.

내 사생활을 **방해하지** 마라.

2506 ★★☆

m  ss

엉망, 진창
지저분하게 만들다

□□□ [95.12 수능기출]

mess [més]

명 엉망, 진창 동 지저분하게 만들다

What a **mess** you made!

정말 **난장판**을 만들었구나!

He found his room too **messy**.

그는 자신의 방이 너무 **지저분하다는 것**을 알았다. 95수능

2507 ★☆☆

misdee 

악행, 비행

□□□ [17 수능기출]

misdeed [misdí:d]

명 악행, 비행

He suffered for his **misdeeds**.

그는 **악행**으로 고통받았다.

2508 ★☆☆

o  struct

막다, 방해하다

□□□

obstruct [əbstrʌ́kt]

동 막다, 방해하다

ⓟ obstruction 방해 ⓣ obstruction of justice 공무 집행 방해

ⓤ hinder 저해하다 impede 지연시키다

A tree **obstructed** the road.

나무가 그 길을 **가로막았다**.

2503 헌덜 2504 일리~글 2505 인트루~드 2506 메스 2507 미스디~드 2508 업스트락트

2509 ★★★

□□□ 교육부 [94 수능기출]

omit [oumít]

동 빠뜨리다, 생략하다

㊜ exclude 제외하다 omission 생략, 누락

㊕ leave out=omit 생략하다, 빠뜨리다 수능기출

Some dictionary editors **omit** a word because of moral objections.

몇몇 사전 편집자들은 도덕적인 반대 때문에 단어를 **뺀다**. 94수능

2510 ★★★

□□□

overdue [òuvərdjúː]

형 기한이 지난, 이미 늦어진

The sell-by date of canned goods is **overdue**.

그 통조림 제품은 유통기한이 **지난** 것이다.

2511 ★★★

□□□ [20 수능기출]

perish [périʃ]

동 죽다, 소멸되다, 멸망하다

㊎ non-perishable 상하지 않는 20수능

Virtuous men prosper and the evil ones **perish**.

선인은 흥하고 악인은 **망한다**.

2512 ★★★

□□□ [06.07.11 수능기출]

prey [préi]

명 먹이, 희생자

Deer were the natural **prey** of the lion.

사슴은 사자의 천연 **먹잇감**이었다. 06수능

2513 ★★★

□□□

recede [risíːd]

동 물러나다, 약해지다

The water is beginning to **recede** after the flood.

홍수가 끝난 뒤에 물은 **빠지기** 시작하고 있다.

2514 ★★★

□□□ 교육부 [94.97.98.02.06.07.08.11.12.13.14.15 수능기출]

reduce [ridjúːs]

동 줄이다, 낮추다

㊍ reduction 절감(액), 감소(량) 14.20수능

Research is needed into bread with **reduced** salt content.

빵에 소금 함량을 **줄이는** 연구가 필요하다. 02수능

2515 ★★★

□□□ [04.15.17 수능기출]

remove [rimúːv]

동 옮기다, 제거하다

㉥ removal 없애기, 제거 19수능

They are steamed and boiled to **remove** any impure materials.

그것들은 불순물을 **제거하기** 위해서 삶아지고 끓여진다.04수능

2516 ★☆☆

□□□

repel [ripél]

동 격퇴하다, 물리치다

He just had to **repel** the wild pig that was ruining the crops.

그는 농작물을 망치는 멧돼지를 **물리쳐야**만 했다.

2517 ★★★

□□□ 교육부 [10 수능기출]

scatter [skǽtər]

동 (흩)뿌리다, 흩어지다

㊍ break up=scatter : 해산시키다 수능기출

After the meeting, the students **scattered**.

모임이 끝난 후 학생들은 **뿔뿔이 흩어졌다**.

2518 ★★☆

□□□

shatter [ʃǽtər]

동 산산이 부서지다, 산산이 조각나다

The ball **shattered** the window.

그 공은 창문을 **박살 냈다**.

2519 ★★★

□□□ 교육부 [07.16 수능기출]

sink [síŋk]

동 가라앉다, 내려앉다, 침몰시키다

Suddenly the engine died, and for mysterious reasons, the boat began to **sink**.

갑자기 엔진이 꺼지더니, 원인 불명의 이유로 배가 **가라앉기** 시작했다.07수능

2520 ★☆☆

□□□

smash [smǽʃ]

동 박살내다, 부딪치다

She **smashed** the glass to open the window.

그녀는 창문을 열기 위해 유리를 **박살 냈다**.

2521 ★☆☆

□□□
sneak [sní:k]
동 살금살금 가다, 몰래 하다
㉣ sneaky 교활한, 엉큼한
I **sneaked** out of the house.
나는 집에서 **몰래 빠져 나왔다**.

2522 ★★☆

□□□ 교육부
spill [spíl]
동 흐르다, 쏟아지다, 엎지르다
숙 spill something out : 털어놓다 spill out 쏟아져 나오다 20수능
He **spilled** the coffee.
그가 커피를 **쏟았다**.

2523 ★★☆

□□□ 교육부
squeeze [skwí:z]
명 압착, 짜기 동 짜다, 짜내다
유 clutch (꽉) 움켜잡다
He **squeezed** the toothpaste to the last drop.
그는 치약을 끝까지 **쥐어짰다**.

2524 ★☆☆

□□□ [09 수능기출]
stun [stʌ́n]
동 기절시키다
㉣ stunning 기절시킬 만한, 깜짝 놀랄
He was **stunned** by the bad news.
그는 나쁜 소식으로 **기절했다**.

2525 ★★☆

□□□ 교육부 [06 수능기출]
terminate [tə́:rmənèit]
동 끝나다, 종료되다
㉣ termination 종료 terminal 끝의, 종점, 터미널, 손을 쓸 수 없는
The last show has **terminated**. 마지막 쇼가 **끝났다**.
They had the ability to **terminate** the noise with a 'panic button.'
그들은 소음을 '비상벨'로 **없앨** 수 있었다. 06수능

2526 ★☆☆

□□□
trespass [tréspəs]
동 무단 침입하다, 침해하다
The thief **trespassed**.
도둑이 **침입했다**.

2527 ★★☆

tumbl

추락, 굴러떨어지다,
폭삭 무너지다

□□□ [06 수능기출]

tumble [tʌ́mbl]

명 추락 동 굴러떨어지다, 폭삭 무너지다

유 fall 떨어지다

He took a **tumble** outside his house.

그는 자기 집 밖에서 **굴러 넘어졌다**.

2528 ★☆☆

und

원상태로 돌리다,
취소하다

□□□

undo [ʌ̀ndúː]

동 원상태로 돌리다, 취소하다

팁 redo (어떤 것을) 다시 하다

It will take three years to **undo** the damage.

피해를 **복구하는** 데 3년은 걸릴 것이다.

2529 ★☆☆

upr**ot**

뿌리째 뽑다,
근절하다

□□□

uproot [ʌ̀prúːt]

동 뿌리째 뽑다, 근절하다

We must **uproot** the weeds.

우리는 그 잡초들을 **뿌리째 뽑아야** 한다.

2530 ★★☆

v**nish**

사라지다, 없어지다

□□□

vanish [vǽniʃ]

동 사라지다, 없어지다

유 disappear 사라지다 banish 추방시키다 vanity 허영심

It **vanished** before my eyes.

그것이 바로 내 눈앞에서 **사라졌다**.

2531 ★★☆

violati**n**

위반, 위배

□□□ [13,20 수능기출]

violation [vàiəléiʃən]

명 위반, 위배, 침해

He was fined 50,000 won for **violation** of the speed limit.

속도 **위반**으로 5만 원의 범칙금이 부과됐다.

2532 ★★☆

withdr**w**

물러나다, 철수하다

□□□ 교육부 [14 수능기출]

withdraw [wiðdrɔ́ː]

동 물러나다, 철수하다

파 withdrawal 인출, 철회 deposit 입금 balance 잔고 transfer 송금

The cats **withdrew** after creating a disturbance.

고양이들은 한바탕 소동을 피운 후 **물러났다**.

2527 텀블 2528 언듀~ 2529 업룻~ 2530 붸니쉬 2531 바이얼레이션 2532 위드드로~

Chapter 8

Review Test

A. 수능에 출제되는 단어 또는 단어의 뜻을 쓰시오.

01. 강조, 역점, 주안점 ________	11. comprehend ________
02. 공격적인, 불쾌한, 무례한 ________	12. evaluate ________
03. 편집하다, 수집하다 ________	13. perceive ________
04. 발견하다, 감지하다 ________	14. demolish ________
05. 두르다, 에워싸다 ________	15. establish ________
06. 회복시키다, 복원하다 ________	16. possess ________
07. 간소화하다, 간단하게 하다 ________	17. reinforce ________
08. 제한하다, 감금하다 ________	18. retain ________
09. 줄어들다, 약해지다 ________	19. confront ________
10. 끼어들다, 참견하다 ________	20. violation ________

B. 수능에 출제되는 문장의 문맥에 맞는 단어를 고르시오.

01. The performers often ________ their own melodies.
02. He saw something white ________ in the middle of the tree.
03. Fiber also helps to ________ calorie intake.

ⓐ manipulate	ⓑ improvise	ⓒ devastate	ⓓ floating	ⓔ lessen

04. Tears will ________ their pain.
05. The emotional brain generates its ________ automatically.
06. They preserve habitats for ________ species.

ⓐ release	ⓑ prevent	ⓒ verdict	ⓓ endangered	ⓔ stance

정답 01.ⓑ 02.ⓓ 03.ⓔ 04.ⓐ 05.ⓒ 06.ⓓ

01. 공연을 하는 사람들이 종종 자신들의 멜로디를 (즉석에서) 만든다. 07수능
02. 그는 나무의 가운데 (떠다니는) 하얀 뭔가를 보았다. 02수능
03. 식이 섬유도 칼로리 섭취를 (줄이는데) 도움이 된다. 07수능
04. 눈물은 고통을 (완화시켜 줄) 것이다. 08수능
05. 감정적 두뇌는 무의식적으로 (결정)을 내린다. 13수능
06. 그들은 멸종 (위기에 처한) 종에 대한 서식지들을 보존한다. 11수능

영포자 1등급 만들기 해결사 혼동어휘

☐	**globe** : 지구,구 **glove** : 장갑	**grab** : 움켜쥐다, 가로채다, 빼앗다 **grasp** : 쥐다, 잡다, 이해하다
☐	**hair** : 머리카락 **hare** : 산토끼 ↔ rabbit **heir** : 상속인	**harsh** : 가혹한, 거친 **hoarse** : 목쉰, 쉰 목소리의
☐	**healthy** : 건강한 **healthful** : 건강에 좋은	**heap** : 무더기, 더미, 쌓아 올리다 **hip** : 엉덩이
☐	**historic** : 유서 깊은 **historical** : 역사상의	**hospitality** : 환대, 후대 **hostility** : 적의, 적대 행위, 반항
☐	**human** : 인간의 **humane** : 인도적인, 인정이 있는	**imaginable** : 상상할 수 있는 **imaginary** : 상상의 **imaginative** : 상상력이 풍부한
☐	**industrial** : 산업의 **industrious** : 부지런한	**ingenious** : 재간 있는, 교묘한, 똑똑한 **ingenuous** : 솔직한, 천진난만한
☐	**intensive** : 강한, 집중적인 **extensive** : 광범위한, 광대한	**interrupt** : 방해하다 **interpret** : 해석하다, 통역하다
☐	**jealous** : 시기하는, 질투하는 **zealous** : 열심인	**judicial** : 사법의 **judicious** : 사리 밝은
☐	**knight** : (중세의)기사, 나이트 작위 **night** : 밤	**laser** : 레이저 **razor** : 면도칼
☐	**latter** : 후자 (↔**former** : 전자) **later** : 뒤에, 나중에	**lawn** : 잔디, 잔디밭 **loan** : 대부; 대부금
☐	**lessen** : 적어지다, 줄다 **lesson** : 수업, (교과서의) 과, 교훈	**attribute** : ~의 탓으로 돌리다 **contribute** : 공헌하다, 기여하다 **distribute** : 배부하다, 분배하다
☐	**lie - lay - lain - lying** : **vi.** 눕다, 놓여 있다 **lay - laid - laid - laying** : **vt.** 놓다	**literal** : 문자 그대로의 **literate** : 글을 읽고 쓸 줄 아는 ↔ **illiterate** **literary** : 문학의
☐	**loose** : 헐렁한, 느슨한 **lose** : 잃다	**loyal** : 충실한 **royal** : 왕의
☐	**luxurious** : 호화로운 **luxuriant** : 무성한	**mail** : 우편 **male** : 남성의
☐	**marble** 대리석 **marvel** : 놀라다	**mass** : 큰 덩어리; 크기, 양, 부피 **mess** : 혼란, 엉망진창
☐	**may well** : ~하는 것도 당연하다 **may as well** : ~하는 편이 낫다	**meat** : 고기 **meet** : 만나다, 마주하다
☐	**mechanic** : 정비사, 수리공 **mechanical** : 기계의, 기계적인	**medical** : 의학의 **medicinal** : 의약의
☐	**memorable** : 중요한 **memorial** : 기념의	**momentary** : 순간적인 **momentous** : 중요한
☐	**moral** : 도덕의, 교훈 **morale** : 사기, 의욕	**morning** : 아침, 오전 **mourning** : 애도, 비탄
☐	**natural** : 자연의, 타고난 **neutral** : 중립의	**near** : 가까운 **nearly** : 거의, 대략

90점 넘기기

Chapter 09

Interaction and Communicating / 상호작용과 의사소통

ⓐ Magnitude (규모)

ⓑ Writing and Music (작사와 작곡)

ⓒ Positive (긍정적인)

ⓓ Negative (부정적인)

ⓔ Interaction (상호작용)

⊙ 1분 안에 넘기기 ⊙ 시간 있으면 꼼꼼히 외우기

2533 ★★★

풍부한

□□□ [09.10.11.15 수능기출]

abundant [əbʌ́ndənt]

형 풍부한

유 abundance 풍부 15수능 plentiful 풍부한 rich 윤택한, 부유한

숙 abound in=be rich in=be plentiful in ~이 풍부하다. 수능기출

This year we had an **abundant** harvest.
올해 우리는 큰 **수확**을 거뒀다.

2534 ★★★

(해발) 고도, 고지

□□□ [08.12.13 수능기출]

altitude [ǽltətjù:d]

명 (해발) 고도, 고지

팁 attitude 태도 aptitude 경향, 소질

The plane reached its correct **altitude**.
비행기는 정확한 **고도**에 도달했다.

The long-range rocket fought for **altitude**.
장거리 로켓이 **고도**를 유지하기 위해 몸부림친다. 08수능

2535 ★★★

놀라운, 굉장한

□□□ [94.97.03.07.12 수능기출]

amazing [əméiziŋ]

형 놀라운, 굉장한

Sunset is an **amazing** sight.
일몰은 **놀랄 만한** 광경이다.

my **amazing** physical energy
놀라운 나의 체력 97수능

2536 ★★

플랜카드, 현수막, 기

□□□ [02.20 수능기출]

banner [bǽnər]

명 플랜카드, 현수막, 기

유 flag (국가 • 조직 단체의) 기

팁 token 상징, 대용 화폐, 기념물 20수능

the **banners** and signs
현수막들과 표지판들 02수능

2537 ★★

산들바람, 미풍

□□□ [96.08 수능기출]

breeze [brí:z]

명 산들바람, 미풍

a soft **breeze**
부드러운 **미풍** 96수능

The grass dances upon a gentle **breeze**.
풀은 **산들바람**에 춤을 준다. 08수능

2538 ★★★

찬란한, 빛나는,
멋진, 훌륭한

□□□ 교육부 [95.06.07 수능기출]

brilliant [bríljənt]

형 찬란한, 빛나는, 멋진, 훌륭한

파 brilliantly 찬란히, 훌륭히 유 cleverness 교묘한 솜씨 19수능

The stars shine more **brilliantly** in the night sky.
별들은 밤하늘에서 더 **밝게** 빛난다. 06수능

brilliant and beautiful
빛나고 아름다운 07수능

2533 어**반**던트 2534 **앨**티튜~드 2535 어**메**이징 2536 **배**너 2537 브**리**~즈 2538 **브**릴리언트

2539 ★★★

bro  d

폭이 넓은, 널따란

□□□ [98.05.14 수능기출]

broad [brɔ́:d]

형 폭이 넓은, 널따란

㉺ broaden 넓어지다, 퍼지다

The street is quite **broad** here.
이 도로는 꽤 **넓다**.

The problem is a **broad** one.
그 문제는 **광범위한** 것이다. 98수능

2540 ★☆☆

bu  ky

부피가 큰, 덩치가 큰

□□□

bulky [bʌ́lki]

형 부피가 큰, 덩치가 큰

The parcel is too **bulky**.
그 소포는 너무 **부피가 크다**.

2541 ★★★

 hief

주된, 최고의
장(長), 우두머리

□□□ [10 수능기출]

chief [tʃí:f]

형 주된, 최고의 명 장(長), 우두머리

㉺ chiefly 주로

The **chief** problem is money.
가장 중요한 문제는 돈이다.

fire **chief**
소방**서장** 10수능

2542 ★☆☆

c  smopolitan

세계인
세계적인, 국제적인

□□□

cosmopolitan [kɑ̀zməpɑ́lətn]

명 세계인 형 세계적인, 국제적인

His views are **cosmopolitan**.
그의 안목은 **세계적이다**.

2543 ★★★

d  cade

10년

□□□ [97.04.09.10 수능기출]

decade [dékeid]

명 10년

It develops over **decades** or centuries.
그것은 **수십 년** 혹은 수백 년에 걸쳐서 발전하는 것이다. 97수능

over the past **decade**
지난 **10년간**에 걸쳐서 10수능

2544 ★☆☆

delux 

호화로운,
사치스러운

□□□ [08 수능기출]

deluxe [dəlúks]

형 호화로운, 사치스러운

㊒ luxurious 호화스러운, 사치에 빠진

They stayed at the **deluxe** hotel.
그들은 **호화로운** 호텔에 머물렀다. 08수능

1분 안에 넘기기 | 시간 있으면 꼼꼼히 외우기

2545 ★★★

div

숙제 못해온 이유!
rse

다른 종류의, 다양한

□□□ [10.11.19 수능기출]

diverse [divə́:rs]

형 다른 종류의, 다양한

㊕ 다른 종류의, 다양한 diversity 다양성 22수능 diversify 다양화하다 diversion 바꾸기, 전환 biodiversity 생물 다양성 19수능

The reasons are quite **diverse**.
그 이유는 매우 **다양하다**.

The group is very **diverse**. 그 그룹은 매우 **다양하다**. 11수능

2546 ★★☆

dr

ft

원고, 초안
초안을 그리다

□□□ [08 수능기출]

draft [dræft]

명 원고, 초안 동 초안을 그리다

This is the first **draft**.
이것은 첫 번째 **초안**이다.

The first **draft** isn't your best writing.
초고는 당신이 가장 잘 쓴 글이 아니다. 08수능

2547 ★★★

normous

거대한, 막대한, 엄청난

□□□ [96.02.15 수능기출]

enormous [inɔ́:rməs]

형 거대한, 막대한, 엄청난

㊒ huge 거대한 immense 어마어마한 tremendous 대단한

enormous waves
거대한 파도 96수능

an **enormous** tension
엄청난 긴장감 02수능

2548 ★★★

entir

전체의, 완전한

□□□ [97.00.05.06.09.11.12.13.14.16 수능기출]

entire [intáiər]

형 전체의, 완전한

㊕ entirely 전적으로, 완전히

the **entire** assembly
전체 조립 05수능

2549 ★★★

ex

eed

넘다,
초과하다

□□□ [06.10.11.13 수능기출]

exceed [iksí:d]

동 넘다, 초과하다

It **exceeded** the speed limit.
그것은 속도 제한을 **초과했다**.

Its weight cannot **exceed** 2,000 kilograms.
그것의 무게는 2,000kg을 **넘을** 수가 없다. 06수능

2550 ★★☆

extraordin

ry

특별히, 엄청나게, 비범한

□□□ [07.12 수능기출]

extraordinary [ikstrɔ́:rdənèri]

형 특별히, 엄청나게, 비범한

Heroes are selfless people who perform **extraordinary** acts.
영웅들은 **비범한** 일을 해내는 이기심이 없는 사람들이다. 07수능

Except for **extraordinary** exceptions.
특별한 예외들을 제외해라. 12수능

2545 다이벌~스 2546 드래프트 2547 이놀~머스 2548 인타이얼 2549 익시~드 2550 익스트로~올더네리

2551 ★★★

fedral

연방제의,
연방 정부의

□□□ [06.13 수능기출]

federal [fédərəl]

형 연방제의, 연방 정부의

㉺ federation 연합, 동맹

The country has a **federal system.**
그 나라는 **연방제**이다.

The Swiss **Federal** Institute of Technology
스위스 **연방** 과학 기술 협회 06수능

2552 ★★★

fundamntal

근본적인, 핵심적인

□□□ [05.09.10.11.13.15.16.20 수능기출]

fundamental [fʌ̀ndəméntl]

형 근본적인, 핵심적인

㉺ fundamentally 근본적으로

It is a **fundamental** mistake.
그것은 **근본적인** 실수이다. 11수능

2553 ★★★

gneral

(육군 · 공군 · 해병대) 대장
일반적

□□□ [98.09.12.13.14.15.16.17 수능기출]

general [dʒénərəl]

명 (육군·공군·해병대) 대장 형 일반적

㉺ generally 일반적으로, 보통

㉯ on the whole=by and large=in general=generally=as a rule : 대체로, 일반적으로 수능기출

general appearance **전반적인** 외모 98수능

a **general** public **일반** 대중 09수능

2554 ★★★

gnerous

후한, 관대한

□□□ [96.99 수능기출]

generous [dʒénərəs]

형 후한, 관대한

㉾ liberal 후한, 너그러운

You are very **generous.**
당신은 매우 **관대하다.** 99수능

2555 ★★★

giganti

거대한

□□□

gigantic [dʒaigǽntik]

형 거대한

㉺ giant 거인, 위대한

The statue is **gigantic.**
동상이 **거대하다.**

2556 ★★★

gorgous

아주 멋진,
화려한

□□□

gorgeous [gɔ́ːrdʒəs]

형 아주 멋진, 화려한

㉾ magnificent 참으로 아름다운 beautiful 아름다운

She wore a **gorgeous** dress.
그녀는 **화려한** 드레스를 입었다.

2551 페더럴 2552 펀드멘털 2553 제너럴 2554 제너러스 2555 자이갠틱 2556 골~져스

1분 안에 넘기기 | 시간 있으면 꼼꼼히 외우기

2557 ★☆☆

grandeu

장엄함, 웅장, 위엄

□□□ [96 수능기출]

grandeur [grǽndʒər]

명 장엄함, 웅장, 위엄

ⓟ grand 웅장한

The house had a feeling of **grandeur.**
집이 **웅장한** 느낌을 준다.

grand prize
대상 20수능

2558 ★★☆

gr

ss

총, 중대한, 역겨운

□□□ [15 수능기출]

gross [gróus]

형 총, 중대한, 역겨운

ⓣ gloss 광택, 겉치레
gross profit **총**수익

His behavior was **gross.**
그의 행동은 **역겨웠다.**

2559 ★★☆

h**ap**

(쌓아 놓은) 더미
쌓아 올리다

□□□ [10 수능기출]

heap [hí:p]

명 (쌓아 놓은) 더미 동 쌓아 올리다

ⓣ hip 엉덩이

Here is a **heap** of cabbages.
여기에 배추 **더미**가 있다.

the compost **heap**
퇴비 **더미** 10수능

2560 ★★★

h**avily**

심하게, 무겁게, 몹시

□□□ [98.06.07.08.09.11.17 수능기출]

heavily [hévili]

부 심하게, 무겁게, 몹시

ⓟ heavy 무거운, 육중한 ⓢ rain cats and dogs=rain heavily : 비가 억수같이 오다 수능기출

The responsibility sat **heavily** on him.
그의 책임은 그를 **무겁게** 눌렀다.

a **heavy** box **무거운** 상자 06수능

2561 ★★☆

immens

엄청난, 어마어마한

□□□

immense [iméns]

형 엄청난, 어마어마한

ⓤ enormous 막대한 huge 거대한 tremendous 대단한

a project of **immense** importance
엄청나게 중요한 사업

an **immense** sum of money
막대한 돈

2562 ★★☆

innumer**ble**

셀 수 없이 많은,
무수한

□□□

innumerable [injú:mərəbl]

형 셀 수 없이 많은, 무수한

His questions are **innumerable.**
그의 질문들은 **무수히** 많다.

2563 ★★☆

□□□ [14 수능기출]

literally [lítərəli]

부 글자 뜻대로, 그야말로

㉣ literal 문자 그대로의, 직역의

The field was **literally** covered with the enemy.
들판은 **그야말로** 적으로 뒤덮였다.

2564 ★★☆

□□□ [09 수능기출]

luxury [lʌ́kʃəri]

명 호화로움, 사치

㊀ extravagance 낭비, 사치 ㊁ necessity 필수품

He lives in **luxury**.
그는 **사치**스럽게 산다.

the acquisition of **luxury** goods.
사치재의 취득 09수능

2565 ★★★

□□□ [94.96.99.01.07.08.09.13 수능기출]

main [méin]

형 가장 큰, 주된

㉣ mainly 주로, 대부분, 대개

five **main** elements.
5가지 **주요** 요소 94수능

the **main** street
주도로 99수능

2566 ★★★

□□□ [96.98.00.01.06.09.10.12.13.14.16.17 수능기출]

major [méidʒər]

형 주요한, 중대한, 심각한

㉣ majority 가장 많은 수

a **major** problem
중대한 문제 09수능

major news coverage
주요 뉴스의 보도 10수능

2567 ★☆☆

□□□

marvel [mɑ́ːrvəl]

동 경이로워하다, 경탄하다

㉣ marvelous 놀라운 ㉤ marble 대리석

I **marveled** at how much pigs eat.
나는 돼지가 많이 먹는 데에 **놀랐다**.

2568 ★★★

□□□ [94.95.01.04.05.10.14 수능기출]

million [míljən]

명 100만 형 100만의

㉣ millionaire 백만장자 billionaire 억만장자

one million people
백만 명

one hundred million dollars
일억 달러 95수능

2569 ★★★

multipl

배수
다양한, 다수의

□□□ [01.08.15.16 수능기출]

multiple [mʌ́ltəpl]

명 배수 형 다양한, 다수의

팁 multitasking 다중 작업11수능

There were **multiple** causes for the accident.
그 사고에는 **여러** 원인이 있다.

multiple social roles
다양한 사회적 역할들01수능

2570 ★★★

nobl

고귀한, 귀족의,
고상한

□□□ [00.03 수능기출]

noble [nóubl]

형 고귀한, 귀족의, 고상한

파 nobility 귀족, 고결함 반 ignoble 비천한, 비열한

Soon all the Yangban **nobles** bought shares.
곧 모든 양반 **귀족들**이 주식을 구입하였다.00수능

noble purpose
고상한 목적03수능

2571 ★★★

n vel

소설
새로운, 신기한

□□□ [97.05.11.13 수능기출]

novel [nάvəl]

명 소설 형 새로운, 신기한

파novelist유newThe novel is dying.
소설은 사라져 가고 있다.05수능

This problem is particularly **novel**.
이 문제가 특히 **생소하다**.11수능

2572 ★★★

outlin

윤곽, 개요
서술하다,
윤곽을 나타내다

□□□ [15 수능기출]

outline [áutlàin]

명 윤곽, 개요 동 서술하다, 윤곽을 나타내다

Here is my briefing in **outline**.
개략적인 요약 보고입니다.

2573 ★★★

outstan ng

뛰어난, 두드러진

□□□ [94 수능기출]

outstanding [àutstǽndiŋ]

형 뛰어난, 두드러진

팁 outgoing 외향적인, 사교적인

Today **outstanding** achievements are recognized.
오늘날 **뛰어난** 업적이 인정받는다.94수능

2574 ★★★

p riod

기간, 시기, 시대

□□□ [07.08.09.10.11.13.14.15.17 수능기출]

period [píəriəd]

명 기간, 시기, 시대

파 periodical 정기 간행물

She reads a **periodical** on the bus.
그녀는 버스에서 **정기 간행물**을 읽는다.

The standard loan **period** is 21 days.
보통 빌려주는 **기간**은 21일이다.07수능

2575 ★★★

pl  nty

풍부, 많음
많은, 풍부한

□□□ [06.14 수능기출]

plenty [plénti]

명 풍부, 많음 형 많은, 풍부한

숙 plenty of = a lot of 많은 수능기출

There are **plenty** of books in the library.
도서관에는 **많은** 책이 있다.

The vineyard needs **plenty** of sunlight.
포도원은 햇빛을 **많이** 필요로 한다. 06수능

2576 ★

pletho  a

과다, 과잉

□□□ [94 수능기출]

plethora [pléθərə]

명 과다, 과잉

Now there are a **plethora** of print technologies.
현재에는 **엄청나게 많은** 프린트 기술이 존재한다. 94수능

2577 ★

pred  minant

두드러진,
우세한

□□□

predominant [pridάmənənt]

형 두드러진, 우세한

His nose is his **predominant** feature.
코가 그의 **두드러진** 특징이다.

2578 ★

pr  stigious

명성이 있는,
일류의

□□□

prestigious [prestídʒəs]

형 명성이 있는, 일류의

파 prestige 명망 유 celebrated 유명한 반 unknown 알려지지 않은

팁 famously 멋지게, 훌륭하게 20수능

His dream is to get into a **prestigious** university
그의 꿈은 **일류** 대학에 들어가는 것이다.

2579 ★★★

previ  us

이전의, 앞의

□□□ [95.98.07.08.11.13.14.16.17.20 수능기출]

previous [príːviəs]

형 이전의, 앞의

숙 previous to : ~이전에, ~에 앞서

This is a **previous** photo of me.
이건 **이전의** 내 사진이다.

the **previous** Christmas
작년 크리스마스 95수능

2580 ★★

prof  und

깊은, 심오한

□□□ [96.05 수능기출]

profound [prəfáund]

형 깊은, 심오한

파 profoundly 깊이, 완전히 유 deep 깊은

He made a **profound** statement.
그는 **심오한** 진술을 했다.

profound knowledge
심오한 지식 05수능

1분 안에 넘기기 | 시간 있으면 꼼꼼히 외우기

2581 ★★☆

pr  minent

유명한, 두드러진

□□□ [11.15 수능기출]

prominent [prámənənt]

형 유명한, 두드러진

팁 eminent 저명한 imminent 긴박한

a **prominent** member
유명한 회원

the **prominent** repeated melody
두드러지는 반복된 선율 11수능

2582 ★☆☆

r  cipient

받는 사람, 수령인

□□□ [19 수능기출]

recipient [risípiənt]

명 받는 사람, 수령인

She is the **recipient** of a gold medal.
그녀는 금메달 **수상자**이다.

2583 ★★☆

ren  wned

유명한,
명성 있는

□□□ [98.15 수능기출]

renowned [rináund]

형 유명한, 명성 있는

world-renowned artists and orchestras
세계적으로 유명한 음악가와 관현악단 98수능

2584 ★★☆

sl  ghtly

약간, 조금

□□□ [94.03.06.08.09.11.13.17 수능기출]

slightly [sláitli]

부 약간, 조금

파 slightest 최소의 slight 약간의

Men's clothes vary **slightly** depending on their work.
남자들의 옷은 그들의 일에 따라 **약간** 다르다. 94수능

2585 ★★☆

spl  ndid

정말 좋은,
훌륭한

□□□ 교육부 [14 수능기출]

splendid [spléndid]

형 정말 좋은, 훌륭한

He looked **splendid** in his new clothes.
그의 새 옷은 **정말 좋아** 보였다.

2586 ★☆☆

stagg  ring

충격적인,
믿기 어려운, 비틀거리는

□□□

staggering [stǽgəriŋ]

형 충격적인, 믿기 어려운, 비틀거리는

The number of deaths was **staggering**.
사망자 수는 **충격적이었다**.

2587 ★☆☆

sumptu  us

호화로운, 값비싼

□□□

sumptuous [sʌ́mptʃuəs]

형 호화로운, 값비싼

They celebrated with a **sumptuous** feast.

그들은 **호화스러운** 연회로 경축했다.

2588 ★☆☆

sup  b

최고의,
대단히 훌륭한

□□□ [96 수능기출]

superb [su:pə́:rb]

형 최고의, 대단히 훌륭한

파 superbly 최고로, 아주 훌륭하게

Modern houses are **superbly** insulated.

현대 주택들은 **훌륭하게** 단열 처리되어 있습니다. 96수능

2589 ★★☆

suprem 

최고의, 최상의

□□□ [04 수능기출]

supreme [səprí:m]

형 최고의, 최상의

파supremacysuperiorYou are in a state of supreme delight.

당신은 **더없이** 기쁜 상태에 있습니다. 04수능

2590 ★☆☆

sw  eping

청소
맹렬한, 전면적인,
광범위한

□□□ [01 수능기출]

sweeping [swí:piŋ]

명 청소 형 맹렬한, 전면적인, 광범위한

파 sweep 청소하다, 쓸다

the **sweeping** beautiful view

탁 트인 아름다운 광경 01수능

2591 ★☆☆

terrifi 

아주 좋은, 멋진

□□□ [13 수능기출]

terrific [tərífik]

형 아주 좋은, 멋진

파 terrify 무섭게 하다 반 terrible 끔찍한

I received some **terrific** news today

나는 오늘 **아주 좋은** 소식을 받았다.

2592 ★★★

tremend  us

엄청난, 굉장한, 대단한

□□□ [96.08.16 수능기출]

tremendous [triméndəs]

형 엄청난, 굉장한, 대단한

파 tremendously 엄청나게, 대단히 19수능

a **tremendous** amount

거대한 양 96수능

Cultures sometimes vary **tremendously**.

문화는 때때로 아주 **다양하다.** 08수능

1분 안에 넘기기 | 시간 있으면 꼼꼼히 외우기

2593 ★★★

uniqu

유일한, 독특한, 특별한

□□□ 교육부 [96.06.09.17.20 수능기출]

unique [juːníːk]

형 유일한, 독특한, 특별한

㉶ uniqueness 유일함, 비길 데 없음

He wanted something **unique** for his party.
그는 자기 파티에서 **유일한** 뭔가를 원했다.

unique products
특이한 상품 06수능

2594 ★★★

urg **nt**

긴급한,
시급한

□□□ [01.09.10.13.19 수능기출]

urgent [ə́ːrdʒənt]

형 긴급한, 시급한

㉶ urge 재촉하다, 충동

urgent and scary
다급하고도 무서운 09수능

It is **urgent** that you change that habit.
당신은 그런 습관을 바꾸는 것이 **시급하다.** 10수능

2595 ★★

utm **st**

최대한도,
최고의, 극도의

□□□ [95 수능기출]

utmost [ʌ́tmòust]

형 최대한도, 최고의, 극도의

㉾ supreme 최상의

These things are of **utmost** importance.
이러한 것들이 **최대로** 중요한 것들이다. 95수능

2596 ★★★

v **st**

광대한, 거대한

□□□ 교육부 [06.09.11.17.19 수능기출]

vast [væst]

형 광대한, 거대한

㉶ vastly 대단히, 엄청나게 13수능

He sailed across the **vast** ocean.
그는 **광대한** 대양을 가로질러서 항해했다.

the **vast** global network of politics.
거대한 정치의 국제 네트워크 09수능

2597 ★★

vivi

생생한, 선명한

□□□ [10.08 수능기출]

vivid [vívid]

형 생생한, 선명한

㉻ vitamin 비타민 vital 생명의

I have **vivid** memories of that day.
나는 그날의 **생생한** 기억을 가지고 있다.

vivid imagination
선명한 상상력 10수능

2598 ★★

w **despread**

광범위한, 널리 퍼진

□□□ 교육부 [05.15.16 수능기출]

widespread [wáidspréd]

형 광범위한, 널리 퍼진

He noticed a **widespread** hunger for reading in the community.
그는 마을 사람들이 **온통** 독서에 굶주려 있다는 것을 알았다. 04수능

2599 ★★☆

ag  nda

의제, 안건

□□□ [00 수능기출]

agenda [ədʒéndə]

명 의제, 안건

팁 agency 대리점, 대행사

What is the **agenda** for the meeting?

회의 **안건**이 무엇이니? 00수능

2600 ★★☆

nalogy

비유, 유사점, 유추

□□□

analogy [ənǽlədʒi]

명 비유, 유사점, 유추

파 analogize 유추하다 analogous 유사한

Sometimes I use an **analogy** to explain myself.

때로는 나 자신을 설명하기 위해 **비유**를 사용한다.

2601 ★★★

announc 

발표하다, 알리다

□□□ 교육부 [99.06.09.11.20 수능기출]

announce [ənáuns]

동 발표하다, 알리다

파 announcement 발표, 소식 19수능

The pilot was about to make an **announcement**.

기장이 **안내 방송**을 하려고 했다. 09수능

2602 ★★☆

b  nquet

연회, 성찬

□□□

banquet [bǽŋkwit]

명 연회, 성찬

The **banquet** will be held tonight.

연회가 오늘 개최됩니다.

2603 ★★★

beh  lf

이익, 원조, 지지

□□□ 교육부 [05.08.09.14 수능기출]

behalf [bihǽf]

명 이익, 원조, 지지

숙 in behalf of : ~을 위하여 on behalf of : ~을 대신하여 19수능

on **behalf** of all the executives

모든 간부들은 **대표**해서 05수능

on **behalf** of the school 학교를 **대표**해서 09수능

2604 ★★★

 hallenge

도전, 도전하다

□□□ [98.03.05.11.12.14.16.17 수능기출]

challenge [tʃǽlindʒ]

명 도전 동 도전하다

파 challenging 도전적인, 어려운 19수능

반 unchallenged 도전 받지 않은

You can meet life's **challenges** without fear.

당신은 두려움 없이 인생의 **도전**을 만날 수 있다. 98수능

○ 1분 안에 넘기기 | ○ 시간 있으면 꼼꼼히 외우기

2605 ★★★

합창단, 성가대

□□□

choir [kwáiər]

명 합창단, 성가대

㉺ chorus 합창, 합창단, 합창곡

Now the **choir** is practicing.

지금 **합창단**이 연습하고 있다.

2606 ★★★

환경, 상황, 정황

□□□ 교육부 [10.11.12.13.14.16 수능기출]

circumstance [sə́ːrkəmstæ̀ns]

명 환경, 상황, 정황

㊒ situation 처지 condition 상태 environment 환경

㊑ by no means=in no case=not ~ in the least=not at all=far from =under no circumstances=anything but=never : 결코 ~아닌 수능기출

2607 ★★★

나침반, (제도용) 컴퍼스, 범위, 한계

□□□ [13.14 수능기출]

compass [kʌ́mpəs]

명 나침반, (제도용) 컴퍼스, 범위, 한계

㉤ compassion 연민, 동정심 14수능

He got lost without a **compass.**

그는 **나침반** 없이 길을 잃었다.

기출 encompass 망라하다, 아우르다 19수능

2608 ★★★

구성하다, 작곡하다

□□□ [94.00.04.06.10.17.19 수능기출]

compose [kəmpóuz]

동 구성하다, 작곡하다

㉺ component 구성 요소, 성분 19.20수능 composition 구성 composer 작곡가 comprise 구성하다 ㉤ compost 퇴비, 두엄

㊑ consist of=be composed of=be made up of=comprise ~으로 구성되어 있다 수능기출

2609 ★★★

교리, 신념

□□□

creed [kríːd]

명 교리, 신념

㊒ doctrine 신조, 주의 ㉤ creep 살금살금 움직이다

Each religion has its own **creed.**

각 종교는 자신의 **신념**이 있다.

2610 ★★★

신호, 큐, 단서

□□□ [10.15.17 수능기출]

cue [kjúː]

명 신호, 큐, 단서

㊒ signal 신호, 시그널

The **cue** sign has already been given.

큐 사인은 벌써 떨어졌다.

It analyzes auditory and visual **cues** at the same time.

그것은 동시에 청각 및 시각적 **단서**를 분석한다. 10수능

2605 **콰**이얼 2606 **썰**~컴스텐스 2607 **컴**퍼스 2608 컴**포**우스 2609 **크리**~드 2610 **큐**~

2611 ★★☆

d cree

법령, 명령, 판결

□□□

decree [dikríː]

명 법령, 명령, 판결

유 law 법, 법률

The government issued a **decree**.
정부는 **법령**을 발표했다.

2612 ★★☆

discl se

밝히다, 폭로하다

□□□ [16 수능기출]

disclose [disklóuz]

동 밝히다, 폭로하다

파 disclosure 폭로 22수능 유 expose 드러내다

She **disclosed** new information on her secrets.
그녀는 자신의 비밀에 대해 새로운 이야기를 **털어놓았다**.

2613 ★★☆

dispat h

파견하다, 발송하다

□□□

dispatch [dispǽtʃ]

동 파견하다, 발송하다

유 send 보내다

She **dispatched** a letter.
그녀는 편지를 **발송했다**.

2614 ★☆☆

expli t

분명한, 명백한, 노골적인

□□□ 교육부

explicit [iksplísit]

형 분명한, 명백한, 노골적인

파 explicitly 명시적으로 16.19수능

I hope you'll give me an **explicit** reply.
당신의 **명쾌한** 답변을 바랍니다.

The photos were very **explicit**.
그 사진은 매우 **노골적**이다.

2615 ★★☆

impli ation

영향, 함축, 암시

□□□ [94.95.10.11.15 수능기출]

implication [ìmplikéiʃən]

명 영향, 함축, 암시

파 imply 암시하다 implicit 함축된, 암시적인

I just did not know what the word really **implied**.
저는 그 단어가 정말로 **암시**하는 것을 몰랐을 뿐입니다. 10수능

2616 ★☆☆

intri ate

복잡한, 얽힌

□□□ [11 수능기출]

intricate [íntrikət]

형 복잡한, 얽힌

Our relationship is very **intricate**.
우리 관계는 매우 **복잡하다**.

intricate musical passage
복잡한 악절 11수능

2617 ★★★

lop

고리

□□□

loop [lúːp]

명 고리

She made a **loop** with thread.

그녀는 실로 **고리**를 만들었다.

2618 ★★★

lyri

서정시, 노래의 가사

□□□

lyric [lírik]

명 서정시, 노래의 가사

파 lyricist 작사가, 서정 시인

Sometimes she is **lyrical**.

가끔씩 그녀는 **서정적**이다.

2619 ★★★

mtaphor

은유, 비유

□□□ [14 수능기출]

metaphor [métəfɔ̀ːr]

명 은유, 비유

파 metaphorical 은유의 14수능 metaphor 은유, 비유 14수능 metaphorically 은유적으로 팁 simile 직유 allegory 풍자

He uses **metaphors** often.

그는 자주 **은유**를 사용한다.

2620 ★★★

monologu

독백, 모놀로그

□□□

monologue [mánəlɔ̀ːg]

명 독백, 모놀로그

His conversation is just a **monologue**.

그의 대화는 단지 **독백**일 뿐이다.

2621 ★★★

overstat

과장하다, 허풍떨다

□□□

overstate [òuvərstéit]

동 과장하다, 허풍떨다

He tends to **overstate** his case.

그는 자기 사건을 **과장하는** 경향이 있다.

2622 ★★★

po

try

시, 운문, 우아함

□□□ [95,98,99,08,16 수능기출]

poetry [póuitri]

명 시, 운문, 우아함

파 poet 시인 poetic 시의, 시적인

She enjoys reading stories and **poetry**.

그녀는 글이나 **시** 읽는 것을 즐긴다. 99수능

2623 ★★★

추신, 후기, 덧붙이는 말

□□□

postscript [póustskrìpt]

명 추신, 후기, 덧붙이는 말

He added a **postscript**.
그는 **추신**을 덧붙였다.

2624 ★★★

머리말, 서문
서문을 쓰다

□□□

preface [préfis]

명 머리말, 서문 동 서문을 쓰다

I wrote the **preface** for her book.
나는 그녀의 책을 위해 **서문**을 썼다.

2625 ★★★

미리 보기, 시사회

□□□ [11.19.20 수능기출]

preview [príːvjùː]

명 미리 보기, 시사회 동 시사평을 쓰다

㉺ previous 이전의, 먼젓번의

At one such **preview** a bootmaker criticized the shoes.
그런 한 **시연회**에서 구두장이는 신발을 비판했다. 11수능

2626 ★★★

4인조, 4중주단,
4중주곡

□□□ [10 수능기출]

quartet [kwɔːrtét]

명 4인조, 4중주단, 4중주곡

㉼ quarters 숙소, 거처

The **quartet** performed in a concert.
4중주단은 콘서트에서 공연을 했다. 10수능

2627 ★★★

미묘한, 교묘한

□□□ [97.06.14 수능기출]

subtle [sʌ́tl]

형 미묘한, 교묘한

㉯ obvious 분명한, 명백한

subtle ways
교묘한 방법 97수능

subtle information
미묘한 정보 06수능

2628 ★★★

비극적인,
비극의

□□□ [12.14 수능기출]

tragic [trǽdʒik]

형 비극적인, 비극의

㉺ tragedy 비극, 비극 작품

㉯ comic 희극의 comedy 희극 comedian 코미디언

These are **tragic** African plays.
이러한 것들이 **비극적인** 아프리카 희곡들이다. 12수능

2629 ★☆☆

□□□

acclaim [əkléim]

동 칭송하다, 환호를 보내다

The king was **acclaimed** by the citizens.

그 왕은 시민들에게 **칭송받았다**.

2630 ★☆☆

□□□

adorable [ədɔ́:rəbl]

형 사랑스러운

Little children are **adorable**.

어린아이들은 **사랑스럽다**.

2631 ★★☆

□□□ [10 수능기출]

affirmative [əfə́:rmətiv]

형 긍정의, 긍정하는

㉮ affirm 단언하다 ㊗ positive 긍정적인, 낙관적인

That lady is a **affirmative** person.

그녀는 **긍정적인** 사람이다.

2632 ★★☆

□□□

aid [eid]

명 원조, 지원, 도움 동 돕다

I went to **aid** her.

내가 그녀를 **돕기** 위해 갔다.

2633 ★★★

□□□ 교육부 [10.14.17 수능기출]

appropriate [əpróupriət]

형 적당한, 적절한 동 도용하다, 충당하다

㉯ inappropriately 부적당하게 16수능

㊗ proper 제대로 된 suitable 적합한 ㉯ inappropriate

Use an **appropriate** method.

적절한 방법을 사용해라. 10수능

2634 ★☆☆

□□□ [14 수능기출]

authentic [ɔ:θéntik]

형 진정한, 진짜의

㉮ authenticity 진짜임 17수능 authenticate 진짜임을 증명하다

㊗ reliable 믿을 만한 genuine 진짜의 ㉯ inauthentic 진짜가 아닌, 가짜의

Authentic Italian cooking is very healthy.

정통 이탈리아 요리는 건강에 아주 좋다.

2635 ★★★

availabl 

사용할 수 있는, 쓸모 있는

□□□ 교육부 [95.10.11.14.17.19 수능기출]

available [əvéiləbl]

형 사용할 수 있는, 쓸모 있는

ⓟ avail 소용에 닿다 availability 유용성 no avail 아무 소용 없는

Is this car **available**?
이 차를 **사용할 수** 있습니까?

2636 ★★

bri  **k**

활발한, 활기찬

□□□ [05 수능기출]

brisk [brísk]

형 활발한, 활기찬

ⓤ active 활동적인 quick 재빠른 energetic 활기에 찬

He went for a **brisk** walk.
그는 **활기차게** 산책하러 나갔다.

2637 ★★★

capabl 

할 수 있는, 유능한

□□□ 교육부 [94.12 수능기출]

capable [kéipəbl]

형 할 수 있는, 유능한

ⓟ capability 능력, 역량 ⓑ incapable 할 수 없는 13수능

ⓤ competent 유능한 20수능

ⓢ be capable of=be able to=be equal to=can : ~할 수 있다 수능기출

2638 ★

cr  **dible**

믿을 수 있는

□□□ [98 수능기출]

credible [krédəbl]

형 믿을 수 있는

ⓟ credibility 신뢰성 credit 신용

They can predict the outcome with **credible** information.
그들은 **신뢰할 수 있는** 정보로 결과를 예측할 수 있다. 12수능

2639 ★★

dec  **nt**

괜찮은, 품위 있는, 예의 바른

□□□ [06.19 수능기출]

decent [dí:snt]

형 괜찮은, 품위 있는, 예의 바른

ⓟ decency 품위, 예절 ⓑ indecent 외설적인

a good and **decent** person
착하고 **예의 바른** 사람 98수능

2640 ★★★

delici  **us**

아주 맛있는

□□□ 교육부 [06.10.17 수능기출]

delicious [dilíʃəs]

형 아주 맛있는

ⓤ tasty 맛좋은 ⓣ delicate 연약한

We had a **delicious** meal.
우리는 **맛있는** 식사를 했다.

a **delicious** and nourishing
맛있고 영양가 있는 06수능

1분 안에 넘기기 | 시간 있으면 꼼꼼히 외우기

2641 ★★★

dilig  **nt**

근면한, 성실한

□□□ [16 수능기출]

diligent [dílədʒənt]

형 근면한, 성실한

파 diligence 근면, 성실

She is a **diligent** student.

그녀는 **근면한** 학생이다.

2642 ★★★

discr  **et**

신중한,
조심스러운

□□□ [06 수능기출]

discreet [diskrí:t]

형 신중한, 조심스러운

유 careful 조심하는, 주의 깊은

She is very thoughtful and **discreet.**

그녀는 매우 사려 깊고 **신중하다**.

2643 ★★★

dynami 

원동력
역동적인, 활동적인

□□□ [96 수능기출]

dynamic [dainǽmik]

명 원동력 형 역동적인, 활동적인

파 dynamics 역학 관계 유 energetic 정력적인 반 static 고정된

He is a **dynamic** person.

그는 **역동적인** 사람이다.

dynamic and spectacular

역동적이고 극적인 06수능

2644 ★★★

e  **er**

열렬한,
간절히 바라는

□□□ 교육부 [13 수능기출]

eager [í:gər]

형 열렬한, 간절히 바라는

파 eagerly 간절히, 기꺼이 13수능 숙 be anxious to + 동사원형=be eager to + 동사원형=be anxious for + 명사=be eager for + 명사 : ~을 갈망하다 수능기출

He is **eager** to meet and talk with her.

그는 그녀를 만나고 대화하기를 **간절히 원한다**.

2645 ★★★

e  **sygoing**

느긋한, 태평스러운

□□□ [94.08.10.12 수능기출]

easygoing [í:zigóuiŋ]

형 느긋한, 태평스러운

반 uptight 불안한, 긴장한

She is an **easygoing** person.

그녀는 **태평한** 사람이다.

2646 ★★★

effect 

ve

효과적인, 실질적인

□□□ 교육부 [99.03.06.08.09.11.14.15.16.20 수능기출]

effective [iféktiv]

형 효과적인, 실질적인

파 effectiveness 유효성 14수능 effectively 효과적으로 14,22수능 ineffective 효과가 없는 14수능 숙 hold good=be effective : 유효하다 ineffective 14수능 cost effective 비용 효율적인 20수능 special effect 특수 효과 20수능

The first draft can be made more **effective.**

초고는 더 **효과적**으로 만들 수 있다. 08수능

2647 ★★★

effici  nt

효율적인, 유능한

□□□ 교육부 [99.09.12.14.16.17 수능기출]

efficient [ifíʃənt]

형 효율적인, 유능한

㉺ efficiency 효율(성), 능률 20.22수능 efficiently 능률적으로, 유효하게 14수능 inefficient 비효율적인

Most of us are **efficient** and hard-working.

우리 대부분은 **유능하고** 근면하다. 99수능

2648 ★★

eleg  nt

우아한, 품격 있는

□□□ [09 수능기출]

elegant [éligənt]

형 우아한, 품격 있는

㉺ elegance 우아, 고상 ㊒ grace 우아함 refinement 세련

We sell dolls that are more **elegant** and beautiful.

우리는 더 **우아하고** 아름다운 인형을 판다. 09수능

2649 ★★

el  quent

웅변을 잘하는, 유창한

□□□

eloquent [éləkwənt]

형 웅변을 잘하는, 유창한

㊒ fluent 유창한

He is an **eloquent** speaker.

그는 **달변**가이다.

2650 ★★★

exquisit 

매우 아름다운, 정교한

□□□ [95.99.06.08.09.11 수능기출]

exquisite [ikskwízit]

형 매우 아름다운, 정교한

The jewel was **exquisite**.

그 보석은 **매우 아름다웠다**.

2651 ★★★

f  ir

품평회
타당한, 공평한

□□□ 교육부 [96.05.11.12 수능기출]

fair [fέər]

명 품평회 형 타당한, 공평한

㊐ fairly 상당히, 꽤

fair housing

평등한 집안일 09수능

She talked about a **fair** she was organizing.

그녀가 준비하고 있는 **전시회**에 관해 말했다. 11수능

2652 ★★★

famili  r

익숙한, 친숙한

□□□ 교육부 [04.09.12.16 수능기출]

familiar [fəmíljər]

형 익숙한, 친숙한

㉦ unfamiliar 익숙지 않은, 낯선 16수능 ㉺ familiarity 친숙함 20수능

기출 intimacy 친밀함 20수능

㉲ be familiar with + 사물 : ~을 잘 알고 있다 be familiar to + 사람 : ~에게 잘 알려져 있다 수능기출 be good at=be familiar with=be at home in ~에 정통하다 수능기출

2653 ★★★

flexibl

신축성 있는, 유연한

□□□ 교육부 [04 수능기출]

flexible [fléksəbl]

형 신축성 있는, 유연한

㉶ flexibility 유연성, 탄력성 22수능

She is a **flexible** person.
그녀는 **유연한** 사람이다.

strong and **flexible** paper
질기고 **유연한** 종이 04수능

2654 ★★★

fl**urish**

번창하다, 잘 자라다

□□□

flourish [flə́:riʃ]

동 번창하다, 잘 자라다

㊌ thrive 번영하다 prosper 번성하다

Ducks **flourish** in the rain.
오리들은 빗속에서 **잘 자란다**.

2655 ★★★

for

앞부분에 위치한, 전방의

□□□

fore [fɔ́:r]

형 앞부분에 위치한, 전방의

㉯ hind 뒤쪽의

Fore is the front of a ship.
전방은 배의 **앞부분**이다.

2656 ★★★

fr**grant**

향기로운, 향긋한

□□□ [00 수능기출]

fragrant [fréigrənt]

형 향기로운, 향긋한

The flowers gave off a **fragrant** smell.
그 꽃들에서 **향기로운** 향내가 났다.

2657 ★★★

gift**d**

재능이 있는, 지닌

□□□

gifted [gíftid]

형 재능이 있는, 지닌

㉳ gift 선물, 기증품

She is a **gifted** teacher.
그녀는 **재능**을 가진 교사다.

2658 ★★★

indispensabl

없어서는 안 될, 필수적인

□□□ [00,08,09 수능기출]

indispensable [ìndispénsəbl]

형 없어서는 안 될, 필수적인

㊌ essential = necessary 반드시 필요한

㉯ dispensable 없어도 되는, 불필요한

They are **indispensable** to us.
그들은 우리를 위해 **없어서는 안 된다**.

2659 ★★★

l test
최신의, 최근의

□□□ [00.08.13 수능기출]

latest [léitist]

형 최신의, 최근의

latest devices
최신 장치들 08수능

latest fashions
최신 패션 00수능

2660 ★★★

l an
기대다, 기울다, 의지하다

□□□ 교육부

lean [lí:n]

동 기대다, 기울다, 의지하다

He likes to **lean** on his mother.
그는 엄마에게 **기대**는 것을 좋아한다.

2661 ★★☆

m ek
온순한, 온화한, 순한

□□□ [97 수능기출]

meek [mí:k]

형 온순한, 온화한, 순한

㊌ tender 상냥한 obedient 순종적인

He is a **meek** husband.
그는 **온화한** 남편이다.

2662 ★★☆

moderat
온건한, 적당한, 중도의

□□□ 교육부 [94.97.07.09 수능기출]

moderate [mάdərət]

형 온건한, 적당한, 중도의

㊓ moderation 적당함 moderately 적당히

㊖ extreme 극도의

all things in **moderation**
모든 것에 **중용**을 97수능

2663 ★★★

ne essity
필요, 필수품

□□□ 교육부 [13.14.15 수능기출]

necessity [nəsésəti]

명 필요, 필수품

㊓ necessitate 필요로 하다 ㊖ luxury 사치

This tool is a **necessity**. 이 도구가 **필요**하다.

His mother feels the **necessity** to provide some protection.
그의 엄마는 어느 정도의 보호를 제공할 **필요성**을 느낀다. 07수능

2664 ★★☆

not ble
주목할 만한,
눈에 띄는

□□□

notable [nóutəbl]

형 주목할 만한, 눈에 띄는

㊓ notably 현저히 16수능 ㊌ remarkable 놀랄 만한 notice 주목하다

One **notable** difference was that her mood improved greatly.
한 가지 **주목할 만한** 차이점이 있다면 그녀가 기분이 굉장히 좋아졌다는 것이다.

○ 1분 안에 넘기기

○ 시간 있으면 꼼꼼히 외우기

2665 ★★★

outspok**n**

노골적으로 말하는,
거침없이 말하는

□□□ [04.12.19 수능기출]

outspoken [àutspóukən]

형 노골적으로 말하는, 거침없이 말하는

He was **outspoken** in his demands.
그는 자기 요구를 **노골적으로** 말했다.

2666 ★★★

overcom

극복하다, 이기다

□□□ [04.14 수능기출]

overcome [òuvərkʌ́m]

동 극복하다, 이기다

팁 overconfident 지나치게 자신만만한 02수능

He **overcame** hardships in life.
그는 삶 속에서 고난들을 **이겨 냈다.** 04수능

2667 ★★★

p**ise**

침착, 균형
균형 잡히게 하다

□□□

poise [pɔ́iz]

명 침착, 균형 동 균형 잡히게 하다

팁 pose (자세)를 취하다

She is **poised** on the balancing beam.
그녀가 평균대 위에서 **균형**을 잡고 있다

2668 ★★★

popul**r**

인기 있는,
대중적인

□□□ 교육부 [07.09.13.14.15.17 수능기출]

popular [pάpjulər]

형 인기 있는, 대중적인

파 popularity 인기 18수능 팁 population 인구, 모집단 19수능

the most **popular** form of footwear
가장 **인기 있는** 신발의 형태 07수능

an item of **popular** culture
인기 있는 문화 상품 09수능

2669 ★★★

preci**us**

귀중한, 소중한

□□□ 교육부 [96.98.05.10 수능기출]

precious [préʃəs]

형 귀중한, 소중한

유 valuable 가치가 큰 invaluable 값을 헤아릴 수 없는
valuables (pl.) 귀중품 19수능

Life is **precious.** 인생은 귀중한 것이다. 96수능

a **precious collectible object** 수집 가능한 귀중 품 10수능

2670 ★★★

pricel**ss**

대단히 귀중한

□□□ [16 수능기출]

priceless [práislis]

형 대단히 귀중한

유 invaluable 매우 중요한

His gun is **priceless** to a soldier.
군인에게 그의 총은 **대단히 중요**하다.

2671 ★★★

pro  bly

아마, 아마도

□□□ [00.01.09.13.15.17.19 수능기출]

probably [prɑ́bəbli]

부 아마, 아마도

㊇ probable 있음 직한, 할 듯한 probability 가망, 확률 수능19.22

He is **probably** a devil.
그는 귀신**인 것** 같다.

You **probably** conclude the person is a woman.
당신은 **아마도** 그 사람이 여자라고 결론 내릴 것이다. 00수능

2672 ★★☆

progressiv 

진보적인, 점진적인

□□□ [09.19 수능기출]

progressive [prəgrésiv]

형 진보적인, 점진적인

㊇ progressively 진보적으로 progress 진행하다

I am a more **progressive** person.
내가 더 **진보적인** 사람이다.

Progressive organizations fight for social change.
진보적 집단들은 사회 변화를 위해 싸웠다. 09수능

2673 ★★☆

radi  nt

빛나는, 눈부신

□□□

radiant [réidiənt]

형 빛나는, 눈부신

㊇ radiation 방사선 radiate 내뿜다 radial 방사상의

She looked **radiant** at the party.
그녀는 파티에서 **빛이 나** 보였다.

2674 ★★☆

rap  d

빠른, 급한

□□□ 교육부 [03.15 수능기출]

rapid [rǽpid]

형 빠른, 급한

㊇ rapidly 급속히, 빨리 15수능

He enjoys a **rapid** pace of living and working.
그는 **빠른** 속도로 진행되는 일과 삶을 즐긴다. 03수능

2675 ★☆☆

raptur 

큰 기쁨, 황홀, 환희

□□□

rapture [rǽptʃər]

명 큰 기쁨, 황홀, 환희

They were in **rapture** when they tasted it.
그들이 그것을 맛봤을 때 **너무 기뻤다**.

2676 ★☆☆

r  quisite

필수품
필요한

□□□

requisite [rékwəzit]

명 필수품 형 필요한

㊅ vital 필수적인 crucial 결정적인

Salt is a **requisite** when cooking.
요리할 때 소금은 **필수**이다.

○ 1분 안에 넘기기

○ 시간 있으면 꼼꼼히 외우기

2677 ★★★

resolut

모두 Yes해도 난 NO!

단호한, 확고한

□□□ [17 수능기출]

resolute [rézəlùːt]

형 단호한, 확고한

㉺ resolution 결의, 결심 17수능

We need to be **resolute** in our decision making.
우리는 의사 결정에 있어서는 **단호해져**야 합니다.

2678 ★★★

se

ure

안전한
얻어 내다, 획득하다

□□□ 교육부 [98.04.06.09.11.14.17 수능기출]

secure [sikjúər]

형 안전한 통 얻어 내다, 획득하다

㉺ security 안전, 보안 securely 단단히 06수능

㉯ insecure 불안정한 14수능

Make sure that the door is **secure**! 문이 **안전한지** 확인하세요!

secure professional position · **안정된** 전문적인 위치 09수능

2679 ★★★

solv

nt

용제, 용매
용해력이 있는,
지불 능력이 있는

□□□ [09 수능기출]

solvent [sάlvənt]

명 용제, 용매 형 용해력이 있는, 지불 능력이 있는

㉺ solve 용해하다

Finally the company is **solvent**.
드디어 그 회사는 **빚이 없다**.

The **solvent** comes into direct contact with them.
용매는 그것과 직접 접촉한다. 09수능

2680 ★★★

sparkl

광채, 반짝이다

□□□ [06 수능기출]

sparkle [spάːrkl]

명 광채 통 반짝이다

㉺ sparkling 반짝거리는 ㉻spark 불러일으키다, (웃음 따위를) 자아내다 20수능

In the monster's eye a flame **sparkled**.
그 괴물의 눈에서 불꽃이 **튀었다**.

the **sparkling** Himalayas
반짝이는 히말라야 산맥 06수능

2681 ★★★

stur

y

튼튼한, 견고한

□□□ [11 수능기출]

sturdy [stə́ːrdi]

형 튼튼한, 견고한

㊒ strong 강한, 힘센 기출 tough 쉽지 않은, 힘든 20수능 ㉻ study 공부하다

The horse he bought looks **sturdy**.
그가 산 말은 **튼튼해** 보인다.

It is a vital factor in making them **sturdy**.
그것은 그것들을 **튼튼하게** 만드는 중요한 요소이다. 11수능

2682 ★★★

suitabl

적합한, 적절한

□□□ [94.07.10.13.16 수능기출]

suitable [súːtəbl]

형 적합한, 적절한

㊒ fit 적당한 appropriate 적절한 ㉯ unsuitable 적합하지 않은

That is a word **suitable** for female students to hear.
그 단어는 여학생이 듣기에 **적절하다**. 94수능

2683 ★★☆

□□□ 교육부

tame [téim]

형 길들여진 동 길들이다

Usually cats and dogs are **tame**.
보통 고양이와 개는 **길들여 진다**.

2684 ★☆☆

□□□

telepathy [təlépəθi]

명 텔레파시

He could know that only by **telepathy**.
그는 **텔레파시**에 의해서만 알 수 있었다.

2685 ★★☆

□□□ [94.12 수능기출]

temperate [témpərət]

형 온화한, 절제하는

파 temperature 온도 01수능 temperament 기질 09수능

They enjoy the **temperate** climate.
그들은 **온화한** 기후를 즐긴다. 94수능

2686 ★☆☆

□□□ [17 수능기출]

tranquil [trǽŋkwil]

형 고요한, 평온한

파 tranquility 평온 17수능

I enjoyed the **tranquil** atmosphere of the countryside.
나는 시골의 **평온한** 분위기를 즐겼다.

2687 ★☆☆

□□□

upcoming [ʌ́pkʌ̀miŋ]

형 다가오는, 곧 있을

This **upcoming** event does not look good to me.
지금 **다가오고 있는** 사건은 나에게 좋지 않은 거 같다.

2688 ★★☆

□□□ 교육부 [10 수능기출]

upright [ʌ́pràit]

형 똑바른, 곧은

He was an **upright** servant.
그는 **똑바로 서 있는** 신하였다.

The post was **upright** on the floor.
기둥이 바닥에 **똑바로 서** 있다. 10수능

2689 ★☆☆

adv  rse

부정적인, 반대하는, 거스르는

□□□

adverse [ædvə́:rs]

형 부정적인, 반대하는, 거스르는

㉺ adversity 역경 17수능

He keeps going despite the **adverse** conditions.

악조건에도 불구하고 그는 계속 일을 하고 있다.

2690 ★★☆

am  ral

도덕관념이 없는

□□□ [15 수능기출]

amoral [eimɔ́(:)rəl]

형 도덕관념이 없는

Knowledge is **amoral.**

지식은 **도덕과 관계가 없다**.

2691 ★★★

confus 

혼란시키다, 혼동하다

□□□ 교육부 [02.08.09.00.15.16 수능기출]

confuse [kənfjú:z]

동 혼란시키다, 혼동하다

㉺ confusing 혼란스러운 08수능

㉲ be confused=be bewildered=be puzzled=be perplexed=be embarrassed=be at a loss=be at one's wits' end : 당황하다 수능기출

2692 ★☆☆

 urse

저주, 악담
저주를 내리다

□□□ 교육부

curse [kə́:rs]

명 저주, 악담 동 저주를 내리다

People are afraid of a **curse.**

사람들은 **저주**를 두려워한다.

2693 ★★★

defe  t

결점, 결함

□□□ [94.09.10.16 수능기출]

defect [dí:fekt]

명 결점, 결함

㉺ defective 결함이 있는 deficiency 결핍, 부족

㉲ in defect of : ~이 없어서

The bicycle equipment can become **defective.**

자전거 장비 **결함**이 생길 수 있다. 94수능

2694 ★★☆

den  l

부인, 부정

□□□ [14 수능기출]

denial [dináiəl]

명 부인, 부정

㉺ deny 부인하다

We cannot accept her **denial.**

그녀가 **부정하는 것**을 인정할 수 없다.

2689 애드벌~스 2690 어모~럴 2691 컨퓨~스 2692 컬~스 2693 디펙~트 2694 디놔이얼

2695 ★★☆

d  spair

절망
절망하다, 체념하다

□□□ 교육부 [08.14.19 수능기출]

despair [dispέər]

명 절망 동 절망하다, 체념하다

숙 in despair : 절망하여 19수능 파 desperate 자포자기한

Despair rules in isolation.
고립 상태에서는 **절망**이 지배한다. 08수능

2696 ★☆☆

despis 

경멸하다

□□□ [19 수능기출]

despise [dispáiz]

동 경멸하다

파 despite ~에도 불구하고

숙 look down on=despise 멸시하다 19수능

How can you come to **despise** me?
어떻게 네가 나를 **경멸할** 수 있니?

2697 ★★☆

det  rioration

악화, 하락, 품질 저하

□□□ [12 수능기출]

deterioration [ditìəriəréiʃən]

명 악화, 하락, 품질 저하

There was a **deterioration** of relations between the two countries.
두 나라 간의 관계가 **악화**되었다.

2698 ★★☆

disastr  us

파멸적인

□□□ [13 수능기출]

disastrous [dizǽstrəs]

형 파멸적인

disastrous cognitive static
파멸적인 인지적 정지상태 13수능

2699 ★☆☆

discriminat 

구별하다, 차별하다

□□□ 교육부

discriminate [diskrímənèit]

동 구별하다, 차별하다

파 discrimination 차별

Why is there such a strong **discrimination**?
왜 그렇게 **차별**이 심하니?

2700 ★☆☆

disharm  ny

불화, 부조화

□□□ [06 수능기출]

disharmony [dìshɑ́:rməni]

명 불화, 부조화

반 harmony 조화

Disharmony has entered our relationship.
부조화가 우리의 관계에 들어왔다. 06수능

2701 ★☆☆

□□□ [14 수능기출]

disobedient [dìsəbíːdiənt]

형 거역하는, 반항적인

Children should not be **disobedient**.

아이는 **반항하면** 안된다. 14수능

2702 ★☆☆

□□□

disorder [disɔ́ːrdər]

명 무질서, 혼란, 가벼운 병

There was **disorder** in the city.

도시는 **무질서**하다.

2703 ★★☆

□□□ [97,05 수능기출]

doom [dúːm]

명 운명, 멸망

유 destiny 운명

숙 be destined to=be doomed to : ~할 운명이다 수능기출

Tomorrow will be the day of **doom**.

내일이 **최후의 심판**일이 될 것이다.

2704 ★★☆

□□□

dreary [dríəri]

형 음울한, 따분한

유 gloomy 우울한, 침울한

It was a **dreary** day.

음울한 날이었다.

2705 ★☆☆

□□□

drudgery [drʌ́dʒəri]

명 고된 일, 힘들고 단조로운

Her work became a **drudgery**.

그녀는 그 **일**이 고되었다.

2706 ★★☆

□□□

dusty [dʌ́sti]

형 먼지투성이인, 칙칙한

파 dust 먼지

My room is **dusty**.

내 방은 **먼지 투성**이다.

2707 ★★★

□□□ [96.97.05.07.08.13.16.17 수능기출]

embarrass [imbǽrəs]

동 당황하게 하다, 난처하게 하다

㉺ embarrassed 당황한 embarrassment 당황, 어색함

This made me so **embarrassed.**

이것은 나를 매우 **당황케** 했다. 96수능

2708 ★★☆

□□□ 교육부 [05.06 수능기출]

exclude [iksklú:d]

동 제외하다, 배제하다

㉺ exclusion 배제 exclusive 배타적인 include 포함하다

숙 rule out=exclude : 배제하다 수능기출

In the mail it is difficult to **exclude** unwanted objects.

우편물은 원치 않는 사물들을 **제외시키기** 어렵다. 05수능

2709 ★★★

□□□ [96.98.02.08.09.10.11.12.16 수능기출]

frustrate [frʌ́streit]

동 좌절시키다, 방해하다

㉺ frustration 불만, 좌절 20수능

The monkey was **frustrated.**

그 원숭이는 **좌절했다.**

frustrating conditions

곤혹스러운 상황 09수능

2710 ★★☆

□□□ [11 수능기출]

futile [fjú:tl]

형 헛된, 소용없는

He gained what he wanted after several **futile** attempts.

헛된 몇 번의 시도 후에 그는 원하는 것을 얻었다. 11수능

2711 ★☆☆

□□□ 교육부 [13 수능기출]

greed [grí:d]

명 탐욕, 식탐

㉺ greedy 탐욕스러운 greedily 탐욕스럽게 13수능

He showed his **greed.**

그는 자신의 **탐욕**을 보여 주었다.

2712 ★★☆

□□□ 교육부 [94.06 수능기출]

haste [héist]

명 서두름, 성급함 동 서두르다

㉺ hasty 서두른, 성급한 hasten 서둘러 하다, 재촉하다

숙 in a hurry=hurriedly=in haste=hastily : 서둘러 수능기출

She left in **haste.**

그녀는 **서둘러** 떠났다.

○ 1분 안에 넘기기 | ○ 시간 있으면 꼼꼼히 외우기

2713 ★★★

hazad

위험, 위험 요소

□□□ [20 수능기출]

hazard [hǽzərd]

명 위험, 위험 요소

팁 fire hazard 화재 위험

Beware of the road **hazard**.

도로의 **위험 요소**에 주의하라.

2714 ★★★

initilly

처음에

□□□ [15.20 수능기출]

initially [iníʃəli]

부 처음에

I was **initially** confused.

나는 **처음에는** 혼란스러웠다.

2715 ★★★

nsult

모욕, 모욕하다

□□□ 교육부 [95.16 수능기출]

insult [insʌ́lt]

명 모욕 동 모욕하다

파 insulting 모욕적인 팁 insulated 절연된

유 contempt 경멸 indignity 수모

insulting behavior

모욕적인 행동 95수능

2716 ★★★

insurmountble

극복할 수 없는,
넘을 수 없는

□□□ [15 수능기출]

insurmountable [ìnsərmáuntəbl]

형 극복할 수 없는, 넘을 수 없는

There are **insurmountable** problems in living. 15수능

삶면서 **극복할 수 없는** 문제들이 있다.

2717 ★★★

lak

부족, 결핍
부족하다

□□□ 교육부 [96.03.06.07.08.14.15.16.17 수능기출]

lack [lǽk]

명 부족, 결핍 동 부족하다

유 shortage 부족 반 abundance 충분

숙 in want of=for lack of : ~이 부족하여 수능기출

lack of evidence

증거 **부족** 03수능

2718 ★★★

mindlssly

분별없이, 어리석게

□□□ [13.14 수능기출]

mindlessly [máindlisli]

부 분별없이, 어리석게

They had **mindlessly** followed this routine.

그들은 **분별없이** 이 일을 따라 했던 것이다. 13수능

2713 해절드 2714 이니셜리 2715 인썰트 2716 인설마우너블 2717 랙 2718 마인들리슬리

2719 ★★★

misguid  d

오도된, 잘못 알고 있는

□□□ [15 수능기출]

misguided [misgaidid]

형 오도된, 잘못 알고 있는

It was a **misguided** decision.

그것은 **잘못 판단한** 결정이었어요.

기출 guideline 지침 21수능

2720 ★★★

misl 

ding

오해의 소지가 있는, 오도하는

□□□ [95.05.14.15.19 수능기출]

misleading [mislíːdiŋ]

형 오해의 소지가 있는, 오도하는

The information is **misleading**.

그 정보는 **오해의 소지**가 있다.

2721 ★★★

monot 

nous

단조로운, 지루한

□□□ [06 수능기출]

monotonous [mənɑ́tənəs]

형 단조로운, 지루한

유 even = dull = boring = monotonous = uninteresting : 단조로운, 지루한 수능기출

Study can be **monotonous**.

공부는 **지루할** 수 있다.

2722 ★★★

obsta  le

장애, 장애물

□□□ [98 수능기출]

obstacle [ɑ́bstəkl]

명 장애, 장애물

Just one **obstacle** has remained.

오직 한 개의 **장애물**만이 남았다.

I overcame even this **obstacle**.

나는 심지어 이 **장애물**까지도 극복했다. 98수능

2723 ★★★

 minous

불길한, 나쁜 징조의

□□□

ominous [ɑ́mənəs]

형 불길한, 나쁜 징조의

The weather looks **ominous**.

날씨가 **불길해** 보인다.

2724 ★★★

outmod  d

유행에 뒤떨어진, 구식의

□□□

outmoded [àutmóudid]

형 유행에 뒤떨어진, 구식의

The TV is **outmoded**.

TV가 **구식**이다.

1분 안에 넘기기

시간 있으면 꼼꼼히 외우기

2725 ★☆☆

□□□

pessimist [pésəmist]

명 비관주의자

파 optimist 낙천주의자

He has become a **pessimist**.

그는 **비관주의자**가 되어 갔다.

2726 ★★☆

□□□ [14 수능기출]

pitfall [pɪtfɔ:l]

명 함정, 위험

It is a constant **pitfall** to the unwary.

그것은 경솔한 자가 언제나 빠지는 **함정**이다.

2727 ★★★

□□□ 교육부 [98.99.03.04.09.14 수능기출]

proud [práud]

형 자랑스러운, 거만한

파 proudly 자랑스럽게 숙 be proud of=take pride in=pride oneself on=boast=show off : ~을 자랑하다 수능기출

He **is proud of** his daughter.

그는 자신의 딸을 **자랑스럽게 생각한다**.

2728 ★★★

□□□ 교육부 [94.02.05.06.08.10.11.12.13.14.15.16.17 수능기출]

rather [rǽðər]

부 꽤, 약간, 오히려

숙 not so much A as B=not A so much as B=less A than B=B rather than A : A라기 보다는 오히려 B다 수능기출

Space is given to parking **rather** than trees.

공간이 나무들의 자리보다 **오히려** 주차장으로 이용되고 있다. 02수능

2729 ★★★

□□□ [14.15.16.17 수능기출]

refrain [rifréin]

동 삼가다, 자제하다

Please **refrain** from smoking.

담배 피우는 것을 **삼가세요**.

2730 ★★☆

□□□ [14 수능기출]

regress [rigrés]

동 퇴보하다

They had mentally **regressed**.

그들은 정신적으로 **퇴보했다**. 14수능

2725 페시미슽 2726 핏풜 2727 프라우드 2728 래덜 2729 리프레인 2730 리그레스

2731 ★★☆

썩다, 부패하다

□□□ 교육부 [12 수능기출]

rot [rάt]

동 썩다, 부패하다

팁 rote 암기

After a few days, the food began to **rot**.
며칠 후, 음식이 **부패**하기 시작했다.

2732 ★★☆

무례한,
버릇없는

□□□ 교육부 [03.09 수능기출]

rude [rúːd]

형 무례한, 버릇없는

파 rudely 무례하게, 예의 없이

People are often considered to be **rude** unintentionally.
사람들은 종종 본의 아니게 **무례하게** 여겨지기도 한다. 03수능

2733 ★★☆

고의로 방해하다

□□□ [13 수능기출]

sabotage [sǽbətὰːʒ]

명 고의로 방해하다

Anxiety **sabotages** academic performance.
걱정은 학업을 **방해한다**. 13수능

2734 ★★☆

사나운,
야만적인

□□□ [08 수능기출]

savage [sǽvidʒ]

형 사나운, 야만적인

유 wild 야생의 팁 wildflower 야생화 20수능
barbaric 야만적인 cruel 잔혹한

The behavior has a characteristic of **savage**.
그 행동은 **야만적인** 특징이 있다. 08수능

2735 ★★☆

이기적인

□□□

selfish [sélfiʃ]

형 이기적인

He is so **selfish** that he has no friends.
그는 너무 **이기적이어서** 친구가 없다.

2736 ★★☆

부족, 결핍

□□□ [98.03.07 수능기출]

shortage [ʃɔ́ːrtidʒ]

명 부족, 결핍

유 lack 부족 abundance 풍부함

There is a **shortage** of feed for the pigs.
돼지가 먹기에는 사료가 **부족**하다.

2731 롿 2732 루~드 2733 쌔버타~쥐 2734 새비쥐 2735 셀피쉬 2736 숄~이지

2737 ★☆☆

s  ur

신, 시큼한, 시어지다

□□□ 교육부

sour [sauər]

형 신, 시큼한 동 시어지다

팁 bitter 쓴맛 salty 짠맛이 나는 sweet 단맛이 나는

To create a **sour** taste she added vinegar.
그녀는 음식에 **신**맛을 내기 위해 식초를 넣었다.

2738 ★☆☆

str  in

부담, 중압감
잡아당기다, 긴장시키다

□□□

strain [stréin]

명 부담, 중압감 동 잡아당기다, 긴장시키다

유 tension 반 ease 편안함

She feels the **strain** of running.
그녀는 달리는 데 **중압감**을 느낀다.

2739 ★★☆

stubb  rn

완고한, 고집스러운

□□□ [06 수능기출]

stubborn [stʌ́bərn]

형 완고한, 고집스러운

파 stubbornly 완고하게 유 obstinate 완강한 dogged 끈덕진

반 compliant 순응하는

The vast majority of people are **stubborn**.
대다수의 사람들은 **고집**이 있다. 06수능

2740 ★★★

suggest  n

제안, 암시

□□□ [95.97.99.00.01.04.06.10.11.12.14.15 수능기출]

suggestion [səgdʒéstʃən]

명 제안, 암시

파 suggest 제안하다 self-suggestion 자기 암시

This **suggests** the value of childrens' art.
이것은 어린이들 미술품의 가치를 **암시한다.** 10수능

Can I make a **suggestion**?
내가 **제안** 하나 할까요?

2741 ★☆☆

trifl 

약간,
하찮은 것

□□□

trifle [tráifl]

명 약간, 하찮은 것

Rabbits are alarmed even at **trifles**.
토끼는 **하찮은 것**조차도 놀랜다.

2742 ★☆☆

und  rprivileged

혜택받지 못한

□□□ [12 수능기출]

underprivileged [ʌ̀ndərprívəlidʒd]

형 혜택받지 못한

팁 privilege 특권, 특전

The nun lived a life of serving the **underprivileged**.
그 수녀는 **불우한 사람들**을 돕는 삶을 살았다.

underprivileged young children
소외 계층의 아이들 12수능

2737 **싸**우얼 2738 스트**레**인 2739 **스**터번 2740 써**줴**스천 2741 트**라**이플 2742 **언**더프리빌리지드

2743 ★★★

unf  t

부적당한, 어울리지 않는

□□□ [14 수능기출]

unfit [ʌnfít]

형 부적당한, 어울리지 않는

That robots are **unfit** for any conversation.

로봇들은 그 어떤 대화에도 **어울리지 않는다.** 14수능

2744 ★★★

unmusi  al

음악에 소질이 없는, 음악성이 없는

□□□ [15 수능기출]

unmusical [ʌnmjú:zikəl]

형 음악에 소질이 없는, 음악성이 없는

An **unmusical** person can recognize an octave.

음악에 소질이 없는 사람은 한 옥타브를 인지할 수 있다. 15수능

2745 ★★★

unt  mely

때 이른, 시기상조의

□□□

untimely [ʌ̀ntáimli]

형 때 이른, 시기상조의

반 timely 때맞춘, 시기적절한

He had an **untimely** death.

그는 **때 이른** 죽음을 당했다.

2746 ★★★

vagu 

막연한, 모호한

□□□ [02.10.13.14.16 수능기출]

vague [véig]

형 막연한, 모호한

파 vaguely 모호하게, 어렴풋이 16수능 vagueness 애매모호함 13수능

팁 vogue 유행

a **vague** voice

희미한 목소리 02수능

2747 ★★★

v  nity

허영심, 헛됨

□□□ [13.17 수능기출]

vanity [vǽnəti]

명 허영심, 헛됨

파 vain 헛된 팁 vanish 사라지다

That lady's extravagance and **vanity** are strong.

그녀는 사치와 **허영**이 심하다.

2748 ★★★

vi  ious

잔인한, 사악한

□□□ [16 수능기출]

vicious [víʃəs]

형 잔인한, 사악한

반 virtuous 덕이 높은, 고결한 파 vice 악, 악덕, 행위

He is very **vicious.**

그는 매우 **잔인**하다.

○ 1분 안에 넘기기 ○ 시간 있으면 꼼꼼히 외우기

2749 ★★★

viol nt

폭력적인, 맹렬한

□□□ 교육부 [96.07.08.10.15 수능기출]

violent [váiələnt]

형 폭력적인, 맹렬한

ⓟ violence 폭력

a **violent** storm

심한 폭풍 96수능

violence and property crimes

폭력과 재산 범죄 07수능

2750 ★

vul ar

저속한, 천한

□□□

vulgar [vʌ́lgər]

형 저속한, 천한

㊤ tasteless 천박한 ㊥ refined 세련된

He uses a lot of **vulgar** language.

그는 **저속한** 말을 많이 쓴다.

2751 ★★

wi ked

사악한, 못된

□□□ 교육부

wicked [wíkid]

형 사악한, 못된

ⓣ wick (양초) 심지 bad 나쁜 ⓟ wickedness 사악함 20수능

Wild animals can become **wicked.**

야생 동물은 **사악해** 질 수 있다.

2752 ★★★

wit h

마녀

□□□

witch [wítʃ]

명 마녀

ⓣ wizard 마법사

Witches fly around on broomstick.

마녀들은 빗자루를 타고 다닌다.

2753 ★

withh ld

보류하다, 억제하다

□□□

withhold [wiθhóuld]

동 보류하다, 억제하다

ⓟ withholdment 억제, 원천징수

The mother tried to **withhold** the present till the Christmas.

엄마는 크리스마스 때까지 선물을 **주지 않으려고** 하셨다.

2754 ★★★

wret hed

비참한, 끔찍한

□□□

wretched [rétʃid]

형 비참한, 끔찍한

ⓟ wretch 불쌍한 사람

The weather this winter has been **wretched.**

올 겨울 날씨는 **끔찍**했다.

2749 봐일런트 2750 뷜걸 2751 위키드 2752 위취 2753 위드홀드 2754 레취드

2755 ★★☆

activte

작동시키다,
활성화하다

□□□ [98 수능기출]

activate [ǽktəvèit]

동 작동시키다, 활성화하다

파 activation 활성화

I need to **activate** my new phone.
내 새 휴대 전화를 **활성화**해야 합니다.

gene **activation**
유전자 **활성화** 98수능

2756 ★★★

aspct

측면, 양상

□□□ 교육부 [98.05.06.08.09.10.13.16.17 수능기출]

aspect [ǽspekt]

명 측면, 양상

technical **aspects**
기술적인 **측면** 06수능

various **aspects**
여러 **측면** 10수능

2757 ★★☆

brows

둘러보다, 훑어보다

□□□ [08.16 수능기출]

browse [bráuz]

동 둘러보다, 훑어보다

팁 a Web browser 웹브라우저

Would you like to **browse** for a while?
잠시 **찾아봐도** 되겠습니까?

You can **browse** the various sections.
당신은 다양한 섹션을 **찾아볼** 수 있다. 08수능

2758 ★☆☆

collaborat

협력하다

□□□ [15 수능기출]

collaborate [kəlǽbərèit]

동 협력하다

파 collaborative 협력적인 collaboration 협력 15수능

유 cooperate 협력하다 팁 collaborative system 협업 시스템 20수능

I am happy to **collaborate**.
나는 **협력할** 수 있어서 기뻐.

2759 ★☆☆

ompress

압축하다, 누르다

□□□

compress [kəmprés]

동 압축하다, 누르다

compress air
공기를 **압축하다**

compress a file
파일을 **압축하다**

2760 ★☆☆

cmprise

구성되다, 포함하다

□□□ 교육부

comprise [kəmpráiz]

동 구성되다, 포함하다

유 be comprised of ~로 구성되다 consist of ~으로 이루어지다
be composed of ~에 포함되다 made up 이루다

Cats **comprise** lions and tigers.
사자와 호랑이는 고양이과에 **속한다**.

1분 안에 넘기기

시간 있으면 꼼꼼히 외우기

2761 ★★★

c 

nflict

갈등, 충돌, 대립

□□□ 교육부 [97.01.05.09.10.11.12.13.15.17.20 수능기출]

conflict [kάnflikt]

명 갈등, 충돌, 대립

There was a **conflict** of interest between signaller and receiver.

발신자와 수신자 사이의 이해관계 **대립**이 있다. 11수능

2762 ★★★

c  nsider

고려하다, 여기다

□□□ 교육부 [98.09.10.11.15.16.17.19 수능기출]

consider [kənsídər]

동 고려하다, 여기다

㉫ consideration 고려 considerate 사려 깊은 19수능 considerable 상당한 considerably 상당히 17수능 a considerable degree of 상당한 정도의

㊌ allow for=make allowances for=take + 목적어 + into account=take + 목적어 + into consideration=consider : 고려하다 수능기출

2763 ★★★

corr 

spond

일치하다,
서신 왕래하다

□□□ 교육부 [08.14 수능기출]

correspond [kɔ̀:rəspάnd]

동 일치하다, 서신 왕래하다

㉫ correspondingly 부응하여 correspondence 통신

㊌ correspond to : ~와 일치하다 correspond with : 서신 교환하다 수능기출

European grades **correspond** to our grades.

유럽의 등급은 우리와 **일치한다**. 08수능

2764 ★★★

 ultivate

경작하다, 재배하다

□□□ 교육부 [11.16.17.20 수능기출]

cultivate [kʌ́ltəvèit]

동 경작하다, 재배하다

㉫ cultivation 경작 ㊒ farm 경작하다

rituals, hunts, festivals, **cultivation** and harvesting

의식, 사냥, 축제, **경작** 그리고 추수 11수능

2765 ★★

depi 

묘사하다, 그리다

□□□ [08.16 수능기출]

depict [dipíkt]

동 묘사하다, 그리다

㉫ depiction 묘사, 서술 16.19수능 ㊒ describe 묘사하다

A line will be sufficient to **depict** a feature.

선은 이목구비를 **묘사하기에** 충분할 것이다. 08수능

2766 ★★

d  rive

끌어내다, 얻다

□□□ 교육부 [17.20 수능기출]

derive [diráiv]

동 끌어내다, 얻다

㉫ derivation 어원 derivative 파생

㊌ be derived from=derive from : ~으로부터 나오다, 파생되다 수능기출

From where did that information **derive**?

그 정보는 어디에서 **나왔나**?

2767 ★★★

dir  t

직접적인
향하다, 지휘하다

□□□ 교육부 [08.14.15.16.17 수능기출]

direct [dirékt]

형 직접적인 동 향하다, 지휘하다

㉺ directly 곧장, 똑바로 14수능 direction 방향 indirectly 간접적으로 indirect 간접적인 17수능 directive 지시, 명령 19수능

㊈ at first hand=directly : 직접 at second hand=indirectly : 간접적인 수능기출

2768 ★★☆

istinguish

구별하다, 식별하다

□□□ 교육부 [96.07.14.15.19 수능기출]

distinguish [distíŋgwiʃ]

동 구별하다, 식별하다

㉺ distinguished 두드러진, 유명한 ㊈ distinguish A from B=tell A from B=discriminate A from B=discriminate between A and B : A와 B를 구별하다 distinguish oneself : 두각을 나타내다 수능기출

2769 ★★★

el  borate

정교한, 공들인
자세히 말하다

□□□ [13.14.19 수능기출]

elaborate [ilǽbərət]

형 정교한, 공들인 동 자세히 말하다

㉷ collaborate 협동하다

I will **elaborate** further.

나는 더욱 **정성 들여** 만들 것이다.

That person will start to **elaborate**.

그 사람은 **상세히 설명하기** 시작할 것이다. 10수능

2770 ★★★

generat 

발생시키다, 만들어 내다

□□□ 교육부 [95.06.13.14.15.16.17.20 수능기출]

generate [dʒénərèit]

동 발생시키다, 만들어 내다

㉺ generation 세대 15수능 gene 유전자 generator 발전기

The discussion **generated** anger.

토론이 화를 **낳았다.**

We must **generate** sufficient electricity.

우리는 충분한 전기를 **만들어야** 한다. 06수능

2771 ★★☆

impl  r

애원하다,
간청하다

□□□

implore [implɔ́ːr]

동 애원하다, 간청하다

㊌ beg 구걸하다 entreat 간청하다

He **implored** his wife not to get angry.

그는 부인에게 화내지 말라고 **애원했나.**

2772 ★★☆

 nsist

고집하다, 주장하다

□□□ 교육부 [14 수능기출]

insist [insíst]

동 고집하다, 주장하다

㉺ insistence 고집 insistent 고집하는

㊌ persist 집요하게 계속하다 assert 주장하다

I **insisted** on saying I would pay.

내가 지불하겠다고 **고집했다.**

2773 ★★★

int ract

소통하다,
상호 작용하다

□□□ 교육부 [03.15.16 수능기출]

interact [intərǽkt]

동 소통하다, 상호 작용하다

파 interaction 상호 작용 interactivity 상호작용성 15수능

팁 interfere 간섭하다 20수능 interrupt 방해하다

Do you enjoy the **interactions** with the people.
당신은 사람들과의 **상호 작용**을 즐깁니까? 03수능

2774 ★★★

l unch

시작하다, 착수하다, 발사하다

□□□ 교육부 [13.19 수능기출]

launch [lɔ́:ntʃ]

동 시작하다, 착수하다, 발사하다,

기출 introduction 개론서 21수능

He **launched** into a speech.
그는 연설로 **시작했다**.

2775 ★★★

l ng

긴, 오래
간절히 바라다

□□□ [10.11.13.14.15.16.17 수능기출]

long [lɔ́:ŋ]

형 긴, 오래 동 간절히 바라다

I'm **longing** to see you again.
당신을 다시 만나게 되길 **간절히 바라고** 있어요.

It is incredible that they live so **long**.
그들이 그렇게 **오래** 사는 것이 믿을 수 없다. 11수능

2776 ★★★

manif st

명백한
나타내다

□□□ [12 수능기출]

manifest [mǽnəfèst]

형 명백한 동 나타내다

This is **manifest** proof. 이것은 **명백한** 증거입니다.

Emotional eaters **manifest** their problem in lots of different ways.
감정적으로 식사를 하는 사람들은 그들의 문제를 많은 다양한 방식으로 **드러낸다**. 12수능

2777 ★★★

mutu l

상호간의,
서로의

□□□ 교육부 [10 수능기출]

mutual [mjú:tʃuəl]

형 상호간의, 서로의

파 mutuality 상호관계

They are **mutual** friends.
그들은 **서로의** 친구이다.

the **mutual** agreement
상호 동의 10수능

2778 ★★★

oc ur

일어나다,
발생하다

□□□ 교육부 [98.06.13.15.16.17 수능기출]

occur [əkə́:r]

동 일어나다, 발생하다

파 occurrence 발생 occurrent 현재 일어나고 있는, 우연의 17수능

유 happen, take place 숙 사람주어 + hit on=strike=occur to : 생각이 떠오르다 수능기출

Accidents often **occur**.
사고가 종종 발생한다.

2779 ★

□□□

outlast [àutlǽst]

동 ~보다 더 오래가다

A large battery **outlasts** a small battery.
대형 배터리는 작은 배터리**보다 오래 갈 거야**.

2780 ★★

□□□

plead [plíːd]

동 애원하다, 변호하다

The criminal **pleaded** that he was innocent.
범죄자는 그가 무죄였다는 걸 **변론했다**.

2781 ★★★

□□□ 교육부 [07.10.11.14 수능기출]

prefer [prifə́ːr]

동 ~을 더 좋아하다, 선호하다

ⓟ preferable 더 나은, 선호되는 ⓢ prefer A to B=would rather A than B=would sooner A than B=would as soon A as B : A가 B보다 더 낫다 수능기출

Today people **prefer** organic food.
오늘날 사람들은 유기농 식품을 **선호한다**.07수능

2782 ★★

□□□ [14.17 수능기출]

profess [prəfés]

동 주장하다, 공언하다

ⓟ profession 직업 professional 직업의99.17수능
professor 교수

What religion do you **profess**?
어떤 종교를 **믿으세요**?

2783 ★

□□□ [13 수능기출]

prone [próun]

형 하기 쉬운, 엎드려 있는

ⓢ be apt to=be liable to=be prone to : ~하기 쉽다, ~하는 경향이 있다 수능기출

My young brother **is prone to** falling over.
내 어린 동생은 잘 넘어지는 **경향이 있다**.

2784 ★

□□□ [11 수능기출]

recur [rikə́ːr]

동 재발하다, 되돌아가다

ⓟ recurrence 재발 recurrent 재발되는

The wound can **recur**.
상처가 다시 **재발할** 수 있다.

Certain themes **recur** throughout the piece.
어떤 주제들은 전 악보에 걸쳐 **다시 나타난다**.11수능

1분 안에 넘기기 | 시간 있으면 꼼꼼히 외우기

2785 ★★★

sh  ut

외치다, 소리 지르다

□□□ [95.96.97.99.01.07.11 수능기출]

shout [ʃáut]

동 외치다, 소리 지르다

When he won the prize, **shouts** of joy arose.

그가 상을 탔을 때, 기쁨의 **함성을 질렀다.** 95수능

The coach **shouted** at me.

코치가 내게 **소리쳤다.** 96수능

2786 ★★

summ  n

소환하다, 소집하다

□□□

summon [sʌ́mən]

동 소환하다, 소집하다

㉺ summons 소환, 소환장

The school principal **summoned** the teachers to a meeting.

학교 교장은 회의에 교사들을 **소집했다.**

2787 ★★★

tens 

긴장한, 긴박한

□□□ 교육부 [03.08 수능기출]

tense [tens]

형 긴장한, 긴박한

㉺ tension 긴장 ㉮ strained 긴장시키다 ㉯ relaxed 느긋한

The dog gets very **tense** when he sees strangers.

그 강아지는 낯선 사람을 보고 매우 **긴장한다.**

There is no need to get **tense**.

긴장할 필요가 없다. 08수능

2788 ★

thr  ve

번창하다,
잘 자라다

□□□

thrive [θráiv]

동 번창하다, 잘 자라다

팁 thrifty 절약하는

Our business continues to **thrive**.

우리 회사는 계속 **번창하고** 있다.

2789 ★

v  rify

확인하다,
입증하다

□□□

verify [vérəfài]

동 확인하다, 입증하다

㉮ prove 증명하다 verification 확인, 증명

We must **verify** and correct the list of new products.

신규 상품 목록을 **확인하고** 수정해야 한다.

2790 ★★★

yi  ld

산출하다,
낳다, 양보하다

□□□ 교육부 [10.16 수능기출]

yield [jí:ld]

동 산출하다, 낳다, 양보하다

숙 give in=give way to=yield to=surrender : 굴복하다 수능기출

an investment that **yielded** high profits

높은 이익을 **가져다 준** 투자

Chapter 9

Review Test

A. 수능에 출제되는 단어 또는 단어의 뜻을 쓰시오.

01. 거대한, 막대한 ________
02. 긴급한, 시급한 ________
03. 광범위한, 널리 퍼진 ________
04. 영향, 함축, 암시 ________
05. 적당한, 적절한 ________
06. 느긋한, 태평스러운 ________
07. 온건한, 적당한 ________
08. 당황하게 하다 ________
09. 좌절시키다, 방해하다 ________
10. 경작하다, 재배하다 ________
11. diverse ________
12. fundamental ________
13. previous ________
14. prominent ________
15. splendid ________
16. tremendous ________
17. authentic ________
18. efficient ________
19. exquisite ________
20. deterioration ________

B. 수능에 출제되는 문장의 문맥에 맞는 단어를 고르시오.

01. Heroes are selfless people who perform ________ acts.
02. There are ________ problems in living.
03. They had ________ followed this routine.

ⓐ mindlessly	ⓑ extraordinary	ⓒ gorgeous	ⓓ insurmountable	ⓔ predominant

04. The assignment were stated somewhat ________.
05. He cannot ________ right from wrong.
06. Problems are ________ in different ways.

ⓐ precious	ⓑ distinguish	ⓒ vaguely	ⓓ manifested	ⓔ suitable

정답 01.ⓑ 02.ⓓ 03.ⓐ 04.ⓒ 05.ⓑ 06.ⓓ

01. 영웅들은 (비범한) 일을 해내는 이기심이 없는 사람들이다. 07수능
02. 살면서 (극복할 수 없는) 문제들이 있다. 15수능
03. 그들은 (분별없이) 이 일을 따라 했던 것이다. 13수능
04. 그 임무가 다소 (막연하게) 진술되었다. 10수능
05. 그는 옳은 것과 잘못된 것을 (구별할) 수 없다. 07수능
06. 문제들은 여러 가지 방식으로 (드러난다). 12수능

영포자 1등급 만들기 해결사 혼동어휘

□	observation : 관찰 observance : 준수, 엄수	oral : 구두의 aural : 귀의
□	paint : 페인트칠하다, 페인트 faint : 기절하다, 희미한	pedestrian : 보행자 pediatrician : 소아과 의사
□	personal : 개인의, 개인적인 personnel : 임원, 직원, 인사과	phase : 국면, 양상 phrase : 어구, 숙어, 어법 20수능
□	physics : 물리학 physician : 내과의사 ↔ surgeon physicist : 물리학자	plain : 명백한, 쉬운, 솔직한 plane : 비행기, 평면
□	pray : 빌다, 애원하다, 기도하다 prey : 미끼, 잡아먹다, 약탈하다	practical : 실질적인 practicable : 실천할 수 있는
□	prayer : 기도 prayer : 기도하는 사람, 탄원자	precede : 능가하다 proceed : 나아가다
□	prescribe : 처방하다 proscribe : 금지하다	primitive : 원시적인 primary : 첫째의, 근본적인, 주요한
□	principal : 교장, 주요한 principle : 원칙, 원리	proper : 적절한, 고유한 prosper : 번창하다, 번영하다
□	pulse : 맥박 purse : 지갑	quiet : 조용한 quite : 아주
□	ragged : 누더기의 rugged : 울퉁불퉁한	raw : 날 것의, 미숙한 row : 줄, 열, 노를 젓다
□	reality : 현실 realty : 부동산	receipt : 영수증 recipe : 요리법, 처방전
□	recent : 최근의 resent : 분개하다, 원망하다	respectable : 존경받을 만한 respectful : 공손한 respective : 각자의
□	rise - rose - risen : 오르다, 뜨다, 일어나다 raise - raised - raised : 올리다, 재배하다	road : 길, 도로, 수단 rode : ('타다'의) 과거
□	role : 역할 roll : 구르다	root : 뿌리, 근본 route : 길, 수단, 방법
□	sail : 배, 범선, 항해하다 sale : 판매, 매상고, 특매	sauce : 소스, 양념 source : 원천, 근원
□	savior : 구세주 savor : 맛	saw : 톱, see의 과거 sew : 깁다, 바느질하다 sow : 씨 뿌리다
□	scent : 냄새, 향기 cent : 센트, 1센트 동화	sensible : 지각 있는 sensitive : 민감한 sensual : 관능적인, 육욕적인 sensuous : 감각적인, 심미적인
□	sever : 절단하다 severe : 혹독한	sign : 기호, 서명하다, 사인하다 signature : 서명, 사인
□	sleigh : 썰매, 썰매를 타다 slay : 죽이다, 학살하다	soar : 치솟다 sore : 쓰린, 아픈
□	sole : 유일의, 단독의 soul : 영혼, 정신, 사람	sometime : 언젠가, 머지않아 sometimes : 때때로, 이따금

100점 넘기기

Chapter 10

Doing and Being / 행위와 존재

ⓐ Look, See and Show (시각 관련단어)

ⓑ Doing (행위)

ⓒ Being (존재)

ⓓ Assorted Words (연관 단어)

1분 안에 넘기기

시간 있으면 꼼꼼히 외우기

2791 ★★★

□□□ 교육부 [95.96.01.06.07.16 수능기출]

aim [éim]

명 목적, 목표 동 겨냥하다

Aim your camera at a happy face.
행복한 얼굴에 당신 카메라를 **맞추어 보아라.** 06수능

2792 ★★

□□□ 교육부 [01.04 수능기출]

alike [əláik]

형 비슷한 부 똑같이, 양쪽 모두

Children and adults **alike** want to hear positive remarks.
아이와 어른 모두 긍정적인 말을 듣고 싶어 한다. 01수능

2793 ★★

□□□ [10.19 수능기출]

await [əwéit]

동 기다리다, 대기하다

I **await** your reply.
저는 귀하의 회신을 **기다립니다.**

The parents are **awaiting** the birth of a new baby.
부모는 새아기의 탄생을 **기다리고 있다.** 10수능

2794 ★

□□□

behold [bihóuld]

동 보다, 바라보다, 주시하다

㉺ beholder 보는 사람, 구경꾼

Behold, the sun is shining!
봐라, 태양이 빛난다!

2795 ★★★

□□□ 교육부 [99.05.06.12.14.15.17.19 수능기출]

claim [kléim]

동 주장하다, 요구하다

㉼ exclaim 소리치다, 외치다

I **claim** my rights.
내 권리를 **주장한다.**

One can **claim** his friend's attention.
사람들은 친구의 관심을 **요구할** 수 있다. 06수능

2796 ★★

□□□ [95 수능기출]

courteous [kə́ːrtiəs]

형 공손한, 정중한

㉺ courtesy 예의 바름, 공손

He is a **courteous** gentleman.
그는 **정중한** 신사입니다.

Once children were **courteous** to adults.
한때 아이들은 어른들에 대한 **예의범절**이 있었다. 95수능

2791 에임 2792 얼라익 2793 어웨일 2794 비호울드 2795 클레임 2796 컬리어스

2797 ★★☆

demnstrate

보여 주다,
입증하다,
데모하다

□□□ 교육부 [10.13.20 수능기출]

demonstrate [démənstrèit]

동 보여 주다, 입증하다, 데모하다

He **demonstrated** this particularly well.
그는 이것을 특히 **잘 입증해 보였다**. 10수능

Figure A **demonstrate** how dew point is measured.
그림 A는 이슬점이 어떻게 측정되는지를 **보여 준다**. 10수능

2798 ★★☆

disgace

망신, 수치,
불명예

□□□ [98 수능기출]

disgrace [disgréis]

명 망신, 수치, 불명예

㉺ demonstration 시위, 증명 demonstrationist 시위 운동자

He is a **disgrace** to the school.
그는 학교 **망신이다**.

In fact, the front entrance is a **disgrace**.
사실 정문 출입구는 **수치스러울** 정도죠. 98수능

2799 ★★★

engag

고용하다, 종사하다

□□□ [97.05.06.09.10.17 수능기출]

engage [ingéidʒ]

동 고용하다, 종사하다

㉺ engagement 약혼, 약속 ㊋ be engaged to : ~와 약혼하다
be engaged in : ~에 종사하다 수능기출

We **engage** in complex activities.
우리는 복잡한 활동에 **종사한다**. 05수능

2800 ★★★

fals

틀린, 거짓된,
잘못된

□□□ [99.00.09.11 수능기출]

false [fɔ́:ls]

형 틀린, 거짓된, 잘못된

Information was transferred but it is definitely **false**.
정보는 전달되었지만 그것은 분명히 **잘못된 것**이다. 11수능

2801 ★★★

fany

공상, 상상
장식적인, 화려한
공상하다

□□□ 교육부 [97.16 수능기출]

fancy [fǽnsi]

명 공상, 상상 형 장식적인, 화려한 동 공상하다

Fancy a drink?
한잔 **하겠나**?

a **fancy** department
고급 백화점 97수능

2802 ★★☆

flunt

유창한, 능숙한

□□□

fluent [flú:ənt]

형 유창한, 능숙한

㉺ fluency 유창성 fluid 유동체

㉼ influential 영향력 있는 16.20수능

She is **fluent** in French.
그녀는 불어가 **유창하다**.

1분 안에 넘기기 | 시간 있으면 꼼꼼히 외우기

2803 ★★★

gaz

응시하다,
바라보다

□□□ [10 수능기출]

gaze [géiz]

동 응시하다, 바라보다

유 glance 흘끗 보다 stare 응시하다 glare 노려보다

stargazing 별 보기20수능

기출 blan 얼빠진, 멍한21수능

She **gazed** at the warm fire.

그녀는 따뜻한 불을 **쳐다보았다.**10수능

2804 ★★☆

g  **nuine**
진짜의, 진실한

□□□ 교육부 [95.98 수능기출]

genuine [dʒénjuin]

형 진짜의, 진실한

파 genuinely 진정으로, 성실하게

Is this art **genuine**?

이 미술 작품은 **진품이니**?

a **genuine** opportunity

진정한 기회98수능

2805 ★★★

glan 
흘낏 보다,
휙 훑어보다

□□□ [03.06.13 수능기출]

glance [glæns]

동 흘낏 보다, 휙 훑어보다

He gave her a **glance**.

그는 그녀에게 **눈짓**을 했다.

She would **glance** up at the clock.

그녀는 시계를 **힐끗힐끗 쳐다보곤** 했다.06수능

2806 ★☆☆

inaudi  **le**
들리지 않는,
알아들을 수 없는

□□□ [09 수능기출]

inaudible [inɔ́:dəbl]

형 들리지 않는, 알아들을 수 없는

팁 invisible 보이지 않는

The sound was **inaudible**.

소리가 **들리지 않았다.**09수능

2807 ★★☆

lo  **m**
어렴풋이 보이다,
다가오다

□□□ [12.14 수능기출]

loom [lú:m]

동 어렴풋이 보이다, 다가오다

A dark shape **loomed up** ahead of us.

검은 형체 하나가 우리 앞에 **흐릿하게 나타났다.**

2808 ★★★

loy 
충실한,
충성스러운

□□□ 교육부 [02 수능기출]

loyal [lɔ́iəl]

형 충실한, 충성스러운

팁 royal 왕의 royalty 왕위, 특허 사용료

He was a **loyal** servant.

그는 **충성스러운** 신하였다.

The fans remained **loyal**.

그 팬들은 여전히 **충성**스러웠다.02수능

2803 게이즈 2804 줴뉴앤 2805 글랜스 2806 인오러블 2807 룸~ 2808 로열

2809 ★

□□□ [98.03.04.06.11.14.16 수능기출]

meaningful [míːniŋfəl]

형 의미 있는, 중요한

팁 meaningless 의미 없는 careful 주의 깊은 thoughtful 사려 깊은

a **meaningful** and successful
의미 있고 성공적인 03수능

meaningful relationships
의미 있는 관계 04수능

2810 ★★

□□□ 교육부 [95.09.10 수능기출]

modest [mádist]

형 겸손한, 평범한

파 modesty 겸손, 소박함

He made a **modest** contribution.
그는 **겸손한** 기부를 했다.

modest living standards
수수한 생활 수준 09수능

2811 ★★★

□□□ 교육부 [94.98.03.08.09.10.11.13.14.15.16.17.19 수능기출]

observe [əbzə́ːrv]

동 알다, 관찰하다, 준수하다

파 observation 관찰, 논평 15수능 observer 목격자

We **observed** stars in the sky.
우리는 하늘에 별들을 **관찰했다**.

He was just an **observer**, not an experiencer.
그는 체험자가 아니라 그저 **관찰자**였다. 11수능

2812 ★★★

□□□ 교육부 [97.06.07.08.11.14.15.16.20 수능기출]

obvious [ábviəs]

형 명백한, 분명한

파 obviously 확실히, 분명히 15수능

The correct answer was **obvious**.
정답은 **분명했다**. 11수능

2813 ★★

□□□ [95.06.09.15 수능기출]

optimistic [àptəmístik]

형 낙관적인

반 pessimistic 비관적인

I am **optimistic** about the future
나는 미래에 대해 **낙천적**이다.

2814 ★★★

□□□ [94.06.09.11.14.19 수능기출]

overlook [òuvərlúk]

동 간과하다, 눈감아주다

반 notice 주목하다

I cannot **overlook** your mistake.
난 너의 실수를 **간과할** 수 없다.

They shouldn't **overlook** a learning experience.
그들은 배우는 경험을 **간과해서**는 안 된다. 09수능

2809 미~닝풀 2810 마디스트 2811 업절~브 2812 아비어스 2813 압티미스틱 2814 오붤룩

2815 ★★★

profi 

ient

능숙한, 능란한

□□□

proficient [prəfíʃənt]

형 능숙한, 능란한

파 proficiency 숙달

He is **proficient** in English.
그 사람은 영어에 **능숙하다**.

2816 ★★★

r  listic

현실적인, 사실적인

□□□ [96.06.09.11.12 수능기출]

realistic [rìːəlístik]

형 현실적인, 사실적인

파 realist 현실주의자

It is not **realistic** to expect an immediate success.
즉각적인 성공을 바라는 것은 **현실적**이지 않다.

realistic choices
현실적인 선택들 11수능

2817 ★★★

s  arch

찾다, 수색하다

□□□ 교육부 [96.08.11.12.16.17 수능기출]

search [səːrtʃ]

동 찾다, 수색하다

숙 look for=search for=be in search of : ~을 찾다 수능기출

He continued to **search** for a solution
그는 계속해서 해결책을 **찾았다**. 11수능

2818 ★★★

s  ek

찾다, 구하다

□□□ 교육부 [96.99.03.05.06.07.08.10.12.13.14.16 수능기출]

seek [síːk]

동 찾다, 구하다

파 seeking 탐색, 추구

What they **seek** is quick information.
그들이 **찾는 것**은 빠른 정보이다. 05수능

2819 ★★★

sensibl 

분별 있는, 현명한

□□□ [05.06 수능기출]

sensible [sénsəbl]

형 분별 있는, 현명한

파 sensitive 민감한 기출 nonsensical 무의미한 20 수능

The old sages were all **sensible** men.
옛 현인들은 모두 **현명한** 사람들이었다.

Regular examinations are a **sensible** investment.
정기 검사는 **현명한** 투자이다. 05수능

2820 ★★★

shar 

몫, 지분, 점유율
공유하다, 나누다

□□□ 교육부 [01.03.04.05.07.08.10.11.12.13.14.15.18.19.22 수능기출]

share [ʃέər]

명 몫, 지분, 점유율 동 공유하다, 나누다

We agreed to **share** the costs.
우리는 그 비용을 **분담**하는 데 동의했다.

We **shared** the same experience.
우리는 같은 경험을 **공유했다**. 94수능

2821 ★★★

signifi c ant

중대한, 의미심장한

□□□ 교육부 [94.03.07.10.11.12.15.16 수능기출]

significant [signífikənt]

형 중대한, 의미심장한

㉶ signify 의미하다 significantly 상당히 insignificant 사소한

㊌ of importance=important=of significance=significant=of moment=momentous=of consequence : 중요한 수능기출

a **significant** impact **중대한** 영향 07수능

2822 ★★

spont a neous

자발적인, 자연스러운

□□□ [15 수능기출]

spontaneous [spɑntéiniəs]

형 자발적인, 자연스러운

㉶ spontaneity 자발적임 ㊒ unplanned 계획하지 않은

㊌ of itself=spontaneously : 저절로 수능기출

The applause they gave her was **spontaneous.**

그녀에게 친 박수갈채는 **자연스레 우러나온** 것이었다.

2823 ★★★

st e ady

꾸준한, 한결같은, 안정된

□□□ 교육부 [96.97.13 수능기출]

steady [stédi]

형 꾸준한, 한결같은, 안정된

㉶ steadily 착실하게 ㊒ stable 안정적인

My father has a **steady** job.

아빠는 **안정된** 직업을 가지고 있다.

Slow and **steady** wins the race.

느리고 **꾸준히 하는** 편이 경주를 이긴다. 97수능

2824 ★★★

S tir

휘젓다, 움직이다

□□□ 교육부 [98.99.07.13 수능기출]

stir [stə́:r]

동 휘젓다, 움직이다

Don't **stir up** the water more than you have to.

필요 이상으로 물을 **휘젓지** 마라. 07수능

2825 ★★

straightforwa r d

간단한, 솔직한

□□□ 교육부 [05.08.19 수능기출]

straightforward [strèitfɔ́:rwərd]

형 간단한, 솔직한

㊒ uncomplicated 단순한

㊉ complicated 복잡한

Dirt removal is quite **straightforward.**

먼지 제거는 아주 **간단**하다. 05수능

2826 ★★

subm i t

제출하다, 복종하다

□□□ 교육부 [17.19.20 수능기출]

submit [səbmít]

동 제출하다, 복종하다

㉶ submission 복종, 제출

㊌ hand in=give in=turn in=submit : 제출하다 수능기출

The teacher told us to **submit** our homework.

선생님이 숙제를 **제출하라고** 말씀하셨다.

1분 안에 넘기기 | 시간 있으면 꼼꼼히 외우기

2827 ★★

□□□ [12.19.20 수능기출]

accelerate [æksélərèit]

동 가속하다, 촉진하다

파 acceleration 가속, 촉진 accelerator 가속 장치

The car **accelerated** down the road.
자동차가 도로 아래로 내려갈 때 **가속했다**.

People applying their talents rapidly **accelerates** progress.
자신의 재능을 적용하는 사람들은 발전이 **빨라진다**. 12수능

2828 ★★★

□□□ 교육부 [94.99.00.07.09.14.15.16.19.20 수능기출]

advance [ædvæns]

명 전진 형 사전의, 앞서 동 진격하다, 선불로 주다

숙 in advance : (~보다) 미리[앞서], 사전에 수능기출

advance to the final round
결선에 **진출**하다 20수능

It is good to plan your budget **in advance**.
미리 예산안을 짜는 것이 좋습니다. 09수능

2829 ★★★

□□□ 교육부 [05.07.10.12.20 수능기출]

arise [əráiz]

동 생기다, 발생하다, 일어나다

파 arouse 불러일으키다 숙 spring from=come from=arise from=stem from : 생기다, 유래하다 수능기출

CO2 emissions **arise** from transportation.
이산화탄소 배출은 수송 중에 **발생한다**. 05수능

2830 ★★

□□□

ascend [əsénd]

동 오르다, 올라가다

파 ascent 올라감, 오르막 mountain range 산맥 19수능

It took an hour to **ascend** the mountain.
산을 **오르는 데** 한 시간이 걸렸다.

2831 ★★

□□□ [07.12 수능기출]

attach [ətǽtʃ]

동 붙이다, 첨부하다

파 attachment 애착, 믿음 유 stick 붙다 반 detach 떼다

I **attach** the materials here.
자료들을 여기에 **첨부합니다**.

Silk sashes are **attached** to the ear flaps.
비단띠가 귀마개에 **부착되어** 있다. 07수능

2832 ★★

□□□ [98.05 수능기출]

autograph [ɔ:təgræf]

명 사인 동 사인을 해주다

팁 signature 서명

Could I please have your **autograph**?
사인 좀 해 주실래요? 05수능

2833 ★★★

□□□ 교육부 [95.98.01.03.04.05.07.08.09.10.11.12.14.15.16 수능기출]

avoid [əvɔ́id]

동 피하다, 막다

㉺ avoidance 회피 16수능

반 unavoidable 불가피한, 어쩔 수 없는 15수능

A wise person **avoids** acts that cause guilt.
현명한 사람은 죄의식을 일으키는 행동을 **피한다**. 98수능

2834 ★★★

□□□ 교육부 [94.03.06.07.10.11.13.14.15.19 수능기출]

charge [tʃɑ́:rdʒ]

명 요금, 기소, 책임 동 충전하다

If you reside in this area, you may get it **free of charge**.
만일 이 지역에 거주한다면, 그것을 **무료**로 얻을 수 있다. 07수능

2835 ★★

□□□ 교육부 [97.13 수능기출]

chase [tʃéis]

동 뒤쫓다, 쫓아다니다

The dog **chases** the cat.
개가 고양이를 **쫓는다**.

Lisa never tires of **chasing** and punching her classmates.
리사는 지치지도 않고 급우들을 **쫓아가서** 때립니다. 97수능

2836 ★

□□□ [17 수능기출]

coexist [kòuigzíst]

동 공존하다

㉺ coexistence 공존 17수능

팁 existing 기존의 20수능

I don't know how those two can **coexist**.
나는 그 둘이 어떻게 **공존할** 수 있는지 모르겠다.

2837 ★

□□□ [08 수능기출]

commute [kəmjú:t]

동 통근하다, 통학하다, 갈다, 바꾸다

㉺ commuter 통근자 telecommute 재택 근무하다

He **commutes** to school by bus.
그는 버스를 타고 **등교한다**.

2838 ★★

□□□

crawl [krɔ́:l]

동 기어가다, 서행하다

㉺ crawly 기어 다니는 팁 creep 기어가다

The baby began to **crawl**.
아기가 **기어 다니기** 시작했다.

2839 ★★☆

□□□ [08 수능기출]

creep [kríːp]

동 살살 기다, 굽실대다

He started to **creep** far away.
그는 멀리 **살금살금 기어가기** 시작했다.

creeping plants
덩굴 식물들 08수능

2840 ★★★

□□□ 교육부 [94.07.11 수능기출]

dare [dέər]

동 감히 ~하다, 무릅쓰다, 도전하다

How **dare** do you say that?
감히 그렇게 말하다니?

2841 ★★☆

□□□ [94 수능기출]

dedicate [dédikèit]

동 바치다, 헌신하다

He **dedicated** himself to service.
그는 봉사에 자신을 **바쳤다**.

Greenpeace is **dedicated** to the natural world.
그린피스는 세계의 자연 보호에 **기여했다**. 94수능

2842 ★★★

□□□ 교육부 [07.11.14.15.16 수능기출]

deed [díːd]

명 행위, 증서

You have done a good **deed**.
네가 착한 **일을** 했다.

Children are taught to perform good **deeds**.
아이들은 **선행**을 하도록 교육받아야 한다. 11수능

2843 ★★★

□□□ 교육부 [03.05.07.11.16 수능기출]

devote [divóut]

동 바치다, 쏟다, 전념하다

㉺ devotion 헌신, 전념 16수능

숙 devote A to B=dedicate A to B : A에게 B를 바치다 수능기출

She is **devoted** to her children.
그녀는 아이들에게 **헌신적이다**.

2844 ★★☆

□□□ [03.05.07.08.11.13.14.15.16.17 수능기출]

differ [dífər]

동 다르다, 의견을 달리하다

㉺ different 다른 difference 차이, 다름 16수능 differently 다르게 17수능 undifferentiated 구분되지 않는 indifferent 무관심한16수능

숙 be different from=differ from : ~와 다르다 수능기출

How do the two **differ**?
그 둘은 어떻게 **다른가**?

2839 크립 2840 데얼 2841 데디케잍 2842 디~드 2843 디보우트 2844 디펄

2845 ★☆☆

disc  **ntinue**

중단하다,
중지하다

□□□

discontinue [dìskəntínju:]

동 중단하다, 중지하다

It was decided to **discontinue** the treatment.
치료를 **중단하기**로 결정했다.

2846 ★☆☆

eje  **t**

쫓아내다,
내쫓다, 꺼내다

□□□

eject [idʒékt]

동 쫓아내다, 내쫓다, 꺼내다

㉺ ejection 방출, 분출 ⓕ reject 거부하다

He **was ejected** from the room.
그는 방에서 **내쫓겼다**.

2847 ★★★

enabl 

할 수 있게 하다,
가능하게 하다

□□□ 교육부 [94.99.06.07.08.11.12.14.15.16 수능기출]

enable [inéibl]

동 할 수 있게 하다, 가능하게 하다

㉺ able ~할 수 있는 ability 능력 ㉸ disable 무능하게 하다

School **enabled** me to get a job.
학교는 내게 직업을 구할 수 **있게 해주었다**.

2848 ★★★

 **ndless**

끝없는, 무한한

□□□ [99.03.11.13.15.16 수능기출]

endless [éndlis]

형 끝없는, 무한한

㉺ endlessly 끝없이

The supply of fish seemed **endless**.
물고기의 공급량은 **무한한** 것처럼 보였다. 99수능

2849 ★☆☆

 **nlist**

입대하다, 협조를 얻다

□□□

enlist [inlíst]

동 입대하다, 협조를 얻다

Many **enlist** in the army.
많은 사람이 군대에 **입대했다**.

2850 ★★☆

ex  **rt**

발휘하다, 행사하다,
노력하다

□□□ [11.13 수능기출]

exert [igzə́:rt]

동 발휘하다, 행사하다, 노력하다

㉺ exertion 노력, 분투

Nature does not reward those who do not **exert** efforts.
자연은 노력을 **기울이지** 않는 사람을 보상하지 않는다. 11수능

2845 디스컨티뉴 2846 이젝트 2847 인에이블 2848 엔들러스 2849 인리스트 2850 이그절~트

2851 ★☆☆

□□□

exile [égzail]

명 망명, 추방 동 추방하다

㊒ banishment 국외 추방 expatriation 국적 이탈

He had to live a life in **exile**.
그는 **망명 생활**을 해야만 했다.

2852 ★★☆

□□□ [96.14 수능기출]

foster [fɔ́:stər]

동 육성하다, 조성하다, 기르다

㊌ bring up=foster=raise=rear=educate : 기르다, 양육하다 수능기출

They want to **foster** the child.
그들은 아이를 맡아 **기르길** 원한다.

We improve the facilities to **foster** rural life.
우리는 전원생활을 **육성하는** 시설을 개선합니다. 96수능

2853 ★☆☆

□□□

fumble [fʌ́mbl]

동 더듬거리다, 더듬어 찾다

He **fumbled** in the dark.
그는 어둠 속에서 **더듬거렸다**.

2854 ★★☆

□□□

gasp [gǽsp]

동 헐떡거리다, 숨이 막히다

He started to **gasp** for air.
그는 숨 쉬기 위해 **헐떡거리기** 시작했다.

2855 ★★☆

□□□

glide [gláid]

동 미끄러지듯 가다, 활공하다

㊕ glider 글라이더

The plane began to **glide**.
그 비행기가 **활공하기** 시작했다.

2856 ★★★

□□□ [05.08 수능기출]

glow [glóu]

동 빛나다, 달아오르다

The candle **glowed** in the dark.
촛불이 어둠 속에서 **빛났다**.

The room was made peaceful by the **glow** of the fire.
그 방은 불빛이 **빛을 발하자** 평온해졌다. 05수능

2851 엑사일 2852 포~스터 2853 펌블 2854 개스 2855 글라이드 2856 글로우

2857 ★☆☆

grll

석쇠, 그릴
석쇠에 굽다

□□□ [19 수능기출]

grill [gril]

명 석쇠, 그릴 동 석쇠에 굽다

They used the **grill** to cook.
그들은 요리하기 위해 **석쇠**를 사용했다.

2858 ★☆☆

hal

우박, 인사, 환호
묘사하다, 부르다

□□□

hail [héil]

명 우박, 인사, 환호 동 묘사하다, 부르다

He **hailed** his friend.
그는 자기 친구를 **불렀다**.

2859 ★☆☆

htch

급정지, 장애
매다, 연결하다

□□□ [96 수능기출]

hitch [hítʃ]

명 급정지, 장애 동 매다, 연결하다

㉠ hitch hike : 얻어 타다

The plans succeeded without a **hitch**.
그 계획들은 **별 탈** 없이 성공했습니다.

stupid **hitches**
어리석은 **문제** 96수능

2860 ★★☆

hp

깡충 뛰다

□□□ [16 수능기출]

hop [hάp]

동 깡충 뛰다

He likes to **hop** and jump.
그는 **뛰는 것**과 도약을 좋아한다.

2861 ★★☆

implemnt

도구
이행하다, 실행하다

□□□ 교육부 [14.22 수능기출]

implement [ímpləmənt]

명 도구 동 구현하다, 이행하다, 실행하다

㉡ implementation 이행, 실행 14수능

We began to **implement** the plan.
우리는 계획을 **이행하기** 시작했다.

2862 ★☆☆

inaugurat

개시하다, 취임시키다

□□□

inaugurate [inɔ́:gjurèit]

동 개시하다, 취임시키다

㉡ inaugural 취임(식)의 inauguration 취임(식), 개시

This **inaugurates** a new era.
이것은 새로운 시대를 **시작한다**.

내신·수능 핵심빈출단어 01 02 03 04 05 06 07 08 09 10 10-b. Doing

2863 ★★★

inha  t

살다, 서식하다

□□□ [05.15.19 수능기출]

inhabit [inhǽbit]

동 살다, 서식하다

팁 habitat 서식지

We imagine that our ancestors **inhabited** an innocent world.

우리는 조상들이 단순한 세상에 **살았다고** 상상한다. 05수능

2864 ★★★

instantane  usly

즉각적으로

□□□ [15 수능기출]

instantaneously [ìnstəntéiniəsli]

부 즉각적으로

The robot can respond **instantaneously**.

그 로봇은 **즉각적으로** 반응할 수 있다.

2865 ★★★

interfac 

~와 접촉[접속]하다

□□□ [16 수능기출]

interface [ɪntərfeɪs]

동 ~와 접촉[접속]하다

숙 interface with : ~와 접촉[접속]하다

It can **interface with** the rest of the world more efficiently.

그것은 세계의 다른 나라들과 더 효율적으로 **접촉할** 수 있다. 16수능

2866 ★★★

kn  el

무릎을 꿇다

□□□ [97.10.11 수능기출]

kneel [ní:l]

동 무릎을 꿇다

파 knee 무릎

They **kneeled** down to pray.

그들은 기도하기 위해 **무릎을 꿇었다**.

The snow was halfway to his **knees**.

눈이 그의 **무릎** 절반 정도의 깊이로 쌓였다. 10수능

2867 ★★★

l  ap

뛰어오르다, 도약하다
비약, 도약

□□□ [97.98.19.20 수능기출]

leap [lí:p]

동 뛰어오르다, 도약하다 명 비약, 도약

The rabbit **leapt** out.

토끼가 **뛰어올랐다**.

He will exercise his moral judgement before he **leaps**.

그는 **행동하기** 전에 자신의 도덕적 판단을 연습해 볼 것이다. 98수능

2868 ★★★

lu  k

숨다,
잠복하다

□□□

lurk [lə́:rk]

동 숨다, 잠복하다

유 hide 감추다 sneak 살금살금 들어오다, 몰래 다니다 20수능

Thieves **lurk** in the dark.

도둑들은 어둠 속에 **잠복해 있다**.

2869 ★☆☆

싸움의, 전쟁의

□□□ [11 수능기출]

martial [mά:rʃəl]

형 싸움의, 전쟁의

It was still hard to play the role of a real **martial artist.**

진짜 **무술가**의 역할을 하는 것은 여전히 어렵다.

martial artist

무술가 11수능

2870 ★★☆

장난기, 못된 짓, 해악

□□□ [96 수능기출]

mischief [místʃif]

명 장난기, 못된 짓, 해악

㉶ mischievous 짓궂은, 유해한

He is full of **mischief.**

그는 **장난기**로 가득 차 있다.

He was a wild boy, always getting into **mischief.**

아들은 매우 거친 소년이었고 항상 **장난**을 쳤다. 96수능

2871 ★★☆

거짓된, 조롱하다

□□□

mock [mάk]

형 거짓된 동 조롱하다

㉶ mockery 조롱, 조소

㊒ tease 곯리다 ridicule 비웃음 laugh at 우스워하다

Why do you **mock** me?

왜 날 **놀리는** 겁니까?

2872 ★★★

운동, 움직임, 동작

□□□ [94,98,06,07,15 수능기출]

movement [mú:vmənt]

명 운동, 움직임, 동작

Physical **Movement** and Fitness

물리적 **운동** 및 신체 단련 06수능

2873 ★☆☆

조금씩 물어뜯다, 조금씩 먹다

□□□ [13 수능기출]

nibble [níbl]

동 조금씩 물어뜯다, 조금씩 먹다

He **nibbled** my fingers.

그는 나의 손가락을 **조금씩 물어뜯었다.** 13수능

He **nibbled** it a slowly.

그는 그것을 **조금씩 물어뜯었다.**

2874 ★☆☆

동작이 날렵한

□□□ [16 수능기출]

nimble [nímbl]

형 동작이 날렵한

Because he was a **nimble** b-boy.

왜냐하면 그는 동작이 **날렵한** 비보이 이기 때문이었다. 16수능

2875 ★★☆

따라잡다, 추월하다
마음을 뺏다

□□□ [08.19 수능기출]

overtake [òuvərtéik]

통 따라잡다, 추월하다, 마음을 뺏다

숙 catch up with=overtake : ~을 따라잡다 수능기출

He was able to **overtake** the leader.
그는 선두를 **따라잡을** 수 있었다.

Some music is capable of **overtaking** the mind.
어떤 음악은 마음을 **사로잡는** 힘이 있다. 08수능

2876 ★★☆

쓰다듬다, 토닥거리다

□□□ [95.09 수능기출]

pat [pǽt]

통 쓰다듬다, 토닥거리다

팁 pet 애완동물

She **patted** the dog on the head.
그녀가 그 개의 머리를 **쓰다듬었다.**

2877 ★★☆

고집하다, 지속하다

□□□ [09.13 수능기출]

persist [pərsíst]

통 고집하다, 지속하다

파 persistence 고집, 인내력 persistently 끈덕지게 13.19수능

We believe in the value of hard work and **persistence**.
우리는 어려운 일의 가치와 **인내력**을 믿는다. 09수능

2878 ★★☆

던져넣다,
뛰어들다,
급락하다

□□□

plunge [plʌ́ndʒ]

통 던져넣다, 뛰어들다, 급락하다

유 plummet 곤두박질치다 반 soar 치솟다

The penguin **plunged** into the sea.
펭귄이 바다로 **뛰어들었다.**

2879 ★★☆

양성 (반응)
긍정적인, 명확한

□□□ [96.01.03.04.10.12 수능기출]

positive [pɑ́zətiv]

명 양성 (반응) 형 긍정적인, 명확한

반 negative 부정적인

The response was **positive**.
반응은 **양성**이었다.

The real power of science is negative, not **positive.**
과학의 진정한 위력은 **긍정적인 것**이 아니라 부정적인 것이다. 12수능

2880 ★★★

거절하다, 거부하다

□□□ 교육부 [99.00.06 수능기출]

refuse [rifjúːz]

통 거절하다, 거부하다

유 reject 거절하다

She made her **refusal** clear.
그녀는 자신의 **거절**을 분명히 했다.

Successful people **refuse** to give up.
성공하는 사람들은 포기하지 **않는다.** 06수능

2881 ★★☆

구출, 구조
구조하다

□□□ 교육부 [96.12 수능기출]

rescue [réskjuː]

명 구출, 구조 동 구조하다

A policeman came to **rescue** her.
경찰이 그녀를 **구출하기** 위해 왔다.

The Foundation **has rescued** several species of animals.
그 재단은 여러 종의 동물을 **구해 왔다**. 96수능

2882 ★★☆

다시 시작하다,
되찾다

□□□ [11 수능기출]

resume [rizúːm]

동 다시 시작하다, 되찾다

We will call you to **resume** delivery
우리는 배달을 **다시 해 달라고** 전화를 하겠습니다. 11수능

2883 ★☆☆

회상, 회고

□□□ [15.19 수능기출]

retrospect [rétrəspèkt]

명 회상, 회고

㊍ in retrospect : 돌이켜 생각해 보면 19수능 look back
on=retrospect=recollect=recall : 회상하다, 회고하다 수능기출

In **retrospect**, I think that he was wrong.
돌이켜 생각해 보면 그가 틀렸던 것 같다.

2884 ★★★

해결하다,
정착하다,
진정시키다

□□□ 교육부 [15.17.20 수능기출]

settle [sétl]

동 해결하다, 정착하다, 진정시키다

㊍ settle down : (흥분 등이) 가라앉다, 정착하다 20수능

The judge tried to **settle** the argument.
그 판사는 그 논쟁을 **진정시키려고** 애썼다.

2885 ★☆☆

미끄러지다

□□□

skid [skíd]

동 미끄러지다

The car **skidded** on the ice and went straight into the wall.
그 승용차는 빙판길에서 **미끄러져** 바로 벽을 들이받았다.

2886 ★☆☆

잠, 수면, 잠자다

□□□

slumber [slʌ́mbər]

명 잠, 수면 동 잠자다

㊌ sleep 잠을 자다 ㊋ slumber party 파자마 파티

A loud noise interrupted his **slumber**.
그 시끄러운 소리가 그의 **선잠**을 방해했다.

2887 ★☆☆

s  ar

날아오르다, 급증하다

□□□

soar [sɔ́:r]

동 날아오르다, 급증하다

유 surge 급등하다, 갑자기 높아지다 팁 sore 쑤시는

The bird **soared** into the air and disappeared.

새가 공중으로 **높이 날아올라서** 사라졌다.

2888 ★☆☆

strangl 

교살하다, 목 졸라 죽이다

□□□

strangle [strǽŋgl]

동 교살하다, 목 졸라 죽이다

The criminal **was strangled**.

그 죄인은 **교살되었다**.

2889 ★★☆

strid 

걸음
성큼성큼 걷다

□□□ [15 수능기출]

stride [stráid]

명 걸음 동 성큼성큼 걷다

He set off with a loping **stride**.

그가 성큼성큼 **큰 보폭**으로 출발했다.

2890 ★★☆

strok 

타법, 타격,
치기, 때리기

□□□ [12 수능기출]

stroke [stróuk]

명 타법, 타격, 치기, 때리기

파 strike 치다, 부딪치다 backstroke (수영) 배영

He **stroked** the cat's back.

그는 고양이의 등을 **쳤다**.

2891 ★★★

struggl 

투쟁하다, 싸우다

□□□ 교육부 [94.15.16 수능기출]

struggle [strʌ́gl]

동 투쟁하다, 싸우다

유 strive 분투하다

They don't have to **struggle** while reading.

그들은 **고심하면서** 읽어야 할 필요가 없다. 94수능

a **struggle** for independence

독립 **투쟁**

2892 ★★☆

stumbl 

비틀거리다,
발이 걸리다

□□□

stumble [stʌ́mbl]

동 비틀거리다, 발이 걸리다

The old lady **stumbled** in the yard.

노부인이 마당에서 **넘어졌다**.

2893 ★☆☆

subdu

진압하다, 억누르다

□□□
subdue [səbdjúː]
동 진압하다, 억누르다
유 defeat 물리치다 overcome 극복하다
The general finally **subdued** the enemy.
그 장군은 마침내 적을 **진압했다**.

2894 ★★☆

su k

빨다,
빨아들이다

□□□ 교육부 [07.12 수능기출]
suck [sʌ́k]
동 빨다, 빨아들이다
They can easily **suck** in the unfortunate feed.
그들은 그 불행한 먹이를 매우 쉽게 **빨아들일** 수 있다. 07수능

2895 ★★★

t nd

경향이 있다, 하기 쉽다,
돌보다

□□□ 교육부 [99.00.02.04.07.08.09.10.11.12.13.14.15.16.17 수능기출]
tend [ténd]
동 경향이 있다, 하기 쉽다, 돌보다
파 tendency 성향, 경향 20수능 tender 상냥한 tendance 돌봄
숙 tend to=have a tendency to : ~하는 경향이 있다 수능기출
She **tended** a small flower garden.
그녀는 작은 꽃밭을 **손질했다**. 04수능

2896 ★★★

tra k

(자취 등을 따라)
추적하다, 뒤쫓다

□□□ [14.15.20 수능기출]
track [træk]
동 (자취 등을 따라) 추적하다, 뒤쫓다
숙 keep track of : ~을 추적하다
It is difficult to **keep track of** the dragon.
용을 **추적**하는 것은 힘들다.

2897 ★★☆

tr ad

(발을) 디디다,
밟다, 걷다

□□□
tread [tréd]
동 (발을) 디디다, 밟다, 걷다
파 treadmill 러닝머신
Do not **tread** on the carpet!
잉딘자를 **밟지** 마라!

2898 ★☆☆

z om

줌 (렌즈)
붕 하고 가다

□□□ [16 수능기출]
zoom [zúːm]
명 줌 (렌즈) 동 붕 하고 가다
The motorbike **zoomed past** us.
오토바이가 **쌩 하고** 우리를 지나갔다.

2899 ★☆☆

□□□ [14 수능기출]

acquaintanceship [əkweɪntənsʃɪp]

명 아는 사이, 아는 사람

His **acquaintanceship** is online based.
그는 온라인상에서 **아는 사이**이다. 14수능

기출 offline 오프라인의 18기출

2900 ★★☆

□□□ 교육부 [07.12 수능기출]

adequate [ǽdikwət]

형 충분한, 적당한

파 adequacy 적절성 adequately 충분히 inadequately 불충분하게 19수능

My salary is **adequate.**
내 월급이 **충분합니다**.

They all had **adequate** travel insurance.
그들은 모두 **적절한** 여행 보험을 들었다. 07수능

2901 ★☆☆

□□□

amid [əmíd]

전 가운데에, ~으로 에워싸인

She stood out **amid** the crowd.
군중 **속에서** 그녀는 두드러져 보였다.

2902 ★★★

□□□ 교육부 [98.06.16 수능기출]

aside [əsáid]

부 한쪽으로, 따로, 외에는

숙 apart from=aside from : ~은 별도로 lay aside=lay up=lay by=put aside=save 저축하다 수능기출

Common sense **aside**, humor is important in business.
일반 상식 **외에도**, 유머는 비즈니스에 중요하다. 98수능

2903 ★★☆

□□□ 교육부 [07.09 수능기출]

awkward [ɔ́:kwərd]

형 어색한, 곤란한

파 awkwardly 어색하게, 서투르게

The atmosphere was **awkward.**
그 분위기가 **어색했다**.

2904 ★★☆

□□□ [08.14 수능기출]

backward [bǽkwərd]

형 후방의, 뒤쪽의, 낙후된

유 backwards 후방에, 뒤쪽으로, 거꾸로 부 afterward 후에, 나중에

팁 toward 쪽으로 forward 앞으로 upward 위로 downward 아래로

Now the reader can easily move **backward** in the text.
이제 독자는 쉽게 텍스트에서 **뒤로** 이동할 수 있다. 08수능

2905 ★★★

bene  **th**

아래쪽에,
바로 밑에

□□□ 교육부 [94.13.17 수능기출]

beneath [biníːθ]

전 아래쪽에, 바로 밑에

㊒ under 아래에

There you are **beneath** me!
내 발 **아래** 네가 있구나!

Beneath the imprint was a notation.
인장 **밑에는** 메모가 있었다. 94수능

2906 ★★★

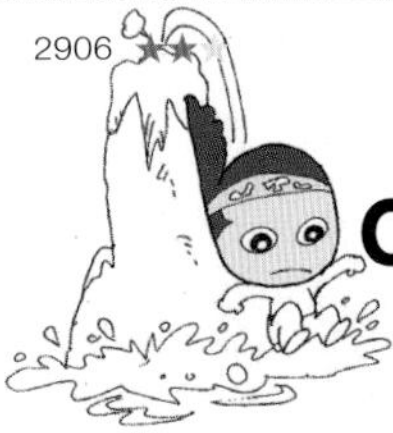 **old**

대담한, 선이 굵은

□□□ 교육부

bold [bóuld]

형 대담한, 선이 굵은

㊖ boldly 대담하게 boldness 대담함, 뱃심

The child is very **bold**.
그 아이는 굉장히 **대담하다**.

2907 ★★★

 **vil**

시민의, 문명의

□□□ 교육부 [07 수능기출]

civil [sívəl]

형 시민의, 문명의

㊖ civilization 문명 citizen 시민 civilian 민간인 civilize 문명화하다

㊒ civic 시민의 civics 기출 civics lesson 국민 윤리 교육 20수능

urban **civil** life
도시 **시민** 생활 07수능

2908 ★★★

 **lumsy**

서투른, 어색한

□□□ [17 수능기출]

clumsy [klʌ́mzi]

형 서투른, 어색한

㊒ awkward 기분이 어색한

She made a **clumsy** attempt to apologize.
그녀가 **서투르게** 사과를 하려는 시도를 했다.

2909 ★★★

olloquial

구어(체)의, 일상적인

□□□

colloquial [kəlóukwiəl]

형 구어(체)의, 일상적인

㊙ literary 문학의

He speaks **colloquial** English.
그는 **구어체** 영어를 말한다.

2910 ★★★

 **omposure**

(마음의) 평정, 침착

□□□

composure [kəmpóuʒər]

명 (마음의) 평정, 침착

Don't lose your **composure**.
여러분은 **평정**을 잃지 마십시오.

1분 안에 넘기기 | 시간 있으면 꼼꼼히 외우기

2911 ★☆☆

confederat 

공범, 공모자
연합한

□□□

confederate [kənfédərət]

명 공범, 공모자 형 연합한

㊮ accomplice 공범 united 연합한

He directed the southern **confederate** army.
그는 남부 **연합**군을 지휘했다.

2912 ★☆☆

c  ntemptuous

경멸하는, 업신여기는

□□□

contemptuous [kəntémptʃuəs]

형 경멸하는, 업신여기는

㊮ contemptible 경멸할 만한

She gave me a **contemptuous** look.
그녀는 나에게 **경멸**의 눈길을 보냈다.

2913 ★★☆

c  rrupt

부정한, 부정부패한
타락시키다

□□□ [14 수능기출]

corrupt [kərʌ́pt]

형 부정한, 부정부패한 동 타락시키다

㊫ corruption 부패

He is a **corrupt** politician.
그 사람은 **부패한** 정치인이다.

2914 ★★★

creatu  e

생명이 있는 존재,
생물, 창조물

□□□ 교육부 [94.99.05.08.10 수능기출]

creature [kríːtʃər]

명 생명이 있는 존재, 생물, 창조물

㊫ create 창조하다, 자아내다

That is a strange **creature**.
저건 이상한 **생물체**야.

The gods changed him into a **creature**.
신은 그를 **인간**으로 바꾸었다. 05수능

2915 ★★☆

 unning

교활한, 약삭빠른

□□□

cunning [kʌ́niŋ]

형 교활한, 약삭빠른

㊏ cunning paper 커닝 페이퍼

He is a **cunning** opponent.
그는 **교활한** 상대이다.

2916 ★★★

del  erate

고의의, 신중한
숙고하다

□□□ 교육부 [10.12.13.14.16 수능기출]

deliberate [dilíbərət]

형 고의의, 신중한 동 숙고하다

㊫ deliberately 일부러, 신중히 14수능 deliberation 숙고

That was a **deliberate** mistake.
그것은 **고의적인** 실수였다.

The boundaries were **deliberately** ambiguous.
그 경계는 **의도적**으로 애매하게 했다. 12수능

2911 컨페더레트 2912 컨템프츄어스 2913 커럽트 2914 크리~쳐 2915 커닝 2916 딜리버레잇

2917 ★☆☆

악마, 귀신

□□□

demon [díːmən]

명 악마, 귀신

A **demon** is inflicting pain on him.

악마가 그에게 고통을 주고 있다.

2918 ★★★

~에도 불구하고

□□□ 교육부 [94.98.99.02.04.07.13.14.17 수능기출]

despite [dispáit]

전 ~에도 불구하고

숙 in spite of=in the face of=despite=for all + 구=with all=after all=notwithstanding though+절=although+절=even if+절=even though+절 : ~에도 불구하고 수능기출

She won **despite** the difficulties.

그녀는 어려움에도 **불구하고** 승리했다.

2919 ★★☆

어둑한, 흐릿한, 어스레한

□□□ [96.02 수능기출]

dim [dím]

형 어둑한, 흐릿한, 어스레한

The road was now **dim** with the shadows of evening.

그 길은 이제 저녁 그림자로 **어두워**졌다. 96수능

2920 ★★★

존재하다, 생존하다

□□□ 교육부 [94.98.99.04.05.06.07.08.09.10.11.12.14.15.16.17 수능기출]

exist [igzíst]

동 존재하다, 생존하다

파 existence 존재, 실재 14수능 coexistence 공존 17수능

We still **exist**.

우리는 아직 **존재하고** 있다.

Paper **exists** to carry information.

종이는 정보를 전달하기 위해서 **존재한다**. 09수능

2921 ★★☆

공식적인, 형식의

□□□ 교육부 [96.08 수능기출]

formal [fɔ́ːrməl]

형 공식적인, 형식의

반 informal 비공식적인 20수능

I think it is the start of **formal** training in schools.

나는 그것이 학교에서의 **공식적인** 훈련의 시작이라고 생각한다. 96수능

2922 ★★☆

꽁꽁 얼게 추운, 영하의

□□□ [98.07.11 수능기출]

freezing [fríːziŋ]

형 꽁꽁 얼게 추운, 영하의

파 freeze 얼다

The **freezing** air makes the hail bigger.

차가운 공기는 우박을 더 크게 만든다. 98수능

2917 디~먼 2918 디스파이트 2919 딤 2920 이그지스트 2921 포얼~믈 2922 프리~징

1분 안에 넘기기 | 시간 있으면 꼼꼼히 외우기

2923 ★☆☆

fruitl  ss

결실 없는,
무의미한, 헛된

□□□

fruitless [frú:tlis]

형 결실 없는, 무의미한, 헛된

유 futile 헛된, 소용없는

Our efforts **were fruitless.**

우리의 노력이 **결실을 보지 못했다**.

2924 ★☆☆

glamor  us

매력적인

□□□ [15 수능기출]

glamorous [glæmərəs]

형 매력적인

Magazines publish **glamorous** representations.

잡지들은 **매력적인** 표현들을 제공한다. 15수능

2925 ★★☆

habit  t

서식지, 주거지

□□□ [02.11 수능기출]

habitat [hǽbitæ̀t]

명 서식지, 주거지

파 habitation 거주 habitant 거주자 inhabit 살다

팁 habit 습관

Each **habitat** is the home of numerous species.

각각의 **서식지**는 수많은 종들의 보금자리이다. 11수능

2926 ★☆☆

heedl  ss

부주의한,
조심성 없는

□□□

heedless [hí:dlis]

형 부주의한, 조심성 없는

유 careless 조심성 없는, 불완전한 기출 casual 그때그때의, 일시적인 19수능

Why are you so **heedless**?

너는 왜 이렇게 **조심성이 없니**?

2927 ★☆☆

ign  ble

비열한,
야비한, 천한

□□□

ignoble [ignóubl]

형 비열한, 야비한, 천한

반 noble 고결한, 고귀한

That was an **ignoble** thought.

그것은 **비열한** 생각이었다.

2928 ★★☆

inf 

rior

열등한

□□□ [13.16 수능기출]

inferior [infíəriər]

형 열등한

반 superior 우월한

숙 be inferior to : ~보다 못하다 수능기출

All other cultures are thus **inferior.**

다른 모든 문화들은 그만큼 **열등하다.** 16수능

2923 프룻~러스 2924 글래머러스 2925 해비텟 2926 히~들러스 2927 이그노우블 2928 인피어리얼

2929 ★☆☆

ins  lent

무례한, 건방진, 오만한

□□□

insolent [ínsələnt]

형 무례한, 건방진, 오만한

Why is he so **insolent**?

왜 그는 그렇게 **건방집니까**?

2930 ★★☆

instin  t

본능

□□□ [96.02.06.08 수능기출]

instinct [ínstiŋkt]

명 본능

㉠ instinctive 본능에 따른, 본능적인

She acts by **instinct.**

그녀는 **본능대로** 행동한다.

Everyone has **instincts.**

누구나 **본능**을 가지고 있다. 02수능

2931 ★★☆

l  neliness

고독, 외로움

□□□ [94.96.98.99.00.02.03.06.07.10.12.14 수능기출]

loneliness [lóunlinis]

명 고독, 외로움

㉠ lonesome 외로운 lonely 쓸쓸한, 외로운

Loneliness surfaces in the evening.

외로움은 밤에 드러난다. 12수능

2932 ★☆☆

mas  uline

남자의, 남자다운, 남자 같은

□□□

masculine [mǽskjulin]

형 남자의, 남자다운, 남자 같은

반 feminine 여성의 팁 muscular 근육질의, 힘이 센

He is very **masculine.**

그는 매우 **남성적이다.**

2933 ★★☆

mis  r

구두쇠, 수전노

□□□ [16 수능기출]

miser [máizər]

명 구두쇠, 수전노

㉠ miserly 구두쇠의

팁 misery 고통 16수능 miserable 비참한

She became a **miser.**

그녀는 **구두쇠**가 되었다.

2934 ★☆☆

na  ve

순진한

□□□ [12 수능기출]

naive [nɑːíːv]

형 순진한

유 innocent 순진한, 때묻지 않은 innocence 결백, 순수 20수능

Do not be so **naive.**

그렇게 **순진하게** 굴지 마.

Most of us are also **naive** realists.

우리의 대부분은 또한 **순진한** 현실주의자들이다. 12수능

2929 인썰런트 2930 인스팅트 2931 로운리니스 2932 매스큘린 2933 마이절 2934 나이~브

1분 안에 넘기기 | 시간 있으면 꼼꼼히 외우기

2935 ★★★

nuisanc

성가심, 골칫거리

□□□ 교육부

nuisance [njúːsns]

명 성가심, 골칫거리

유 trouble 문제, 곤란

That dog is a **nuisance**.

저 개는 **골칫거리**이다.

2936 ★★★

obsol te

폐물
쓸모없게 된,
한물간, 구식의

□□□

obsolete [àbsəlíːt]

명 폐물 형 쓸모없게 된, 한물간, 구식의

This machine is **obsolete**.

이 기계는 **구식**이다.

2937 ★★★

o d

이상한, 특이한, 홀수의

□□□ 교육부 [06.09.10.15 수능기출]

odd [ád]

형 이상한, 특이한, 홀수의

유 strange 이상한 eccentric 별난

반 an even number 짝수 숙 at odds with=on bad terms with : ~와 불화관계인 수능기출

This is an **odd** type of reptile.

이것은 **이상한** 종류의 파충류이다.

2938 ★★★

outd ted

구식인,
시대에 뒤진

□□□ [10 수능기출]

outdated [áutdéitid]

형 구식인, 시대에 뒤진

This style is **outdated**.

이 스타일은 **구식**이에요

Today the concept of war has become **outdated**.

오늘날 전쟁의 개념은 **시대에 뒤떨어진 것**이 되었다. 10수능

2939 ★★★

outl ndish

이상한,
기이한

□□□

outlandish [àutlǽndiʃ]

형 이상한, 기이한

What an **outlandish** thing to say!

이상한 소리 하지 마!

2940 ★★★

p tty

사소한, 하찮은,
옹졸한

□□□

petty [péti]

형 사소한, 하찮은, 옹졸한

유 trivial 사소한 small-minded 속이 좁은

A **petty** mistake can incur great anger.

사소한 실수가 큰 화를 부를 수 있다.

2941 ★★★

primitiv

원시의, 초기의, 태고의

□□□ [96.05.06.08.11.14.19 수능기출]

primitive [prímətiv]

형 원시의, 초기의, 태고의

㉫ primitiveness 원시성, 옛날 대로임

Primitive man had a different worldview from us today.

원시인들은 오늘날 우리와 다른 세계관을 가지고 있었다. 11수능

2942 ★★★

que r

기묘한, 괴상한

□□□

queer [kwíər]

형 기묘한, 괴상한

㉷ strange 이상한 odd 이상한

There is something **queer** about this picture.

이 그림은 뭔가 **이상한** 점이 있다.

2943 ★★★

re kless

무모한, 신중하지 못한

□□□

reckless [réklis]

형 무모한, 신중하지 못한

㉯ cautious 신중한

Driving after drinking is **reckless**.

음주 운전은 **무모한** 짓이다.

2944 ★★★

remot

먼, 외딴, 희박한

□□□ [10.17 수능기출]

remote [rimóut]

형 먼, 외딴, 희박한

㉫ remotely 약간, 먼 17수능

We did live by the side of the road but in a **remote** place.

우리는 도로변에 살았었지만 **외진** 곳이었다. 10수능

2945 ★★★

rigi

완고한, 단단한

□□□ 교육부 [15 수능기출]

rigid [rídʒid]

형 완고한, 단단한

㉷ strict 엄격한 20수능 inflexible 융통성 없는

The curriculum was too **rigid**.

그 교육 과정은 너무 **경직되어** 있었다.

2946 ★★★

rip

익은, 여문

□□□ 교육부 [03.06 수능기출]

ripe [ráip]

형 익은, 여문

㉫ ripen 익다, 숙성하다 ㉷ mellow 익은 mature 숙성한

When will the fruit be **ripe**?

언제 그 과일은 **익게** 될 것인가?

I could see crops **ripening** in the fields.

나는 들판에서 곡식이 **익어가는 것을** 볼 수 있다. 03수능

2947 ★☆☆

ruthl  ss

무자비한, 냉정한

□□□

ruthless [rúːθlis]

형 무자비한, 냉정한

유 merciless 인정사정없는 harsh 가혹한 cruel 잔혹한 brutal 잔인한

He is a **ruthless** pirate.

그는 **무자비한** 해적이다.

2948 ★★★

s  emingly

표면적으로, 외관상

□□□ [13.15.16.17 수능기출]

seemingly [síːmiŋli]

부 표면적으로, 외관상

He **seemingly** doesn't have any problems.

보아하니 그는 전혀 문제가 없는 것 같다.

2949 ★☆☆

sha  by

누추한,
초라한

□□□

shabby [ʃǽbi]

형 누추한, 초라한

유 ragged 남루한 tatty 닳아 해진

The clothes she wears are **shabby**.

그녀가 입은 옷은 **초라하다**.

2950 ★☆☆

silhouett 

검은 윤곽, 실루엣

□□□ [16 수능기출]

silhouette [sìluét]

명 검은 윤곽, 실루엣

He saw the unfamiliar **silhouette**.

그는 낯선 **검은 윤곽**을 보았다.

2951 ★★★

stri  t

엄격한,
엄밀한

□□□ 교육부 [00.15.16.20 수능기출]

strict [stríkt]

형 엄격한, 엄밀한

파 stricter 더 엄격한 15수능

The teacher is **strict** about rules.

그 선생님은 규칙에 **엄격하시다**.

But it exists within **strict** limits.

그러나 그것은 **엄격한** 제한 안에 존재한다. 00수능

2952 ★☆☆

vulnerabl 

취약한, 연약한,
공격받기 쉬운

□□□ [13.19 수능기출]

vulnerable [vʌlnərəbl]

형 취약한, 연약한, 공격받기 쉬운

They are the most **vulnerable**.

그들은 가장 **취약하다**. 13수능

2947 루~뜰러스 2948 씨~밍리 2949 쉐비 2950 실루엣 2951 스트릭트 2952 벌너러블

2953 ★★★

allote

할당하다, 배분하다

□□□ [12 수능기출]

allocate [ǽləkèit]

동 할당하다, 배분하다

Please **allocate** more materials.
재료를 더 **할당해** 주세요.

Each country must **allocate** emissions cuts.
각 나라가 배기가스 감축을 **할당해야** 한다. 12수능

2954 ★★★

billin

10억

□□□ 교육부 [06.09.16 수능기출]

billion [bíljən]

명 10억

팁 million 100만

He owns more than a **billion** dollars.
그는 **10억** 달러 이상을 소유하고 있다.

500 billion kilowatt-hours
5천억 킬로와트시 06수능

2955 ★★★

rought

가져왔다, 모았다

□□□ [03.04.05.08.10.13.15 수능기출]

brought [brɔ́ːt]

동 가져왔다, 모았다

숙 bring on : ~을 야기하다, ~을 초래하다 수능기출

I **brought** my horse.
나는 말을 **데려갔다.** 04수능

2956 ★★★

burglry

주거 침입, 강도질

□□□

burglary [bə́ːrgləri]

명 주거 침입, 강도질

팁 burglar 강도, 도둑

I saw a **burglary** take place.
나는 **도난 사고**가 일어나는 것을 보았다.

2957 ★★★

hivalry

기사도

□□□

chivalry [ʃívəlri]

명 기사도

숙 the age of chivalry 기사도 시대

There is no **chivalry** left.
기사도 제도는 남아 있지 않다.

2958 ★★★

Confuian

공자의, 유교의

□□□

Confucian [kənfjúːʃən]

형 공자의, 유교의

유 Confucianism 유교 팁 confusion 혼란

What is at the heart of **Confucian** thought?
유교 사상의 핵심은 무엇인가?

1분 안에 넘기기

시간 있으면 꼼꼼히 외우기

2959 ★☆☆

□□□

deflect [diflékt]

동 방향을 바꾸다, 모면하다, 빗나가다

파 deflection 굴절

He tried to **deflect** criticism by blaming others.

그는 남을 탓함으로써 비난을 **모면해** 보려고 했다.

2960 ★★☆

□□□ [10 수능기출]

dew [djúː]

명 이슬, 방울

팁 dew point 이슬점 mountain dew 청량음료

The transmitted light hits the **dew** drops.

투과되는 빛이 그 **이슬** 방울들과 부딪힌다. 10수능

2961 ★★★

□□□ 교육부 [98.04.10.12 수능기출]

dust [dʌ́st]

명 (흙)먼지, 티끌

Please remove the **dust**.

먼지를 제거해 주세요.

the **dust** rag bin

먼지덩이 넝마상자 12수능

2962 ★★☆

□□□ 교육부 [96.98.10.12 수능기출]

facility [fəsíləti]

명 시설, 용이함, 솜씨

파 facilitate 가능하게 하다 18수능 facilitator 촉진자 20수능

The building has a recreational **facility**.

그 건물에는 레크리에이션 **시설**이 있다.

recreational **facilities**

휴양 **시설** 98수능

2963 ★★★

□□□ 교육부 [96.98.03.05.06.08.13.14.16 수능기출]

feature [fíːtʃər]

명 특색, 특징, 용모

A **feature** of the picture is the colors.

사진의 **특징**은 색상들이다.

The right to art is an essential **feature** of a free nation.

예술에 대한 권리는 자유 국가의 필수적인 **특징**입니다. 03수능

2964 ★★☆

□□□ [97.05 수능기출]

fiction [fíkʃən]

명 허구, 소설

팁 nonfiction 실화

fiction-writer

소설가 97수능

literary **fiction**

문예 **소설** 05수능

2959 디플렉트 2960 듀~ 2961 더스트 2962 퍼씰러디 2963 퓌~쳐 2964 픽션

2965 ★★★

적, 원수

□□□ [14 수능기출]

foe [fóu]

명 적, 원수

유 enemy 적, rival 적수 unrivaled 경쟁자가 없는, 무적의 18수능

She had many friends but also many **foes**.
그녀는 친구들이 많았지만 **적들** 또한 많았다.

2966 ★★★

장비, 기어
맞게 하다, 조정하다

□□□ [94.96.13.14 수능기출]

gear [gíər]

명 장비, 기어 동 맞게 하다, 조정하다

He put the car in **gear**.
그는 차에 **기어**를 넣었다.

The shutter is **geared** to take only one shot per second.
초당 한 번만 찍도록 셔터가 **장치되어 있다.** 94수능

2967 ★★★

성, 성별

□□□ 교육부 [08.09.10.11 수능기출]

gender [dʒéndər]

명 성, 성별

It is a question of **gender**.
그것은 **성별**의 문제이다.

gender equality
성 평등 09수능

2968 ★★★

일반화하다, 보편화하다

□□□

generalize [dʒénərəlàiz]

동 일반화하다, 보편화하다

파 general 일반적인 generalist 전문가 06수능

We are quick to **generalize** these theories.
우리가 이 이론들을 **일반화하기**에는 이릅니다.

2969 ★★★

어려움,
곤란, 역경

□□□ [99.04.07.17 수능기출]

hardship [hɑ́:rdʃip]

명 어려움, 곤란, 역경

They suffered much **hardship**.
그들은 많은 **고난**을 겪었다.

We learn by overcoming **hardships**.
우리는 **역경**들을 이겨 내면서 배운다. 04수능

2970 ★★★

이런 이유로

□□□ 교육부 [06.11 수능기출]

hence [héns]

부 이런 이유로

유 therefore 그 결과 thus 이렇게, 그러므로

Hence he is afraid of me.
이런 이유로 그는 나를 무서워한다.

2965 **포**우 2966 **기**어 2967 **젠**더 2968 **줴**너럴라이즈 2969 **할**~쉽 2970 **헨**스

1분 안에 넘기기 | 시간 있으면 꼼꼼히 외우기

2971 ★★★

h op

테, 쇠테, 링, 굴렁쇠

□□□ [95 수능기출]

hoop [húːp]

명 테, 쇠테, 링, 굴렁쇠

He exercises with a **hoop**.
그는 **훌라후프** 연습을 한다.

He fastened a basketball **hoop** over the wastebasket.
그는 휴지통 위에다 농구 **링**을 설치했다. 95수능

2972 ★★★

ignor

무시하다

□□□ 교육부 [96.97.98.99.00.02.03.05.06.10.12.14.16 수능기출]

ignore [ignɔ́ːr]

동 무시하다

파 ignorance 무지 ignorant 무식한 neglect 등한시하다

You'd better just **ignore** what he says.
그가 말하는 건 그냥 **무시하세요**.

2973 ★★★

감명 받았어요

mpress

깊은 인상을 주다, 감명을 주다

□□□ 교육부 [94.97.98.99.05.07.12.13.14.17 수능기출]

impress [imprés]

동 깊은 인상을 주다, 감명을 주다

파 impression 인상, 감명 13수능 impressive 인상[감명] 깊은 17수능 impressively 인상 깊게

People tend to stick to their first **impressions**.
사람들은 **첫인상**에 집착하는 경향이 있다. 07수능

2974 ★★★

infinit

무한한, 무수한

□□□ [97.11.13.16 수능기출]

infinite [ínfənət]

형 무한한, 무수한

파 infinity 무한성, 무한대 19수능 반 finite 한정된

The value of love is **infinite**.
사랑의 가치는 **무한하다**.

Computers have an **infinite** patience and obedience.
컴퓨터들은 **무한한** 인내력과 복종을 지니고 있다. 97수능

2975 ★★★

involv

포함하다, 수반하다, 관련시키다

□□□ 교육부 [94.95.96.97.01.04.05.06.07.08.09.10.11.12.16.17.19 수능기출]

involve [inválv]

동 포함하다, 수반하다, 관련시키다

파 involvement 관여, 참여 16수능

Our brains **involve** a much more complicated system.
우리의 뇌는 훨씬 더 복잡한 시스템을 **포함하고 있습니다**. 09수능

2976 ★★★

l re

구전 지식, 설화, 전설

□□□ [97 수능기출]

lore [lɔ́ːr]

명 구전 지식, 설화, 전설

According to ancient **lore**, every man has a burden in life.
옛날 **전설**에 의하면, 모든 인간은 삶 속에서 짐을 가지고 있다 한다. 97수능

2977 ★☆☆

lur 

꾀다, 유혹하다

□□□

lure [lúər]

동 꾀다, 유혹하다

유 tempt 유혹하다 allure 꾀다 attract 유인하다

She **lured** him with a bone

그녀는 뼈다귀로 그를 **꾀어냈다**.

2978 ★☆☆

magnitud 

큰 규모, 크기, 양

□□□ [09 수능기출]

magnitude [mǽgnətjùːd]

명 큰 규모, 크기, 양

It is a problem of great **magnitudes**.

엄청난 **규모**의 문제이다.

They have equal **magnitude**.

그들은 동등한 **규모**를 가지고 있다. 09수능

2979 ★☆☆

m  nastery

(남자) 수도원

□□□

monastery [mάnəstèri]

명 (남자) 수도원

팁 abbey 대수도원 convent 수녀원 monk 수도승

The **monastery** is a quiet place.

수도원은 조용한 곳이다.

2980 ★★☆

originat 

비롯되다, 유래하다, 시작되다

□□□ [11 수능기출]

originate [ərídʒənèit]

동 비롯되다, 유래하다, 시작되다

파 origin 기원 original 원래의 originality 독창성

Their ideas often **originate** in a discussion.

그들의 생각은 종종 토론에서 **시작되었다**. 11수능

2981 ★★☆

 utput

생산, 출력

□□□ 교육부 [09.10 수능기출]

output [áutpùt]

명 생산, 출력

반 input 투입, 입력

program **output**

프로그램 **산물** 09수능

the growth rate of total **output**

총 **생산**의 증가율 10수능

2982 ★★☆

overwh  m

압도하다, 당황하게 하다

□□□ [95.10 수능기출]

overwhelm [òuvərhwélm]

동 압도하다, 당황하게 하다

The applause **overwhelmed** him.

박수가 그를 **압도했다**.

People feel an **overwhelming** need to fill it.

사람들은 그것을 채워야 한다는 **압도적인** 필요를 느낀다. 10수능

1분 안에 넘기기 | 시간 있으면 꼼꼼히 외우기

2983 ★

pl a

애원, 간청, 답변

□□□

plea [plíː]

명 애원, 간청, 답변

파 plead 변호하다, 간청하다 please 부디, 제발

He made a **plea** for help.

그는 도와달라고 **애원했다**.

2984 ★★★

pr ise

칭찬, 찬사, 칭찬하다

□□□ 교육부 [97.98.01.12.13.15 수능기출]

praise [préiz]

명 칭찬, 찬사 동 칭찬하다

팁 appraise 평가하다

She **praised** my class participation.

그녀는 나의 수업 참여를 **칭찬했다**. 97수능

2985 ★★★

pursu

추구하다, 쫓다

□□□ 교육부 [07.08.11.14 수능기출]

pursue [pərsúː]

동 추구하다, 쫓다

파 pursuit 추구

Hunting demands the swift **pursuit** of the victim.

사냥은 먹이를 재빨리 **뒤쫓는 것이** 요구된다. 07수능

2986 ★

rainfore t

(열대) 우림

□□□ [16 수능기출]

rainforest [reɪnfɔːrɪst]

명 (열대) 우림

Some animals can only live in a **rainforest**.

일부 동물들은 **열대 우림**에서만 살 수 있다.

기출 deforestation 삼림 벌채 19수능

2987 ★★

resp tive

각자의, 각각의

□□□

respective [rispéktiv]

형 각자의, 각각의

파 respectively 각각, 저마다 13수능

팁 respect 존중 22수능 respectable 존경할 만한 19수능

The students returned to their **respective** classrooms.

학생들은 **각자의** 교실로 돌아왔다.

2988 ★★

s ent

냄새, 향기

□□□ 교육부 [98.12 수능기출]

scent [sént]

명 냄새, 향기

The dog caught a **scent**.

그 개는 **냄새**를 맡았다.

the faint **scent** of a pine tree

희미한 소나무 **향기** 98수능

2989 ★★★

□□□ 교육부 [00.07.09.12 수능기출]

shelf [ʃélf]

명 선반, 책꽂이

He put the clock on a **shelf**.
그는 시계를 **선반** 위에 놓았다.

From my sick bed I noticed it on a nearby **shelf**.
내 병상에서 가까운 **선반**에 놓여 있는 그것을 발견했다. 12수능

2990 ★★

□□□ [06 수능기출]

shorthand [ʃɔ́:rthæ̀nd]

명 속기, 약칭 동 속기하다

The secretary took the minutes in **shorthand**.
비서는 **속기**로 회의록을 작성했다.

Cuneiform is a telegraphic **shorthand**.
설형 문자는 전보를 보내기 위한 **속기**이다. 06수능

2991 ★

□□□

spur [spə́:r]

명 박차, 자극 동 원동력이 되다

유 incitement 선동 stimulus 자극제, 자극

The encouragement of the crowd **spurred** them on.
군중들의 응원이 그들에게 **원동력이 되었다**.

2992 ★★

□□□ [12.19 수능기출]

statement [stéitmənt]

명 진술, 성명서

A politician may indicate his **statement** was at variance with the truth.
정치가가 자신의 **말**이 진실과 모순 관계에 있었다고 내비칠 수 있다. 12수능

2993 ★★

□□□ [15 수능기출]

thoroughly [θə́:rouli]

부 완전히, 철저하게

We have to prepare **thoroughly** in advance.
우리는 사전 대비를 **철저히** 해야 한다.

2994 ★★★

□□□ 교육부 [94.96.05.07.08.10.11.15 수능기출]

vary [vέəri]

동 바뀌다, 변화를 주다, 다양하게 하다

파 various 다양한 00.06.10수능 variety 각양각색 11. 12수능 variation 변형, 변화 11수능

팁 time-varying 시간에 따라 달라지는 20수능

The seasons **vary** from year to year. 계절은 해마다 **변한다**.

It **varies** with the nature of his education.
그것은 그의 교육의 성격에 따라 **변한다**. 11수능

Chapter 10

Review Test

A. 수능에 출제되는 단어 또는 단어의 뜻을 쓰시오.

01. 낙관적인 ________
02. 간과하다, 눈감아주다 ________
03. 현실적인, 사실적인 ________
04. 자발적인, 자연스러운 ________
05. 공존하다 ________
06. 동작이 날렵한 ________
07. 아래쪽에, 바로 밑에 ________
08. 서두른, 어색한 ________
09. 부정한, 부정부패한 ________
10. 열대 우림 ________
11. meaningful ________
12. significant ________
13. instantaneously ________
14. interface ________
15. retrospect ________
16. deliberate ________
17. inferior ________
18. seemingly ________
19. hardship ________
20. thoroughly ________

B. 수능에 출제되는 문장의 문맥에 맞는 단어를 고르시오.

01. Figure A ________ how dew point is measured.
02. He was just an ________, not an experiencer.
03. Nature does not reward those who do not ________ efforts.

ⓐ exert ⓑ demonstrate ⓒ subdue ⓓ lore ⓔ observer

04. We imagine that our ancestors ________ an innocent world.
05. ________ man had a different worldview from us today.
06. Our brains ________ a much more complicated system.

ⓐ Primitive ⓑ brought ⓒ impress ⓓ inhabited ⓔ involve

정답 01.ⓑ 02.ⓔ 03.ⓐ 04.ⓓ 05.ⓐ 06.ⓔ

01. 그림 A는 이슬점이 어떻게 측정되는지를 (보여 준다). 10수능
02. 그는 체험자가 아니라 그저 (관찰자)였다. 11수능
03. 자연은 노력을 (기울이지) 않는 사람을 보상하지 않는다. 11수능
04. 우리는 조상들이 단순한 세상에 (살았다고) 상상한다. 05수능
05. (원시)인들은 오늘날 우리와 다른 세계관을 가졌다. 11수능
06. 우리의 뇌는 훨씬 더 복잡한 시스템을 (포함하고 있습니다). 09수능

영포자 1등급 만들기 해결사 혼동어휘

□	specific : 구체적인, 명확한 special : 특별한, 전문의	stair : 계단 stare : 빤히 쳐다보다, 응시
□	stake : 말뚝, 내기 돈, 이해관계 steak : 스테이크, 불고기	stationary : 움직이지 않는, 정지된 stationery : 문방구
□	statue : 상 stature : 키 statute : 법령	steal : 훔치다 steel : 철강
□	straight : 곧은, 수직의, 정직한 strait : 해협, 곤궁	successful : 성공적인 successive : 잇따른, 연속적인
□	suit : 적절하다 suite : 수행원	suffice : 충분(하게)하다, 만족시키다 surface : 표면, 외부
□	sweat : 땀 sweet : 달콤한	technique : 기법, 기교, 기술 technology : 과학 기술, 공학
□	terrible : 끔찍한(=awful), 무서운 terrific : 훌륭한, 멋진	thorough : 철저한 through : ~을 통해
□	toe : 발가락 tow : 끌다, 견인하다	try ~ing : 시험 삼아 ~해보다 try to do : ~하기 위해 애쓰다
□	vacation : 휴가 vocation : 직업	variable : 변덕스런 various : 다양한
□	vain : 실속 없는, 허영심이 강한 vein : 정맥, 경향, 광맥	waist : 허리 waste : 낭비, 낭비하다
□	wait : 기다리다 weight : 무게, 부담, 중요성	wander : 방황하다, 방랑하다 wonder : 불가사이, 경이, 놀라다
□	warm : 따뜻한 worm : 벌레	warship : 전함 worship : 예배
□	yarn : 실 yearn : 그리워하다	persist : 고집하다, 지속하다 resist : 저항하다
□	beast : 짐승 breast : 가슴	bleed : 피를 흘리다
□	blend : 섞다 brand : 상표를 붙이다	blow : (바람이)불다, 가격하다
□	blush : 얼굴을 붉히다	brush : 솔질하다
□	bow : 절하다, 절, 인사, 활	vow : 맹세하다
□	bribery : 뇌물수수	robbery : 강도질
□	campus : 교정, 구내	canvas : 캔버스, 유화
□	cannon : 대포	canon : 표준, 규범, 정전

현명한 사람은 학문을 통한
지혜를 삶에 적용한다.

수능

영포자 1등급 만들기 1

Index / 단어 쉽게 찾기

기억나지 않는
단어에 √ 표시하고
복습해 보세요.

A

기억나지 않는 단어에 √ 표시하고 복습해 보세요.

기억나지 않는 단어에 √ 표시하고 복습해 보세요.

D

E

기억나지 않는 단어에 √ 표시하고 복습해 보세요.

F

G

H

I

J

K

L

기억나지 않는 단어에 √ 표시하고 복습해 보세요.

M

N

O

P

Q

R

S

T

U

Y

Z

수능

영포자 1등급 만들기

1

최규리 지음
Hugo MacMahon 감수

기림출판사